D0185431

INTERNET
Le guide de l'internaute 1998

DANNY J. SOHIER

INTERNET
Le guide de l'internaute 1998

Les Éditions
LOGIQUES

LOGIQUES est une maison d'édition reconnue par les organismes d'État responsables de la culture et des communications.

Nous remercions le Conseil des Arts du Canada, le ministère du Patrimoine canadien et la Société de développement des entreprises culturelles pour leur appui à notre programme de publication.

Révision linguistique: Claire Morasse, Nathalie Prince, Corinne de Vailly, Jacques Saint-Amant
Mise en pages: Luc Sauvé
Maquette de la collection: Luc Sauvé
Couverture: Christian Campana
Photo de l'auteur: Christian Hébert

Distribution au Canada:
Logidisque inc., 1225, rue de Condé, Montréal (Québec) H3K 2E4
Téléphone: (514) 933-2225 • Télécopieur: (514) 933-2182

Distribution en France:
Librairie du Québec, 30, rue Gay-Lussac, 75005 Paris
Téléphone: (33) 1 43 54 49 02 • Télécopieur: (33) 1 43 54 39 15

Distribution en Belgique:
Diffusion Vander, avenue des Volontaires, 321, B-1150 Bruxelles
Téléphone: (32-2) 762-9804 • Télécopieur: (32-2) 762-0062

Distribution en Suisse:
Diffusion Transat s.a., route des Jeunes, 4 ter., C.P. 1210, 1211 Genève 26
Téléphone: (022) 342-7740 • Télécopieur: (022) 343-4646

Les Éditions LOGIQUES
1247, rue de Condé, Montréal (Québec) H3K 2E4
Téléphone: (514) 933-2225 • Télécopieur: (514) 933-3949
Site Web: http://www.logique.com

Reproduction interdite sans l'autorisation de l'éditeur. Toute représentation ou reproduction intégrale ou partielle, faite sans le consentement de l'éditeur, est illicite. Cette représentation ou reproduction illicite, par quelque procédé que ce soit, constituerait une contrefaçon sanctionnée par la Loi sur les droits d'auteur.

Les marques et noms de produits mentionnés sont des marques déposées de leurs détenteurs respectifs.

Internet – Le guide de l'internaute 1998

© Les Éditions LOGIQUES inc., 1997
Dépôt légal: Quatrième trimestre 1997
Bibliothèque nationale du Québec
Bibliothèque nationale du Canada

ISBN: 2-89381-515-4
LX-625

Sommaire

Légende 11

Chapitre 1
Bienvenue dans Internet

1.1 Historique d'Internet 18

1.2 Quelques chiffres à propos d'Internet 26

1.3 Les implications sociales et légales 30

1.4 La gestion d'Internet 41

1.5 D'importantes notions de base d'Internet 47

1.6 Le branchement à Internet 54

1.7 Conclusion 61

Chapitre 2
Les secrets du courrier électronique

2.1 Les avantages et désavantages du courrier électronique 65

2.2 La nétiquette du courrier électronique 66

2.3 L'adresse et la signature électronique 69

2.4 Le fonctionnement du courrier électronique 72

2.5 Les caractéristiques d'un courrier électronique 73

2.6 Les fonctions principales du logiciel Eudora Pro 77

2.7 Les fichiers joints et l'encodage 85

2.8 Comment trouver une adresse de courrier électronique 87

2.9 Horreur! votre message ne s'est pas rendu : (. 92

2.10 Les listes de distribution et les carnets d'adresses 94

2.11 Télécopie par courrier électronique 101

Chapitre 3
Le magnifique Web
3.1 Historique 107
3.2 Rouages internes du Web 115
3.3 Le Navigateur de Netscape version 3.0, un excellent compagnon . . . 126
3.4 Le Communicateur version 4.0, le futur de Netscape 158
3.5 L'Explorer version 4.0 de Microsoft 196
3.6 Les plugiciels Web (plug-ins) 221
3.7 Oui! on peut s'y retrouver sur le Web 234
3.8 Pas de client? Utilisez Telnet... 243
3.9 L'avenir du Web 244

Chapitre 4
Le transfert de fichiers Internet
4.1 Les rouages internes de FTP 248
4.2 La session FTP 249
4.3 Les commandes FTP en mode terminal 253
4.4 Les types de transferts 254
4.5 FTP anonyme 255
4.6 Le transfert de fichiers FTP par le Web 262
4.7 Les fichiers compressés 264
4.8 Le mot de la fin sur FTP 266

Chapitre 5
Les groupes de discussion Usenet
5.1 Introduction à Usenet 267
5.2 Les groupes de nouvelles 273
5.3 Nétiquette d'Usenet 280
5.4 Lecture, écriture et gestion de messages Usenet 286
5.5 La recherche dans les groupes Usenet 298

Chapitre 6
Au terminal avec Telnet
6.1 Qu'est-ce que Telnet? 303
6.2 Session Telnet 304
6.3 Ports IP différents 306
6.4 Émulations de terminaux 308
6.5 TN3270 309
6.6 Votre navigateur Web et Telnet 309
6.7 Hytelnet 311

Chapitre 7

Sessions de bavardage IRC – (Chat)

7.1 Logiciels et paramètres IRC 316

7.2 La session IRC 317

7.3 La jungle IRC 330

7.4 Commandes IRC 337

7.5 IRC sur le Web 339

7.6 Informations IRC dans Internet 340

7.7 Conclusion 341

Chapitre 8

Téléphonie et vidéoconférence Internet

8.1 Encodage et compression 345

8.2 Frais d'appels interurbains 347

8.3 Internet Phone de VocalTec 347

8.4 Autres systèmes de téléphonie Internet dignes de mention 357

Chapitre 9

Radio et télévision Internet

9.1 RealPlayer 362

9.2 VDOLive 375

9.3 Liquid Audio 380

9.4 Multicast Backbone 383

9.5 Autres systèmes de radiodiffusion et de télédiffusion 385

Chapitre 10

Les mondes virtuels

10.1 The Palace 388

10.2 Active Worlds 395

Chapitre 11

Le fourre-tout Internet

11.1 Réseau PointCast 401

11.2 Logiciels de contrôle pour les enfants 405

11.3 Gopher, l'ancêtre du Web 410

11.4 Assistants de recherche Internet 413

11.5 Utilisations inusitées du Web 414

11.6 Jeux 416

Chapitre 12
Conclusion.net 421

Annexe A
Liste de fournisseurs d'accès Internet 423

Annexe B
La liste de l'internaute 437

Annexe C
Glossaire 459

Annexe D
Lexique et liste de binettes :) 471

Annexe E
Index 475

Légende

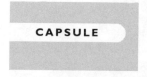

CAPSULE

Encadré qui offre des informations supplémentaires sur un sujet et surtout, des adresses Internet. Celles-ci constituent d'excellents points de départ pour «surfer» sur le Web. Vous y ferez des découvertes enrichissantes. (ATTENTION! Les parenthèses ne font pas partie de l'adresse!)

Vous remarquerez que certains boutons sont mis en évidence dans la marge. Il vous sera ainsi plus facile de les repérer.

L'utilisation des binettes (smileys) :)

Tout au long de votre lecture, vous rencontrerez de petits personnages. Ils sont parfois souriants :) , parfois moins : (. Ce sont des binettes; elles font partie du langage internaute et servent à exprimer les états d'âme. Pour une liste des binettes, consultez l'annexe D.

Les mots <u>soulignés:</u>

Dans le texte, les mots soulignés représentent un site Internet. Ils vous renvoient en bas de page, où vous pouvez y lire son adresse. (Ne tapez pas les parenthèses!)

<u>CERN (Conseil européen de recherche nucléaire)</u> (*http://www.cern.ch*)

Bienvenue dans Internet

«Il ne s'agit ni d'une révolution de l'informatique
ni d'une révolution technologique;
Internet est une révolution des communications mondiales...»

Une autre révolution se déclare sur la planète à la veille du deuxième millénaire. Quoique certaines personnes osent l'espérer, le qualificatif «éphémère» ne peut être utilisé pour décrire cette nouvelle vague. C'est la révolution des communications mondiales, où chaque être humain possède maintenant la capacité d'être lu, vu et entendu. Jamais, depuis le temps où l'homme a commencé à s'établir sur tous les continents, perdant graduellement le contact direct avec ses semblables, sommes-nous redevenus un village global. En effet, un nouveau lien dynamique se propage à travers la planète sous une multitude de formes et de façons. Les cultures et les habitants sont maintenant en communion grâce à Internet. De nouveaux termes ont commencé à envahir notre quotidien: «surfer» sur le Web, intranet, extranet, Netscape, réalité virtuelle, java, cybercafés, InfoBahn, etc.

On adopte de nouveaux comportements dans les rencontres d'affaires et dans les grands cafés, alors que l'on échange mutuellement des adresses de courrier électronique et des adresses de sites Web en toute accoutumance et simplicité. Pourtant, ces habitudes étaient parfaitement inconnues au début de la décennie. L'art de courtiser dans une pièce virtuelle devient une pratique recherchée par de nombreux célibataires, alors que les couples et les familles planifient leur prochain voyage en visitant préalablement une chambre d'hôtel sur leur petit écran. Les jeux vidéo ne sont plus les mêmes, car l'adversaire n'est plus le cerveau de l'ordinateur mais celui d'autres humains reliés à ce nouveau réseau planétaire.

Historiquement, les premiers concernés par le réseau Internet ont été les chercheurs, les professeurs et les spécialistes de l'informatique qui travaillaient dans les universités ou dans les grands centres de recherche. Toutefois, le «mal» s'est répandu aussi rapidement qu'une rumeur. Ces premiers privilégiés ne sont plus les seuls à avoir accès à ce gigantesque réseau. À vrai dire, les pionniers Internet représentent désormais une minorité de la population branchée. Les décideurs, les écoliers, les retraités, les travailleurs autonomes: bref, des gens provenant de toutes les sphères de la société participent maintenant à son évolution et à son développement perpétuel.

Internet est de loin le plus grand réseau informatique du monde. Le dernier recensement effectué indique qu'il traverse les frontières de plus de 239 pays et territoires, sur tous les continents, y compris l'Antarctique, plus précisément par le biais de la base américaine McMurdo, depuis 1993. On y compte plus de 1,5 million de domaines (organisations) regroupant approximativement plus de 25 millions d'ordinateurs. Le réseau s'est multiplié par sept au cours des trois dernières années!

Network Wizards et l'**Internet Society**, organismes responsables de la promotion et des statistiques concernant Internet, estiment que, grâce à ce dernier, il sera possible de joindre plus de 95 millions de personnes à l'échelle du globe en 1998. À ce train d'enfer, on aura atteint le cap des 100 millions d'ordinateurs branchés à Internet, rejoignant plus de 250 millions de personnes d'ici l'an 2000.

Les États généraux sur l'éducation au Québec reconnaissent l'importance du réseau Internet et proposent que des efforts importants soient consacrés afin de le rendre accessible aux écoliers. Le président des États-Unis, Bill Clinton, a mentionné dans sa remarque initiale lors du premier débat présidentiel, en octobre 1996, que tous les écoliers de 12 ans devront être capables de naviguer dans Internet. On entend le même son de cloche en Europe.

Mais il reste quelques points à démystifier avant de convaincre les gens que ce réseau n'est pas une invention diabolique… Les inquiets croient qu'une réalité semblable à celle relatée par George Orwell dans son roman, *1984*, est bel et bien à nos portes, et que Big Brother se cache derrière l'écran. Certains pensent que des pirates informatiques sanguinaires traînent dans tous les recoins du réseau à la suite de piratages sensationnels comme ceux des sites Web de

Network Wizards (*http://www.nw.com*) • Internet Society (*http://www.isoc.org*)
Les États généraux sur l'éducation au Québec (*http://www.uquebec.ca/menu*)

l'agence de renseignements américaine <u>CIA</u>, en septembre 1996, et du site Web du film «<u>Parc jurassique: Le monde perdu</u>», au printemps 1997. D'autres pensent qu'Internet n'est pas fait pour eux, car on ne peut y traiter que des notions très avancées, ou encore que ce type de réseau ne les atteindra pas dans leur demeure, alors, à quoi bon? Enfin, plusieurs y sont intéressés mais ne savent pas comment s'y relier ou comment utiliser les ressources qui s'y trouvent. Autant d'éléments qui nécessitent des explications et des réponses précises.

Ce guide de l'internaute vise à vous rassurer devant ces images troublantes et à vous guider vers des cieux beaucoup plus cléments où vous vous sentirez en toute sécurité. Vous y découvrirez l'origine du réseau Internet et la description des nombreuses ressources auxquelles il nous permet d'accéder. Ce livre s'adresse aux débutants et aux initiés qui désirent en connaître plus. Il peut également intéresser les administrateurs de réseau ou de site, souvent confrontés aux questions de leurs clients utilisateurs. Un ouvrage de référence comme celui-ci n'est pas conçu pour être lu d'une couverture à l'autre. Toutefois, je vous invite à bien lire les trois premiers chapitres, car vous y trouverez des explications sur le jargon de base utilisé dans le monde Internet, des façons de maîtriser le courrier électronique et, finalement, des conseils essentiels pour vous retrouver sur le Web. Ce contenu représente la théorie nécessaire au nouvel internaute. Dans les chapitres subséquents, vous découvrirez la façon d'utiliser les autres outils du réseau, qui vous permettront d'apprécier encore plus votre aventure Internet.

Figure 1.1
Sites piratés de la CIA
et du film *Parc jurassique: Le monde perdu*

<u>CIA</u> (*CIA - http://www.odci.gov/cia/*)
«<u>Parc jurassique: Le monde perdu</u>» (*http://www.lost-world.com*)

Il existe effectivement autre chose que le Web dans Internet. L'année 1997 a vu apparaître de nombreuses ressources multimédias grâce, d'une part, à la baisse généralisée du prix des ordinateurs de ce type et, d'autre part, à une croissance de la vitesse des connexions Internet. Il est maintenant possible d'écouter des concerts ou de regarder une émission de télévision à partir de son ordinateur. La téléphonie Internet est une autre possibilité intéressante, car vous pouvez discuter avec un homologue de n'importe où dans le monde sans avoir à débourser de frais d'interurbain. Finalement, des mondes virtuels créés dans le seul but d'explorer et de vous amuser se trouvent à l'autre bout de votre connexion Internet et n'attendent que votre participation. Vous trouverez des explications sur ces ressources dans ce livre.

L'année 1998 nous fera découvrir la technologie «Push», avec laquelle il sera possible de recevoir de façon continue des informations de toutes sortes par l'entremise de services spécialisés. Vous pourrez participer à cette nouvelle tendance avec les navigateurs Web version 4.x de Netscape ou de Microsoft, qui sont décrits au chapitre 3.

CAPSULE   **D'où vient l'appellation d'internaute?**

L'utilisateur d'Internet découvre chaque jour de nouvelles ressources de nature scientifique, technique ou culturelle, ou encore de nature plus générale. Ce phénomène de navigation dans les réseaux informatiques a amené la création d'un nouveau terme pour identifier ces coureurs de liens électroniques. Un peu comme l'astronaute explore l'espace et les astres, l'internaute fait de même dans un espace cybernétique appelé Internet. Toutefois, cette appellation devrait disparaître à moyen terme, car les «branchés» supplanteront les non-branchés.

Vous remarquerez également qu'à chaque fois qu'on mentionne un site Web ou une ressource Internet dans une page, son adresse est inscrite automatiquement au bas de celle-ci afin d'en faciliter la lecture et d'alléger le texte. Toutes ces adresses sont inscrites dans le répertoire de la **liste de l'internaute**, qui se trouve à l'annexe B. Cette liste est également accessible sur le site Web du **Guide de l'internaute 1998**. Je vous invite à le visiter, car, avec un monde dynamique tel qu'Internet, les adresses publiées dans ce livre peuvent disparaître sans avertissement, et ce site Web me permettra de vous tenir au courant de ces changements. Vous y trouverez également des liens vers différentes chroniques que j'écris périodiquement pour la télévision et des magazines spécialisés, et d'autres surprises encore.

Cet ouvrage est la compilation des connaissances acquises au cours de mon travail d'analyste informatique pour la bibliothèque de l'Université Laval, de chargé de cours au département de génie informatique de cette même institution, de conférencier, de chroniqueur pour le réseau de télévision québécoise TVA ainsi qu'au contact quotidien de mes amis internautes depuis plus d'une dizaine d'années. Eh oui! mon initiation à Internet remonte à 1987, alors que je communiquais avec des correspondants norvégiens par le biais d'un courrier électronique pas très chaleureux développé sur un ordinateur central. Depuis ce temps, j'ai vu progresser Internet d'un œil observateur et inquisiteur. Les nouvelles technologies et, surtout, leurs utilisations à bon et à mauvais escients m'intriguent au plus haut point. C'est une des raisons pour laquelle ce livre est un ouvrage de vulgarisation et d'introduction, car, même si j'en suis l'auteur, je dois réapprendre continuellement, comme vous, les notions d'un réseau Internet en perpétuel mouvement. Les notions véhiculées ici sont expliquées avec simplicité et humour. J'espère que vous saurez en tirer profit pour atteindre vos propres objectifs.

Bouclez votre ceinture et préparez-vous une bonne boisson de votre choix: nous partons à la conquête de la nouvelle frontière électronique.

P.S. Ne déposez pas votre boisson près de votre ordinateur, pour des raisons évidentes...

liste de l'internaute (*http://www.logique.com/internaute98/liste.html*)
Guide de l'internaute 1998 (*http://www.logique.com/internaute98*)

1.1 HISTORIQUE D'INTERNET

Le réseau Internet, tel qu'on le connaît aujourd'hui, a connu une longue évolution à travers les années. Une des qualités du réseau Internet, que certains considèrent également comme un défaut, est son architecture ouverte, tant dans le sens technique, sécuritaire que social. Le plus grand réseau mondial existe à travers une multitude de petits réseaux possédant tous une configuration différente. Et, jusqu'à tout dernièrement, la sécurité du réseau n'était même pas un problème, car le but visé était de pouvoir justement aller consulter les documents des ordinateurs y résidant. Finalement, les questions de contenus acceptés par l'ensemble de la société ne posaient pas de problèmes, car, auparavant, un contenu offensant se limitait simplement à une équation mathématique défiant tout théorème. Puisque les temps changent et que les gens ne connaissent pas la réalité antérieure du réseau Internet, je vous offre dans les pages qui suivent un léger compte rendu de l'historique d'Internet. Retournons au début de l'âge de pierre du réseau Internet, en 1969, et vous comprendrez que le réseau actuel est le résultat d'une expérience scientifique qui a bien tourné et qui continue à bafouer toutes les prévisions.

CAPSULE

Pour en savoir plus à propos de l'histoire du réseau Internet et des ordinateurs en général, consultez les sites suivants:

→ «A Brief History of the Internet», par les pionniers originaux, dont Vinton Cerf (*http://www.isoc.org/Internet-history*)

→ The Roads and Crossroads of Internet's History (*http://www.Internetvalley.com/intval.html*)

→ Rubrique sur l'histoire des ordinateurs, par *Yahoo!* (*http://www.yahoo.com/Computers_and_Internet/History*)

1.1.1 **Au début, ce n'était qu'un bout de fil de cuivre…**

La définition d'un réseau informatique est simple: il s'agit de deux ordinateurs au minimum échangeant des informations. Les premiers réseaux informatiques furent reliés par des câbles coaxiaux en cuivre. Dès cet instant, on voyait déjà surgir un problème: celui de relier deux ordinateurs ou plus sur de longues distances. Il serait économiquement impensable de le faire exclusivement pour une connexion, à moins qu'il ne s'agisse d'un projet spécial. Toutefois, il existait déjà une infrastructure de câbles et de fils qui reliait une bonne portion de la planète à cette époque: le réseau téléphonique. Le défi était de l'utiliser pour relier deux, trois, voire des milliers d'ordinateurs!

Deux hypothèses expliquent la création d'Internet. La première veut qu'il soit un des fruits de la guerre froide. En effet, en 1969, le département américain de la Défense construisit un réseau informatique expérimental pour tenter de contrecarrer les effets d'une guerre nucléaire! La Défense américaine voulait un réseau national pouvant subir des pannes de secteur à la suite d'explosions nucléaires, tout en restant fonctionnel. Le réseau se nommera ARPAnet (*Advanced Research Projects Agency NETwork*). L'idée principale derrière ce modèle repose sur deux prémisses: 1) le fil reliant les ordinateurs est considéré comme non sécuritaire; 2) le réseau dépend plutôt des ordinateurs reliés par ces fils. Pour transmettre de l'information de l'ordinateur A vers l'ordinateur B, il faut envoyer un «paquet» dans lequel on trouve l'information et l'adresse de l'ordinateur B. Les appareils situés entre A et B sont tous responsables de l'acheminement du message à bon port.

Supposons que le chemin normal d'un paquet soit A-F-D-H-B. Le paquet demeure indifférent aux pannes ou aux autres obstacles, car, si un ordinateur (D, par exemple) ne peut envoyer un paquet vers H, un autre chemin sera emprunté. À chaque seconde, le chemin de A vers B peut être modifié, de manière à ce que A-F-D-H-B devienne A-F-E-G-B, par exemple. Le protocole de transmission assume ce cheminement sans aucune intervention de l'utilisateur.

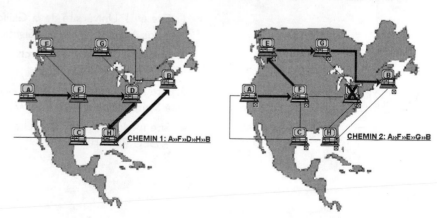

Figure 1.2
Redirection des informations dans Internet

La deuxième hypothèse sur la création d'Internet est beaucoup plus simpliste et mercantile. ARPAnet, toujours créé par la Défense américaine, aurait été conçu afin que les chercheurs travaillant pour le gouvernement puissent partager les ressources de quelques superordinateurs au lieu de faire chacun l'acquisition d'un ordinateur géant. Le résultat fut toutefois le même; Internet est né lorsque deux ordinateurs furent reliés: le premier à l'**Université de la Californie à Los Angeles (UCLA)**; l'autre au SRI (Stanford Research Institute). Les analystes Elemer Shapiro et Bob Kahn dessinent en juillet 1969 le premier schéma de ce réseau (voir ci contre).

* SRI
|
|
|
* UCLA

L'avènement d'Internet a lieu le 21 novembre 1969, alors qu'une première liaison, à l'aide d'une ligne téléphonique, s'effectue entre deux ordinateurs séparés par une distance de 600 km. C'est un succès! De plus, les deux ordinateurs sont d'une technologie différente, ce qui rend l'expérience encore plus formidable. Au même moment, l'Université de la Californie à Santa Barbara reçoit l'équipement nécessaire pour être reliée aux deux autres sites, ce qui se produit au début de décembre 1969. L'an un du réseau ARPAnet se termine avec le branchement de l'Université de l'Utah à la fin du même mois. Le réseau compte alors quatre ordinateurs reliés de cette façon par des liens téléphoniques de 50 kilobits par seconde.

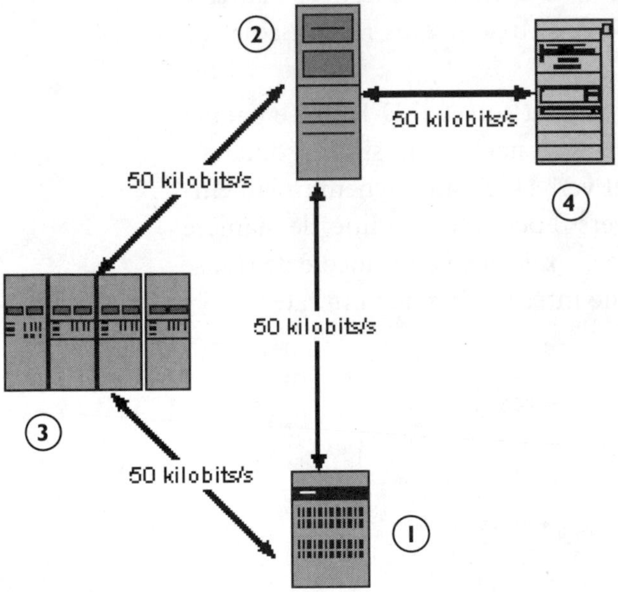

② 50 kilobits/s

50 kilobits/s

50 kilobits/s

③ 50 kilobits/s

④

①

Légende

1. Site n° 1: Université de la Californie à Los Angeles (UCLA) – Sigma 7

2. Site n° 2: Stanford Research Institute – NIC SDS940/Genie

3. Site n° 3: Université de la Californie à Santa Barbara – IBM 360/75

4. Site n° 4: Université de l'Utah – DEC PDP-10

Figure 1.3
ARPAnet en 1969

Université de la Californie à Los Angeles (UCLA) (*http://www.ucla.edu*)

Le protocole conçu pour ARPAnct est IP (ou *Internet Protocol*). Si, de nos jours, on n'a plus à se soucier d'éventuelles explosions nucléaires, un employé pourrait, par inadvertance, éteindre ou alors débrancher une pièce d'équipement du réseau. Les concepteurs du protocole IP étaient un peu pessimistes, mais ils avaient somme toute raison. L'idée que chaque ordinateur du réseau soit un hôte et qu'ils puissent tous communiquer de façon autonome, sans l'aide d'un serveur quelconque, est révolutionnaire. IP est extrêmement simple à implanter, car les paquets utilisés contiennent peu d'information (adresse de l'expéditeur + information + adresse du destinataire). En raison de sa simplicité, le protocole est facile à programmer dans tous les environnements réseaux (IBM, DEC, Apple, etc.). Cette politique est attrayante pour les différents niveaux de gouvernement et pour les universités, car elle n'oblige personne à faire l'acquisition d'appareils relevant d'une seule technologie. On peut acheter plusieurs types d'ordinateurs, mais tous fonctionnent avec le même protocole de communication: IP.

L'International Standard Organization (ISO) a mis des années à concevoir l'ultime réseau, mais les gens étaient pressés. IP était présent et fonctionnel. Dix ans plus tard, au début des années 80, les réseaux locaux ont fait leur apparition. Les premières stations UNIX arrivèrent sur le marché. La plupart des réseaux proposaient la version UNIX de l'Université de Berkeley, en Californie. Cette version était dotée à l'origine du protocole IP, ce qui a créé un énorme besoin: plutôt que de se relier à un seul superordinateur, les utilisateurs désiraient se brancher à ARPAnet pour avoir accès à toutes les ressources offertes sur ce réseau. Au même moment, d'autres organismes créèrent de grands réseaux utilisant le protocole IP. Des visionnaires envisageaient que tous les réseaux fonctionnant avec IP pourraient un jour être reliés…

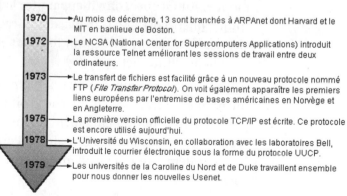

1970 → Au mois de décembre, 13 sont branchés à ARPAnet dont Harvard et le MIT en banlieue de Boston.

1972 → Le NCSA (National Center for Supercomputers Applications) introduit la ressource Telnet améliorant les sessions de travail entre deux ordinateurs.

1973 → Le transfert de fichiers est facilité grâce à un nouveau protocole nommé FTP (*File Transfer Protocol*). On voit également apparaître les premiers liens européens par l'entremise de bases américaines en Norvège et en Angleterre.

1975 → La première version officielle du protocole TCP/IP est écrite. Ce protocole est encore utilisé aujourd'hui.

1978 → L'Université du Wisconsin, en collaboration avec les laboratoires Bell, introduit le courrier électronique sous la forme du protocole UUCP.

1979 → Les universités de la Caroline du Nord et de Duke travaillent ensemble pour nous donner les nouvelles Usenet.

Figure 1.4
Les faits les plus marquants de la décennie 70

1.1.2   Internet, une nouvelle réalité

Au milieu des années 80, un important réseau fit son apparition: NSFnet (National Science Foundation NETwork), qui était constitué de cinq super-centres informatiques. Bien des personnes désiraient exploiter ces centres, la NSF demanda donc la permission d'emprunter les voies utilisées par ARPAnet. Leur demande fut refusée. Les gens du réseau ARPAnet proposèrent plutôt de relier leur réseau à une autre infrastructure destinée aux universités améri-caines. La NSF décida de relier ces cinq centres par des liens à haute vitesse de 56 000 bits par seconde (56 kbps). Au départ, les universités américaines ne pouvaient être toutes reliées directement à tous les centres. On décida alors de créer des réseaux régionaux. Chacun de ceux-ci était branché à un centre qui, lui, était connecté aux quatre autres. Théoriquement, n'importe quel ordinateur pouvait communiquer avec un autre. La théorie se transforma en réalité, et l'expérience fut couronnée de succès. C'est alors que NSFnet se relia au réseau ARPAnet. La solution était fonctionnelle. De là vient la première apparition du terme Internet: un réseau de réseaux…

En 1987, les lignes commencèrent à être surchargées, et les demandes de branchement augmentèrent. On donna alors à la compagnie Merit Network le contrat de gérer et d'augmenter la bande passante du réseau. Parallèlement, l'accès n'était plus réservé aux chercheurs et aux spécialistes de l'informatique. Des professeurs, des étudiants et des administrateurs commencèrent à explorer les liens d'Internet. La bonne nouvelle fit le tour du globe: des réseaux infor-matiques destinés à la recherche et à l'éducation furent créés partout dans le monde. Au Québec, on vit apparaître le **RISQ** (**Réseau interordinateurs scien-tifique québécois**). Au Canada, des réseaux naquirent dans toutes les provinces. Ces derniers furent reliés pour former CA*NET (CAnadian NETwork), le «bras canadien» d'Internet.

Ces divers réseaux régionaux furent interconnectés, et l'on vit pour la pre-mière fois le vrai visage d'Internet, soit un réseau informatique mondial utilisé pour échanger quotidiennement un important volume d'informations. Chaque région est désormais responsable du fonctionnement de son propre réseau. Internet demeure indépendant des pannes locales comme le prévoit le proto-cole IP.

RISQ (Réseau interordinateurs scientifique québécois) (*http://www.risq.qc.ca*)

Le succès d'Internet provoque une augmentation de son utilisation et une diversification de sa clientèle. Il oblige les administrateurs de réseaux à faire face à des problèmes de développement et à des demandes «pointues» de la part des clients. À partir de ce point, la sécurité d'emploi des administrateurs de réseaux s'améliore au même rythme que la croissance du réseau lui-même.

À la suite de l'internationalisation et de la démocratisation de la clientèle Internet, certains principes de base non écrits sont mis en place afin d'assurer que le réseau demeure un endroit fonctionnel pour tous. Ainsi, l'utilisation d'Internet n'étant pas contrôlée par une organisation, la nature des applications répond précisément aux besoins des utilisateurs, car celles-ci sont inventées de toutes pièces par ces derniers. On s'aperçoit qu'il existe des similitudes dans les besoins exprimés par des cultures pourtant très différentes. Internet, ce géant informatique, traverse les frontières géographiques, religieuses et raciales. On devient un peu moins Blanc ou Noir, Nord-Américain ou Européen, etc. Des personnes du monde entier se parlent directement, sans l'aide d'un gouvernement ou des médias. C'est un des effets positifs les plus importants d'Internet: la première vraie place publique à l'échelle du globe.

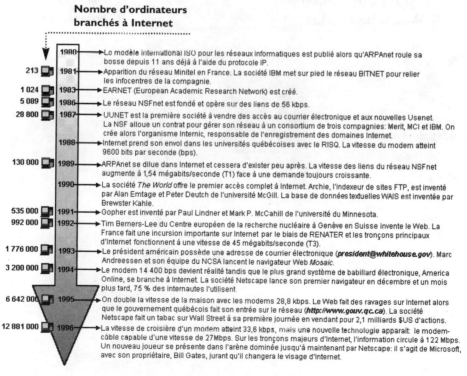

Figure 1.5
Les faits les plus marquants des décennies 80 et 90

1.1.3 La situation actuelle

On vit, en 1997, un engouement total pour le réseau Internet, car pratiquement tous les événements majeurs de notre planète y sont diffusés d'une façon ou d'une autre. Prenons, par exemple, le site de la mission martienne **Pathfinder**, qui a été littéralement envahi par les internautes. Les ingénieurs de ce site ont dû installer 20 serveurs supplémentaires afin de suffire à la demande. Durant le seul mois de juillet 1997, plus de 492 millions de fichiers ont été réclamés, dont 47 millions durant la journée du 8 juillet uniquement. Un fichier, dans ce cas, représentait une page Web, un modèle de réalité virtuelle ou toute autre image de la planète Mars. On a pu suivre toute la mission sur le Web, et il était également possible de recevoir quotidiennement un *briefing* sur les activités de la Nasa directement par courrier électronique.

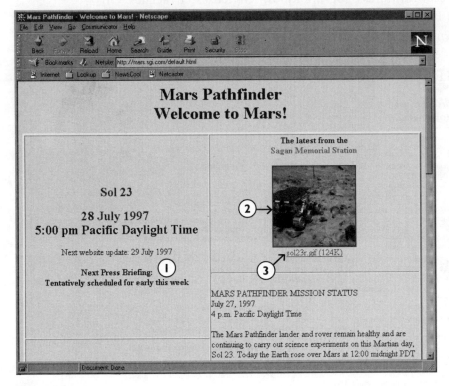

Légende

1. *Briefing* sur les activités de la Nasa
2. Image de la planète Mars
3. Hyperliens

Figure 1.6
La mission martienne Pathfinder

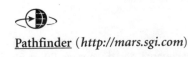

Pathfinder (*http://mars.sgi.com*)

Un autre phénomène qui retient l'attention est la venue de la technologie **WebTV**, avec laquelle un utilisateur peut se brancher au Web par le biais de son téléviseur et d'un terminal spécialement adapté. Ce dernier est relié à Internet par le réseau téléphonique. On peut naviguer sur le Web à l'aide de la bonne vieille télécommande que tout le monde connaît. Cette trouvaille vise à transformer le rôle traditionnellement passif du téléviseur pour offrir une expérience interactive et dynamique. L'attrait certain du système *WebTV* est son périphérique d'entrée de commande... euh, je veux dire la télécommande, qui ne fait peur à personne, car cela fait bien des lunes qu'elle s'est établie dans le salon des gens, contrairement à l'ordinateur qui ne fait que commencer à faire sa marque. Les téléviseurs seront, selon moi, tous équipés de terminaux Internet dans un avenir très rapproché. Les indices sont clairs: les sociétés qui en font la promotion sont **Sony** et **Phillips Magnavox**, de traditionnels fabricants de téléviseurs. La société *WebTV* n'est pas un feu de paille et plusieurs pensent la même chose, entre autres, les dirigeants du géant de l'informatique, **Microsoft**, qui en a fait l'acquisition en juin 1997 pour la coquette somme de 425 millions $US. Ce n'est plus l'argent ou la volonté qui manqueront par la suite.

La domination des navigateurs Web tient lieu d'une bataille épique entre une jeune société et un vieux loup de l'informatique. En effet, **Netscape**, qui pouvait se vanter de son quasi-monopole dans le monde des navigateurs, doit maintenant faire face à un adversaire de taille avec la société Microsoft, qui met tous ses efforts pour récupérer un marché qu'elle considérait comme négligeable en 1995. Les versions 4.x des navigateurs produits par chacune de ces compagnies font maintenant beaucoup plus que naviguer sur le Web. Le *Communicator* de Netscape et l'*Explorer* de Microsoft permettent aux internautes de tenir des agendas collectifs, d'effectuer des appels conférences tout en partageant des fichiers, de recevoir des informations de façon continue sans devoir effectuer de requête sur un site Web et d'agir finalement comme des éditeurs pour créer des pages Web. La population Internet est divisée entre l'utilisation de ces deux produits. Bien souvent, le choix se fera par la trousse de logiciels qu'un futur internaute achètera et dans laquelle il trouvera un des deux produits. Mentionnons également qu'au moment de mettre ce livre sous presse, Microsoft offrait toujours son produit gratuitement, contrairement à Netscape, où il faut débourser une quarantaine de dollars (200 FF). Vous trouverez la description et les caractéristiques des deux produits au chapitre 3, qui traite exhaustivement du Web.

Figure I.7
La télécommande *WebTV*

WebTV (*http://www.webtv.net*) • **Sony** (*http://www.sel.sony.com/SEL/webtv*)
Phillips Magnavox (*http://www.magnavox.com/hottechnology/webtv/webtv.html*)
Microsoft (*http://www.microsoft.com*) • **Netscape** (*http://www.netscape.com*)

CAPSULE   Internet II

→ Un nouveau réseau est présentement sur les planches à dessin des architectes du réseau Internet. Il s'agit d'**Internet II**, et il a pour but d'offrir une connexion ultrarapide entre les réseaux des organisations qui le constituent. Le projet canadien porte le nom de **CA*NET II**. On parle d'une vitesse de 622 mégabits par seconde pour les tronçons interréseaux et d'un rendement minimal garanti de 10 mégabits par seconde pour chaque ordinateur participant. Avec cette rapidité de transmission, on pourra finalement assister à la véritable explosion du multimédia, avec des visioconférences et de la télédiffusion impeccable à partir du réseau. Dans les premiers temps, Internet II sera au service des centres de recherche et des universités nord-américaines et européennes, mais on croit que les internautes des grands cafés et des grandes entreprises pourront l'utiliser d'ici l'an 2000.

1.2 QUELQUES CHIFFRES À PROPOS D'INTERNET

Tous les experts, y compris l'auteur, sont d'accord en affirmant qu'il est impossible de calculer précisément le nombre d'internautes sur la planète. Le mieux que l'on puisse faire, c'est d'effectuer des moyennes. Au dernier recensement, on trouvait environ 25 millions d'ordinateurs branchés au réseau, mais ce chiffre ne représente pas le nombre d'utilisateurs. Imaginez pour une seconde votre fournisseur Internet qui possède 5 serveurs, par exemple, afin de desservir 300 clients. On obtient un ratio de 60:1 et, ainsi, on pourrait dire qu'il y a 1 500 000 000 d'internautes! Ce n'est pas raisonnable. Le facteur qui semble être le plus souvent cité est 4:1; alors on peut penser que, pour 25 millions d'ordinateurs, on trouve environ 100 millions d'internautes.

Les statistiques qui figurent dans la présente section peuvent ne plus refléter la réalité actuelle. Tout change rapidement dans le domaine Internet. La plupart des informations ont été recueillies ici et là dans le réseau. Toutefois, la **Société Internet** publie périodiquement des données portant sur le réseau. La compagnie **Network Wizards** est un endroit qui offre également de bonnes statistiques générales à propos d'Internet.

Internet II (*http://www.Internet2.edu*) • **CA*NET II** (*http://www.canarie.ca/c2*)
Société Internet (*http://www.isoc.org*) • **Network Wizards** (*http://www.nw.com*)

> **CAPSULE**   Statistiques Internet
>
> Vous pouvez trouver beaucoup de statistiques sur le Web en consultant les sites suivants:
>
> → Réseaux IP européens (*http://www.ripe.net*)
> → Matrix Information and Directory Services (*http://www.mids.org*)
> → Tendances Internet (*http://www.genmagic.com/Internet/Trends*)
> → Liste de sondages Internet (*http://www.nua.ie/surveys*)

1.2.1   Les domaines Internet

La notion de domaine Internet est expliquée un peu plus loin à la section 1.5.6. Mentionnons simplement qu'un domaine correspond à une organisation quelconque et à l'ensemble de ses utilisateurs. Le recensement des domaines a commencé officiellement en 1988. On dénombrait alors 900 noms de domaines différents. Ces domaines peuvent représenter une petite PME, une université ou l'ensemble des clients de votre fournisseur Internet. Le 1er juin 1994, ce nombre était passé à 46 000. Le recensement de juillet 1997 fait état de plus de 1 210 000 domaines différents branchés à Internet. Et chacun de ces derniers peut représenter quelques-uns ou plusieurs milliers d'usagers!

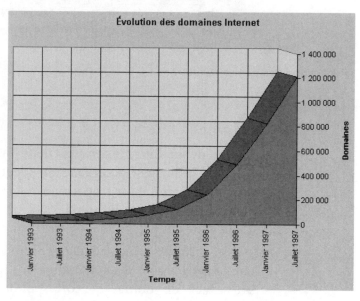

Figure 1.8
Évolution des domaines Internet

Plus de la moitié des domaines Internet provient du monde des affaires (.com). On s'aperçoit que les Américains ont plus d'une longueur d'avance, car les domaines (.edu) des universités américaines, (.gov) des organismes du gouvernement américain, (.mil) de l'armée américaine et (.us) des municipalités américaines figurent tous dans les premiers domaines Internet:

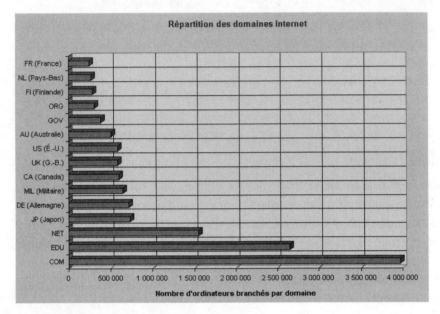

Figure 1.9
Répartition des domaines Internet

1.2.2 Les hôtes d'Internet

Au tout début, Internet comptait deux hôtes. C'est évident! Un hôte est simplement un ordinateur possédant une identité dans le réseau. Chaque hôte peut servir à une ou à plusieurs personnes. Le meilleur exemple est votre fournisseur de liens Internet, qui dispose de quelques serveurs afin d'offrir des connexions à une vaste clientèle.

En août 1981, Internet était encore assez petit. On parlait de 213 ordinateurs formant les nœuds d'Internet. À l'époque, on ne connaissait pas le nombre exact de domaines correspondants, mais il devait approcher la cinquantaine. Deux ans plus tard, le nombre de nœuds franchissait le cap des 500. C'est en 1987 que la révolution s'est produite. Il faut aussi noter qu'elle est parallèle à l'essor de l'ordinateur personnel.

Le nombre d'hôtes passa de 29 000, en décembre 1987, à 160 000, en décembre 1989. En juillet 1994, le recensement montrait qu'Internet était composé de 3 200 000 appareils, alors que, deux ans plus tard, on retrouvait plus de 12 800 000 ordinateurs branchés au réseau. Au moment où vous lirez ces lignes, ce nombre gravitera autour des 25 millions.

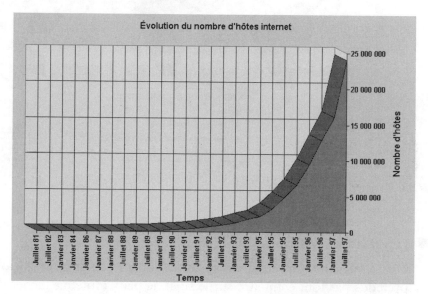

Figure 1.10
Évolution du nombre d'hôtes Internet

1.2.3 Les pays d'Internet

Le réseau Internet est officiellement présent dans quelque 239 pays et territoires, soit 69 de plus que l'an dernier. Cette statistique date de juillet 1997. Cette tendance à la hausse est, pour ainsi dire, terminée. Tout le monde est pratiquement branché maintenant. Sans doute y aura-t-il encore quelques ajouts, mais il ne s'agira pas de grands pays. On verra probablement des groupes d'îles se faire attribuer un domaine, comme ce fut le cas pour les îles Wallis-et-Futuna. La connexion Internet n'est pas la même au Canada que dans des pays en voie de développement, où le courrier électronique est souvent la seule forme de connexion au réseau. La **Société Internet** produit périodiquement une merveilleuse carte représentant l'état de connexion de la planète; je vous invite à y jeter un coup d'œil.

Société Internet (*http://www.isoc.org*)

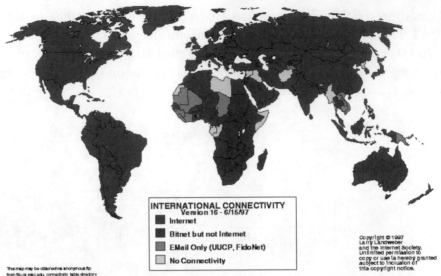

Figure 1.11
Carte des pays d'Internet, par la Société Internet

1.3 LES IMPLICATIONS SOCIALES ET LÉGALES

C'est vrai, je ne suis titulaire d'aucun diplôme en droit ou en sociologie et je ne prétends pas tout connaître sur le sujet. Je peux toutefois tâcher de décrire les implications de ce nouveau mode de communication qu'est Internet. Les paragraphes qui suivent résument quelques cas vécus et font état de la législation actuellement en vigueur.

1.3.1 Les implications sociales

Dans ma jeunesse, il y a de cela bon nombre d'années, je fus fasciné par l'avènement du câble. C'était vraiment fantastique: on passait de quelques chaînes à une multitude! C'était un rêve qui prenait corps. J'ai grandi avec cette réalité et je m'y suis habitué. Aujourd'hui, il me serait pratiquement impossible de me passer des quelque 30 chaînes offertes par la câblodistribution. Je n'ai toutefois pas l'intention d'acheter une antenne parabolique qui me permettrait de recevoir plus de 300 chaînes; tout mon temps consacré aux loisirs y passerait, et je négligerais sans doute mon travail... et Internet.

Ce phénomène de changements technologiques n'est pas nouveau. Il ne constitue qu'un des nombreux exemples de l'adoption, par la population, de nouvelles habitudes créées à l'échelle d'une société entière. Lorsque j'étais enfant, je n'en croyais pas mes oreilles lorsque mon grand-père me racontait sa jeunesse. Avoir un téléviseur à la maison était un luxe incroyable. Il n'affichait que des images en noir et blanc par-dessus le marché!

Le reportage télévisé est un autre phénomène technologique de taille. Durant l'été de 1994, on a vu, en direct, le joueur de football O. J. Simpson s'enfuir sur les autoroutes de Los Angeles! Cela paraît incroyable, mais, d'ici quelques années, la population se plaindra si de tels événements ne sont pas présentés en direct. Et déjà, plus d'un an après cet événement, on pouvait suivre le déroulement de ce procès assis sagement devant l'écran de son ordinateur. Lorsqu'on goûte à quelque chose de bon, on ne veut rien de moindre par la suite. Ainsi, je m'empêche d'aller travailler sur l'ordinateur de ma collègue de travail, car il est plus puissant que le mien. Je suis persuadé que, si j'utilise son appareil, mon propre ordinateur m'apparaîtra ensuite plus faible, au point que je me verrai obligé de le changer pour un autre, plus puissant.

Au moment où j'écris ces lignes, des élèves de niveau primaire et secondaire participent à des échanges d'information dans Internet. Ces projets sont menés par les commissions scolaires et se déroulent à la maison comme dans les salles de classe. Le projet <u>RESCOL (Réseau scolaire canadien)</u> est un bon exemple. Grâce à mon ordinateur, je peux communiquer avec un enfant de 10 ans se trouvant dans une école, au Manitoba, en Oklahoma ou encore au Québec, car il possède une adresse électronique Internet! Cette situation n'est pas sans rappeler le pas franchi grâce à l'avènement de la câblodistribution. Les enfants savent ce que cela signifie d'avoir non seulement une adresse postale, mais également une adresse électronique. Ils vivent dans une réalité qui leur semble tout à fait naturelle, celle de posséder une adresse électronique quelconque. Ils grandiront dans un monde où la planète Terre deviendra bien plus petite qu'à mon époque. Pour eux, échanger un fichier avec une copine de Grande-Bretagne ne sera pas un casse-tête, mais un acquis et une façon de fonctionner. Ces futurs adultes seront contrariés lorsqu'ils ne pourront consulter une base de données sur l'art chinois localisée sur un ordinateur à Hong Kong, de la même façon que je le suis lorsqu'il y a une panne de satellite et que je ne peux regarder la chaîne française. Voilà la réalité où Internet pourra nous amener dans le futur.

Vous devez comprendre que la prochaine génération est en train d'apprendre une nouvelle façon de fonctionner. Les révolutions actuelles d'Internet ne

RESCOL (Réseau scolaire canadien) (*http://www.rescol.com*)

sont rien à côté de ce qui se prépare. Le message est clair: comme ceux qui ont été dépassés par l'informatique, certains se laisseront dépasser par la facilité des communications mondiales.

On utilise également Internet pour s'afficher personnellement, par exemple, dans le but de se trouver un emploi. **Le Réseau Européen pour l'Emploi** en est un bon exemple.

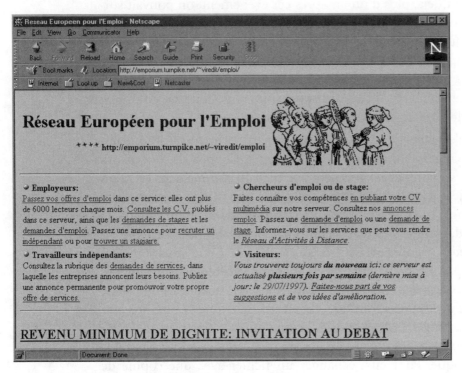

Figure 1.12
Le Réseau Européen pour l'Emploi

L'influence des écoles de pensée traditionnelles des médias de masse diminue à cause d'Internet. On n'a plus besoin de regarder la télévision, de lire les journaux ou d'écouter la radio pour savoir ce qui se passe dans le monde. On peut suivre l'actualité en direct. L'explosion survenue à Oklahoma City durant l'été de 1995 bénéficia d'une couverture médiatique énorme, mais qui pâlit devant les témoignages en direct des personnes qui étaient branchées à Internet.

Le Réseau Européen pour l'Emploi (*http://emporium.turnpike.net/~viredit/emploi/*)

Un autre cas qui souligne l'importance d'Internet comme média de communication est le malheureux écrasement du vol 800 de la TWA, en juillet 1996, au large de Long Island, dans l'État de New York. Quelques mois après la catastrophe, un document a fait surface dans Internet, dans lequel on accusait la marine américaine d'avoir abattu l'avion au cours d'un exercice qui aurait mal tourné. Le journaliste Pierre Salinger a pris connaissance de ce document et a depuis effectué plusieurs sorties pour tenter de sensibiliser l'opinion publique à ce qu'il croit être une conspiration pour cacher ce qui s'est réellement passé. Le réseau Internet a été l'outil de choix pour permettre de diffuser ces informations et pour regrouper les gens qui désiraient approfondir ce sujet. On peut trouver toutes les informations à propos de l'enquête et des théories sur les causes de cette tragédie sur le Web en inscrivant les mots clés «TWA 800» dans n'importe quel engin de recherche dans Internet.

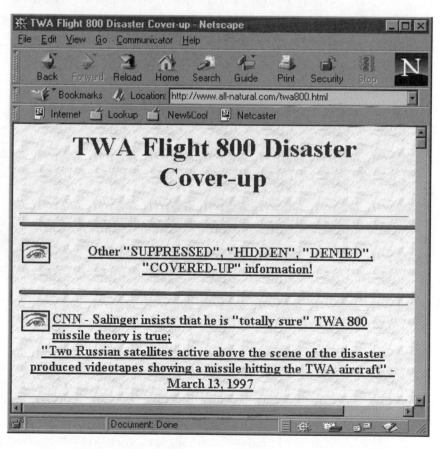

Figure 1.13
Un des nombreux sites sur l'écrasement du vol 800 de la TWA

Le succès d'Internet ouvre la porte à différentes manifestations de la nature humaine. Par conséquent, la pornographie, les fraudes et les recettes pour fabriquer des bombes font également partie d'Internet. Toutefois, ces éléments étaient présents dans nos vies bien avant qu'on parle d'espace cybernétique. Il faut savoir faire la différence entre la réalité et le sensationnalisme rapporté dans les médias.

1.3.2 Le phénomène francophone dans Internet

Quelle fausseté de dire que le réseau est navigable uniquement en anglais. Il serait plus juste de dire qu'une bonne portion du cyberespace est occupée par la langue de Shakespeare. L'anglais domine le réseau depuis 1969, alors que la présence francophone a commencé à se faire sentir seulement en 1988. Le cyberpatrimoine francophone n'est pas un vœu pieux. Il existe et il grandit. On compte d'importants répertoires de sites francophones qui dirigent les internautes vers de l'information en français.

CAPSULE

Des points de départ en français, il y en a une multitude. Naviguer dans la langue de Molière n'a jamais été aussi facile...

→ <u>Piste francophone</u> (*http://www.toile.qc.ca/francophonie*)

→ <u>Carrefour.Net</u> (*http://carrefour.net*)

→ <u>Projet Babel</u> (*http://babel.alis.com:8080/index.fr.html*)

→ <u>Le répertoire Nomade</u> (*http://www.nomade.fr*)

→ <u>ECILA - Engin de recherche francophone</u> (*http://ecila.ceic.com*)

→ <u>Le répertoire Yahoo! en français</u> (*http://www.yahoo.fr*)

Le contenu francophone doit simplement être développé. Tout le monde doit faire sa part. Les entreprises doivent montrer le chemin en offrant des services en français, et les internautes doivent utiliser les termes francisés quand ils parlent d'Internet. Un «email» demeure pour moi une substance qui donne du lustre à la baignoire ou au lavabo et non un courrier électronique. <u>L'Office de</u>

la langue française du Québec propose un excellent site Web pour vous aider dans votre quête de la terminologie française concernant Internet et, si ce n'est pas assez, vous trouverez dans la chronique **Cortexte**, du collègue François Hubert, une multitude d'usages corrects de la langue française dans Internet.

1.3.3 La génération @

Ce f@meux «@» dit «a commercial» ou @robas, on le voit p@rtout. Le «@» nous vient de l'@dresse de courrier électronique, où il sép@re l@ p@rtie désign@nt le nom de l'utilis@teur de son nom de dom@aine. Depuis l'inst@ur@tion de ce symbole, les sites Web, les revues spéci@lisées, les publicités de toutes sortes s'empressent de substituer @u «a» ordin@ire s@ contrep@rtie jugée plus br@nchée. On désire @insi @ffirmer une personn@lité @ctuelle. Bref, le «@» est superbement popul@ire d@ns l@ société d'@ujourd'hui. Ne soyez p@s trop effr@yé p@r ce petit signe, il n'est p@s m@lin. S@chez seulement où il se trouve sur votre cl@vier et joignez-vous @ la commun@uté br@nchée. :)

1.3.4 Les libertels

Les libertels (*Freenet* en anglais) sont de véritables coopératives d'internautes qui réussissent, avec l'appui de compagnies, à offrir un accès Internet pratiquement gratuit. Pour la majorité des libertels, les seuls frais engagés sont des frais d'administration au moment de l'inscription initiale. L'accès offert par ces libertels s'effectue en mode terminal. Vous n'avez donc pas accès aux images véhiculées par le Web. Le libertel demeure tout de même une excellente porte d'entrée pour consulter sa boîte de courrier électronique et les informations textuelles du réseau. Il existe un navigateur Web en mode texte. On perd certes une partie de l'expérience graphique que procurent les documents Web, mais, en contrepartie, l'information circule drôlement plus rapidement de cette façon. Peter Scott, de la compagnie Northern Lights, a dressé **la liste des libertels**. On trouve des libertels dans une dizaine de pays, dont le Canada, les États-Unis, l'Italie et la Grande-Bretagne. Au moment où j'écris ces lignes, l'idée du libertel ne semble pas avoir capté l'imagination des Français, des Suisses ou des Belges. Le premier libertel entièrement francophone fut le **libertel de Montréal**, inauguré durant l'été de 1996. Malheureusement, il a fermé ses portes dès le

L'Office de la langue française du Québec (*http://www.olf.gouv.qc.ca*)
Cortexte (*http://www.cortexte.com*) • la liste des libertels (*http://www.lights.com/freenet*)
libertel de Montréal (*http://www.libertel.montreal.qc.ca*)

36

mois de novembre de la même année à cause d'un manque de financement. Le **libertel de la Capitale nationale** semble être le seul rescapé francophone dans ce type de service.

1.3.5   Les implications légales

Il est intéressant de se pencher sur l'aspect légal d'Internet. Bien des maux de tête tourmentent les législateurs lorsque des litiges se produisent à la suite des actions sur le grand réseau. Le droit existe-t-il dans la nouvelle frontière électronique? Nous retrouverons-nous comme au Far West, où la loi n'était respectée que lorsqu'elle penchait de notre côté? Au fond, la comparaison entre la nouvelle frontière électronique et la conquête de l'Ouest n'est pas si bête. À cette époque, la loi était peu respectée. Les gens étaient plus préoccupés de coloniser et d'explorer le pays que d'apprendre le code civil ou criminel. C'est un peu le même phénomène qui se produit dans Internet. Aucune loi concrète ne s'applique actuellement; on en est à nos balbutiements dans ce domaine.

Ce n'est pas la volonté qui manque pour faire des lois qui encadreraient les faits et gestes des internautes. Une loi a même été adoptée aux États-Unis qui avait pour titre «**Communications Decency Act**» (CDA), en 1996. Cette loi visait à contrôler le contenu du matériel accessible dans Internet à partir des États-Unis. Ceux qui ne s'y conformeraient pas risquaient une amende de 250 000 $US. Elle fut prohibée par la Cour fédérale de Philadelphie la même semaine que le président américain, Bill Clinton, y apposait sa signature pour la promulguer. Plusieurs lobbies militant en faveur des droits civils avaient fait signer des pétitions pour abolir cette loi, prétextant qu'elle transgressait la liberté d'expression garantie par le 1er amendement de la Constitution des États-Unis. La Cour suprême a jugé la CDA inconstitutionnelle en juin 1997, pour ainsi revenir à la case départ avec cette même question: Les gouvernements devraient-ils légiférer sur l'utilisation du réseau Internet? Plusieurs pays attendaient ce jugement avant de mettre sur pied des mesures similaires. On devra probablement attendre 1998 avant de connaître le dénouement de ce dossier.

Au Canada, l'absence d'une loi précise à propos d'Internet n'a pas empêché les différents corps policiers du pays d'appréhender des individus qui utilisaient le réseau à des fins frauduleuses ou pour échanger du matériel pornographique

libertel de la Capitale nationale (*http://www.ncf.carleton.ca*)
«Communications Decency Act» (CDA) (*http://www.fcc.gov/telecom.html*)

impliquant des mineurs. On s'en est simplement remis aux codes criminel et civil pour condamner les personnes reconnues coupables de ces actes. C'est facile lorsque le serveur et le matériel sont en sol canadien. Par contre, on se heurte à une zone grise lorsque les actes sont commis ici, mais que les serveurs se trouvent à l'étranger.

Internet n'est pas un simple réseau. Si vous vous rappelez bien, c'est un réseau de réseaux. L'important est de connaître ce qui est permis, toléré et interdit.

Situation nº 1

Les organismes qui ont un lien avec Internet peuvent rédiger un code d'éthique gouvernant les règles d'exploitation locale du réseau. Ces règles peuvent être simples ou compliquées. En premier lieu, on peut trouver une norme stipulant que «le réseau ne peut être utilisé à des fins personnelles». Dans un registre plus sérieux, on trouvera des règles comme celle-ci: «Il est strictement interdit d'échanger électroniquement du matériel de recherche sous peine de sanction directe.» Ce type de climat austère n'est pas sans rappeler les laboratoires de la Défense nationale. Il est impossible de contrôler complètement les actions des utilisateurs. Toutefois, il est relativement aisé, à l'aide de bons outils de détection, de savoir ce que font ces derniers dans un réseau. La règle de base demeure que les normes d'utilisation d'une institution concernent le droit lorsqu'elles font partie du code d'éthique du travail. Cela est encore plus évident lorsque l'employé s'engage à respecter toutes les clauses d'un tel code en signant un contrat avec l'employeur. Même si les règles d'utilisation d'Internet ne se retrouvent pas dans le code civil, l'employeur peut poursuivre un employé pour non-respect des clauses écrites.

Situation nº 2

L'utilisation d'Internet à des fins commerciales n'est pas tolérée dans des segments du réseau payés par les deniers publics, comme dans le cas du <u>Réseau interordinateurs scientifique québécois</u>. Aucune entreprise ne peut utiliser un lien appartenant à une université pour effectuer des transactions entre succursales. Pour faire de telles transactions, elle doit acquérir un lien commercial.

<u>Réseau interordinateurs scientifique québécois</u> (*http://www.risq.qc.ca*)

Mais si un réseau de recherche stipule qu'il doit être «utilisé exclusivement à des fins de recherche», une entreprise a-t-elle le droit de faire parvenir des logiciels commerciaux à ce réseau? Oui, les logiciels, les mises à jour de logiciels ainsi que des conseils techniques envoyés par courrier électronique à une organisation de recherche peuvent circuler sur cette bretelle si cette dernière sert à l'accomplissement de la mission de recherche, même si tous ces services sont payés.

On ne peut évidemment pas contrôler le fait qu'un bit commercial traverse à un certain moment un réseau consacré à la recherche, causant une pluie de poursuites fondées sur des règles d'utilisation ne touchant même pas la compagnie en question. Les gestionnaires d'Internet ont tenté de pallier ce problème en créant des aiguilleurs qui regroupent des réseaux commerciaux, et des aiguilleurs pour les réseaux de recherche et de développement. L'utilisateur potentiel doit même stipuler la raison de son utilisation lorsqu'il remplit sa demande de branchement à Internet pour être aiguillé sur les bons réseaux.

Situation n° 3

Internet est-il sous la tutelle du code civil ou du code criminel? De quel pays? Le problème est qu'Internet n'a pour ainsi dire aucune frontière distincte. Il n'appartient à aucun pays. C'est le fruit d'un effort de coopération entre des organismes fédéraux, des entreprises privées et des particuliers. Mais voilà, dès que quelque chose traverse une frontière, même un bit d'information, il est exposé aux différentes lois d'exportation et d'importation des deux pays concernés. Actuellement, rien ne contrôle le débit d'information entre les pays, mais le droit existe, même s'il est complètement ignoré.

Heureusement, il existe une licence générale qui nous offre énormément de liberté. Sinon, on ne pourrait pas assister à une conférence dans un autre pays sans avoir obtenu au préalable un visa d'importation. Cette règle générale touche pratiquement tout ce qui n'est pas confidentiel. Cela inclut donc la majorité des échanges dans Internet. Cependant, tout ce qui a trait aux éléments se trouvant sur la liste des interdictions d'exportation est interdit d'exportation, comme des plans d'équipement militaire ou des analyses sur le fonctionnement des ordinateurs à haut rendement. Les citoyens de la majorité des pays ne peuvent même pas utiliser certaines versions des navigateurs Web de Netscape et de Microsoft parce qu'ils contiennent un algorithme de chiffrage trop avancé. On se sert de ces algorithmes pour coder des messages afin qu'ils ne soient lus que par les personnes concernées. Le gouvernement américain considère ces produits comme dangereux et ne permet pas leur exportation à l'étranger. Cette mesure ne touche pas le Canada.

Situation n° 4

Il faut également considérer la copie d'un logiciel ou d'une idée. Tout cela a trait aux droits d'auteur. Rappelez-vous toujours qu'une copie de logiciel peut être autorisée dans un pays, mais refusée dans un autre...

Avant d'utiliser une partie d'un texte publié par un auteur dans Internet, demandez-en la permission à cet auteur. C'est la seule véritable façon de vous assurer de la légalité de votre geste. Si vous n'en êtes pas certain, vous pouvez demander à un avocat de vous préciser les droits au sujet de cet article. Cela devient encore plus complexe lorsque l'auteur réside à l'étranger. Je ne peux pas vous donner une réponse précise à ce sujet, car il n'y en a pas. J'attire seulement votre attention sur le caractère épineux de cette question.

Situation n° 5

Si vous voyez un objet dans un endroit public et qu'il ne semble appartenir à personne, il n'est pas nécessairement à vous. De la même façon, tout ce que vous voyez dans Internet ne vous revient pas forcément. Si un fournisseur de logiciels souffre d'un problème de sécurité et que vous décidez d'exploiter cette faille pour vous procurer un produit par Internet, vous devez tout de même payer une licence avant d'utiliser ce produit. «C'était là, je l'ai pris...» ne correspond pas à une défense viable dans le monde du droit.

Situation n° 6

Au Canada et aux États-Unis, la distribution de virus est un acte criminel. Les tentatives d'accès ainsi que les accès illégaux à des ordinateurs se trouvant ou non dans le réseau sont également punis par la loi en Amérique du Nord. Dans certaines universités, des *crackers* ou *hackers* (pirates informatiques) ont tenté de percer des systèmes sur les campus. Leurs efforts ont quelquefois abouti, mais il arrive encore plus souvent qu'ils soient démasqués. Des agents du corps policier local leur rendent alors une petite visite...

Situation n° 7

Le harcèlement verbal, téléphonique et même électronique n'est pas toléré. Alors, n'espérez pas vous en tirer si vous envoyez un courrier électronique truffé de menaces de mort à l'adresse *president@whitehouse.gov*. Même lorsque vous vous adressez à un groupe de discussion comme *rec.sport.hockey* et que vous épicez vos commentaires de menaces de mort, la police peut faire irruption chez vous. Le résultat est le même si vous envoyez sans cesse des demandes en mariage à une collègue de travail par le courrier électronique… Un bon exemple est celui de ce citoyen de la région d'Ottawa qui avait érigé un site Web consacré à des commentaires haineux visant Lucien Bouchard, le premier ministre du Québec. La Gendarmerie royale du Canada l'a promptement arrêté et le site a été fermé.

En résumé

Il n'est pas facile de parler de droit dans Internet. Je suis moi-même un peu inquiet à l'idée de me faire agripper par un avocat en désaccord avec ce que je viens d'écrire. Enfin, qu'à cela ne tienne, mon but était surtout de vous démontrer qu'il existe des règles dans Internet comme dans la vie quotidienne. Vous faites partie maintenant d'une société formée de membres distincts possédant chacun des droits incertains. Cette phrase est plutôt ambiguë, j'en suis conscient, mais elle reflète un peu la réalité. Une chose est sûre cependant: le droit qui régit vos actes dans Internet est celui pratiqué dans votre pays. Le droit étranger n'a pas préséance sur ce qui se passe chez vous.

CAPSULE Sites Web reliés au droit électronique

→ Centre de recherche en droit public (*http://www.droit.umontreal.ca*)
→ Réseau européen de droit et Société
  (*http://www.msh-paris.fr/red&s*)
→ Office de la protection intellectuelle du Canada
  (*http://info.ic.gc.ca/ic-data/marketplace/cipo/welcome/welcom_f.html*)
→ La charte de l'Internet (*http://www.planete.net/code-Internet*)
→ L'Internet juridique (*http://www.argia.fr/lij*)
→ Jurinet (*http://www.jurisnet.org*)
→ Electronic Frontier Foundation (*http://www.eff.org*)

I.4 **LA GESTION D'INTERNET**

Un bon résumé d'Internet ne peut contourner une discussion sur la gestion globale du réseau. Y a-t-il une police d'Internet? Existe-t-il un groupe ayant un pouvoir absolu sur le fonctionnement du réseau? Que se passe-t-il en cas de panne?

I.4.I **Les organisations responsables du bien-être d'Internet**

On ne peut décortiquer la hiérarchie décisionnelle d'Internet et espérer avoir bien cerné la question. Internet est une gigantesque coopérative. Chaque internaute, organisation et fournisseur déboursent une certaine somme pour leur participation. Les montants récoltés sont distribués pour couvrir les coûts d'exploitation du réseau. On peut ainsi assurer la maintenance du réseau et accroître sa vitesse. Il n'y a pas d'organisation qui récolte l'argent au sommet de la pyramide à des fins lucratives. Quelques organisations, comme **Internic** et **l'IETF (Internet Engineering Task Force)**, donnent des directions techniques pour faire avancer le réseau sur le plan technologique à court et à moyen terme, mais la portée d'action de ces «autorités» se limite là.

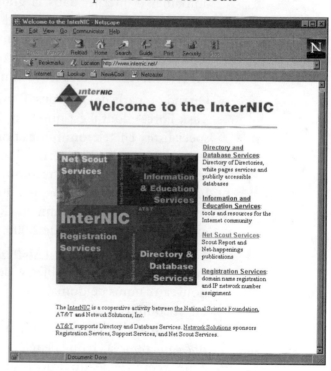

Figure I.14
Le site Web de l'organisation Internic

Internic (*http://www.internic.net*)
IETF (Internet Engineering Task Force) (*http://www.ietf.org*)

D'autres organisations formées d'individus provenant d'une multitude de pays ont la responsabilité de faire progresser le réseau Internet d'une gestion à vocation éducationnelle ne suffisant plus à la demande vers une gestion plus commerciale. Imaginez la situation au Canada alors que le domaine *.ca*, représentant un bon nombre d'organisations, était encore géré en 1997 d'une façon volontaire!

→ <u>Internic</u> désigne l'union de deux centres d'informatique réseau (NIC: *Network Information Center*). Cette organisation sans but lucratif a reçu la mission de gérer le plus important segment d'Internet. Internic est formée des entreprises AT&T et Network Solutions Incorporated (NSI). Chacune a un rôle important à jouer. AT&T gère la base de données d'Internet, et NSI a la lourde responsabilité d'attribuer et d'inscrire les informations sur les domaines d'Internet dans la grande base de données. Le rôle d'Internic consiste à promouvoir le réseau et à s'assurer que la croissance de ce dernier ne devienne son pire obstacle. Internic donne également des cours et des séminaires et organise des rencontres partout dans le monde pour les experts chargés de gérer les réseaux.

→ Quand on parle des gourous d'Internet, c'est d'<u>IETF (Internet Engineering Task Force)</u> dont il est question. Il s'agit d'une communauté mondiale de spécialistes en télécommunications qui n'ont qu'un seul but, assurer la croissance du réseau Internet. Pour ce faire, des groupes d'analystes émettent périodiquement des recommandations sur les meilleures façons d'utiliser les ressources physiques du réseau. Les documents contenant ces recommandations se nomment <u>RFC (Requests For Commentaries)</u>; il en existe actuellement plus de 2 000.

→ <u>The Internet Top Domain Memorandum of Understanding</u> tente de trouver une solution au problème découlant du fait qu'Internet a besoin de nouveaux noms de domaines principaux. Le domaine commercial «**.com**» est encombré et il est difficile d'y trouver de la place. Il existe environ 40 variantes du nom de compagnie *ABC* à l'intérieur de ce dernier, allant de ***abc.com***, pour la chaîne de télévision américaine à, ***a-abc.com***, appartenant à une compagnie du Michigan qui fabrique des pièces électriques. La dernière proposition de cette organisation est de créer sept nouveaux domaines principaux: *.firm, .web, .nom, .store, .arts, .rec, .info.*

<u>Internic</u> (*http://www.internic.net*) • <u>IETF (Internet Engineering Task Force)</u> (*http://www.ietf.org*)
<u>RFC (Requests For Commentaries)</u> (*http://ds.internic.net/ds/dspg1intdoc.html*)
<u>The Internet Top Domain Memorandum of Understanding</u> (*http://www.gtld-mou.org*)

→ **The Internet Architecture Board** s'assure que l'infrastructure et les protocoles développés pour le réseau sont conformes et valides.

→ **Internet Assigned Numbers Authority** est l'organisation qui traite les demandes concernant l'attribution des adresses numériques dans Internet.

1.4.2 L'attribution des adresses Internet

Comme vous le verrez dans la section suivante, chaque utilisateur, appareil et organisation sont connus sous une adresse Internet. Ces adresses sont attribuées d'une façon unique. Lorsqu'un nouveau site se branche au réseau, le centre de distribution régional attribue à ce site une plage de numéros IP. À son tour, l'administrateur du nouveau site attribue les numéros de la plage à chacun de ses utilisateurs. C'est le site qui détermine son nom de domaine. Le centre régional valide la syntaxe du nom et fait parvenir celui-ci à Internic pour que l'adresse du nouveau site soit distribuée partout dans le monde grâce à la base de données d'Internet.

Lorsqu'un nouveau centre régional désire se brancher ou qu'un centre manque de plages de numéros IP, il s'adresse à la section responsable des inscriptions d'Internic. C'est l'**Internet Address Naming Authority (IANA)** qui gère l'attribution mondiale des numéros IP. La création d'un domaine Internet ne se fait pas sans une visite à leur site Web.

1.4.3 La police d'Internet

Lorsqu'un utilisateur déroge au comportement poli et aimable de l'internaute modèle, soit en envoyant des commentaires abusifs, soit en faisant des offres commerciales non sollicitées ou autres, la police d'Internet se met en marche et fait tout ce qui est en son pouvoir pour régler le cas de l'individu en question. Cette police obéit aux désirs concrets des utilisateurs d'Internet. La sanction peut varier selon le délit.

Cette police, c'est vous et moi, et tous les internautes qui veulent bien faire respecter une norme de conduite acceptée globalement. En fait, il n'y a pas

The Internet Architecture Board (*http://www.isi.edu/iab*)
Internet Assigned Numbers Authority (*http://www.isi.edu/iana*)
l'Internet Address Naming Authority (IANA) (*http://www.iana.org*)

réellement de police officielle. La paix règne dans Internet parce que les utilisateurs ne tolèrent pas les insurrections. Ainsi, dès qu'une personne commet des écarts, elle est rapidement remise à sa place. Compte tenu du nombre d'utilisateurs, un commentaire déplacé se solde par une avalanche de messages transmis par courrier électronique qui expliquent à cette personne que son comportement n'est pas apprécié. Si celle-ci persiste, les messages commencent alors à être acheminés vers l'administrateur du site ou vers le supérieur de la personne fautive. S'il s'agit d'un particulier, les messages seront envoyés à l'administrateur de l'entreprise lui fournissant un accès. S'il s'agit d'une personne qui possède un accès privé, on enverra le message au centre régional de distribution. Les internautes protègent leur environnement et ils sont doublement tenaces lorsqu'il s'agit de faire taire quelqu'un. La foule sert de police. On est en présence d'une démocratie au sens réel du terme: celle où le peuple (les utilisateurs) exerce pleinement sa souveraineté.

Le réseau Internet est effectivement un excellent lieu, probablement le meilleur, pour échanger librement, sur la place publique, idées, opinions et autres. Il est possible de le faire en restant poli, en n'insultant personne et en défendant ses opinions, tout en gardant un esprit ouvert. Soyez simplement un bon citoyen. Les mouvements de foule ne se produisent pas souvent, mais on rapporte quelques cas, notamment en 1993, lorsqu'un groupe néo-nazi a commencé à envoyer des messages électroniques dénigrant différentes races, religions et cultures, et, qui plus est, dans un langage plutôt ordurier. Le groupe émettait à partir d'une université allemande. Quelques jours plus tard, après une avalanche de messages transmis par courrier électronique envoyés à l'administrateur de ce réseau, l'accès de ce groupe fut coupé. Une victoire pour les utilisateurs d'Internet.

Voilà donc la règle de base: ne dérangez pas les autres et on vous sourira! Par ailleurs, chacun a droit à une deuxième chance. Si vous faites quelque chose qui dérange, faites en sorte de corriger votre erreur…

1.4.4   La gestion d'Internet au Québec

Au Québec, le réseau Internet est géré de deux façons. Les établissements d'enseignement se trouvent sous la tutelle du **RISQ (Réseau interordinateurs scientifique québécois)**. Du côté commercial et résidentiel, quelques compagnies de télécommunications sont responsables d'amener le réseau Internet vers de plus petits fournisseurs d'accès. On trouve, entre autres, les compagnies de téléphone, les câblodistributeurs et quelques entreprises spécialisées dans le domaine.

1.4.5   La gestion d'Internet en France et en Europe

En Europe, le raz-de-marée Internet est très récent. Il est provoqué, comme en Amérique, par l'avènement du World Wide Web. À titre d'exemple, voilà plus de trois ans, en septembre 1994, il n'y avait aucun fournisseur d'accès à Paris, et la plupart des Français n'avaient jamais entendu parler d'Internet. Depuis, plus d'un million d'internautes ont accès au réseau, et plus d'une centaine de fournisseurs privés offrent maintenant des branchements Internet dans toute l'Europe. Internet est devenu le leitmotiv de la presse française. Des cybercafés ont vu le jour dans toutes les grandes villes françaises, et les premiers magazines français sur le sujet sont d'ores et déjà établis dans les kiosques à journaux francophones.

Le développement d'Internet en France a pour particularité d'avoir été mené, dans un premier temps, sous l'égide de l'État. C'est en effet par le biais de France Télécom et de Transpac que le gouvernement français a mis sur pied le **GIP RENATER**. Le Groupe d'Intérêt Public du REseau NATional pour l'Enseignement et la Recherche est en quelque sorte l'équivalent français du RISQ québécois avec, en plus, des réseaux régionaux connectés, tels que RERIF, ARAMIS, R3T2, etc. Une différence persiste toutefois: RENATER a été exclusivement financé par l'État.

RISQ (Réseau interordinateurs scientifique québécois) (*http://www.risq.qc.ca*)
GIP RENATER (*http://www.renater.fr*)

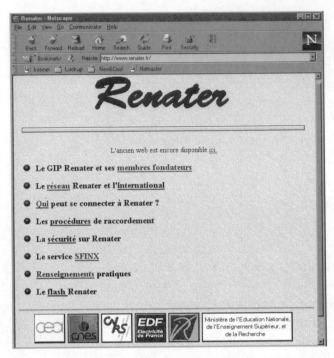

Figure 1.15
GIP RENATER

RENATER interconnecte depuis 1993 les grands centres français à des débits allant jusqu'à 100 Mbit/s. Ces très hauts rendements font de ce service le premier réseau européen de la recherche. RENATER offre également un service commercial d'accès à Internet pour tous qui se nomme **SFINX (Service for French INternet eXchange)**.

L'arrivée d'Internet au pays du Minitel s'est faite avec une longueur d'avance comparativement à d'autres pays: en effet, les Français connaissent et utilisent déjà la télématique. Elle fait partie de leur quotidien et, à ce titre, ne suscite pas les mêmes craintes que celles soulevées habituellement par l'arrivée d'une nouvelle technologie. C'est peut-être en partie ce qui explique le foisonnement d'idées qui se bousculent pour peupler et développer l'espace virtuel francophone du réseau.

Il existe une multitude de sites Web en France qui font la promotion des différents aspects culturels du pays. On peut penser entre autres aux **Champs Élysées virtuels**, au musée du **Louvre** et à la **ville de Paris**.

Internet, c'est un monde à bâtir. C'est le «Far West» de cette fin de millénaire et, plus que jamais, grâce à sa grande flexibilité, c'est l'imagination qui en est le maître d'œuvre. Francophones de tous horizons: à vos claviers!

SFINX (Service for French INternet eXchange) (*http://www.urec.fr/Renater/Sfinx/SFINX.html*)
Champs Élysées virtuels (*http://www.iway.fr/champs_elysees*)
Louvre (*http://www.louvre.fr*) • ville de Paris (*http://www.paris.org*)

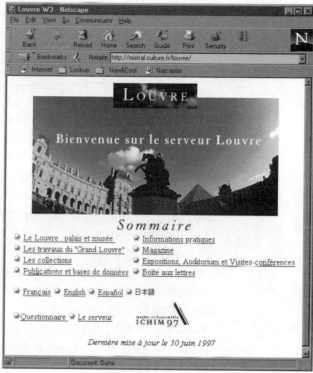

Figure 1.16
Le musée du Louvre

1.5 D'IMPORTANTES NOTIONS DE BASE D'INTERNET

La présente section, très importante, porte sur le fonctionnement technique d'Internet. Ce fonctionnement n'est pas difficile à comprendre si l'on ne s'attarde pas aux détails. Tous les renseignements qui se trouvent dans cette section sont à prendre avec un grain de sel. N'ayez crainte, vous n'aurez pas à générer vous-même une adresse IP ou à assembler un paquet d'information de toutes pièces pour naviguer paisiblement dans Internet. Non, tout ce que vous devez savoir à propos des notions suivantes, c'est qu'elles existent. Pour vous rassurer, peu d'entre vous peuvent m'expliquer comment fonctionne le carburateur de leur voiture; cependant, vous savez qu'il se trouve sous le capot. C'est un peu la même chose avec Internet...

1.5.1 L'adresse IP

Afin d'identifier un appareil dans Internet, l'ordinateur doit posséder une adresse quelconque ayant la particularité d'être unique. Le protocole de télécommunications TCP/IP (*Transmission Control Protocol/Internet Protocol*) remplit ce rôle à merveille avec **l'adresse IP**, également connue sous le nom de **numéro IP**. Une adresse IP est composée de 32 bits (1 ou 0), représentés par quatre nombres décimaux. La représentation suivante en est un exemple:

→ 10000100 11001011 01100011 00001010
est égale *à 132.203.99.10*

Chaque appareil lié à Internet possède une adresse semblable. Au moment de votre entrée en ligne dans Internet, votre fournisseur d'accès vous attribue une de ces adresses pour la durée de votre branchement. Si votre ordinateur fait partie d'un réseau relié en permanence à Internet, votre adresse IP sera tout aussi permanente. Ce besoin de posséder une adresse unique est un préambule nécessaire pour échanger n'importe quelle sorte d'information dans le réseau. Les quatre nombres sont séparés par un point afin qu'on puisse les identifier. Chacun de ces quatre nombres formant l'adresse complète a une signification très concrète. Généralement, les deux ou trois premiers nombres identifient l'organisation principale. C'est-à-dire que tous les membres de cette organisation auront ces mêmes nombres au début de leur adresse. Le troisième nombre peut indiquer un des réseaux internes de l'organisation ou être utilisé pour compléter l'identification du domaine. Finalement, le dernier identifie l'appareil de l'utilisateur. Voici un exemple:

132.203.99.10	→	*132.203*	Université Laval
		99	Réseau de la bibliothèque
		10	Ordinateur de Pierre Tremblay
132.203.99.11	→	*132.203*	Université Laval
		99	Réseau de la bibliothèque
		11	Ordinateur de Rachèle Jasmin
132.203.104.23	→	*132.203*	Université Laval
		104	Réseau de la foresterie
		23	Serveur de fichiers de la faculté
134.121.4.5	→	*134.121*	Eastern Washington University
		4	Réseau administratif
		5	Ordinateur de Peter Monoghan

On ne travaille jamais avec la représentation binaire, mais bien avec la représentation décimale. C'est avec cette adresse que l'on peut facilement acheminer des informations dans Internet. L'attribution de ces numéros se fait localement en ce qui a trait aux numéros de réseaux locaux ainsi qu'aux numéros attribués aux appareils. L'attribution du préfixe représentant l'organisation est faite par le centre de distribution régional. Je vous rappelle que ceux qui sont branchés par modem à un fournisseur Internet se voient assigner dynamiquement une adresse IP chaque fois qu'ils se branchent au réseau. La compréhension de l'adresse IP est le premier élément du puzzle. Voyons maintenant ce que l'on en fait.

> **CAPSULE**   Intranet et extranet
>
> → **Intranet.** Vous avez peut-être entendu parler de ce terme dans les médias. N'ayez crainte, il ne s'agit pas d'un second réseau Internet. L'intranet, ou intraréseautage, est un concept dans lequel on utilise tous les outils d'Internet, comme le Web et le courrier électronique, à l'usage exclusif d'une organisation. Les internautes comme vous et moi ne peuvent aller naviguer dans l'intranet d'une organisation, parce qu'il est verrouillé de l'intérieur. On utilise les habiletés naturelles des individus dans Internet pour les fonctions bureautiques. Un bon exemple serait l'accès à une base de données corporative par le biais d'une page Web.
>
> → **Extranet.** Il s'agit d'un autre concept et il ressemble beaucoup à l'intranet. La seule différence est que le réseau est accessible aux clients et aux fournisseurs de l'organisation en question. Le but est de partager des informations stratégiques et de pouvoir faciliter les activités administratives des différents participants. Encore une fois, seuls les membres autorisés ont le droit d'exploiter les ressources d'un extranet.

1.5.2 L'adresse Internet d'un appareil

En plus de posséder une adresse numérique, les ordinateurs qui composent les nœuds d'Internet possèdent des noms. Il est ainsi plus facile de se rappeler l'adresse de l'appareil exploitant le catalogue de la bibliothèque de l'Université Laval comme étant *ariane.ulaval.ca* que son numéro IP *132.203.250.33*. L'adresse Internet d'un ordinateur est composée du nom de domaine, du nom du ou des réseaux, s'il y a lieu, et du nom propre de la machine.

Il est important de noter qu'aucun accent ni espace blanc ne sont acceptés à l'intérieur d'une adresse Internet. Décomposons l'adresse Internet de l'appareil suivant:

Figure 1.17
Adresse Internet d'un appareil

Pour ce qui est des utilisateurs qui accèdent à Internet par le biais d'un fournisseur, votre ordinateur possède une adresse générique qui change à chaque entrée dans le réseau. Elle ressemblera à une adresse du type *ppp-021.fournisseur.Internet,* où le chiffre figurant dans le terme *ppp-021* indiquera le numéro séquentiel du modem qu'utilisera le fournisseur.

Nous travaillons donc beaucoup mieux avec des mots qu'avec une combinaison de nombres. Le nom de l'appareil doit être le premier mot inscrit dans l'adresse, suivi du nom du ou des réseaux par ordre d'importance croissant et, finalement, du nom du domaine. Comme l'adresse, les mots doivent être séparés de points et ne doivent pas contenir d'espaces.

1.5.3 L'adresse de courrier électronique et le pseudonyme Internet d'un utilisateur

Parlons des utilisateurs. Ont-ils une identité? Certes, et c'est une notion très facile à assimiler. L'adresse Internet d'un utilisateur est composée du nom d'utilisateur qu'il possède chez son fournisseur ou à l'intérieur de son organisation, suivi du nom de domaine de ce dernier. Le nom de l'utilisateur et celui du domaine sont séparés par le symbole «@» afin qu'on puisse différencier les entités. Il est important de noter qu'aucun accent ni espace ne sont acceptés à l'intérieur d'une adresse de courrier électronique. Décomposons mon adresse Internet:

Figure 1.18
Adresse de courrier électronique

Certains ont trouvé que même ce type d'adresse était encore trop long. On a alors inventé la notion de pseudonyme Internet. Il s'agit d'un nom plus court utilisé pour désigner l'adresse Internet de l'utilisateur. Ainsi, l'adresse que j'inscris sur mes cartes professionnelles n'est pas celle que je viens d'indiquer. C'est plutôt *dsohier@bibl.ulaval.ca.* Il est possible de posséder plusieurs pseudonymes. Par exemple, les adresses *support@societe.com, aide@societe.com, administrateur@societe.com* et *webmestre@societe.com* peuvent toutes pointer vers la même personne. De même, un appareil peut également posséder un pseudonyme Internet pour qu'il soit plus facilement accessible, comme *www.societe.com*, qui représente réellement un appareil avec l'adresse *serveur8.societe.com.*

I.5.4 Le paquet d'information

Le paquet d'information est ce qui circule dans les fils de télécommunications. Afin de mieux comprendre ce concept, utilisons l'analogie de l'envoi d'une lettre à un ami. Après avoir rédigé la lettre, vous l'insérez dans une enveloppe que vous cachetez. Vous prenez bien soin d'écrire l'adresse du destinataire au recto et, finalement, vous inscrivez votre propre adresse au verso. Un paquet d'information fonctionne selon le même principe. Lorsque vous faites parvenir un fichier à un collègue dans une autre université, des paquets sont formés. Chaque paquet contient les deux adresses et un morceau du fichier. Un peu comme ceci:

La grosseur de «l'enveloppe» est déterminée par le type d'installation présent sur votre site. La grosseur de l'information peut aller de 1 à 1 500 caractères. La moyenne est de 500.

Figure 1.19
Paquet d'information IP

1.5.5 Le port IP

Le port IP sert à différencier le type de trafic dans le réseau. Afin de mieux comprendre, pensez à un poste de radio qui a la capacité de recevoir toutes les ondes radio. De la même façon, un serveur peut offrir plusieurs services à la fois. Chacun de ces services écoute son propre port IP. Il répond seulement lorsque des paquets marqués du port approprié lui sont acheminés. Les autres services ignoreront ces paquets d'information.

Lorsque vous faites du transfert de fichiers à l'aide de FTP (*File Transfer Protocol*), le serveur qui vous offre le service utilise le port IP 21. Tous les paquets d'information seront donc marqués du port 21.

C'est une façon simple de contrôler le trafic dans Internet ou dans n'importe quel réseau. Si un site décide de bloquer une ressource, il ne fait qu'interdire la transmission sur le port en question. Tous les paquets qui portent ce numéro de port seront éliminés. Le port IP est représenté par un chiffre entre 1 et 32 767. On peut définir autant de services qu'on le veut. Par définition, certains de ces ports sont réservés à des tâches bien précises. Voici une liste des ports les plus utilisés:

Transfert de fichiers (FTP)	→	21
Communications Telnet	→	23
Consultation de DNS	→	53
Gopher	→	70
Web	→	80
Wais	→	210
Courrier électronique	→	25, 119, 175, 540
Sessions de bavardage	→	6667 - 6670

1.5.6 Le domaine et le serveur de noms de domaine (DNS)

La discussion technique est pratiquement terminée. Comme vous le voyez, le fonctionnement d'Internet n'est pas très compliqué. Le domaine est l'ensemble des utilisateurs d'une organisation. Toutes les adresses IP des utilisateurs de cette entreprise possèdent les deux mêmes premiers nombres (*132.203* pour l'Université Laval, par exemple). Pour les adresses Internet, on dit que l'on appartient au domaine *ulaval.ca*. Un nom de domaine se traduit de la droite vers la gauche. Ainsi, *.ca* indique que le domaine se trouve au Canada, et *ulaval* est une abréviation pour l'Université Laval. On trouve des domaines comme *francenet.fr, uqam.ca, aol.com, inria.fr.* Un nom de domaine est séparé par des points et **ne doit pas contenir de caractères accentués ou spéciaux comme des espaces ou des signes de ponctuation.**

Le serveur de noms de domaine (DNS - *Domain Name Server* en anglais) est un appareil contenant la liste de tous les domaines du monde. On trouve un serveur DNS dans chacun des sites d'Internet. Il agit un peu comme le portier du site. Il contient également la table des adresses Internet, ainsi que les adresses IP correspondantes de tous les utilisateurs de ce site. Chaque fois que l'on utilise une adresse Internet comme *ariane.ulaval.ca,* la demande est envoyée au serveur DNS, qui renvoie l'adresse IP de l'appareil que nous désirons joindre, *132.203.250.33* dans notre cas. Les noms de domaine sont déterminés par chacune des organisations. Chaque nom doit toujours comprendre le suffixe du domaine principal dans lequel il se trouve.

Voici l'exemple d'une situation où le serveur DNS est utilisé. Il s'agit de l'envoi d'un message par courrier électronique provenant de mon appareil et destiné à *Peter.Monoghan@adm.utexas.edu.*

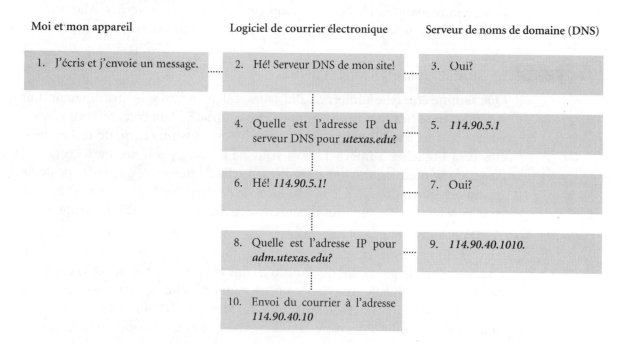

Moi et mon appareil	Logiciel de courrier électronique	Serveur de noms de domaine (DNS)
1. J'écris et j'envoie un message.	2. Hé! Serveur DNS de mon site!	3. Oui?
	4. Quelle est l'adresse IP du serveur DNS pour *utexas.edu*?	5. *114.90.5.1*
	6. Hé! *114.90.5.1*!	7. Oui?
	8. Quelle est l'adresse IP pour *adm.utexas.edu*?	9. *114.90.40.1010.*
	10. Envoi du courrier à l'adresse *114.90.40.10*	

Une fois que cet appareil aura reçu le courrier, il l'acheminera vers l'utilisateur *Peter.Monoghan.* Dans une adresse Internet, le premier mot à droite indique souvent le lieu géographique ou le type d'organisation du site en question.

Voici une liste des suffixes des domaines les plus fréquemment utilisés.

CODE	DESCRIPTION	EXEMPLE
edu	Les universités et collèges américains	*harvard.edu*
gov	Les organismes du gouvernement fédéral US	*nasa.gov*
com	Les entreprises	*ibm.com*
mil	Les forces armées américaines	*pentagon.mil*
net	Ressources globales de nature réseau	*internic.net*
ca	Ressources canadiennes	*ulaval.ca*
fr	Ressources françaises	*jussieu.fr*
ch	Ressources suisses	*cern.ch*
be	Ressources belges	*ac.be*
uk	Ressources britanniques	*cambridge.uk*

Toutes les astuces pour nommer utilisateurs, appareils et domaines doivent être assimilées, car elles reviendront dans les chapitres suivants. De plus, à partir de maintenant, j'utiliserai couramment ces notations Internet. Allez, ne résistez pas, c'est le jargon du métier et de la nouvelle frontière.

1.6 LE BRANCHEMENT À INTERNET

Que signifie être relié à Internet? Plusieurs se demandent si leur ordinateur doit subir des modifications majeures pour être connecté. D'un côté, certains d'entre vous – si vous travaillez dans une université ou dans un centre de recherche – êtes déjà branchés à Internet, mais vous ne le savez peut-être pas! En fait, si l'organisme pour lequel vous travaillez est relié à Internet et que votre poste de travail est en relation avec le réseau local de l'entreprise, il y a fort à parier que vous faites partie des millions d'heureux détenteurs du titre d'internaute.

D'un autre côté, la plupart d'entre vous désirez naviguer et utiliser les ressources du réseau Internet à la maison. En tout premier lieu, un conseil d'ami pour ceux qui ne possèdent qu'une seule ligne téléphonique et qui désirent accéder à Internet par cette voie. Si vous pensez utiliser cette ligne très souvent pour vos communications Internet, louez une autre ligne. Cela vous évitera de subir les foudres des membres de votre famille... Mais, bonne nouvelle pour les foyers situés dans les zones où les compagnies de câblodistribution offrent le branchement à Internet par le biais du câble. Vous n'aurez plus à utiliser votre ligne téléphonique pour accéder au réseau et votre connexion sera beaucoup plus rapide. Le désavantage de ce type de connexion est qu'il est un peu plus coûteux.

Pour avoir une connexion Internet à la maison, il faut faire affaire avec un fournisseur d'accès. Ce type d'entreprise est mieux connu maintenant. Ce n'était pas le cas il y a seulement trois ans. On voit des annonces de fournisseurs paraître dans les médias. Les abonnés peuvent naviguer dans Internet, et les frais figurent sur la même facture que ceux du service téléphonique ou de la télévision par câble.

1.6.1 Établir une connexion avec Internet

Il existe deux catégories de logiciels permettant d'établir la connexion avec Internet: ceux qui établissent la connexion au serveur de votre fournisseur et ceux qui sont nécessaires pour naviguer dans le réseau. Le logiciel de connexion est généralement compris avec le système d'exploitation de votre ordinateur. Cela est vrai si vous utilisez Windows95 ou MacOS 7.5 et plus. Dans le cas du système d'exploitation Windows 3.1, votre fournisseur Internet est tenu de vous fournir le logiciel approprié. Je ne vous donne le nom d'aucun logiciel, car il en existe une multitude, et je vous recommande d'utiliser celui offert par votre fournisseur. Ce dernier est un expert et sait que le logiciel de connexion qu'il vous conseille fonctionne avec ses propres équipements.

Vous êtes décidé et désirez vous brancher à Internet. Votre fournisseur débute par vous conseiller une trousse d'accès complète. Vous y trouverez tous les logiciels et les instructions nécessaires pour vous brancher. Il est important que vous mentionniez à votre fournisseur le type d'ordinateur et de modem que vous utilisez afin qu'il vous donne les bons logiciels.

Dans un premier temps, l'utilisateur établit la communication avec le fournisseur Internet à l'aide du logiciel de connexion. Par la suite, le logiciel de communication devient transparent, c'est-à-dire que l'utilisateur ne se rend plus compte qu'un logiciel de communication est en fonction sur son ordinateur. Il est maintenant libre d'utiliser les logiciels de son choix pour exploiter les ressources d'Internet. Vous verrez dans les chapitres suivants qu'il existe une foule de ressources et autant de logiciels pour les exploiter. Cependant, vous devriez avoir au moins un navigateur Web et un logiciel de courrier électronique. Encore une fois, votre fournisseur Internet vous fournira ces logiciels dans la trousse d'accès.

CAPSULE   Fournisseurs Internet

C'est le temps de magasiner les offres des différents fournisseurs Internet. Quels sont les critères permettant de trouver le bon fournisseur? Il en existe plusieurs.

→ **La qualité du service à la clientèle.** Internet peut s'avérer une notion très amère si vous n'êtes pas capable d'effectuer la connexion initiale avec le serveur du fournisseur d'accès. Vous devriez être en mesure de joindre le service à la clientèle 7 jours sur 7. Je n'irais pas jusqu'à dire 24 heures sur 24 mais, si vous l'obtenez, tant mieux pour vous. Il vaut mieux sacrifier quelques dollars pour avoir un meilleur service.

→ **La qualité de la connexion.** Votre fournisseur devrait mettre à votre disposition les modems les plus rapides qui soient sur le marché. Sinon, vous risquez de vous relier à Internet à une vitesse inférieure à la vitesse optimale de votre modem, et cela constitue un mauvais investissement de votre part.

→ **La qualité de la disponibilité.** Le nombre de modems et de lignes téléphoniques dont dispose votre fournisseur doit être suffisant pour que, lorsque vous tentez de vous connecter, vous ne soyez pas confronté à une ligne occupée.

→ **La vitesse du lien entre le fournisseur et Internet.** La vitesse du lien que votre fournisseur entretient avec Internet détermine quelque peu votre propre vitesse d'accès au réseau. Normalement, un bon lien est déterminé par une connexion d'au moins 1,5 Megabits par seconde (Mbps). Sous ce seuil, vous risquez fort d'être ralenti par le trafic généré par les autres internautes reliés au réseau par le même fournisseur. Les liens les plus rapides possèdent des connexions allant jusqu'à 155 Mbps.

→ **Le prix et les modalités de la connexion.** Un bon tarif présentement pour vous brancher à Internet se situe entre 20 $ et 30 $ par mois pour une durée illimitée, dans le cas d'une connexion modem. Vous ne devriez pas payer plus cher que cela. Il existe des connexions à 10 $ par mois, mais elles sont généralement de type terminal, ce qui se traduit par un accès à Internet en mode texte uniquement. Dans le cas d'une connexion par câble, les tarifs gravitent entre 50 $ et 60 $ par mois.

1.6.2   Accès à Internet par le biais d'un réseau TCP/IP

Le modèle traditionnel du branchement par le biais d'un réseau relié à Internet était le plus répandu auparavant. Chaque ordinateur d'un réseau relié à Internet avait la possibilité de participer à l'aventure mondiale.

Le diagramme ci-contre démontre que le poste de chaque utilisateur est normalement relié à un réseau local où sont situés des services, comme un serveur de fichiers ou une imprimante réseau. Cette connexion au réseau est effectuée à l'aide d'une carte réseau installée dans l'ordinateur. Le lien avec Internet se fait généralement par un ordinateur équipé d'un ou de plusieurs modems à haut débit (19,2 kbps, 56 kbps, T1 ou T3) ou alors d'un routeur réseau. Cet aiguilleur se trouve

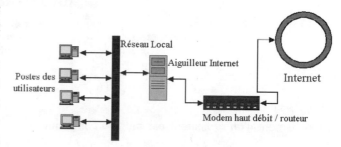

Figure 1.20
Branchement d'un réseau local à Internet

quelque part dans le réseau. Sa localisation géographique ou logique n'a aucune importance. Ce n'est pas l'utilisateur qui est relié, mais le réseau dans lequel il se trouve. Le coût de cette connexion est généralement fixe pour l'organisation, car le lien est maintenu en permanence. Ce montant est déterminé par le nombre de lignes utilisées, la vitesse de transmission des données et le type d'équipement utilisé pour effectuer la liaison.

1.6.3   Accès modem de la maison grâce à un fournisseur de liens Internet

Les fournisseurs de liens Internet achètent des lignes à haut débit reliées à un fournisseur régional encore plus important. Elles vendent par la suite des abonnements de types différents à des particuliers ou à des entreprises. Il s'agit simplement de posséder un ordinateur et un modem pour communiquer avec le fournisseur, qui est la porte d'entrée à Internet. Les coûts et les modalités d'abonnement diffèrent d'une entreprise à l'autre. Vous trouverez une liste de fournisseurs à la fin du volume à l'annexe A. Techniquement parlant, ce type de lien s'appelle SLIP/PPP (*Serial Line Internet Protocol/Point to Point Protocol*). Il permet à l'utilisateur d'émuler le protocole TCP/IP réservé à une architecture de réseau local chez soi. Dans ce modèle, vous faites partie à part entière du réseau Internet, contrairement à une connexion terminale (voir section 1.6.4).

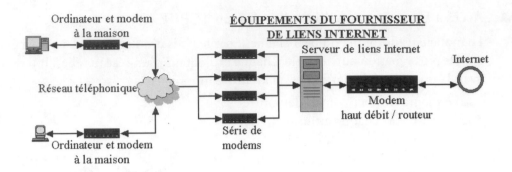

Figure 1.21
Branchement d'un ordinateur par modem à Internet

Le modèle est simple. L'utilisateur se sert d'une ligne téléphonique normale ou d'une ligne réservée aux communications Internet. Le serveur SLIP/PPP administre la connexion en vérifiant l'identité de l'utilisateur et en lui assignant dynamiquement une adresse IP (voir section 1.5.1) tirée d'une plage d'adresses statiques. Si le serveur possède quatre ports d'entrée, il dispose également de quatre adresses IP différentes. Il assigne, pour la durée de la liaison, une de ces adresses à l'utilisateur qui en fait la demande.

Le modem 33 600 bits par seconde (bps) est la nouvelle norme pour naviguer dans Internet. Ces modèles sont peu coûteux, soit entre 50 $ et 200 $ (500 FF et 1000 FF). La vitesse minimale acceptable est maintenant fixée à 28 800 bps. Demandez également un modem qui permet la compression des données, ce qui peut faire augmenter, voire doubler, la vitesse de transmission si votre fournisseur possède le même type d'appareil. La norme de compression X2 en est une dont vous entendrez souvent parler. À l'achat de votre modem, assurez-vous qu'il possède la fonction de télécopieur intégré. Elle est très pratique et ne représente pas de frais supplémentaires. N'achetez jamais un modem fonctionnant à 300, 1 200, 9 600 ou 14 400 bps. Ces vitesses de transmission sont beaucoup trop lentes, la limite inférieure s'établissant clairement à 28 800 bps. Sans faire de publicité, les marques reconnues dans ce domaine sont **US Robotics** et **Microcom**.

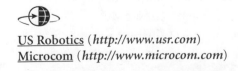

US Robotics (*http://www.usr.com*)
Microcom (*http://www.microcom.com*)

1.6.4 Accès à Internet en mode terminal

Dans le cadre de ce mode d'accès, connu en anglais sous le nom de *Dial-up*, votre ordinateur personnel est le miroir de ce qui se passe sur le serveur à l'autre bout du fil. Le serveur gère votre session de travail directement, à l'aide de ses propres ressources. C'est lui qui effectue tout le traitement.

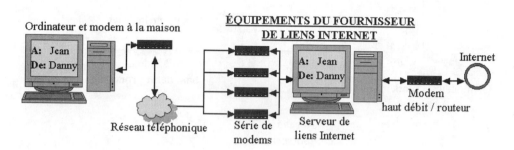

Figure 1.22
Accès en mode terminal

L'adresse IP utilisée est celle du serveur. L'adresse Internet de l'utilisateur se trouve directement liée au serveur. Ce mode est vétuste et rarement utilisé, car il demande trop d'efforts au serveur. En fait, c'est le mode traditionnel des terminaux reliés à un central à l'aide de liens séries, à la différence que le terminal est votre ordinateur personnel et que le lien est téléphonique. Ce mode est intéressant si votre ordinateur n'est pas très puissant ou que votre seul besoin est d'exploiter le courrier électronique dans Internet. Sinon, je vous déconseille ce mode, car vous ne jouirez pas des ressources graphiques du Web à son plein potentiel. Faites plutôt affaire avec un fournisseur offrant le modèle SLIP/PPP (voir section 1.6.3).

Puisque seul du texte se trouve au cœur de l'échange entre votre ordinateur et le serveur étranger, la vitesse de transmission du modem a peu d'importance. Vous devriez cependant tenter d'en maintenir la vitesse entre 14,4 kbps et 28,8 kbps.

1.6.5 Accès à Internet par modem-câble

Ce type d'accès constitue une approche nouvelle qui allie rapidité et commodité à un prix légèrement supérieur à celui d'un accès téléphonique par modem. On utilise le réseau de câblodistribution pour communiquer dans Internet. La vitesse de transmission varie présentement entre 500 kilobits par seconde (kbps) et 27 Megabits par seconde (1 Mbps = 1000 kbps). Le point intéressant de ce mode est qu'il n'y a pas de limite au temps que vous pouvez passer à naviguer.

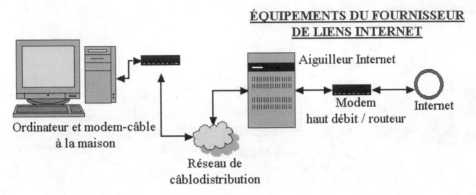

Figure 1.23
Accès à Internet par le modem-câble

Votre ordinateur est doté d'une adresse Internet pour la durée de votre séance par le serveur de liens de votre fournisseur. Le modem-câble remplit les mêmes fonctions qu'un modem traditionnel tout en étant beaucoup plus rapide. Présentement, le coût d'achat d'un modem-câble est très élevé. Pour cette raison, la compagnie de câblodistribution vous louera cette pièce d'équipement pour quelques dollars par mois en plus de votre abonnement à Internet. Une autre pièce d'équipement nécessaire à ce type de connexion est une carte réseau de type Ethernet qu'on installe dans votre ordinateur. Il ne faut pas confondre Internet et Ethernet, ce dernier étant une topologie de réseau. Vous devez généralement acheter cette carte pour votre ordinateur. Toutefois, bonne nouvelle, elle ne coûte pas cher, soit entre 50 $ et 100 $ (250 FF et 500 FF).

Je vous invite à entrer en contact avec votre compagnie de câblodistribution pour savoir si le service est offert dans votre région. Internet par le câble n'est pas encore accessible dans toutes les régions, car le réseau de câblodistribution doit subir des modifications pour pouvoir supporter le signal bidirectionnel que représente ce type d'accès au réseau.

1.6.6 Accès par un lien RNIS

RNIS (Réseau Numérique à Intégration de Service) est la réponse des compagnies de téléphonie à la demande d'un accès plus rapide. Il s'agit d'une ligne téléphonique numérique à haut débit qui permet des vitesses maximales de 128 kilobits par seconde (kbps). Cependant, l'utilisateur doit se faire installer une seconde ligne qui ne sera utilisable que par le modem à haut débit. Les frais d'utilisation sont beaucoup plus élevés qu'avec le modem-câble. Ce type de connexion ne tient pas compte du nombre d'heures passées dans Internet. La seule pièce d'équipement que l'utilisateur doit acheter est un modem à haut débit.

1.7 CONCLUSION

Vous en savez maintenant un peu plus sur Internet et sur son fonctionnement. Pour assimiler toutes ces connaissances, il ne faut pas se décourager et, surtout, ne pas essayer de tout se rappeler. Il y a trop de données. Il arrive que je m'y perde moi aussi. Pourtant, je me considère comme un grand utilisateur (traduction libre du terme *power-user*) de toutes les ressources d'Internet.

Les secrets du courrier électronique

*«La forme la plus simple
et directe pour communiquer dans Internet...»*

Le courrier électronique est un des vieux routiers du réseau Internet. Avec cette ressource, vous pouvez échanger des idées avec des correspondants, quelle que soit leur situation géographique et ce, en quelques secondes seulement. De plus, vous pouvez envoyer gratuitement autant de messages que vos doigts vous le permettent une fois payé votre abonnement mensuel au réseau Internet. Le courrier électronique est souvent la raison des premiers pas sur l'autoroute de l'information de n'importe quel utilisateur. Que ce soit à des fins administratives, professionnelles ou personnelles, l'utilisation du courrier électronique est devenue monnaie courante dans pratiquement toutes les organisations dotées d'un réseau. Songez que le monde du courrier électronique est encore plus vaste que celui d'Internet. En effet, tous les réseaux d'Internet ont accès au courrier électronique. Toutefois, certains réseaux ne sont pas considérés comme membres à part entière d'Internet parce que leur seul accès se fait par une passerelle de courrier électronique. C'est le cas de certains pays du tiers monde. Le courrier électronique est vraiment l'outil de base pour joindre tous et chacun dans le monde... La poste traditionnelle porte le sobriquet de *snail mail* (courrier escargot) dans Internet à cause de son immobilisme relatif par rapport au courrier électronique.

De plus en plus, le courrier électronique est reconnu comme une application bureautique et non plus comme une application réseau. Le débat reste ouvert. Je crois que c'est un outil important de la bureautique qui fonctionne par le biais d'un réseau que tout le monde devrait maîtriser dès le début. On commence à noter une diminution du courrier interne sur papier dans les grandes entreprises possédant un réseau. C'est normal, et surtout écologique, et voilà un sujet qui me tient beaucoup à cœur.

Il existe une multitude de logiciels pour effectuer les opérations de courrier électronique. Les navigateurs Web sont maintenant équipés de ce type de logiciel, et la compétition est féroce. Il serait impossible de vous montrer le fonctionnement de chacun d'entre eux. J'aimerais plutôt me concentrer sur un produit en particulier, soit le logiciel *EUDORA*, de la compagnie **Qualcomm**.

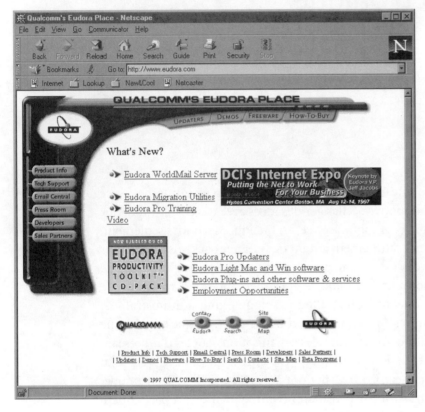

Figure 2.1
Site Web du logiciel de courrier électronique *Eudora*

Pour ce qui est du logiciel *Eudora*, une version existe pour Windows 3.1, pour Windows95, pour Macintosh et même pour le Newton. Je ferai mes démonstrations à l'aide de la version 3.0 pour Windows95. Vous constaterez que les interfaces sont exactement les mêmes pour les autres environnements. Donc, soyez attentif. :) Un logiciel de base, appelé *Eudora Lite*, est offert gratuitement par Qualcomm par le biais du site Web du produit

Qualcomm (*http://www.qualcomm.com*)

Eudora. Une version professionnelle est proposée à un prix raisonnable. Les différences entre la version professionnelle et la version «légère» se trouvent au niveau du support à la clientèle, de la correction grammaticale des messages et du filtrage automatique des messages, particularités inexistantes dans la version gratuite. Également, il y a fort à parier que votre fournisseur Internet pourra vous offrir une version du logiciel *Eudora* à peu de frais. Selon la compagnie, il y a environ 15 millions d'adeptes de ce logiciel mondialement. Finalement, *Eudora* est considéré comme le meilleur logiciel de courrier électronique selon plusieurs magazines spécialisés dans le monde Internet.

Il existe d'excellents modules destinés au courrier électronique dans les navigateurs Web de **Netscape** et de **Microsoft**. Je les trouve à la hauteur, mais il semble que la majorité des internautes préfèrent toujours *Eudora*. Malgré tout, je décris les différentes fonctions de ces produits au chapitre 3, qui est consacré au Web.

2.1 LES AVANTAGES ET DÉSAVANTAGES DU COURRIER ÉLECTRONIQUE

Il y a plusieurs avantages à l'utilisation du courrier électronique. La transmission est immédiate, et la précision du message n'est pas compromise par des futilités, ce qui peut arriver dans un échange téléphonique. Le courrier électronique est bon pour l'environnement, même si certains internautes s'amusent à imprimer tout ce qui arrive dans leur boîte de courrier. Sur le plan financier, on a déjà mentionné qu'il ne coûtait pas plus cher d'envoyer un seul message ou une centaine. Une fois votre abonnement mensuel payé, vous faites ce que vous voulez dans Internet, ce qui n'est pas le cas avec le courrier postal.

Les désavantages du courrier électronique résident dans son manque de sécurité et dans la possibilité de recevoir à peu près n'importe quoi. Nul besoin d'être un membre de l'équipe de *Mission impossible* pour falsifier son identité dans Internet. N'importe qui, avec un minimum de connaissances, peut le faire. Je l'ai fait moi-même, un certain 1er avril. Si vous recevez un courrier électronique de ***president@loto.quebec.ca*** stipulant que vous venez de gagner un million de dollars, n'allez pas dépenser cette somme tout de suite. Finalement, les messages publicitaires se font de plus en plus nombreux, et il ne semble pas y avoir de fin à l'horizon.

Eudora (*http://www.eudora.com*) • Netscape (*http://www.netscape.com*)
Microsoft (*http://www.microsoft.com*)

En conclusion, les avantages du courrier électronique par rapport au téléphone et au courrier postal sont nombreux. Si vos destinataires ont la chance de posséder une adresse électronique, je vous conseille d'utiliser ce moyen facile, économique, rapide et écologique. Il n'est pas question de renier le téléphone ou le courrier sur papier, mais il s'agit d'être plus efficace avec le courrier électronique. :)

2.2 LA NÉTIQUETTE DU COURRIER ÉLECTRONIQUE

La nétiquette Internet est un ensemble de règles non écrites adoptées par la majorité des internautes. Elles servent à mieux communiquer. Certaines permettent également de réduire le trafic dans Internet. Il n'y a personne en particulier pour les faire respecter. Cependant, les citoyens du cyberespace se chargent de rappeler les gens à l'ordre lorsqu'ils dépassent la limite tracée par ces règles implicites.

→ **La politesse**

Soyez courtois dans vos envois et tentez de ne pas utiliser un langage excessif. La perception des termes «racisme», «abusif», «harcèlement» et «respect d'autrui» change selon chaque personne. Souvenez-vous de ma règle d'or: lorsque quelqu'un proteste, prenez ses commentaires en considération. Saluez vos destinataires et utilisez un langage alerte. Il est facile de mettre de la vie dans un texte.

→ **Soyez précis dans vos échanges**

Comme pour n'importe quel document écrit, ne tournez pas autour du pot. Exprimez-vous clairement avec des termes concrets. N'écrivez pas de longs paragraphes pour exprimer une idée simple.

→ **Diffusez sagement vos réponses**

Plusieurs logiciels vous offrent la possibilité d'inclure le message original dans votre réponse. C'est une particularité très pratique. Il faut cependant savoir comment l'utiliser. Voici quelques règles utiles:

• Ne renvoyez pas le message intégral si l'expéditeur ne vous demande qu'une simple réponse du genre oui ou non.

• Ajoutez les réponses aux questions posées ou aux opinions exprimées tout de suite après celles-ci. De cette façon, la personne qui lit votre réponse ne se posera pas de questions concernant vos intentions.

• Coupez les parties de texte inutiles pour votre réponse. Vous y gagnerez en clarté, surtout si le message doit être acheminé plusieurs fois entre vous et votre interlocuteur.

→ **La confidentialité**

Une des caractéristiques du courrier électronique est la possibilité de faire suivre du courrier à d'autres utilisateurs. Demandez à l'expéditeur son autorisation. *A priori*, un courrier électronique doit être traité comme un document confidentiel qui vous est destiné personnellement. Protégez l'intimité de votre interlocuteur. Il est impossible de savoir qui lit ces messages. Un conseil: n'archivez pas ces derniers s'ils sont confidentiels. C'est de cette façon que la majorité des preuves contre Oliver North ont été récoltées dans l'affaire Iran-Contra.

→ **Le ton et l'utilisation des majuscules**

Votre voix ne traverse pas encore les réseaux informatiques. Mais il est quand même possible de donner un certain ton à vos envois. Ainsi, l'utilisation de lettres majuscules indique une voix vive pour ne pas dire criarde. EST-CE CLAIR? Calmez-vous, je ne voulais pas vous invectiver, ce n'était qu'un exemple. Ce style est facile à manier et vous offre la possibilité de monter le ton, sans avoir recours à un langage excessif.

→ **La largeur de votre texte**

Gardez une largeur de colonne d'environ 60 caractères pour éviter que des mots ne se perdent dans la marge droite de l'écran de votre destinataire.

→ **Faites attention aux sarcasmes**

En rédigeant un message, votre humeur dicte un peu votre style de rédaction. Il est difficile d'exprimer des sarcasmes, car cette expression se trouve dans le ton de voix et dans le langage corporel de la personne la manifestant. Toutefois, ce qui semble être un commentaire anodin pour vous peut ne pas l'être pour votre destinataire. Soyez clair, encore une fois…

→ **L'utilisation des binettes (smileys) :)**

Vous avez déjà vu les signes :) et : (dans ce livre. Il s'agit de binettes (*smileys* en anglais). Regardez-les la tête penchée vers la gauche et vous comprendrez. C'est une excellente manière de communiquer ses humeurs. Voici un exemple:

Ce fut tout un party de Noël

Ce fut tout un party de Noël ;*)

La deuxième expression est beaucoup plus éloquente que la première. Un petit répertoire non officiel est publié à la fin de ce livre pour vous aider à traduire vos états d'âme. [:-) (L'enfant au walkman…)

→ **L'utilisation des ¨/$»(»*$&»/?$**

Il est parfois préférable d'utiliser ces signes pour exprimer des sentiments, disons vifs, à son interlocuteur plutôt que de se répandre en invectives. Admettons qu'il s'agit d'un style plus comique et bénin pour s'exprimer.

→ **Messages commerciaux**

On ne pourra pas passer à côté. La commercialisation du réseau bat son plein, ce qui amène un tas d'avantages. Malheureusement, un grand désavantage est la réception non sollicitée de messages commerciaux dans notre boîte de courrier électronique. Tentez d'éviter l'envoi de tels messages qui provoquent des réactions amères chez l'internaute. Utilisez plutôt les espaces publicitaires disponibles sur les sites Web les plus populaires. Vous obtiendrez ainsi des réponses positives venant d'une clientèle intéressée par vos produits.

→ **Gare au «SPAM»**

Pardon? «SPAM» n'est-il pas une marque populaire de jambon en conserve en Amérique du Nord? «Comment pouvons-nous être attaqué par du jambon dans Internet?» se demanderont certains. Ce terme est utilisé lorsqu'un commerçant inonde une série de listes de discussion avec des offres de nature commerciale. Et ce, peu importe les sujets d'intérêt véhiculés à l'intérieur des listes. Les internautes détestent particulièrement ce type de comportement qui génère du trafic Internet inutilement.

→ **Attaque à la bombe postale!**

Et quoi encore? Finalement, Internet est-il un endroit dangereux? La bombe postale ne vous explosera pas dans la figure. Ce terme est utilisé lorsqu'il y a de l'inondation volontaire d'une boîte de courrier électronique par un petit vilain qui en veut au destinataire. Imaginez-vous recevoir des milliers de messages un beau matin. Votre boîte est pleine et vous ne pouvez plus recevoir de messages. C'est une action que vous devriez absolument éviter de poser. On peut même être traduit en justice dans certains pays pour ce type d'acte.

> **CAPSULE**   Nétiquette
>
> Il existe dans Internet plusieurs documents qui traitent de la nétiquette. Vous pouvez facilement les consulter et, dans certains cas, joindre votre voix à celle des auteurs.
>
> → **La RFC1855 sur la Nétiquette** (*http://www-eleves.enst bretagne.fr/~stokelev/doc/divers/rfc1855.fr.html*)
>
> → **Combattez le Spamming sur Internet** (*http://www.cypango.net/~spam*)
>
> → **Netiquette Home page** (anglais) (*http://www.albion.com/netiquette*)
>
> → **La liste de courrier de la Netiquette** (anglais) (*http://bookfair.com/Services/Albion/listNetiquette.html*)
>
> → **Internet Spam Control Center** (*http://drsvcs.com/nospam/ns1.shtml*)
>
> → **Anti-Spam Project** (*http://www.bitgate.com/spam*)
>
> → **Groupe de discussion Usenet sur l'abus du courrier électronique** (*news:news.admin.net-abuse.email*)

2.3   L'ADRESSE ET LA SIGNATURE ÉLECTRONIQUE

Avant d'aller plus loin, il est important que vous connaissiez votre adresse de courrier électronique. Si vous ne la connaissez pas, demandez-la au service à la clientèle de votre fournisseur Internet ou à votre responsable réseau. Il se fera un plaisir de vous la donner. Vous aurez de la difficulté à travailler sans elle. Si vous possédez une carte professionnelle, pensez à y faire inscrire votre adresse.

L'adresse de courrier électronique est séparée en deux parties par le symbole «@» (arobas). Votre nom d'utilisateur se trouve à gauche. Deux formes sont généralement acceptées, soit le prénom et le nom séparés par un point, soit la première lettre du prénom suivie du nom de la personne. Le domaine Internet de votre fournisseur ou de votre compagnie forme la partie droite de votre adresse. **Il est important de noter qu'aucun accent ni espace ne sont acceptés à l'intérieur d'une adresse Internet.**

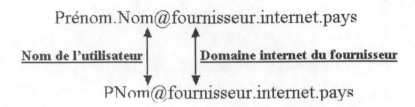

Figure 2.2
Adresse de courrier électronique

La signature électronique est une notion un peu différente de l'adresse électronique. Une signature est personnalisée. Il s'agit du bout de texte avec lequel la plupart des utilisateurs d'Internet terminent leurs messages. Dans ce texte, vous pouvez inclure votre nom au long, votre lieu de travail et même votre numéro de téléphone. Vous pouvez également ajouter une maxime ou un proverbe illustrant un peu votre philosophie. Certains insèrent même de petits dessins créés à l'aide des caractères ASCII.

Voici une signature simple:

Jean Tremblay

administration, UQAM

internet: Jean.tremblay@adm.uqam.ca

Voici une signature un peu plus complexe:

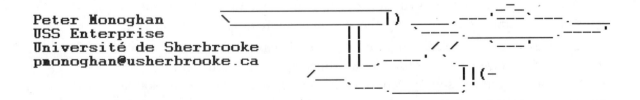

Et voici la mienne:

```
####      ####                          Danny J. Sohier
####      ####                      Analyste en informatique
#### #### ####                   Bibliothèque de l'Universite Laval
#### #### ####                   "Le savoir du monde passe par ici"
#### #### ####
###########              Un seul concept, LA VIE, rien d'autre ne fera....
############
     ###              "Tanière du Renard" http://www.bibl.ulaval.ca/danny
   #########
   #########                    Internet: dsohier@bibl.ulaval.ca
```

Comme vous pouvez le constater, il y a une certaine liberté de manœuvre. Créez votre signature dans un fichier texte et incorporez-la à la fin de votre message. Ainsi, les gens pourront un peu mieux vous connaître. Toutefois, évitez les signatures trop longues. Il serait ennuyeux que votre signature excède votre message en longueur. Il est recommandé de s'en tenir à une dizaine de lignes au maximum.

CAPSULE   ### Adresse de courrier gratuite et anonyme

Votre fournisseur Internet vous donne une identité publique dans le réseau. Il peut vous arriver d'avoir besoin d'une seconde, voire de plusieurs boîtes de courrier électronique supplémentaires. Vous désirez approfondir votre anonymat dans le réseau ou vous voulez simplement une boîte pour chacun des membres de votre entourage. Peu importe la raison, il existe des services gratuits dans Internet qui vous permettent d'obtenir exactement ce que vous souhaitez. Les sociétés suivantes offrent la possibilité de créer des adresses et des boîtes de courrier électronique gratuitement. Il n'y a aucuns frais pour recevoir ni pour envoyer des messages, et il n'y a pas de limite quant au nombre de messages enregistrés dans votre boîte. Ces sociétés ne sont pas suicidaires. Elles survivent en vendant des encarts publicitaires sur leurs sites Web respectifs et en vendant des statistiques concernant leurs utilisateurs. Ces renseignements sont anonymes afin d'en assurer le caractère confidentiel.

→ Hotmail (*http://www.hotmail.com*)

→ Rocket Mail (*http://www.rocketmail.com*)

→ Dotmail (*http://www.mail.dotcom.fr*)

→ Le gratuit du Net (*http://www.mygale.org/05/botson/gratuit.htm*)

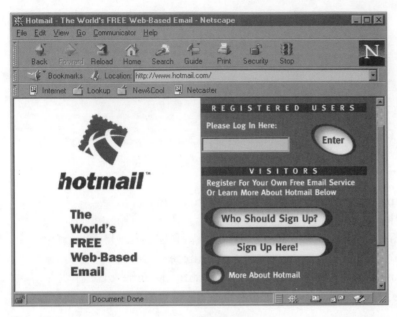

Figure 2.3
Site Web de la société Hotmail

2.4 LE FONCTIONNEMENT DU COURRIER ÉLECTRONIQUE

On étudiera ici brièvement le fonctionnement du courrier électronique. Cette analyse ne relève pas du monde technique, et vous n'avez pas besoin de connaître à fond les détails de cette ressource pour l'exploiter. Il est néanmoins bon de savoir comment un message peut se rendre du point A au point B.

Le courrier électronique ne ressemble pas aux autres services d'Internet. Il est différent, car les deux interlocuteurs n'ont pas besoin d'être présents en même temps pour s'en servir. C'est un service en différé. Le courrier normal par la poste est envoyé d'un bureau de poste à un autre jusqu'au moment où le facteur le livre chez vous. Le courrier électronique fonctionne de la même manière. Il chevauche différents serveurs dans Internet pour finalement arriver à destination. Je vous épargne la discussion sur ce qui détermine son trajet exact. Le protocole de transport Internet TCP/IP s'en charge pour nous.

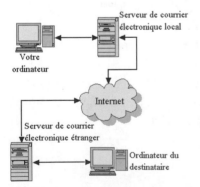

Figure 2.4
Trajet d'un courrier électronique dans Internet

2.4.1　Le protocole POP

Le protocole POP (*Post Office Protocol*) fut créé pour gérer l'interaction entre un logiciel de courrier électronique et un serveur de courrier. Cette gestion couvre le transfert unique des messages et la destruction subséquente de ces derniers sur le serveur. La plupart des logiciels de courrier électronique fonctionnent maintenant avec la norme POP.

Quelle est l'implication de ce protocole pour l'utilisateur? Vous devez posséder un compte sur le serveur de courrier POP et un mot de passe. Ce compte est présenté dans le même format qu'une adresse de courrier électronique (*utilisateur@serveur.pop*). Le mot de passe est demandé à chaque démarrage de votre logiciel de courrier électronique. L'utilité du mot de passe est évidente: vous ne voulez pas que tout le monde puisse lire votre courrier. Généralement, votre adresse de courrier électronique et votre adresse de compte POP sont identiques. Cependant, il peut arriver que ces deux dernières diffèrent. On verra à la section 2.6.2, qui traite de la configuration d'*Eudora*, comment faire face à cette situation.

2.5　LES CARACTÉRISTIQUES D'UN COURRIER ÉLECTRONIQUE

Il ne faut pas confondre les caractéristiques d'un message électronique et celles d'un logiciel qui en fait la gestion. Commençons par regarder le contenu d'un message. Par la suite, on verra les caractéristiques générales d'un logiciel de gestion de courrier électronique.

2.5.1　L'en-tête d'un message envoyé

On trouve plusieurs éléments dans un message électronique. Ces derniers sont divisés en deux parties distinctes. Il s'agit de l'en-tête du message, où l'on trouve tous les renseignements concernant la logistique du message, et le corps du message, qui contient le texte rédigé par l'auteur du message.

La rédaction d'un nouveau message a lieu lorsque vous en faites la demande à votre logiciel de courrier électronique. La fonction est décrite sous différents synonymes: RÉDIGER, NOUVEAU, ÉCRIRE, COMPOSER, etc. L'en-tête du message est généralement rempli au début. C'est dans l'en-tête que l'on précise les destinataires et le titre du message. C'est le même principe que pour une lettre, dont l'adresse doit être inscrite sur l'enveloppe. Voici un exemple d'en-tête standard à utiliser lorsque vous composez un message dans le monde d'Internet:

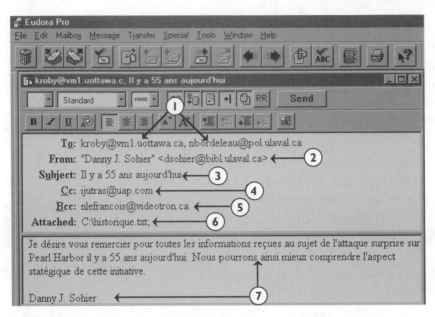

Légende

1. Destinataires principaux «To:» ou «À:»
2. Expéditeur «From:» ou «De:»
3. Titre du message «Subject:» ou «Sujet:»
4. Destinataires secondaires (Copies conformes) «CC:»
5. Copie conforme invisible «BCC:» ou «CCI:»
6. Fichier joint «Attachments:»
7. Corps du texte

Figure 2.5
En-tête et corps d'un message

Les champs **To: A:**, **CC:** et **BCC:**, (**CCI:**) servent à inscrire des adresses de courrier électronique. On peut en écrire une seule ou plusieurs. Dans le cas de plusieurs adresses, il faut séparer chacune d'elles par une virgule. On peut également entrer l'adresse d'une liste de distribution dans ces champs. Une liste de distribution contient plusieurs adresses électroniques de destinataires. Par exemple, vous pouvez avoir créé une liste de tous vos collègues travaillant dans votre domaine. Au lieu d'inscrire tous les noms dans votre adresse, vous vous contentez d'indiquer à votre logiciel où se trouve cette liste.

1. Les adresses prioritaires sont inscrites dans le champ **À:**. Les personnes directement visées par votre message doivent y être signalées. En anglais, il s'agit du champ **TO:**.

2. Le champ **DE:** (**FROM:** en anglais) doit normalement indiquer par défaut votre adresse électronique. Ce champ ne peut être modifié par l'auteur. Il est statique.

3. C'est dans le champ **SUJET:** que vous pouvez titrer votre message. Faites l'effort de lui donner un titre reflétant le contenu du message, car c'est le seul moyen de se le rappeler lorsqu'on regarde tous les messages à la fois. Il est plus facile par la suite de les retrouver et de les traiter correctement. De plus, c'est grâce à cette phrase que vous pouvez inciter les gens à lire votre courrier.

4. Les lettres du champ **CC:** sont l'abréviation de «copie conforme». Il s'agit de la même rubrique que dans les lettres d'affaires, qui indique l'envoi d'une copie identique du message à la personne mentionnée. Cette personne sait qu'elle n'est pas visée directement par le contenu de l'envoi, car son nom ne se trouve pas dans le champ principal.

5. **CCI:** (**BCC:** en anglais) est l'abréviation du terme «copie conforme invisible». Les personnes qui reçoivent ce message ne connaissent pas les autres destinataires et, vice-versa, les destinataires principaux et secondaires ne connaissent pas l'existence de cette copie.

6. Finalement, il est possible de joindre un fichier à votre message en indiquant, dans le champ **Attachments:,** le nom de ce dernier. La plupart des logiciels vous permettent de sélectionner le nom d'un fichier à l'aide d'un gestionnaire prévu à cet effet. C'est le cas d'*Eudora* avec l'option *Attach file* du menu déroulant *Message.* On verra cela un peu plus loin.

2.5.2 L'en-tête d'un message reçu

L'en-tête d'envoi est simple. L'en-tête d'un message reçu l'est un peu moins. Lorsque le message parcourt les différents serveurs de courrier, l'en-tête est modifié au fur et à mesure. De cette façon, certains champs sont ajoutés et d'autres supprimés. Cela a pour but de marquer le trajet du message à travers Internet pour que, advenant une éventuelle réponse, le message arrive plus rapidement. De même, si le message n'arrive pas à destination, pour une raison ou pour une autre, on peut savoir où se trouve le problème. Regardons un courrier type arrivé dans ma boîte de courrier:

Légende

I. Chemin parcouru par le message

2. Date et heure de l'envoi

3. Titre du message

4. Coordonnées du destinataire

5. N° identificateur du message

6. Caractéristiques du message

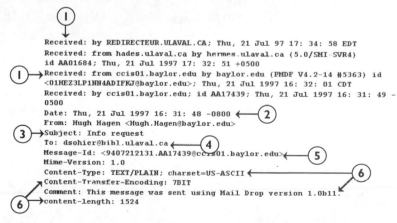

```
Received: by REDIRECTEUR.ULAVAL.CA; Thu, 21 Jul 97 17: 34: 58 EDT
Received: from hades.ulaval.ca by hermes.ulaval.ca (5.0/SMI-SVR4)
  id AA01684; Thu, 21 Jul 1997 17: 32: 51 +0500
Received: from ccis01.baylor.edu by baylor.edu (PMDF V4.2-14 #5363) id
  <01HEZ3LP1NN4ADIFKJ@baylor.edu>; Thu, 21 Jul 1997 16: 32: 01 CDT
Received: by ccis01.baylor.edu; id AA17439; Thu, 21 Jul 1997 16: 31: 49 -
  0500
Date: Thu, 21 Jul 1997 16: 31: 48 -0800
From: Hugh Hagen <Hugh.Hagen@baylor.edu>
Subject: Info request
To: dsohier@bibl.ulaval.ca
Message-Id: <9407212131.AA17439@ccis01.baylor.edu>
Mime-Version: 1.0
Content-Type: TEXT/PLAIN; charset=US-ASCII
Content-Transfer-Encoding: 7BIT
Comment: This message was sent using Mail Drop version 1.0b11.
Content-length: 1524
```

Figure 2.6
En-tête d'un message reçu

C'est un peu moins clair, n'est-ce pas? Le champ **Received:** montre le chemin parcouru par le message pendant son trajet dans Internet. Le nombre de ces lignes montre le nombre de serveurs de courrier qui ont traité ce message. Remarquez les heures à chaque étape, vous pouvez observer sa progression chronologique. Ensuite, on peut voir les champs habituels, notant la date et l'heure de l'envoi, les coordonnées de l'expéditeur, le titre du message et, finalement, les coordonnées du destinataire. Puis, de nouveaux champs plus obscurs apparaissent. **Message-Id:** donne le numéro de série du message; il s'agit d'un numéro unique émis par le serveur de courrier de l'expéditeur. Ce numéro permet aux serveurs de courrier de différencier les messages. Les autres champs précisent le type d'envoi et le nom du logiciel employé pour effectuer l'envoi. Le dernier champ, **content-length:**, indique la longueur du message en nombre de caractères.

2.5.3 Le corps d'un message

Examinons maintenant le contenu du message (voir figure 2.5). Il n'y a pas de grands secrets à révéler, heureusement. Généralement, un courrier ne dépasse pas 6 000 caractères. Dans le cas contraire, le serveur compresse les informations et les envoie comme un fichier joint. La question des accents français n'est plus problématique aujourd'hui. Ce fut néanmoins un combat technologique de longue haleine dans Internet. Le protocole le plus souvent utilisé auparavant était <u>**SMTP (Simple Mail Transfer Protocol)**</u>. Il utilisait 7 bits pour transférer ces informations. En utilisant 7 bits, on ne pouvait utiliser que les codes ASCII de 0 à 127, les lettres accentuées commençant, par une étrange coïncidence, à 128. C'est pourquoi les gourous d'Internet ont inventé un nouveau protocole pour le courrier électronique. Il s'agit de <u>**MIME (Multi-purpose Internet Mail Extensions)**</u>. Ce nouveau véhicule de transport permet l'échange de caractères spéciaux autres que ceux compris entre 0 et 127 dans l'ensemble ASCII. Vous pouvez utiliser sans crainte toute la gamme de caractères se trouvant dans le standard international ISO-LATIN-1. MIME permet également l'échange d'éléments multimédias, comme des graphiques animés ou des messages verbaux.

<u>SMTP (Simple Mail Transfer Protocol)</u> (*ftp://ds.internic.net/rfc/rfc821.txt*)
<u>MIME (Multi-Purpose Internet Mail Extensions)</u> (*http://www.oac.uci.edu/indiv/ehood/MIME/MIME.html*)

2.6 LES FONCTIONS PRINCIPALES DU LOGICIEL EUDORA PRO

Que peut-on faire avec les messages qui nous parviennent et avec ceux que l'on compose? Sont-ils détruits cinq secondes après leur lecture ou sont-ils condamnés à demeurer pour toujours sur le disque rigide de notre ordinateur? Comment fait-on pour créer un carnet d'adresses? Est-ce sorcier de joindre un fichier? Quelles sont les configurations de base? Les logiciels de gestion de courrier électronique nous offrent plusieurs possibilités.

2.6.1 Description de l'interface

Au moment du démarrage du logiciel *Eudora Pro*, la chemise de courrier contenant les messages reçus est affichée à l'écran, en haut duquel se trouvent une barre d'outils et des menus déroulants.

Légende

1. Transfert de messages dans la poubelle
2. Affichage des messages reçus dans la chemise de réception
3. Affichage des messages envoyés dans la chemise d'envoi
4. Récupération de vos nouveaux messages
5. Rédaction d'un nouveau message
6. Réponse à un ou à tous les expéditeurs
7. Faire suivre un message à un ou à plusieurs destinataires
8. Message précédent et suivant
9. Joindre un fichier
10. Correction grammaticale
11. Carnet d'adresses
12. Imprimer un message
13. Aide
14. Boutons de tri
15. Messages
16. Indicateur de lecture
17. Statut de la chemise

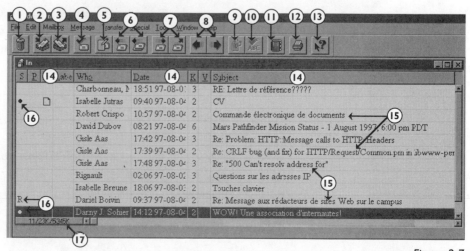

Figure 2.7
Interface du logiciel *Eudora Pro*

CHAPITRE 2

Vous pouvez y lire le nom de l'expéditeur, la date et le titre de chaque message. Un point noir indique si le message a été lu ou non. Vous pouvez déterminer l'ordre de présentation des messages en appuyant sur un des boutons de tri surmontant chacune des colonnes.

→ Cliquez avec le bouton gauche pour obtenir un ordre ascendant et avec le bouton droit pour afficher les messages dans un ordre descendant.

Le statut de la chemise se trouve dans le coin inférieur gauche de la fenêtre. Trois nombres sont inscrits (**11/23K/5345K**) de manière à vous indiquer, dans cet ordre, le nombre de messages dans la chemise, l'espace, exprimé en kilo-octets, occupé par ces messages sur votre disque rigide et, enfin, l'espace occupé par les messages situés dans les autres chemises de courrier.

La barre d'outils regroupe les fonctions utiles à la gestion de votre courrier. Les boutons correspondants sont affichés au même endroit dans toutes les chemises de courrier.

→ Pour effectuer une opération sur un ou sur plusieurs messages, sélectionnez-les d'abord à l'aide de la souris puis cliquez sur le bouton de votre choix.

2.6.2 Configuration du logiciel Eudora Pro

Il faut configurer votre logiciel avant de correspondre avec des internautes. Les informations importantes demandées par *Eudora* se résument à votre nom, votre adresse de courrier électronique et l'adresse Internet de votre serveur de courrier électronique.

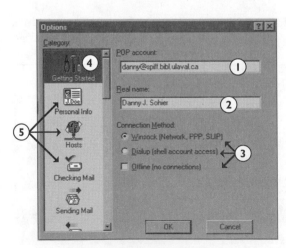

→ Pour avoir accès aux écrans de configuration, déroulez le menu *Tools* et sélectionnez *Options...*

Légende

1. Votre adresse sur le serveur POP de votre fournisseur
2. Votre véritable nom
3. Sélection de la méthode de branchement
4. Option sélectionnée
5. Options de configuration

Figure 2.8
Configuration initiale du logiciel *Eudora*

De nombreux paramètres et options peuvent être mis au point dans *Eudora*. On ne verra que les plus importants. Je vous laisse le soin de consulter le guide de l'utilisateur transmis avec le logiciel afin de connaître tous les fins détails de cette configuration.

Avec l'option ***Getting Started***, l'utilisateur doit inscrire son adresse de compte POP (voir section 2.4.1) ainsi que son véritable nom. Il doit également indiquer son type de connexion au réseau Internet. La plupart le font par **Winsock** (**Network, PPP, SLIP**).

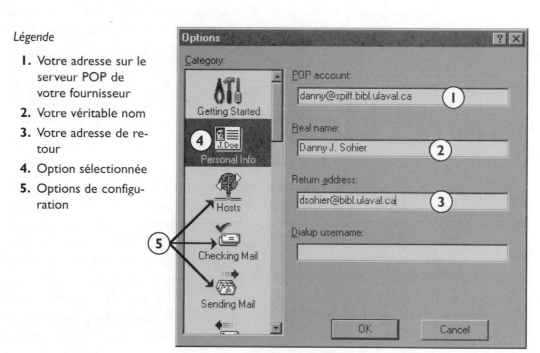

Légende

1. Votre adresse sur le serveur POP de votre fournisseur
2. Votre véritable nom
3. Votre adresse de retour
4. Option sélectionnée
5. Options de configuration

Figure 2.9
Configuration de l'adresse de retour

→ Dans le cas où votre adresse de courrier électronique serait différente de celle de votre compte POP, sélectionnez l'option *Personal Info* afin de corriger cette situation. Inscrivez votre véritable adresse de courrier électronique dans le champ ***Return Address***. De cette façon, tous vos destinataires verront cette adresse dans l'en-tête de vos messages et ils pourront l'utiliser pour vous répondre.

→ Cliquez sur le bouton **OK** une fois les modifications effectuées, et vous êtes maintenant prêt à envoyer du courrier.

2.6.3 Comment écrire et envoyer un nouveau message

Vous devez faire apparaître la fenêtre de rédaction pour écrire votre nouveau message.

→ Soit vous appuyez sur le bouton *Rédaction d'un nouveau message* comme l'illustre la figure 2.7 ;

→ Soit vous sélectionnez l'option *New message* du menu déroulant *Message.*

La fenêtre qui apparaît alors à l'écran (voir figure 2.10) vous permet de remplir l'en-tête et le corps du message. Appuyez sur le bouton *Send* pour envoyer votre message. Notez qu'une copie du message que vous venez d'envoyer se trouve dans la chemise d'envoi.

2.6.4 Comment répondre à un message et faire suivre un courrier

Sélectionnez le message désiré à l'aide de la souris et cliquez sur le bouton approprié, comme illustré à la figure 2.5.

Il y a quatre options possibles.

→ Dans le cas d'une simple réponse, vous devez choisir entre ces deux boutons . Le premier bouton permet de répondre à l'expéditeur seulement, tandis que le deuxième permet de répondre à tous les destinataires cités dans l'en-tête du message en plus de l'expéditeur. Dans les deux cas, une fenêtre de rédaction est affichée à l'écran avec le message original déjà inscrit dans le corps du texte. Les lignes du message sont précédées du signe > pour indiquer qu'il s'agit d'une réponse. Le préfixe **RE:** est ajouté au titre pour indiquer également qu'il s'agit d'une réponse. Vous pouvez également sélectionner les options *Reply* ou *Reply to all* du menu déroulant *Message* pour effectuer ces opérations.

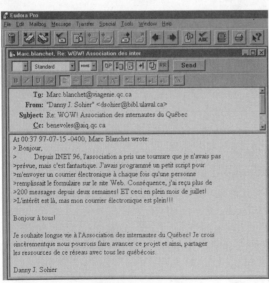

Figure 2.10
Réponse à plusieurs utilisateurs

→ Un suivi ou une redirection de courrier signifie que vous faites parvenir la copie d'un message à un autre destinataire. Vous devez choisir entre ces deux boutons pour effectuer cette opération. Encore une fois, un message doit avoir été sélectionné auparavant. Le premier bouton vous permet de *faire suivre un message.* Une fenêtre de rédaction sera affichée avec le message original inscrit automatiquement dans le corps du texte et précédé de signes >. Ajoutez des commentaires au besoin et inscrivez les adresses de courrier électronique dans l'en-tête du message. Appuyez sur le bouton *SEND* pour envoyer le message.

→ *La redirection,* commandée avec le deuxième bouton, est légèrement différente. Une fenêtre de rédaction est affichée avec le message original inscrit dans le corps du texte mais sans les signes >. De plus, l'adresse de l'expéditeur, qui reflète généralement votre adresse, est modifiée afin d'indiquer que vous n'êtes pas l'auteur original de ce message. C'est l'adresse de l'expéditeur original qui est mentionnée. Inscrivez les adresses de vos destinataires dans l'en-tête du message et appuyez sur le bouton *SEND* pour acheminer le courrier.

→ Ces fonctions sont également accessibles à l'aide des options *Forward* et *Redirect* du menu *Message.*

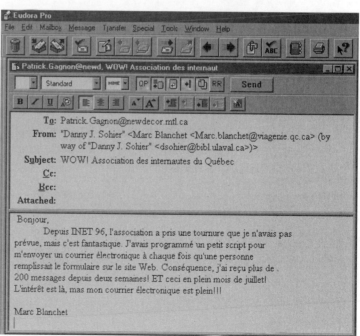

Figure 2.11
Redirection d'un message

2.6.5   Récupération du courrier

Le courrier qui vous est destiné réside sur le serveur de courrier. Votre logiciel de courrier vous permet de récupérer vos messages et de les amener sur votre ordinateur. Votre boîte de courrier est protégée par un mot de passe. Au démarrage de votre logiciel, ce mot vous sera demandé pour contrôler votre accès.

Après que le serveur a contrôlé votre identité, vos nouveaux messages sont transférés dans la chemise de réception. Vous pouvez lire un message en cliquant deux fois sur ce dernier. Le logiciel *Eudora* vérifie toutes les 15 minutes si vous avez reçu du courrier.

Figure 2.12
Demande du mot de passe

→ Vous pouvez modifier ce délai en déroulant le menu *Tools* et en sélectionnant *Options...* Procédez ensuite à la sélection de l'option *Checking Mail* afin de modifier le paramètre *Check for mail every...* à votre convenance.

→ Vous pouvez vérifier l'arrivée de nouveaux messages en tout temps en appuyant sur le bouton [icon], en effectuant la combinaison **CTRL+M** (**Pomme+M pour le Macintosh**) sur votre clavier ou en sélectionnant l'option *Check Mail* du menu déroulant.

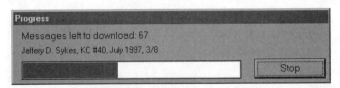

Après que vous avez demandé le transfert du nouveau courrier, une fenêtre d'état apparaît. Cette dernière vous indique le nombre de messages restant à être transférés sur votre ordinateur.

Figure 2.13
Transfert des nouveaux messages

2.6.6 **Les chemises de courrier**

Le concept des chemises est utilisé dans tous les logiciels de courrier électronique pour classer les messages reçus, envoyés et archivés. Dans *Eudora*, trois chemises existent par défaut: la chemise d'envoi, celle de réception et celle de la corbeille. Comme leur nom l'indique, les messages envoyés et reçus se retrouvent respectivement dans les deux premières chemises. La corbeille est utilisée pour stocker les messages à effacer. Vous pouvez créer autant de chemises que vous le désirez. C'est une excellente façon de gérer vos messages.

Légende

1. Insertion de messages dans la corbeille
2. Affiche la chemise de réception
3. Affiche la chemise d'envoi
4. Menu déroulant (Mailbox) pour accéder aux autres chemises
5. Menu déroulant (Transfer) pour transférer un message d'une chemise à une autre
6. Titre de la chemise
7. Contenu de la chemise de réception
8. Contenu de la chemise d'envoi
9. Contenu de la corbeille

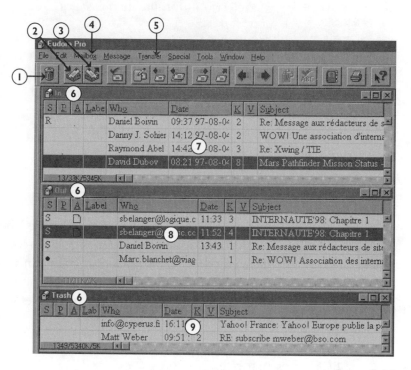

Figure 2.14
Les chemises de courrier électronique

Dans le cas de l'archivage, on peut créer autant de chemises que l'on veut. On peut ainsi classer ses communications par intérêt ou même par interlocuteur.

→ Pour visualiser toutes vos chemises de courrier, déroulez le menu *Mailbox*.

→ Pour créer une nouvelle chemise, sélectionnez l'option *New...* dans le menu *Mailbox*.

→ Pour transférer un message, sélectionnez-le d'abord à l'aide de la souris, déroulez ensuite le menu *Transfer* et, enfin, pointez la chemise vers laquelle vous désirez l'acheminer.

→ Pour mettre un message dans la corbeille, sélectionnez-le en cliquant une fois sur ce dernier puis cliquez sur l'icône de la corbeille.

CAPSULE Sélection multiple de messages

Si vous avez plusieurs messages à archiver ou à détruire, il est plus rapide d'effectuer une sélection multiple de ces derniers pour ensuite les transférer tous en une seule opération. Pour ce faire, gardez la touche **CTRL** (**Pomme pour le Macintosh**) enfoncée, et cliquez sur chaque message que vous désirez inclure dans votre sélection multiple.

2.6.7 L'option de confirmation

Lorsque vous désirez être assuré de l'arrivée à bon port de votre message, vous pouvez utiliser l'option de confirmation de réception. Cliquez sur le bouton ▣ lorsque vous débutez la rédaction d'un nouveau message, d'une réponse ou d'un suivi. Quand vous activerez cette option, le destinataire sera informé de votre demande par son logiciel de courrier, et il sera entièrement laissé à sa discrétion d'acquiescer à cette requête.

2.6.8 Les priorités

L'option des priorités n'est pas normalisée dans Internet. Elle sert à catégoriser les messages envoyés en leur donnant une étiquette précisant l'importance du message. On trouve des étiquettes allant des mentions «normal» à «urgent». Il faut un environnement de courrier électronique un peu plus spécialisé pour obtenir cette option ou que les personnes avec lesquelles vous communiquez utilisent le même logiciel que vous.

2.6.9 Quelques fonctions utiles

Le but visé ici n'est pas de décrire toutes les fonctions du logiciel *Eudora,* mais de vous faire connaître les secrets du courrier électronique. Voici donc quelques fonctions que vous trouverez utiles dans l'utilisation de ce logiciel.

→ **Vidange de la corbeille:** Sélectionnez l'option *Empty Trash* du menu déroulant *Special.*

→ **Compression des chemises:** Pour économiser l'espace sur votre disque rigide, compressez les chemises de courrier en sélectionnant *Compact Mailboxes* du menu déroulant *Special.*

→ **Gestion de votre signature électronique:** Sélectionnez l'option *Signatures* du menu déroulant *Tools.*

→ **Modification de votre mot de passe:** Sélectionnez l'option *Change password* du menu déroulant *Special.*

→ **Réacheminement d'un message:** Dans le cas d'un problème d'envoi d'un message, cliquez sur ce dernier dans la chemise d'envoi et sélectionnez l'option *Send again* du menu déroulant *Message.*

2.7 LES FICHIERS JOINTS ET L'ENCODAGE

En plus de faire parvenir des messages en format texte par le courrier électronique, on peut également envoyer des documents créés par des applications de traitement de texte ou de chiffrier, des images, des sons, etc. La plupart des logiciels de courrier électronique vous donnent l'impression d'envoyer ces fichiers en dehors du message original. Ce n'est qu'une illusion. En fait, ils sont inclus dans le corps du message. Pour que ces fichiers puissent être envoyés, ils doivent être auparavant convertis en texte, car le courrier électronique est une ressource essentiellement textuelle.

Cette conversion est faite automatiquement par votre logiciel de courrier électronique. Cette opération s'appelle l'encodage. Prenons, par exemple, un fichier contenant une image de type *.jpg* (il s'agit d'un fichier de type binaire). Mon logiciel de courrier électronique doit l'encoder pour que je puisse l'envoyer. Le logiciel de courrier électronique de mon interlocuteur peut le décoder automatiquement, s'il est assez intelligent. Un fichier codé ressemble à ceci:

```
begin 700 comete.jpg
Mdaskjdkasjhdkasjhdaskdhaskdhaskldhaskldhaskljdhaskldhaskjdgasjhd
Malkdjasjdiuywehdpweuewfhdiufvhsdfigrdoufvdfghjhgs9t87435423h4kjh
Majd322jr8ryh79hrt589yu0^wfj4h0^9u-9ur4ujr49t809t80tj5879lifwe78fy
...
end
```

Votre logiciel est normalement capable de gérer cet encodage pour que ce soit transparent. Par exemple, le logiciel *Eudora* fera apparaître le fichier comme une icône à l'intérieur de votre message. Vous n'aurez qu'à cliquer sur cette dernière pour pouvoir visualiser le fichier.

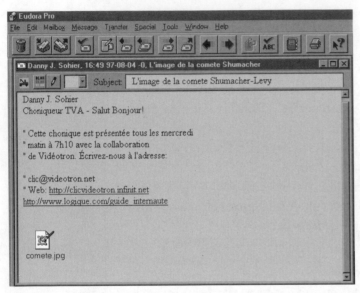

Figure 2.15
Réception d'un message jumelé d'un fichier graphique

CAPSULE   uuencode et uudecode

Cette capsule est destinée à ceux qui ne possèdent pas un logiciel de courrier électronique assez évolué pour gérer intelligemment des fichiers encodés selon la norme **uuencode.** Je vous propose les utilitaires suivants pour encoder et décoder ce type de fichier.

→ **UULITE pour Macintosh**
ftp://ftp.euro.net/Mac/info-mac/cmp/uu-lite-30.hqx
ftp://mirror.apple.com/mirrors/Info-Mac.Archive/cmp/uu-lite-30.hqx

→ **UUCODE pour Windows**
ftp://gatekeeper.dec.com/pub/micro/pc/winsite/win3/util/uucode20.zip
ftp://mirrors.aol.com/pub/cica/pc/win3/util/uucode20.zip
ftp://sunsite.cnlab-switch.ch/mirror/winsite/win3/util/uucode20.zip

2.8   COMMENT TROUVER UNE ADRESSE DE COURRIER ÉLECTRONIQUE

Une question qui revient souvent à propos du courrier électronique est la suivante: «Je désire envoyer un message à une personne dans Internet; je connais son nom, mais j'ignore son adresse électronique. Que puis-je faire?» Étant l'un des administrateurs de mon site, je rencontre assez souvent cette situation. Il n'y a malheureusement aucun annuaire global qui existe présentement. Pour l'instant, on en est à des efforts de certaines compagnies qui espèrent émerger comme leader de cette nouvelle niche. Je vous propose quelques solutions. Plusieurs d'entre elles utilisent le Web comme outil de prédilection. Sherlock en herbe, à votre chapeau!

2.8.1   La méthode directe

Si vous possédez le numéro de téléphone de la personne que vous voulez joindre et que l'appel ne coûte pas trop cher, entrez en contact avec cette personne et demandez-lui son adresse électronique. Si elle l'ignore, donnez-lui la vôtre en lui demandant de vous envoyer un message. À la réception, son adresse sera automatiquement inscrite dans le champ **FROM:** ou **DE:** Selon le même principe, si vous possédez l'adresse papier de cette personne et que vous n'êtes pas trop pressé, faites-lui parvenir une lettre. Je sais que ce n'est pas la façon Internet de faire les choses, mais c'est peut-être la plus facile.

2.8.2   Les engins de recherche

Il existe de nombreux engins spécialisés dans la recherche de personnes dans Internet. Le *Navigateur*, de la compagnie Netscape, offre un bouton spécial à même l'interface qui pointe vers un répertoire de ces engins spécialisés. Le bouton se nomme «**Qui**» dans la version 3.x et «**Lookup**» dans la version 4.x, et il pointe vers des sites spécialisés dans la recherche d'adresses de courrier électronique. Vous pouvez alors faire vos recherches à partir des nombreux engins listés. Je vous recommande de ne pas désespérer et d'en essayer plusieurs. Ces engins récupèrent leurs informations de nombreuses sources différentes. Ils interrogent les annuaires situés sur les sites corporatifs et universitaires, ils récupèrent les adresses des internautes qui participent à des groupes de nouvelles Usenet, etc. Certains engins prétendent vous donner accès à des banques contenant plus de 11 millions de noms et d'adresses. C'est encore peu quand on estime la population Internet à plus de 80 millions.

Figure 2.16
Menu de recherche de personnes dans le Navigateur 4.0, de Netscape

J'ai fait une recherche pour démontrer les possibilités de ces engins. Ma tentative vise à trouver l'adresse d'un de mes copains qui se nomme Erick Van Houtte. Après avoir visité cinq engins de recherche, j'ai finalement trouvé la trace de mon vieil ami. Voici à quoi ressemble l'interface Web du service <u>*WhoWhere*</u>.

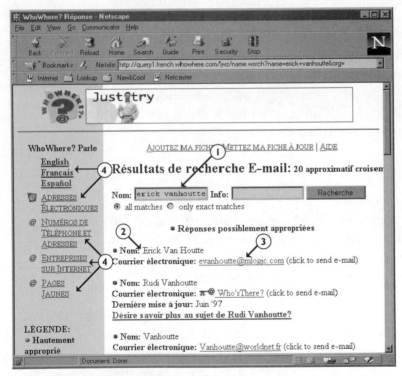

Légende

1. Termes de la recherche
2. Résultat de la recherche
3. Adresse de courrier cliquable
4. Divers serveurs de recherche

Figure 2.17
Résultat de recherches sur le serveur *WhoWhere* français

<u>*WhoWhere*</u> (*http://www.french.whowhere.com*)

C
H
A
P
I
T
R
E

2

CAPSULE   Engins spécialisés dans la recherche de personnes

La liste d'engins spécialisés dans la recherche de personnes grandit continuellement. Pour avoir une liste à jour de ces engins, je vous encourage à consulter la rubrique destinée à ces sites sur *Yahoo!* Entre-temps, je vous offre ces quelques adresses dignes de mention.

→ WhoWhere français (*http://www.french.whowhere.com*)

→ WhoWhere (*http://www.whowhere.com*)

→ Four11 Corporation (*http://www.four11.com*)

→ Internet Address Finder (*http://www.iaf.net*)

→ BigFoot (*http://www.bigfoot.com*)

→ Serveur Usenet MIT (*http://usenet-addresses.mit.edu*)

→ Répertoire d'engins spécialisés dans la recherche de personnes (*http://www.yahoo.fr/References_et_annuaires/Pages_blanches*)

→ Répertoire d'engins spécialisés dans la recherche de personnes (*http://www.yahoo.com/Reference/White_Pages/Individuals*)

→ Yahoo! français (*http://www.yahoo.fr/annuaires/email/email.html*)

→ Yahoo! américain (*http://www.yahoo.com/search/people*)

2.8.3   L'engin de recherche traditionnel

Si les engins spécialisés ne vous donnent pas satisfaction, utilisez les engins traditionnels, tels **AltaVista** ou **HotBot** pour effectuer vos recherches. Beaucoup de trucs sont mentionnés sur le Web, et peut-être même y trouverez-vous le nom et l'adresse de courrier électronique de la personne recherchée. Assurez-vous d'inclure le prénom et le nom de cette dernière à l'intérieur d'une recherche combinée. Ce type de recherche trouvera uniquement les pages où les deux termes sont présents. Vous éliminerez ainsi beaucoup de résultats douteux.

AltaVista (*http://www.altavista.digital.com*)
HotBot (*http://www.hotbot.com*)

2.8.4 Les ressources naturelles d'un domaine

Il existe, pour chaque domaine, des ressources naturelles avec lesquelles il est possible de travailler pour trouver des adresses de courrier électronique. Il faut d'abord connaître le nom du domaine de l'organisation où la personne se trouve. Il est facile de trouver un nom de domaine par le biais du Web. Le NSI est la section d'**Internic** qui gère la base de données des noms d'Internet. On peut consulter le répertoire «**Internic Registration Services (NSI)**» pour obtenir les résultats escomptés. Voici le résultat d'une recherche effectuée à l'aide du nom «Calvin Klein».

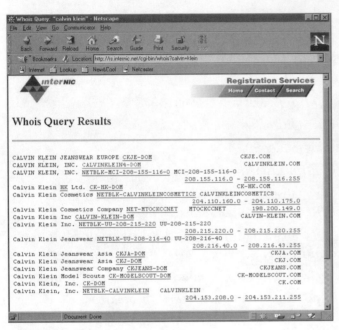

Figure 2.18
Résultat de recherches dans le répertoire InterNIC

Une fois qu'on a localisé un domaine, la véritable recherche peut commencer. De plus en plus, on voit apparaître des répertoires d'adresses électroniques pour l'ensemble des utilisateurs d'un site. L'astuce est de trouver le serveur Web d'un organisme de ce site dans Internet. Par exemple, l'adresse pourrait être du type *http://www.domaine_de_l'organisation*. Un exemple de ceci est le domaine *uqam.ca* utilisé à l'Université du Québec à Montréal. Leur serveur est accessible à l'adresse *http://www.uqam.ca* . La page d'accueil de ce site contient la rubrique «personnel de l'université», et, à partir de ce point, il est très facile de retrouver quelqu'un sur ce campus.

Internic (*http://www.internic.net*)
«Internic Registration Services (NSI)» (*http://rs.internic.net/cgi-bin/whois*)

Légende

1. Recherche des adresses de courrier du personnel de l'université

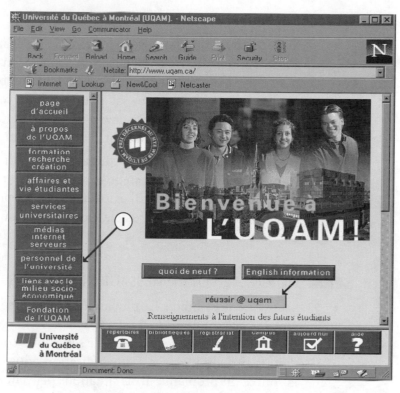

Figure 2.19
Page d'accueil de l'Université du Québec à Montréal

2.8.5 L'astuce du maître de poste

Toujours avec le nom de domaine en main, je vous propose l'astuce suivante. Chaque site possède un maître de poste; celui-ci est l'administrateur du serveur de courrier de l'organisation. Cette notion est répandue dans tous les sites d'Internet. On peut envoyer un message à cette personne en lui demandant une adresse électronique manquante. L'adresse du maître de poste est toujours la même, soit *postmaster@domaine.* Voici l'exemple d'un message demandant au maître de poste de l'Université Laval l'adresse d'un utilisateur:

```
À:          postmaster@ulaval.ca
DE:         dsohier@bibl.ulaval.ca
SUJET:      Demande d'adresse

Bonjour! Pourriez-vous me donner l'adresse électronique de Pierre
Tremblay, qui travaille à la faculté de droit. MERCI BEAUCOUP!
```

La vitesse de réponse de la personne dépend de sa volonté d'offrir un bon service. Normalement, vous pouvez vous attendre à une réponse dans la journée.

2.8.6 Demandez de l'aide

Si, après tous vos efforts, vous n'êtes pas plus avancé, c'est le moment d'en parler au support à la clientèle de votre fournisseur Internet ou au responsable réseau de votre organisation. Ils possèdent une bonne connaissance d'Internet et plus d'un tour dans leur sac pour résoudre votre problème, mais c'est vraiment la dernière solution à envisager. Faites l'effort d'essayer d'abord les solutions présentées précédemment.

Voilà pour ces astuces. Si vous avez bien utilisé ces méthodes et que vous ne trouvez toujours pas le nom de la personne dont vous désirez obtenir l'adresse, vous jouez de malchance. Il existe alors deux réponses à votre problème: la personne n'a pas de boîte postale électronique ou elle ne veut pas publier son adresse.

2.9 HORREUR! VOTRE MESSAGE NE S'EST PAS RENDU... : (

C'est une possibilité! La plupart des erreurs se produisent à l'occasion d'un envoi à un nouveau destinataire. On se rend compte du problème lorsque le message envoyé est retourné par le serveur de courrier avec la mention d'erreur dans le titre du message. Cette indication nous montre également où se trouve la source du problème. Trois situations peuvent causer les erreurs.

2.9.1 Une mauvaise adresse électronique

Environ 95 % des messages retournés le sont en raison d'une mauvaise formulation de l'adresse électronique. Le message d'erreur renvoyé par le serveur de courrier vous donne les indices nécessaires pour corriger la situation.

Message n° 1

```
DE      :       Mail delivery system (Mailer-deamon@isis.ulaval.ca)
SUJET   :       RETURNED MAIL: USER UNKNOWN
>>      ——— Voici votre message original ———
```

Dans ce premier cas, le message «USER UNKNOWN» indique que le message est parvenu jusqu'au serveur de courrier électronique étranger avec succès. Malheureusement, le nom d'utilisateur précisé ne semble pas avoir de boîte postale électronique. Il faut vérifier si le nom inscrit est exact. Il ne s'agit pas de corriger la partie domaine de l'adresse, mais bien ce qui vient avant le @. Si le nom a été correctement inscrit, cela veut dire que la personne n'a plus de compte sur ce site et que vous devrez trouver sa nouvelle adresse de courrier.

Message n° 2

```
DE       :      Mail delivery system (Mailer-deamon@isis.ulaval.ca)
SUJET :         RETURNED MAIL: HOST UNKNOWN
>>       ——— Voici votre message original ———
```

Dans ce deuxième cas, le message «**HOST UNKNOWN**» indique que le message n'a même pas quitté votre site. Le serveur de courrier local a été incapable de localiser le domaine ou le serveur dc courrier de l'autre site. Encore une fois, il faut vérifier l'adresse électronique en se préoccupant cette fois-ci de la partie située après le @. Si l'adresse est bien inscrite, cela signifie que le serveur de courrier étranger n'est plus en fonction.

2.9.2 Une erreur dans le réseau

Il se peut que les dés soient truqués et que, même si vous avez inscrit une bonne adresse, le message ne se rende pas. Deux types d'erreurs peuvent se produire.

Message n° 1

```
DE       :      Mail delivery system (Mailer-deamon@appolo.ulaval.ca)
SUJET :         RETURNED MAIL: HOST UNREACHEABLE
```

Dans ce premier cas, on ne peut joindre le serveur de courrier étranger par le réseau, car soit il est en panne, soit c'est un segment du réseau Internet qui est en panne. Il peut s'agir d'un bris de leur site ou d'une panne entre les deux sites. La solution est de réessayer plus tard dans la journée ou dans les jours suivants.

Message n° 2

```
DE       :      Mail delivery system (Mailer-deamon@appolo.ulaval.ca)
SUJET :         RETURNED MAIL: Cannot send message, Will retry for 7 days
```

Ce deuxième cas est un message que vous envoie un serveur local de courrier un peu plus tenace et intelligent que les autres et qui, dans le cas où une panne affecterait un serveur étranger, tentera de renvoyer le message périodiquement pendant les sept prochains jours. Ce délai peut varier selon l'administrateur du serveur de courrier.

2.9.3 Un problème avec la liste de distribution

Une liste de distribution n'est qu'une liste d'adresses électroniques pointant vers d'autres utilisateurs. En constatant une erreur par suite de l'envoi d'un message à une liste, on peut se demander qui a reçu le message. Le serveur de courrier nous envoie un message d'erreur qui nous aide à déchiffrer ce qui s'est passé.

Message

```
DE       :       Mail delivery system (Mailer-deamon@appolo.ulaval.ca)
SUJET    :       RETURNED MAIL: User unknown
>>       --------- Transcript of session follows ----------
         550- pgagnon@utoronto.ca...          user unknown
         550- jfdeschenes@uqam.ca...          host unknown
```

Disons que la liste de distribution pointe vers 50 utilisateurs différents. Le message reçu indique que seulement deux de ces 50 personnes n'ont pas reçu le message à cause des raisons énoncées ci-dessus. Il faut alors en avertir le gestionnaire de la liste de distribution et lui faire savoir que ces deux adresses sont problématiques.

2.10 LES LISTES DE DISTRIBUTION ET LES CARNETS D'ADRESSES

Il est possible de faire parvenir du courrier à plusieurs personnes en n'envoyant le message qu'à une seule adresse. Cette opération nous renvoie à la notion de liste de distribution. Le but visé est de réunir un groupe d'utilisateurs intéressés par le même sujet. Il est plus rapide d'envoyer un message à une liste qu'aux 50 utilisateurs qu'elle contient. Une liste de distribution peut tout simplement prendre la forme d'un fichier, contenant les noms et les adresses des utilisateurs concernés, comme ceci:

Fichier: fan_musique

```
<aduchesneau@car.qc.ca>        Alain Duchesneau
<pcharest@sq.qc.ca>            Pierre Charest
<dpremont@bibl.ulaval.ca>      Daniel Prémont
<nforest@mus.uqam.ca>          Natalie Forest
<rcharest@bmg.ca>              Richard Charest
<dsohier@bibl.ulaval.ca>       Danny J. Sohier
```

L'implantation de ce genre de liste peut se faire à trois niveaux: très simple, simple ou plus complexe. Examinons les différentes façons de constituer des listes de distribution.

2.10.1 Le carnet d'adresses

La façon très simple de constituer une liste de distribution consiste à utiliser la fonction de carnet d'adresses de votre logiciel de courrier électronique, si elle existe. La plupart de ces logiciels vous permettent en effet de créer facilement des listes locales qui ne sont utilisables que par vous seul. Un autre utilisateur ne peut donc pas se servir de ce carnet d'adresses.

→ On accède au carnet d'adresses du logiciel __Eudora__ en cliquant sur le bouton situé dans la barre d'outils. Vous pouvez également sélectionner l'option *Address Book...* du menu déroulant *Tools*.

C
H
A
P
I
T
R
E

2

Légende

1. Noms des listes de distribution

2. Adresses constituant la liste sélectionnée

3. Onglets pour inscrire des informations

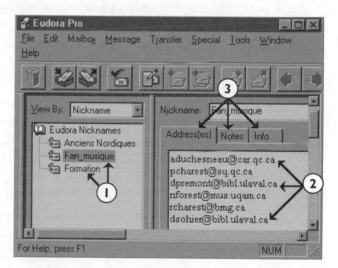

Figure 2.20
Carnet d'adresses du logiciel *Eudora Pro*

On peut ainsi créer autant de listes que l'on veut. Si j'inscris l'adresse *Fan_musique* dans l'en-tête d'un message, ce dernier est acheminé aux six adresses de courrier électronique citées dans mon carnet. Tous les utilisateurs d'Internet peuvent créer ce genre de liste, autant à la maison qu'au bureau. Il s'agit de trouver un bon logiciel de courrier électronique. Il n'est pas nécessaire de créer des listes utilisables par tous les utilisateurs d'Internet si cette dernière n'est utilisée qu'à des fins personnelles. Dans le cas où votre liste doit être utilisée par d'autres interlocuteurs, consultez les sections suivantes.

__Eudora__ *(http://www.eudora.com)*

2.10.2 Liste de distribution sur un serveur

Certaines listes de distribution doivent être exploitables par l'ensemble des utilisateurs d'Internet. Le présent scénario requiert l'assistance de l'administrateur d'un serveur de courrier Internet. Cela peut être plus difficile dans le cas d'un particulier qui fait affaire avec un fournisseur Internet. Je vous suggère de vous informer auprès du service à la clientèle de votre fournisseur, afin de voir si la chose est possible. Les gens qui travaillent sur des sites reliés à Internet ont intérêt à se renseigner auprès de leur administrateur local.

La façon simple de créer un fichier tel que décrit auparavant est de l'installer sur un appareil utilisant un serveur de courrier électronique. Dans notre exemple, on a appelé la liste «**Fan_musique**». Disons qu'elle réside sur l'appareil ayant l'adresse Internet *woodstock.mus.ulaval.ca*. L'adresse Internet devient alors *fan_musique@woodstock.mus.ulaval.ca*. De plus, afin de simplifier l'adresse, vous pouvez demander à l'administrateur du serveur de domaine (DNS) de créer un pseudonyme (*alias*) plus court, dans le genre de *fan_musique@ulaval.ca,* pour qu'il soit plus facile à retenir.

Que se passe-t-il lorsque vous envoyez un message à cette liste? Les 50 utilisateurs reçoivent simplement le courrier avec votre adresse électronique, ou celle de la liste apparaissant dans le champ **DE:**. Cela est déterminé par l'administrateur de cette dernière. Lorsqu'un utilisateur désire répondre à votre message et, par le fait même, l'envoyer à toute la liste, il doit corriger ou non l'adresse de retour pour indiquer le nom de la liste. C'est une façon simple de créer des listes de distribution globale dans Internet.

Pour être ajouté à une liste, on demande généralement au gestionnaire de celle-ci d'y ajouter notre adresse. Si vous ne le connaissez pas, vous pouvez essayer d'envoyer un message à *nom_de_liste-request@domaine*. Cette adresse est une convention en ce qui concerne les listes de distribution et elle s'achemine directement vers son gestionnaire. Pour être retiré de la liste, vous le demandez également au gestionnaire.

→ L'adresse du gestionnaire est normalement fournie avec celle de la liste.

2.10.3 Les services automatisés Listserv

Cette troisième méthode ressemble beaucoup à la précédente à la différence qu'elle offre des fonctions plus avancées. <u>Listserv</u> est un ensemble de services

<u>Listserv</u> (*http://www.lsoft.com/listserv.stm*)

automatisés de gestion de listes de distribution. On utilise ce genre de solution quand on sait que la liste devra gérer un grand volume de messages et d'utilisateurs. Il n'est pas donné à tout le monde de créer ce genre de services. Une personne doit au moins se trouver sur un site relié directement à Internet. La grande différence réside dans le fait que ces services sont entièrement automatisés et offrent des fonctions supplémentaires, comme l'archivage et la consultation de tous les messages envoyés, la présentation de statistiques de toutes sortes et la gestion des erreurs de distribution. De plus, ce type de services peut gérer plusieurs listes en même temps. *Listserv* est offert pour Windows95, WindowsNT et pour les différents types d'ordinateurs centraux. Vous trouverez les versions commerciale et publique de ce logiciel sur le site Web de la compagnie L-SOFT. Une documentation complète en ligne y est également offerte.

On doit normalement obtenir de l'aide de l'administrateur du serveur de courrier pour créer la liste de distribution. Il vous donnera en retour l'adresse électronique de la liste. Le courrier destiné aux participants de la liste devra toujours être envoyé à cette adresse. Les commandes de gestion devront, en revanche, être envoyées au serveur. Pour les services *Listserv*, l'adresse ressemblera à *listserv@domaine.internet.* Si vous envoyez ces commandes à la liste, tous les utilisateurs la recevront; ils ne seront pas enchantés. Pour nos exemples, nous utiliserons comme adresse de liste *fan-musique@central.ulaval.ca,* et l'adresse de courrier de l'agent de gestion automatique sera *listserv@central.ulaval.ca.*

Abonnement

Il faut envoyer un courrier électronique à l'agent de gestion automatique. Dans le corps du texte, on inscrit le message «**sub nom_de_liste prénom nom**».

```
À:      listserv@central.ulaval.ca,fan_musique-request@central.ulaval.ca
DE:     dsohier@bibl.ulaval.ca
SUJET:
DATE: samedi le 7 juin 1997, 15h43 EST

sub fan_musique Danny Sohier
```

Le serveur vous renvoie un message qui vous donne les instructions et les règles d'utilisation de la liste quelques minutes après l'envoi. Je vous suggère d'archiver ce message. On ne sait jamais à quel moment il peut servir. Bien souvent, le serveur vous demande une confirmation pour vérifier que vous avez bel

L-SOFT *(http://www.lsoft.com/listserv.html)*

et bien envoyé la demande d'abonnement. Pour confirmer, vous n'avez qu'à renvoyer le message au serveur.

Les messages de la liste commenceront alors à arriver dans votre boîte postale. Vous vous apercevrez également que l'expéditeur des messages est toujours la liste de distribution. Il est ainsi plus facile d'envoyer des réponses à l'ensemble de la liste, si vous décidez de répondre.

```
À:          hfortin@med.crchul.ca
DE:         fan_musique@central.ulaval.ca
SUJET:      Gowan a Quebec hier!!
DATE: dimanche le 8 juin 1997 15h43 EST

Salut la gang, j'ai été voir le spectacle de Gowan hier, c'était génial…
```

Annulation d'abonnement

On envoie un courrier électronique à l'agent de gestion automatique dans lequel on inscrit la commande «signoff nom_de_liste».

```
À:          listserv@central.ulaval.ca
DE:         dsohier@bibl.ulaval.ca
SUJET:
DATE: samedi le 7 juin 1997, 15h43 EST

signoff fan_musique
```

Pour joindre l'administrateur d'une liste

Pour une raison ou pour une autre, il peut arriver que vous ayez à entrer en contact avec le propriétaire ou l'administrateur d'une liste. La convention utilisée pour les services *Listserv* consiste à acheminer un message vers une adresse du type «nom_de_liste-request@domaine.internet».

```
À:          fan_musique-request@central.ulaval.ca
DE:         dsohier@bibl.ulaval.ca
SUJET:
DATE: samedi le 7 juin 1997, 15h57 EST
Bonjour,

J'ai une petite question pour le propriétaire de cette liste...
```

Autres fonctions

Voici un résumé des fonctions les plus intéressantes de *Listserv*. N'oubliez jamais que celles-ci doivent être acheminées à l'agent de gestion automatique et non vers la liste.

FONCTION	PARAMÈTRES	DESCRIPTION
sub	nom_de_liste prenom nom	Abonnement à une liste.
signoff	nom_de_liste prenom nom	Annulation d'un abonnement.
set	nom_de_liste ack	Le serveur vous envoie une confirmation à la suite d'un message expédié à la liste.
set	nom_de_liste noack	Annule la commande précédente.
set	nom_de_liste msg	Le serveur vous renvoie votre message de confirmation d'un envoi à la liste.
set	nom_de_liste digest/nodigest	Vous ne recevrez qu'un long message quotidien contenant tous les messages de la journée. Intéressant si le volume de messages est important.
set	nom_de_liste index/noindex	Vous ne recevrez qu'un message quotidien ne contenant que les en-têtes des messages de la journée.
set	nom_de_liste mail/nomail	Suspend temporairement les envois. Excellent durant vos vacances…
set	nom_de_liste conceal/noconceal	Cache votre présence par rapport à la commande «**review**».
review	nom_de_liste	Renvoie la description de la liste et ses abonnés.
query	nom_de_liste	Renvoie les options d'abonnement de cette liste.
confirm	nom_de_liste	Confirmation de votre inscription à cette liste.

CAPSULE   Comment trouver une liste de distribution
dans Internet

Vous cherchez une liste en particulier? Encore une fois, le Web vient à la rescousse en vous proposant des sites chercheurs de listes et d'importants répertoires de listes pour tous les goûts. Il y a plus de 50 000 listes publiques présentement dans Internet. Croyez-vous qu'il y en ait une pour vous?

→ **Francopholistes – Les listes francophones** (*http://www.cru.fr/listes*)

→ **CATALIST – Plus de 13 000 listes Listserv!**
(*http://www.lsoft.com/lists/listref.html*)

→ **LISZT – Répertoire de listes** (*http://www.liszt.com*)

→ **La liste de listes**
(*http://catalog.com/vivian/interest-group-search.html*)

→ **Site de listes liées à l'enseignement**
(*http://www.nova.edu/Inter-Links/listserv.html*)

→ **Rubrique des listes de distribution de Yahoo!**
(*http://www.yahoo.com/Computers_and_Internet/Internet/Mailing_Lists*)

2.10.4   Les services automatisés Majordomo

Tout comme *Listserv,* **Majordomo** est un gestionnaire de listes de distribution par courrier électronique. Il est cependant beaucoup moins populaire, car son installation requiert une station UNIX ou un ordinateur central. Les commandes sont essentiellement les mêmes que celles utilisées dans la gestion des services *Listserv.* Pour de plus amples renseignements, vous pouvez lire la **Foire Aux Questions» de Majordomo** ou consulter le site officiel de **Majordomo.**

Majordomo (*http://www.greatcircle.com/majordomo*)
Foire Aux Questions» de Majordomo (*http://www.cis.ohio-state.edu/~barr/majordomo-faq.html*)

2.11 TÉLÉCOPIE PAR COURRIER ÉLECTRONIQUE

Une autre fonction que l'on trouve dans le réseau Internet est la possibilité de faire imprimer des messages lancés à partir du courrier électronique sur un télécopieur relié au réseau téléphonique. L'astuce est de bien formuler l'adresse de courrier électronique de la passerelle de télécopie, et le tour est joué. Vous pouvez ainsi économiser sur les frais d'interurbain, car votre message circule dans Internet jusqu'à un serveur situé dans le même indicatif régional que le numéro de votre destinataire. Un autre avantage est de pouvoir joindre un individu qui n'a pas d'accès au réseau Internet, mais qui possède un télécopieur.

Les seules règles auxquelles il faut obéir relativement au contenu sont les suivantes:

→ Le message doit être en format texte.

→ Les fichiers joints peuvent être en format texte ou en Postscript.

→ Les images envoyées doivent être en format TIFF noir et blanc.

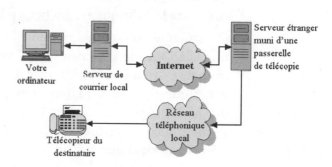

Figure 2.21
Envoi d'une télécopie par le biais du courrier électronique

CAPSULE Le problème avec les passerelles de télécopie

Le seul problème est qu'au moment où j'écris ces lignes, il n'y a pas de service officiel capable d'aiguiller les messages dans les villes visées et, surtout, vers les serveurs munis de télécopieurs. Quoique le concept semble révolutionnaire, il requiert qu'un organisme s'équipe en conséquence afin d'offrir le service gratuitement dans sa région et que ce processus soit reproduit à l'échelle de la planète pour que ce soit intéressant. Mais la couverture jusqu'à maintenant est sporadique. Il existe toutefois quelques exemples de coopération, comme The Phone Company *(http://www.tpc.int)*, mais son succès repose sur le bénévolat d'individus en région.

2.11.1 Quels endroits pouvons-nous joindre?

Ce n'est pas toute la planète qui est accessible par le télécopieur Internet. Il y a seulement quelques endroits dans le monde qui sont couverts par une passerelle de télécopie. Vous en trouverez la liste ainsi que des informations à jour en consultant la <u>FAQ du télécopieur Internet</u>. Au moment où j'écris ces lignes, on pouvait toujours envoyer des messages à des télécopieurs situés dans les environs de Sacramento en Californie, à Phoenix en Arizona, au Koweit, à l'Université du Minnesota, en Suède, à Hong Kong, à Montréal et à Québec, et plusieurs autres endroits encore. Aucun service n'est offert présentement en France. Pour obtenir tous les sites Web qui traitent de cette technologie, consultez <u>la rubrique sur les passerelles de télécopie Internet de *Yahoo!*</u>.

Du côté commercial, il existe quelques sociétés qui permettent d'envoyer une télécopie par le courrier électronique partout dans le monde et à des coûts moindres qu'un appel interurbain. En France, on trouve <u>Faxaway</u>, et, en Amérique du Nord, <u>Faxfree</u>. Finalement, la société internationale <u>UUNET</u> dévoilait des plans en juillet 1997 pour instaurer un réseau mondial. Le plan promet une couverture mondiale, une excellente fiabilité et des tarifs de 30 % à 50 % inférieur aux tarifs d'interurbains.

2.11.2 Comment adresser une passerelle de télécopie Internet

En général, pour obtenir un tel service, vous avez besoin de l'adresse Internet de la passerelle étrangère et du numéro du télécopieur. On combine ces deux informations pour former l'adresse de la passerelle de télécopie. Cette adresse est en format traditionnel utilisé pour le courrier électronique, soit *usager@domaine*. Prenons l'adresse Internet fictive fax.net comme adresse de passerelle de télécopie et le numéro 444-555-2222 comme numéro du télécopieur étranger. Nous désirons envoyer le message à Michèle Fortin, du département de musique. Le format d'adressage est le suivant:

remote-printer.nom_destinataire/departement@1numero_telecopieur.adresse_internet_passerelle

FAQ du télécopieur Internet (*http://www.northcoast.com/savetz/fax-faq.html*)
la rubrique sur les passerelles de télécopie Internet de *Yahoo!*
(*http://www.yahoo.com/Computers_and_Internet/Internet/Internet_Fax_Server*)
Faxaway (*http://www.paris2.com/fax*) • Faxfree (*http://www.faxfree.simplenet.com/index_f.htm*)
UUNET (*http://www.uunet.com*)

L'adresse correspondant à notre exemple sera:

remote-printer.Michele_Fortin/Dept_Musique@14445552222.fax.net

La partie à gauche du «@» de la forme «**remote-printer.nom_destinataire/
departement**» nous permet d'indiquer le nom du destinataire et celui de son
département, s'il y a lieu. Le souligné «_» sera traduit par un espace et la barre
oblique «/» par un retour de chariot. Ces informations sont imprimées dans
une page à en-tête qui est générée par la passerelle de télécopie étrangère. Le
terme «**rp**» peut être utilisé pour remplacer «**remote printer**». Cela indique que
les caractères qui suivent devront être interprétés et imprimés sur l'en-tête.
Cette partie de l'adresse ne peut dépasser 70 caractères. Les caractères permis se
trouvent entre 0 et 9, a et z, A et Z, et les caractères !,?,#,$,%,&,*,+,-,=,,',{,},_ et /.
Et, bien sûr, aucun espace n'est admis à l'intérieur d'une adresse Internet; cette
règle ne change pas ici.

La partie à droite du «@» comprend le numéro de téléphone composé, dans
cet ordre: le chiffre «1», l'indicatif régional et le numéro du télécopieur. On
ajoute ensuite l'adresse Internet de la passerelle. Prenez bien soin d'intercaler un
point «**.**» entre le numéro du télécopieur et l'adresse Internet de la passerelle.

Notez que, si cette technique n'est pas définitive, elle est cependant très répandue. Si vous avez la chance de travailler avec cette technologie, informez-
vous des formalités d'adressage et des modalités qui sont permises. Dans le cas
du réseau public **The Phone Company**, l'adresse de la passerelle est *iddd.tpc.int*.
Vous pouvez en faire l'essai en formulant votre propre adresse de télécopie, tel
que montré ci-dessus.

Une passerelle qui a réussi à envoyer un message avec succès génère un
courrier électronique destiné à l'expéditeur du message original et lui indiquant
que tout s'est bien passé. Par ailleurs, un message d'erreur est acheminé à l'expéditeur dans le cas d'un échec, et lui donne les raisons de cet échec.

À ma connaissance, ce sont de grandes entreprises qui implantent elles-
mêmes ce type de technologie pour leurs besoins internes exclusivement. Les
adresses de ces serveurs sont jalousement gardées. C'est pourquoi je ne peux
malheureusement pas divulguer certains de ces numéros. J'espère toutefois que
l'organisation **The Phone Company** fera un effort coopératif pour nous donner
gratuitement ce type de service à l'échelle de la planète. Le dossier est à suivre.

The Phone Company (*http://www.tpc.int*)

Le magnifique Web

«Tout le monde, toute la planète,
toutes les idées, branchés!»

Ne va-t-il pas un peu trop loin avec le terme magnifique? se diront quelques-uns. Ne me prêtez pas de fausses intentions en m'étiquetant comme un joyeux luron exubérant prêchant pour sa philosophie et sa vision. Mais, de toutes les ressources énumérées dans ce livre, le Web est sans aucun doute celle qui a causé la plus grande explosion démographique qu'Internet ait connue. Nos mœurs ont été bouleversées par l'expression *«surfer le Web»* en 1996. Cette phrase pendait aux lèvres de bien des gens, et les fournisseurs d'accès Internet ont fait des affaires d'or grâce à l'avènement de cette ressource. Simplement dit, le Web a permis à tout le monde de participer à la révolution des communications mondiales. Pour cette raison, le présent chapitre est extrêmement important pour les débutants dans Internet.

Le Web, c'est facile... quand on sait s'y retrouver. L'interface du navigateur Web est conviviale et offre peu de surprises. La façon de naviguer est simple: on clique sur un lien, et hop! la nouvelle page Web est affichée. Ce qui peut être plus délicat, c'est de trouver ce que l'on cherche. L'internaute en herbe doit maintenant se douter qu'il y a une multitude d'outils qui lui permettent de trouver exactement ce qu'il recherche. Ces techniques sont importantes et elles occupent une place d'honneur dans ce chapitre; j'ajouterais même que c'est la partie la plus importante de ce livre.

Les fonctions du navigateur sont essentiellement les mêmes pour tous les produits, que vous utilisiez celui de Netscape ou celui de Microsoft. Seule la façon d'y faire appel peut être différente. Chaque navigateur vous permet de visionner des pages Web, de voir des éléments multimédias, de consulter votre courrier et les nouvelles Usenet, de gérer une liste de signets, etc. Dans le présent livre, j'utilise exclusivement le *Navigateur* de la compagnie <u>Netscape</u> dans mes exemples. Au moment d'écrire ces lignes, ce produit dominait le marché avec plus de 65 millions de clients sur la planète contre un peu plus de 30 millions pour l'<u>**Explorateur de Microsoft**</u>.

Web est le terme français recommandé par <u>**l'Office de la langue française du Québec**</u> pour traduire le sigle WWW ou W3. Ces sigles viennent du terme anglais *World Wide Web*. Le Web est basé sur le mode de présentation hypertexte. Il est important de comprendre ce qu'est l'hypertexte. Dans un document de ce type, lorsqu'un mot est souligné, affiché dans une couleur différente de celle de l'ensemble du texte ou encore s'il s'agit d'une image encadrée de bleu, on peut généralement cliquer sur ce mot ou sur cette image, et d'autres informations sont alors affichées. On peut même trouver des documents écrits par d'autres auteurs liés à ce document. C'est un peu le même principe que les notes de bas de page, mais, en plus d'avoir les références disponibles, on peut également les visualiser.

La notation utilisée dans ce livre pour lier les adresses Internet qui se trouvent dans le texte à celles situées en bas des page n'est pas un hasard. Il s'agit d'une présentation qui rappelle celle que vous trouvez dans toutes les pages Web au cours de vos visites dans Internet.

L'internaute a le choix entre deux sociétés relativement au navigateur. Netscape est la première en matière de part de marché, et Microsoft la suit de près. Je vous explique dans les pages qui suivent les façons d'utiliser trois des navigateurs les plus populaires sur le marché. Vous n'avez qu'à sélectionner la section de votre choix et à ne pas tenir compte des deux autres. Il s'agit de:

→ **Section 3.3** – *Navigateur* de Netscape (Netscape Navigator version 3.0)

→ **Section 3.4** – *Communicateur* de Netscape (Netscape Communicator version 4.0)

→ **Section 3.5** – *Explorateur* de Microsoft (Microsoft Internet Explorer version 4.0)

Vous avez l'embarras du choix avec ces excellents produits. Quel est le meilleur logiciel pour vous? Si vous disposez de peu d'espace sur votre disque rigide, que la mémoire vive de votre ordinateur est saturée et que, finalement, votre microprocesseur est un peu lent au départ, je vous conseille la version 3.0 du Navigateur de Netscape. Elle est très fiable et capable d'incorporer tous les plugiciels présentement sur le marché.

<u>Netscape</u> (*http://home.fr.netscape.com/fr*) • <u>Explorateur de Microsoft</u> (*http://www.microsoft.com/ie*)
<u>l'Office de la langue française du Québec</u> (*http://www.olf.gouv.qc.ca*)

Si vous êtes cependant le genre de personne qui possède un ordinateur, qui n'a pas froid au yeux et qui est à la fine pointe de la technologie, je vous conseille une des deux versions 4.0, de Netscape ou de Microsoft. Ces versions sont plus polyvalentes, car elles incorporent des agendas collectifs, permettent de recevoir des informations avec la technologie «Push», possèdent des éditeurs HTML, et plus encore. L'une se compare à l'autre. À mon avis, Netscape Communicator version 4.0 est un peu plus facile à utiliser que son rival. Cependant, cette nouvelle version est davantage destinée à un environnement de bureau, avec ses nombreuses fonctions, qu'à un simple internaute. Ces comparaisons sont futiles, car le véritable choix est souvent fait par votre fournisseur lorsqu'il vous vend sa trousse de départ, qui comprend un des navigateurs.

3.1 HISTORIQUE

Le Web est une initiative du __CERN (Conseil européen de recherche nucléaire)__, à Genève, en Suisse. Cet organisme a été rebaptisé le *Laboratoire européen de la physique des particules* depuis la naissance du Web. Le projet W3 a été entrepris en mars 1989 par les gens du CERN. Le but était d'en finir avec les problèmes de compatibilité entre les plateformes commerciales existantes et les différents systèmes d'exploitation. On voulait, en outre, une ressource facile à manier pour rechercher des informations. On désirait également que les informations connexes aux documents soient disponibles, et que ces derniers soient eux-mêmes liés à d'autres documents connexes. On pensa alors à une gigantesque toile d'araignée où les nœuds d'informations seraient répartis partout sur le globe. En novembre 1990, il a été décidé que le Web serait développé sur une plateforme NeXT. Le projet avança à pas de géant, sous l'égide de Tim Berners-Lee, et on créa des outils pour consulter et échanger des documents hypertextes. En décembre 1991, le Web fut présenté à une foule enthousiaste à «HyperText 91», à San Antonio, au Texas. En juillet 1992, la première version des outils devenait accessible dans Internet. On en profita pour inaugurer le premier logiciel serveur pour les machines de type Vax. Six mois plus tard, soit en janvier 1993, plus de 50 sites Web étaient accessibles dans Internet. Le port IP utilisé fut le 80 (voir section 1.5.5). C'est ainsi que la technologie du Web débuta son histoire d'amour avec les internautes.

__CERN (Conseil européen de recherche nucléaire)__ (*http://www.cern.ch*)

Figure 3.1
L'inventeur du Web, Tim Berners-Lee, devant le premier serveur Web: un cube NeXT

3.1.1 Mosaic, le premier navigateur Web reconnu

En février 1993, le <u>NCSA (National Center for Supercomputing Applications)</u>, situé à l'Université de l'Illinois à Urbana-Champaign, annonçait la première version d'un logiciel capable d'exploiter les ressources d'un serveur Web. Il se nomme *Mosaic*. L'équipe chargée du développement de ce projet était menée par un brillant étudiant, âgé de 22 ans à l'époque, Marc Andreessen. Ce logiciel roulait exclusivement dans un environnement X-Windows sous Unix. La réponse à cette annonce fut tellement favorable qu'il a été décidé que des versions du logiciel seraient créées pour Macintosh et pour Windows. L'année un du Web battait au rythme de Mosaic.

<u>NCSA (National Center for Supercomputing Applications)</u> (*http://www.ncsa.uiuc.edu*)
<u>*Mosaic*</u> (*http://www.ncsa.uiuc.edu/SDG/Software/WinMosaic/HomePage.html*)

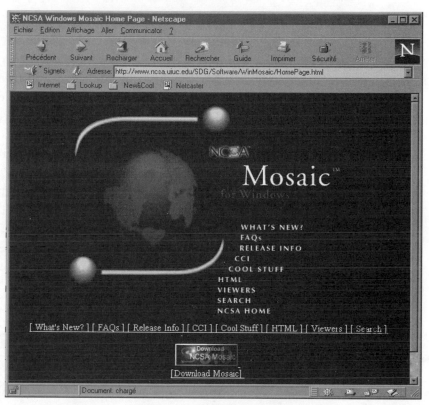

Figure 3.2
La page d'accueil du premier navigateur Web: Mosaic

En septembre 1993, le trafic destiné au Web représentait 1 % des informations transmises dans Internet, comparativement à environ 25 % aujourd'hui. Le NCSA lança simultanément les premières versions de Mosaic pour Macintosh et pour Windows. Le nombre de serveurs Web dépassait le seuil des 500 en octobre 1993. La nouvelle se répandait de plus en plus rapidement. Les experts étaient unanimes: le Web serait la prochaine grande ressource et deviendrait la nouvelle façon de fonctionner.

En mars 1994, les responsables du projet Mosaic se séparèrent du NCSA pour former une société appelée **Netscape Communications Corp.** La nouvelle compagnie s'installa au beau milieu de Silicon Valley, à Mountain View, en Californie, pour poursuivre le développement commercial de Mosaic.

Netscape Communications Corp. (*http://home.fr.netscape.com/fr*)

3.1.2 La naissance du Consortium W3

En juin 1994, le nombre de sites Web dépassait la barre des 1 500 et, de ce fait, rejoignait le nombre de serveurs Gopher. Le <u>MIT (Massachusetts Institute of Technology)</u> et le <u>CERN</u> signèrent une entente pour former le <u>Consortium W3</u>. Depuis ce temps, deux autres partenaires de taille se sont ajoutés au consortium: il s'agit de <u>l'INRIA (Institut National de Recherche en Informatique et en Automatique)</u> et de l'<u>Université Keio</u>, au Japon. Le Consortium, basé à Boston, agit depuis comme un lieu de rencontre où les différents manufacturiers peuvent établir ensemble de nouvelles normes pour faire progresser d'un commun accord la technologie du Web. Il commandite également des programmes de recherche à l'intérieur de champs spécialisés, comme l'accès au Web à toute personne souffrant d'un handicap physique. À mon avis, ce site est un des endroits idéaux pour trouver toutes les informations pratiques, la documentation officielle et les logiciels nécessaires pour consulter ou pour créer un serveur Web.

3.1.3 La période de gloire de Netscape

En novembre 1994, un bouleversement majeur se pointait à l'horizon. Alors que la planète dansait au rythme saccadé du logiciel-client **Mosaic**, du NCSA, la société Netscape Communications Corp. lançait son premier chérubin sur le marché, le **Netscape Navigator** version 1.0 pour Windows, pour Macintosh et, un peu plus tard, pour X-Windows. La réaction fut instantanée. Les internautes, ayant pardonné jusque-là le manque de stabilité de **Mosaic** en pensant que ce logiciel était toujours en développement, s'abandonnèrent corps, âme et ordinateur au nouveau venu. Le résultat fut la migration la plus rapide et massive dans l'histoire de l'informatique vers un nouveau logiciel. La planète branchée s'est dès lors laissée porter par la douce mélodie d'une valse nommée **Netscape**, qui jumelait stabilité et nouvelles fonctionnalités. On estime que 70 % des internautes ont laissé de côté **Mosaic** entre décembre 1994 et août 1995. Ce fut un succès sans pareil pour **Netscape.** Sa réussite était due en grande partie à l'aisance d'utilisation du produit et au cerveau qui se cachait derrière ce dernier, Marc Andreessen, le même qui avait créé **Mosaic** pour le NCSA. Auparavant, plusieurs internautes commettaient une erreur en employant l'expression

<u>MIT (Massachusetts Institute of Technology)</u> (*http://www.mit.edu*) • <u>CERN</u> (*http://www.cern.ch*) <u>Consortium W3</u> (*http://www.w3.org*) • <u>l'INRIA (Institut National de Recherche en Informatique et en Automatique)</u> (*http://www.infira.fr*) • <u>Université Keio</u> (*http://www.keio.ac.jp*)

«**Naviguer dans Mosaic**» au lieu de «**Naviguer dans le Web**». À partir de ce moment, l'erreur se résumait à dire «**Naviguer dans Netscape**». ;-)

Le bilan de l'année 1995 est fabuleux. Des revues spécialisées qui traitent du Web et de toutes les nouvelles implications de cette technologie sont apparues dans les kiosques à journaux et sur les tablettes électroniques d'Internet; mentionnons, par exemple, <u>E*NEWS</u>. Des protocoles sécuritaires ont été rédigés afin de pouvoir utiliser le Web dans des transactions commerciales. Des banques virtuelles, des studios de cinéma, des gouvernements et une foule de domaines encore non touchés par Internet se sont introduits dans cet environnement où les seuls préalables semblent être le maniement de la souris, un bon point de départ dans le réseau, comme le répertoire <u>Yahoo!</u>, <u>la toile du Québec</u> ou <u>Lokace</u>, le répertoire français par excellence, et un peu de pratique. Les grandes entreprises de communication aux États-Unis, au Canada, en Europe et ailleurs dans

le monde n'ont plus le choix. Elles doivent offrir à leurs clients la possibilité de figurer sur le Web parallèlement aux autres campagnes de publicité. Les internautes s'affichent un par un avec une page d'accueil personnelle. Vous trouverez la mienne à l'adresse *http://www.bibl.ulaval.ca/danny,* telle qu'elle est illustrée à la figure 3.5. On parle même de «webnaute», tant la notion d'Internet est submergée par le succès du Web.

Figure 3.3
La toile du Québec

<u>E*NEWS</u> (*http://www.enews.com*) • <u>Yahoo!</u> (*http://www.yahoo.com*)
<u>la toile du Québec</u> (*http://www.toile.qc.ca*) • <u>Lokace</u> (*http://lokace.iplus.fr*)

Le premier gros coup de canon lancé depuis Internet et destiné à avertir le monde entier que le Web était devenu le nouveau média international éclata le mercredi 9 août 1995. La société Netscape Communications Corp. s'est alors adjugé une valeur de 2,6 milliards de dollars US dans cette seule journée avec sa première émission publique d'actions. Celles-ci, cotées à 28 $US à l'ouverture du parquet de la Bourse de New York, doublèrent de valeur en quelques secondes seulement. L'offre initiale de 3,5 millions d'actions s'envola comme de la poussière. Un million et demi d'actions supplémentaires furent proposées à la mi-journée. Elles trouvèrent preneur également à environ 75 $US chacune. Le bilan de cette journée: une demande de 20 fois supérieure aux 5 millions d'actions vendues, pour une société qui a pour propriétaire un jeune de 24 ans dont la boisson préférée est le lait, et qui espérait faire en 1995 un chiffre d'affaires équivalent à 1/80 des sommes amassées avec cette émission d'actions!

3.1.4 L'arène se démocratise

L'année 1996 nous a confirmé le battage publicitaire qui entoure le Web. On repense les façons de véhiculer l'information au sein des grandes entreprises. L'intranet en est un bon exemple. Ce nouveau terme est employé pour baptiser les réseaux locaux utilisant le Web pour consulter et pour récupérer des informations corporatives sans que ces derniers soient nécessairement branchés à Internet. Les serveurs Web abondent, et les adresses URL sont affichées partout, tant sur les panneaux publicitaires que sur les boîtes d'emballage. Pratiquement tous les événements culturels, sociaux ou sportifs sont secondés par un site Web afin que la population toujours croissante d'internautes soit mieux informée. On peut penser aux sites **Autoweb** et **Gale Force** pour suivre les courses de Formule 1, à celui du magazine belge du cinéma international **Cinopsis** ou alors à celui de la chaîne d'information **CNN**, qui divulgue les nouvelles aussi rapidement sur le Web qu'à la télévision.

Autoweb (*http://icnsportsweb.com*) • Gale Force (*http://www.monaco.mc/f1*)
Cinopsis (*http://www.cinopsis.com*) • CNN (*http://www.cnn.com*)

(NASA)

(NASA)

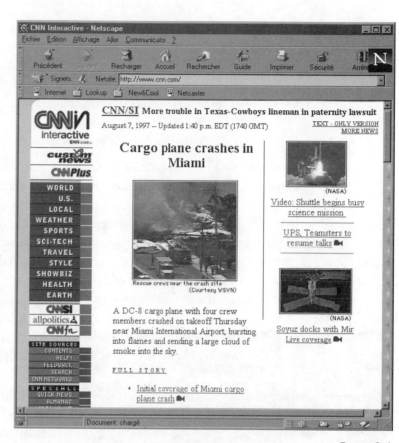

Figure 3.4
La chaîne américaine CNN

C H A P I T R E 3

L'année 1996 nous a apporté également une manne importante d'outils multimédias destinés à accroître le sentiment virtuel du Web :

→ Avec **VRML (Virtual Reality Modeling Language)**, on obtient la réalité virtuelle en 3D.

→ **Java** est un langage qui permet d'incorporer des programmes dans les pages Web.

→ **Shockwave** ajoute de l'interactivité aux pages Web avec des jeux et des mondes virtuels dans lesquels on peut aller se balader.

VRML (Virtual Reality Modeling Language) (*http://www.vrml.com*)
Java (*http://java.sun.com*) • Shockwave (*http://www.macromedia.com*)

Ce ne sont que quelques exemples de produits qui animent et qui font parler les pages Web. Le *Navigateur* de Netscape est traduit en plusieurs langues, dont le français, et est offert sur 16 plateformes. Cependant, l'*Explorateur* de Microsoft a modifié la scène mondiale, avec son arrivée dans l'arène durant l'été de 1996. Un combat de titans est depuis engagé.

3.1.5 Microsoft se taille une place en 1997

La situation au début de 1997 reflétait de nouvelles réalités. La connaissance du langage HTML, utilisé pour la codification des pages Web, devenait un outil incontournable pour les compagnies. Les internautes s'affichaient en grand nombre sur le Web avec leurs pages personnelles. Le concept de l'adresse de courrier électronique était révolue, la mode étant plutôt à l'adresse de sa propre page Web. La plupart des fournisseurs Internet se sont vus obligés d'offrir un hébergement gratuit, même si l'espace disponible était limité, afin de rivaliser avec leurs concurrents. Et c'est finalement l'internaute qui est sorti gagnant de toutes ces situations.

Figure 3.5
Ma page d'accueil

L'année 1997 est finalement l'année où Microsoft s'est taillée une place de choix dans l'arène des technologies Internet avec une campagne sans précédent pour faire entrer **l'Explorateur** dans les ordinateurs et dans les mœurs des internautes. La grande popularité de Netscape a souffert à cause des pressions de Microsoft, passant d'un quasi-monopole, avec 95 % du marché en 1996, à environ 60 % en 1997. Cette tendance à la baisse ne semble malheureusement pas vouloir s'arrêter. Une action de Netscape à la bourse vaut en 1997 environ 35 $US, alors qu'elle valait 80 $US à ses débuts.

Ma page d'accueil (*http://www.bibl.ulaval.ca/danny*) • l'Explorateur (*http://www.microsoft.com/ie*)

Il est facile de dégager deux raisons majeures qui justifient le succès de Microsoft: la gratuité de son produit et sa présence initiale dans Windows95. Les internautes en herbe ne se casseront pas la tête, ils utiliseront le navigateur qui est fourni sur leurs nouveaux ordinateurs.

Voilà où nous en sommes. Netscape et Microsoft nous ont livré les versions 4.0 de leurs produits à l'été de 1997. Tous deux ont introduit le concept de la technologie du «pousser», qui permet à l'internaute de recevoir périodiquement des informations sur ses champs d'intérêt préférés sans qu'il n'ait à en faire la demande. Cependant, pour bien s'y retrouver dans ce monde des nouvelles communications où les informations se bousculent, il faut savoir bien naviguer. C'est ce que je vous invite à apprendre dans les pages suivantes.

3.2 ROUAGES INTERNES DU WEB

Le Web a été pensé dans une approche client-serveur. Votre ordinateur, le navigateur Web et vous-même agissez de concert pour former la partie «client» de cette approche. Tandis qu'un autre ordinateur, rempli de documents de toutes sortes et jumelé à un logiciel qui lui permet de répondre aux requêtes d'internautes, forme la partie «serveur» de ce modèle.

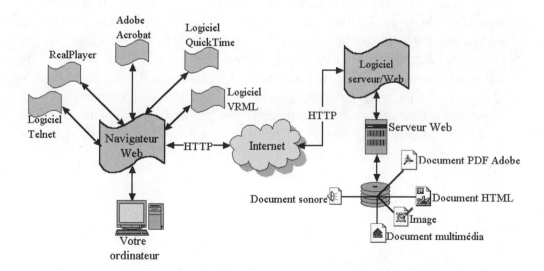

Figure 3.6
Rouages internes du Web

Le serveur Web est un logiciel qui fonctionne sur pratiquement tous les types d'ordinateurs écoutant un port IP précis (normalement le 80), pour répondre aux requêtes d'un logiciel-client, tel le *Navigateur* de Netscape. Il est chargé de distribuer des documents hypertextes écrits dans le langage **HTML (HyperText Markup Language)**, des images ou des documents codés dans le format PDF (*Portable Document Format*) de la compagnie **Adobe**. Le langage HTML peut être comparé à un format WordPerfect ou Microsoft Word. Le serveur n'a pas besoin d'interpréter ce langage, il se contente d'envoyer le document au logiciel navigateur qui en a fait la demande. Il a également la responsabilité d'assurer la sécurité des données qu'il héberge. Il est possible de refuser l'accès à des documents grâce à l'adresse Internet du client ou en lui demandant un mot de passe. Le protocole utilisé pour transférer les informations entre le client et le serveur est le **HTTP (HyperText Transfer Protocol)**. Un nouveau protocole est apparu en 1995, le S-HTTP, pour «Secure-HTTP», qui permet le cryptage automatique des données échangées entre clients et serveurs. Ce protocole est automatiquement utilisé lorsqu'un client et un serveur reconnaissent qu'ils peuvent tous deux parler avec cette voix sécuritaire. C'est le cas des serveurs et des clients «Netscape».

De plus, lorsque votre navigateur Web ne possède pas les ressources nécessaires pour vous présenter un élément, il fera appel à une application secondaire. Un logiciel Telnet peut être lancé avec l'adresse d'un quelconque ordinateur par votre navigateur. Ou il peut s'agir d'une liaison **Realvideo** qui demande l'aide d'une autre application. Il est important de vous rappeler que votre navigateur Web demeure le centre de votre navigation. Il est l'agent qui se charge de récupérer des informations, de les afficher, de faire démarrer des applications si c'est nécessaire, de se rappeler vos derniers déplacements, et la liste est encore longue. Bref, votre navigateur Web est votre plus proche allié pour affronter l'océan électronique. Ce n'est pas pour rien que l'expression «surfer le Web» existe…

HTML (HyperText Markup Language) (*http://www.w3.org/MarkUp*)
Adobe (*http://www.adobe.com/acrobat*)
HTTP (HyperText Transfer Protocol) (*http://www.w3.org/Protocols*) • Realvideo (*http://www.realaudio.com*)

3.2.1 HTML

Les documents Web sont écrits dans un format qu'on appelle __HTML (HyperText Markup Language)__. Un document HTML est en réalité un simple fichier texte dans lequel se trouvent des informations qu'on désire faire connaître et des «étiquettes» qui indiquent à votre navigateur à quoi devrait ressembler le document.

→ Pour visualiser le code HTML d'un document, choisissez l'option *Source de la page* du menu *Affichage*.

→ Le résumé technique d'un document est accessible avec l'option *Informations sur la page* du menu *Affichage*.

Prenons, par exemple, la page Web suivante présentée par le *Navigateur* 4.0 de Netscape pour Windows95. Les articles soulignés sont des liens avec d'autres documents…

Légende

1. Titre du document
2. Images
3. Liens hypertextes
4. Mise en gras

C
H
A
P
I
T
R
E

3

Figure 3.7
Exemple de présentation hypertexte par Netscape

__HTML (HyperText Markup Language)__ (*http://www.w3.org/MarkUp*)

En cliquant sur un des mots soulignés ou sur une des images, un lien s'établit avec le document ainsi sélectionné, qui s'affiche alors sur l'écran. Voici ce que le serveur a réellement envoyé au logiciel navigateur pour que ce dernier puisse l'afficher de la bonne façon.

```
<HTML>
<HEAD>
<TITLE>Bienvenue sur le Serveur de la Maison du Lin</TITLE> (1)
</HEAD>
<BODY BGCOLOR="ffffff">
<IMG SRC="titre.jpg" alt="Maison du LIN"> (2)
<table width=80%>
<TR>
<TD><A href= "frlin.htm"><img src="fr.gif" border = 0></A><br> (2)
<A href= "frlin.htm"><font size = -1>Français</font></A></TD> (3)
<TD>
<A href= "gb/gblin.htm"><img src="gb.gif" border = 0></A><br> (2)
<A href= "gb/gblin.htm"><font size = -1>English</a></font></TD> (3)
<TD>
<A href= "it/itlin.htm "><img src="it.gif" border = 0></A><br> (2)
<A href= "it/itlin.htm"><font size = -1>Italiano</a></font></TD> (3)
</TR>
</table>
<b>Maison du Lin - 8, rue Cardinal Mercier - 75009 Paris</b><br> (4)
Tél: 01 48 74 25 18 - Fax: 01 42 80 66 32 - Email
<a href ="mailto:contact@lin.asso.fr" border = 0>contact@lin.asso.fr</a> (1)
</BODY>
</HTML>
```

En vous présentant cet exemple, je n'ai pas l'intention de vous voir devenir un expert en HTML. Le langage HTML ferait facilement l'objet d'un autre bouquin. Je vous propose, entre autres, *Le guide de création des pages Web*, écrit par Éric Soucy et Maryse Legault, et publié aux Éditions LOGIQUES. Je désire simplement effleurer avec vous la question du codage HTML. Dans l'exemple précédent, on remarque que chaque élément de phrase se trouve entouré de deux étiquettes. C'est avec ces étiquettes que le client peut différencier les styles de chacun de ces bouts de phrase.

Décortiquons l'exemple ci-dessus. Le titre de la page Web se trouve à la ligne (1) entouré des étiquettes <TITLE> et </TITLE>; simple, non? En poursuivant, vous remarquerez que toutes les images (2) sont identifiées à l'aide de l'étiquette <IMG SRC= ...>, dans laquelle on trouve le chemin et le nom du fichier de l'image. Un hyperlien **(2)** s'écrit avec l'étiquette <A HREF=...>, où on indique vers quelle entité il devrait pointer. Il peut s'agir d'un document sur le site même ou de l'adresse Internet d'un autre site Web. Finalement, on trouve dans l'inscription **(4)** les étiquettes <b> et </b>. Le navigateur Web comprend que cette phrase doit être affichée en caractères gras.

CAPSULE   Sites Web pour la création et l'hébergement de vos pages Web

Vous trouverez dans Internet de nombreux trésors qui vous permettront de créer vos propres pages Web. Un truc incontournable pour le novice est de se procurer un bon éditeur HTML. Il en existe quelques-uns du domaine public, dont un fait au Québec, qui se nomme *Webexpert*. Finalement, il faut trouver une place à vos pages dans Internet afin que vos amis internautes puissent les consulter. À cet effet, il existe plusieurs sites qui hébergeront vos pages gratuitement! Commencez par visiter votre fournisseur Internet et, si vous n'y trouvez pas satisfaction, consultez un des sites suivants:

→ **Un manuel illustré de programmation HTML** (*http://www.grr.ulaval.ca/grrwww/manuel/manuelhtml.html*)

→ **Les bons conseils de Netscape** (*http://home.fr.netscape.com/fr/home/how-to-create-web-services.html*)

→ **Description officielle de HTML** (*http://www.w3.org/MarkUp*)

→ **Librairie virtuelle de l'auteur HTML** (*http://www.stars.com*)

→ **La page du développeur** (*http://www.visic.com/webexpert/developpeur*)

→ **Webexpert - Éditeur HTML francophone** (*http://www.visic.com*)

→ **Geocities - Hébergement Web gratuit** (*http://www.geocities.com*)

→ **Chez - Hébergement Web gratuit** (*http://www.chez.com*)

→ **FortuneCity - Hébergement Web gratuit** (*http://www.fortunecity.com*)

→ **Le gr@tuit du Net - D'autres trucs gratuits** (*http://www.mygale.org/05/botson/gratuit.htm*)

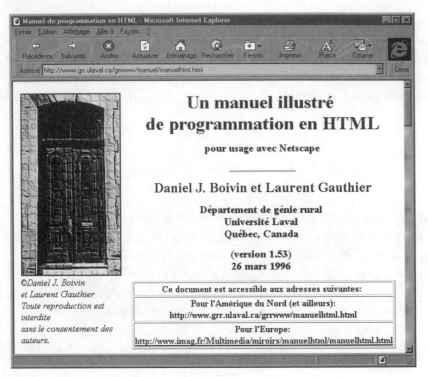

Figure 3.8
Un manuel illustré de programmation HTML

Finalement, les nouvelles versions de logiciels de traitement de texte, comme *Word* et *WordPerfect*, ou bien les logiciels de mise en pages, tels *PageMaker* et *QuarkExpress*, offrent un transfert automatique en HTML. Les pages qui résultent de ce type d'opération demeurent cependant rudimentaires. Toutefois, elles constituent un bon point de départ pour le novice, qui pourra ensuite les raffiner à son goût.

3.2.2 URL, ou l'art d'adresser les choses sur le Web

Notre expédition sur le Web se poursuit. Vous en avez sans doute vu dans les journaux et les magazines, vous en avez probablement obtenu d'un ami: les adresses de sites Web nous envahissent de partout. Cependant, ces dernières peuvent pointer vers d'autres ressources qu'une page Web. C'est pourquoi on leur a donné le nom officiel d'**URL (Uniform Resource Locator)**. Ce moyen

URL (Uniform Resource Locator) (*http://www.w3.org/Addressing/Addressing.html*)

permet d'adresser pratiquement n'importe quoi dans Internet, que ce soit un document, un ordinateur ou, même, un internaute. Il est important de connaître ce mode d'adressage.

Une URL se compose de trois sections:

→ **Le préfixe**

Il indique le type de ressource que vous désirez atteindre.

→ **L'adresse Internet du serveur**

Il s'agit de l'adresse Internet, ou de l'adresse IP du serveur Web, de la personne ou du groupe de discussion que vous tentez de joindre.

→ **Le suffixe**

Il distingue un élément concret sur le serveur étranger. Généralement, cet élément est un nom de répertoire ou un nom de fichier.

Donc, l'URL est construite de manière à ce que l'on sache quel type de ressource on peut atteindre, à quelle adresse et à quel élément distinct on peut la trouver. La structure URL est importante pour votre navigateur, car vous l'aidez en le prévenant du type de ressource à traiter. Il adresse alors cette dernière avec le bon protocole. L'adresse URL est ce qui apparaît dans la case *Adresse* lorsque vous êtes positionné sur un document Internet.

Légende

1. Adresse URL complète
2. Préfixe
3. Adresse Internet du serveur
4. Suffixe

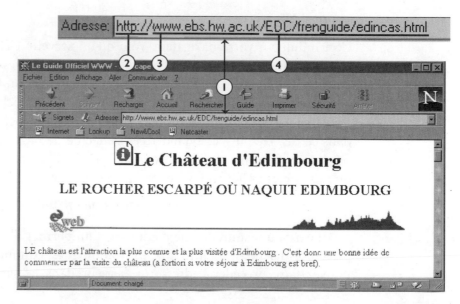

Figure 3.9
Localisation de l'adresse URL dans le navigateur Web

→ Vous pouvez utiliser la case *Adresse* en y inscrivant directement toute adresse valide. Tapez sur la touche **Retour**, et le navigateur vous affiche le contenu de cette page.

Évidemment, faites attention aux fautes d'orthographe dans ces adresses. Il s'agit là de la première source de frustration de l'internaute, la deuxième étant les pages qui ont changé d'adresse ou qui n'existent plus. ;-)

Préfixe http://

Le sigle «http» veut dire *HyperText Transfer Protocol* et indique qu'il s'agit d'un serveur Web. La partie médiane est l'adresse Internet d'un ordinateur. Le suffixe est un nom de fichier et le répertoire dans lequel il se trouve. Généralement, les noms de fichiers se terminent par *html* ou par *htm*. Il se peut qu'aucun fichier ne soit indiqué; vous pointez alors sur un répertoire dans lequel un fichier est offert par défaut. *Il est important de noter que vous n'avez pas à inscrire le préfixe http:// dans la case Adresse de votre navigateur Web, car ce dernier l'accepte par défaut.* Voici l'URL du Réseau canadien de la santé. La page *french.html* est située dans le répertoire */links* sur le serveur Web accessible à l'adresse Internet *www.hwc.ca*.

http://www.hwc.ca/links/french.html

Préfixe ftp://

Ceci indique à votre navigateur Web qu'un serveur FTP (voir chapitre 4) se trouve à l'adresse indiquée. La partie médiane est l'adresse Internet du serveur en question. Le suffixe est, encore une fois, le nom d'un fichier et le répertoire de ce dernier. Notez que si vous offrez le nom d'un fichier, le serveur Web le transfère sur votre ordinateur. La visualisation du répertoire ne s'effectue pas dans ce cas. De plus, ce type d'accès s'effectue de façon anonyme; vous n'avez pas à vous identifier. À titre d'exemple, vous trouverez le contenu du répertoire **pub** du serveur FTP anonyme *ftp.francenet.fr* à cette adresse:

ftp://ftp.francenet.fr/pub

Il existe une autre forme d'adressage qui permet d'accéder à un répertoire privé normalement interdit aux accès anonymes, comme celui ci-dessus. Vous pouvez faire précéder l'adresse du serveur dans la partie médiane de votre nom d'utilisateur, suivi de « : », de votre mot de passe et, finalement, d'un arobas « @ », comme ceci :

*ftp://**nom_utilisateur:mot_de_passe**@ftp.francenet.fr/**repertoire_privé***

Je vous suggère de ne pas inscrire cette adresse URL dans votre livret de signets, car n'importe qui pourrait y voir votre mot de passe.

CAPSULE   **Horreur! Des codes d'erreurs sur le Web!**

Cette situation vous arrivera un jour, c'est inévitable. Sans avertissement, vous verrez apparaître un message d'erreur sur l'écran à la place de la page Web que vous pensiez voir. De plus, cette erreur portera un numéro, comme 404 ou 500. Que signifient ces chiffres? Eh bien, plusieurs raisons peuvent expliquer le malentendu entre votre ordinateur et le serveur Web étranger. Pour tenter d'élucider ces petits mystères, on a mis au point un système universel de messages d'erreur dans le protocole **HTTP** (***http://www.w3.org/Protocols***) qui permet à l'internaute de s'y retrouver. En résumé, les erreurs 4xx sont causées par une de vos actions, chers internautes, tandis que les erreurs 5xx sont occasionnées par le serveur.

→ **# 302 – REDIRECT:** Le document recherché est temporairement déplacé. C'est normalement une question de temps avant que vous ne le retrouviez au même endroit.

→ **# 400 – BAD REQUEST:** Votre adresse URL est mal formulée. Vérifiez si son orthographe est correcte.

→ **# 401 – AUTHORIZATION REQUIRED:** Vous devez fournir un mot de passe valide pour avoir accès à ce document.

→ **# 403 – FORBIDDEN:** L'adresse Internet de votre appareil permet au serveur de vous interdire l'accès au document convoité.

→ **# 404 – NOT FOUND:** Le plus fréquent des messages d'erreur signifie que le document convoité ne s'y trouve plus. Vous devez essayer une autre adresse.

→ **# 500 – SERVER ERROR:** Le serveur Web est incapable de répondre à votre requête à cause d'une situation inattendue de son côté. Il n'y a pas grand-chose à faire sauf d'attendre que cette situation se résorbe.

→ **# 501 – NOT IMPLEMENTED:** Le serveur Web est incapable de vous offrir le type de ressource que vous demandez.

Préfixe telnet://

Vous demandez à votre navigateur Web de faire démarrer le logiciel Telnet (voir chapitre 6) situé sur votre ordinateur et d'effectuer une connexion avec l'ordinateur de l'adresse Internet se trouvant dans la partie médiane. De plus, si la session doit se tenir sur un port différent de 23, vous le mentionnez en terminant l'URL par «:numéro_du_port_IP». Voici l'adresse URL du serveur météo pour le sud-est des États-Unis, l'adresse Internet de l'ordinateur étant *wind.atmos.uah.edu*, et la session devant s'établir sur le port IP 3000 :

telnet://wind.atmos.uah.edu:3000

Préfixe mailto:

Vous pouvez utiliser cette URL pour envoyer un courrier électronique à une personne. Faites attention de ne pas utiliser les doubles barres obliques «//» avec ce préfixe. Vous indiquez l'adresse de courrier électronique (CÉ) du destinataire dans la partie médiane. Aucun suffixe n'est utilisé ici. Avec cette adresse URL, vous déclenchez le module de CÉ utilisé *de facto* par votre navigateur Web. L'adresse du destinataire est inscrite par défaut dans le champ principal. Voici l'URL si vous désirez m'envoyer du courrier électronique par le biais de votre navigateur Web :

mailto:dsohier@bibl.ulval.ca

Préfixe news:

Si votre navigateur Web possède la capacité de consulter un serveur de nouvelles Usenet (voir chapitre 5), vous pouvez alors accéder à un groupe de nouvelles directement avec ce préfixe. Il vous suffit d'inscrire le nom du groupe de nouvelles Usenet dans la partie médiane de l'URL. Si vous désirez prendre connaissance rapidement des nouvelles du groupe Usenet *qc.general*, employez l'URL suivante :

news:qc.general

Si vous désirez accéder à un serveur de nouvelles autre que le vôtre, insérez l'adresse Internet de ce dernier avant le nom du groupe en vous assurant d'insérer les doubles barres «//» après le préfixe. Consultez le groupe précédent sur le serveur de nouvelles *news.riq.qc.ca* avec cette adresse :

news://news.riq.qc.ca/qc.general

Préfixe file://

Cette adresse URL est utile si vous écrivez des pages HTML et que vous désirez les visualiser ou alors si vous souhaitez consulter un fichier texte rapidement. Vous n'avez qu'à y ajouter le répertoire et le nom du fichier. Pour consulter le fichier *salut.html*, situé dans le répertoire */pagesw3*, inscrivez cette adresse:

file:///pagesw3/salut.html

Préfixe gopher://

Ce préfixe est utilisé pour communiquer avec un serveur Gopher. La partie médiane représente l'adresse Internet du serveur suivie de son port IP, et le suffixe indique le nom du fichier et le répertoire de ce dernier. Voici l'URL du document *about-software*, situé dans le répertoire */00/software* sur le serveur Gopher campé à l'adresse Internet *gopher.ed.gov* et fonctionnant sur le port IP 70:

gopher://gopher.ed.gov:70/00/software/about-software

Des préfixes URL spécialisés pour des ressources multimédias sont créés périodiquement. C'est le cas de <u>RealAudio</u>, qui utilise le préfixe *pnm://*. Je discute de ce type d'adressage dans les sections consacrées à ces ressources.

3.2.3 La page d'accueil

Lorsque vous vous branchez à la racine d'un nouveau serveur, il vous envoie *de facto* sa page d'accueil (*home page* en anglais). Celle-ci contient tous les renseignements nécessaires pour comprendre la mission du serveur. On y mentionne également les coordonnées des personnes avec qui entrer en contact en cas de problème. Et vous retrouvez des ressources qui apparaissent sur ce serveur ou sur un autre. Un bel exemple de page d'accueil est celle du serveur Web de la <u>Société de transport de la Communauté urbaine de Montréal (STCUM)</u>. Cette page est intéressante, car elle contient des éléments de texte, des images, des liens hypertextes, un sommaire du contenu et offre la possibilité de joindre l'administrateur du site.

<u>RealAudio</u> (*http://www.realaudio.com*)
<u>Société de transport de la Communauté urbaine de Montréal (STCUM)</u> (*http://www.stcum.qc.ca*)

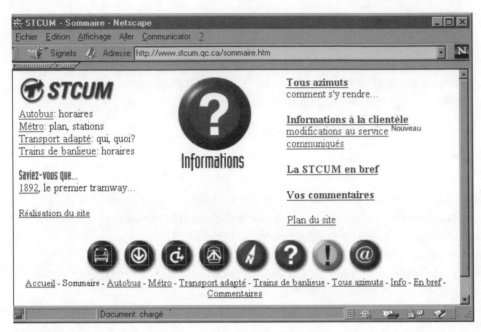

Figure 3.10
Page d'accueil de la STCUM

3.3 LE NAVIGATEUR DE NETSCAPE VERSION 3.0, UN EXCELLENT COMPAGNON

Le *Navigateur* de la société **Netscape Communications Corp.** est sans contredit un des meilleurs logiciels de sa catégorie actuellement sur le marché. Pour ma part, une raison simple pour laquelle je le préfère à d'autres clients Web est qu'il est conçu de la même façon pour les environnements Macintosh, Windows et Unix fenêtré. Voilà qui coupe un peu court aux explications. :) De plus, il est du domaine public pour ceux qui travaillent dans le domaine de l'éducation ou pour les organismes sans but lucratif; pour les autres, il ne coûte qu'entre 20 et 40 $ *si vous l'enregistrez officiellement.* Vous pouvez le transférer directement du site Web de **Netscape.**

Le logiciel comprend un module pour les nouvelles Usenet ainsi qu'un module de courrier électronique comparable à **Eudora.**

Netscape Communications Corp. (*http://www.fr.netscape.com/fr*) • Eudora (*http://www.eudora.com*)

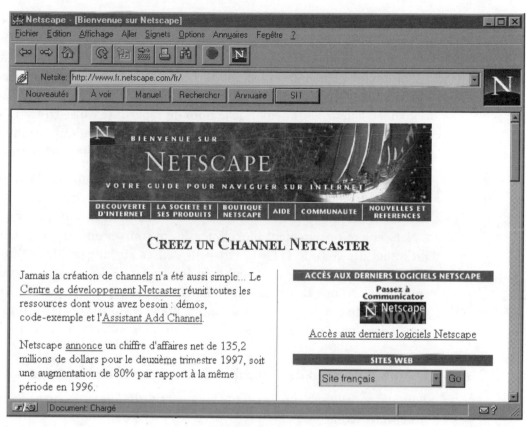

Figure 3.11
Site Web de Netscape pour transférer le Navigateur

3.3.1 Installation de Netscape 3.0

Avant de commencer l'installation, je vous donne ce conseil: n'hésitez pas à entrer en contact avec le support à la clientèle de votre fournisseur Internet ou votre administrateur de réseau si vous faites face à des problèmes d'installation. Ceci étant dit, vous pouvez installer ce logiciel après l'avoir soit transféré directement d'un site Internet, soit copié à partir d'un cédérom. La suite de la procédure est la même dans les deux cas. Vous devez lancer le logiciel d'installation.

→ Sur Macintosh, ce logiciel s'appelle *Netscape-Installer.* Les fichiers sont automatiquement décompressés et installés sur le disque rigide de votre ordinateur. Le logiciel d'installation vous demande de préciser le répertoire où l'application se trouvera.

→ Sur Windows, le logiciel est fait d'un fichier dont le nom est sous la forme *n30v32b1.exe*. Vous devez exécuter ce fichier, qui décompresse les fichiers qu'il contient. Ensuite, exécutez le fichier résultant *setup.exe* à l'aide du gestionnaire de fichiers avec l'option *Exécuter* du menu déroulant *Fichier* pour Windows 3.1 ou avec le bouton *Démarrer* dans le cas de Windows 95. L'installateur vous demande le nom du répertoire où se trouvera l'application puis procède à l'installation. Un groupe d'applications nommé *Netscape* est également créé. C'est là que vous trouverez l'icône du *Navigateur*.

À la suite de l'installation du *Navigateur* pour Macintosh et Windows, l'installateur vous demande si vous désirez compléter votre requête avec le transfert des *plugiciels (modules externes incorporés)*. Ces logiciels sont des compléments à Netscape qui permettent d'exploiter des ressources autres que le langage traditionnel du Web, le HTML. On peut penser au langage de réalité virtuelle **VRML** ou au système de téléphonie Internet *CoolTalk*. Je vous encourage à transférer certains de ces modules. Lorsque vous répondez par l'affirmative, la page Web de ces programmes est alors affichée. Consultez la section 3.6 pour vous faire une idée des modules qu'il serait intéressant de posséder.

3.3.2 Le tour d'horizon de l'interface du Navigateur de Netscape

Vous devez cliquer sur l'icône Netscape afin de faire démarrer l'application. Voici cette icône:

Figure 3.12
Icône Netscape 3.0

Aux fins de démonstration, nous allons utiliser la page d'accueil de la communauté virtuelle **InfiniT** du fournisseur d'accès **Vidéotron**. De plus, j'utiliserai la version 3.0 du *Navigateur* Netscape en français pour Windows 95; la version Macintosh est pratiquement identique: les boutons sont les mêmes et les commandes portent le même nom. C'est un des avantages de Netscape que d'avoir cette même interface pour tous les environnements.

VRML (*http://www.sdsc.edu/vrml*) • InfiniT (*http://www.infinit.net*)
Vidéotron (*http://www.videotron.net*)

Légende

1. Barre de boutons
2. Visionnement du document précédent ou suivant
3. Retour au document affiché au démarrage
4. Rechargement du document actuel
5. Affichage des images
6. Consultation *ad hoc* d'un document
7. Impression
8. Recherche d'un terme dans le document
9. Arrêt du transfert d'un document
10. Titre du document
11. Menus déroulants
12. Adresse URL du document
13. Copie de l'adresse URL dans le presse-papiers
14. Accès aux sites visités
15. Témoin d'activité réseau et accès direct au site de Netscape

16. Boutons d'accès rapide
17. Barre de défilement vertical
18. Témoin de lien sécuritaire
19. État de transfert du document

20. Proportion des données transférées par rapport à la taille totale
21. Accès au courrier électronique
22. Lien vers un document

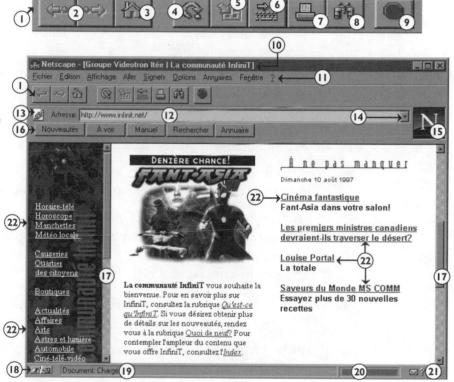

Figure 3.13
Interface de Netscape 3.0

CHAPITRE 3

Évidemment, la plus grande partie de l'écran est réservée aux documents Web transférés par le serveur et interprétés par le logiciel. Des barres de défilement horizontal et vertical se trouvent à droite et en bas de la fenêtre. Il arrive souvent qu'un document dépasse les limites de la fenêtre, et c'est grâce à ces barres que l'on peut voir le reste du document. Une autre situation qu'on voit souvent dans le réseau est l'apparition de fenêtres multiples dans un document Web. On trouvera alors plusieurs barres de défilement. La barre de menus déroulants située complètement en haut de l'écran vous permet d'accéder aux nombreuses fonctions du logiciel. On verra plus loin les options peuplant ces menus.

1. **Barre de boutons**

Cette barre vous offre différentes fonctions. Lisez les points 2 à 9 pour en connaître davantage à leurs sujets.

2. **Visionnement du document précédent ou suivant**

Netscape garde un historique de vos déplacements dans Internet. Ces deux boutons vous permettent de reculer ou d'avancer dans cet historique.

→ L'historique est également disponible dans le menu déroulant *Aller* ou dans le menu *Fenêtre*.

→ Les raccourcis pour Windows sont la combinaison des touches **ALT+flèche droite ou gauche**.

→ Les raccourcis pour Macintosh sont **pomme+flèche droite ou gauche**.

3. **Retour au document affiché au démarrage**

Vous pouvez déterminer vous-même ce dernier. Il peut s'agir d'un document se trouvant sur votre ordinateur ou sur un site étranger.

→ Activez le menu déroulant *Options* et choisissez *Préférences générales.* Sélectionnez ensuite l'onglet *Aspect* (voir figure 3.19). C'est dans le champ *Le Navigateur démarre avec:* de la boîte *Démarrage* que vous pouvez inscrire votre adresse URL *de facto*.

4. **Rechargement du document actuel**

Rechargement du document affiché directement à partir du serveur et non pas de la mémoire. En effet, Netscape garde les dernières pages visitées dans une mémoire cache sur votre ordinateur afin d'économiser du temps si vous décidez de revenir sur ces dernières. Cela dit, si vous savez que ces pages sont assujetties à des modifications fréquentes, il est bon de les recharger depuis le serveur. De plus, si un document ne s'est pas affiché correctement, cliquez sur ce bouton afin de le recharger.

→ Le raccourci pour Windows est la combinaison **CTRL+R**.

→ Le raccourci pour Macintosh est la combinaison **Pomme+R**.

5. **Affichage des images**

Ce bouton fonctionne parallèlement avec l'option *Autochargement des images* située dans le menu déroulant *Options*. Si cette option n'est pas sélectionnée, c'est-à-dire si aucun crochet n'est affiché à côté de celle-ci, les images des documents Web ne sont pas transférées sur votre écran afin que vous gagniez du temps. Plusieurs utilisateurs procèdent de cette façon lorsqu'ils se branchent avec des modems lents. Ils peuvent néanmoins faire transférer les images du document en cours en cliquant sur ce bouton.

6. Consultation *ad hoc* d'un document

Une fenêtre s'affiche dans laquelle vous pouvez inscrire une adresse URL. Vous pouvez également l'inscrire directement dans la case *Adresse*.

→ Le raccourci pour Windows est **CTRL+L**.

→ Le raccourci pour Macintosh est **Pomme+L**.

7. Impression

Imprime le document affiché.

→ Le raccourci pour Windows est **CTRL+P**.

→ Le raccourci pour Macintosh est **Pomme+P**.

8. Recherche d'un terme dans le document

À utiliser pour trouver une chaîne de caractères dans le document affiché.

→ Le raccourci pour Windows est **CTRL+F**.

→ Le raccourci pour Macintosh est **Pomme+F**.

9. Arrêt du transfert d'un document

Stoppe le transfert d'une page.

10. Titre du document

C'est ce titre qui apparaît sur votre liste de signets quand vous l'utilisez. Il est codé sur la page HTML entre les étiquettes <TITLE> et </TITLE>.

11. Menus déroulants

Vous pouvez grâce à eux accéder aux nombreuses fonctions du logiciel.

12. Adresse URL du document

C'est dans cette case que vous pouvez apercevoir l'adresse URL du document affiché. Vous pouvez également y inscrire l'adresse URL de votre choix et, ainsi, faire la consultation *ad hoc* de ce dernier.

13. Copie de l'adresse URL dans le presse-papiers

En cliquant deux fois sur cette petite icône, vous transférez automatiquement l'adresse URL du document affiché dans le presse-papiers. Vous pouvez ensuite copier cette dernière dans vos signets, dans un logiciel de traitement de texte ou dans toute autre application en utilisant la fonction **Coller**.

14. **Accès aux sites visités**

Cliquez à cet endroit pour voir la liste des sites que vous avez déjà consultés.

15. **Témoin d'activité réseau et accès direct au site de Netscape**

Le «N» agit comme témoin de connexion. Pendant un transfert, on voit une pluie d'étoiles filantes qui bombardent le pauvre «N» sans défense. L'animation se termine une fois que le contenu de la page est affiché. Vous pouvez également cliquer sur ce logo pour accéder au site Web de Netscape.

16. **Boutons d'accès rapide**

On les appelle «boutons d'accès rapide». Ils permettent de consulter d'importantes ressources informatives situées sur les différents sites de Netscape.

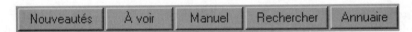

Figure 3.14
Boutons d'accès rapide

→ **Nouveautés:** Vous vous retrouvez sur la page des nouveautés de la compagnie Netscape. C'est une bonne façon de connaître l'existence des derniers sites, mais si vous désirez quelque chose de plus complet encore, consultez le **groupe des nouveautés Web dans Usenet**.

→ **À voir:** Netscape vous propose cette liste de sites Web qui utilisent le langage HTML à son maximum afin d'offrir des présentations originales, inusitées, captivantes et qui sortent de l'ordinaire par leur contenu.

→ **Manuel:** Vous avez accès à un manuel d'utilisation complet qui est en ligne sur le site de Netscape.

→ **Rechercher:** On peut comparer le Web à un gigantesque livre. Les quelque 80 millions de pages Web accessibles dans le réseau agissent comme le contenu du livre. Les engins de recherche que l'on trouve sous ce bouton sont les index de ce gigantesque livre. À l'aide de ceux-ci, on peut chercher et trouver des documents Web qui traitent des thèmes convoités. On y trouve également des engins de recherche spécialisés pour chercher les adresses de courrier électronique.

groupe des nouveautés Web dans Usenet (*news:comp.infosystems.www.announce*)

→ **Annuaire:** Finalement, la table des matières de l'univers Web est située dans les répertoires que l'on trouve en appuyant sur ce bouton. Quand on parle d'un répertoire, on désigne un site qui compte un très grand nombre de sites classés en catégories utiles et faciles à consulter.

17. Barre de défilement vertical

Déplacez-la de façon à pouvoir consulter un document dont la longueur dépasse celle de la fenêtre à l'écran.

18. Témoin de lien sécuritaire

La clé indique si votre communication avec le serveur est sécuritaire en utilisant un protocole qui code les informations envoyées vers un serveur. La clé est entière si la communication est sûre et est rompue dans le cas contraire. Vous êtes ainsi rassuré lorsque, par exemple, vous effectuez une transaction commerciale dans le réseau.

19. État de transfert du document

C'est à cet endroit que Netscape communique son statut à l'utilisateur. Bien des situations peuvent se produire: transfert de données, traitement d'images, recherche d'une information sur le serveur de domaines, etc.

20. Proportion des données transférées par rapport à la taille totale

Ce témoin vous indique la proportion de données transférées par rapport au volume total à transférer.

21. Accès au courrier électronique

En cliquant sur ce bouton, vous ouvrez automatiquement le module de courrier électronique de Netscape. Une fenêtre apparaît et vous demande votre mot de passe afin de transférer les nouveaux messages à partir du serveur de courrier.

22. Lien vers un document

Cliquez sur le ou les termes soulignés qui vous intéressent afin de pouvoir consulter un document qui traite du sujet.

3.3.3 Consultation d'une ressource à l'aide d'une adresse Internet

Vous avez sans doute remarqué que je n'ai pas mentionné «Consultation d'une page Web...». La raison en est simple. Sur le Web, on ne parle pas que de cette ressource. N'oubliez pas, on peut rejoindre n'importe quel type de ressource avec une URL, tel qu'il est décrit dans la section 3.2.2. La façon la plus facile est d'inscrire directement l'adresse URL de la ressource désirée dans la case intitulée *Adresse* et de taper sur la touche **Retour**.

Ce n'est pas tout. Il y a trois autres façons de le faire:

→ Sélectionnez l'option *Consulter un document* du menu déroulant *Fichier*.

→ Utilisez le raccourci **CTRL+L** pour Windows ou **Pomme+L** pour Macintosh.

→ Cliquez sur l'icône **Consulter un document Web** dans la barre de boutons, comme on l'a vu à la section précédente.

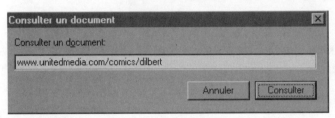

Dans les trois cas, une boîte de dialogue apparaît dans laquelle vous pouvez inscrire une adresse URL conforme.

Figure 3.15
Consultation d'une ressource Internet

3.3.4 Navigation, historique et document initial au démarrage

Netscape garde une trace des documents parcourus pendant votre consultation, comme on l'a expliqué auparavant. En plus des boutons **Document suivant** et **Document précédent** qui se trouvent dans la barre de boutons, les options *Précédent* et *Suivant* du menu déroulant *Aller* vous permettent d'avancer ou de reculer dans cet historique. Vous verrez également dans la partie inférieure de ce menu les titres des pages visitées au cours de votre session. Cette liste est aussi longue que ce que la mémoire cache de votre ordinateur le lui permet.

→ L'option *Historique* du menu déroulant *Fenêtre* affiche une fenêtre avec tous vos déplacements.

→ Le raccourci **CTRL+H** pour Windows et **Pomme+H** pour Macintosh permet également d'afficher la fenêtre de l'historique.

Figure 3.16
Fenêtre de l'historique des déplacements pendant une session de «surf»

Le document initial au démarrage est celui qui est affiché au démarrage de votre application et celui vers lequel vous retournez lorsque vous sélectionnez l'option *Accueil* qui se trouve dans le menu déroulant *Aller*. Vous pouvez également cliquer sur le bouton représentant une maison dans la barre de boutons.

→ Je vous rappelle que vous pouvez modifier à volonté l'adresse de votre document initial, comme on l'a expliqué à la section 3.3.2.

3.3.5 Comment se rappeler un site super étourdissant? Les signets

Vous pouvez archiver les adresses URL des documents que vous trouvez captivants. C'est facile avec l'ajout d'un signet dans votre livret de signets. Lorsque vous vous trouvez dans un de ces documents, vous n'avez qu'à sélectionner l'option *Ajouter un signet* du menu *Signets*.

→ Pour ajouter un signet rapidement, faites **CTRL+D** dans Windows ou **Pomme+D** sur le Macintosh.

Pour visionner cette liste, déroulez le menu *Signets*. Si vous désirez modifier les éléments de cette liste, sélectionnez soit l'option *Allez aux signets...* du menu *Signets*, soit l'option *Signets* du menu déroulant *Fenêtres*.

→ Le raccourci permettant d'éditer votre liste de signets est **CTRL+B** dans Windows et **Pomme+B** sur le Macintosh.

Légende

1. Menus déroulants
2. Chemises de signets
3. Signet sélectionné et son adresse URL
4. Signets
5. Arborescence

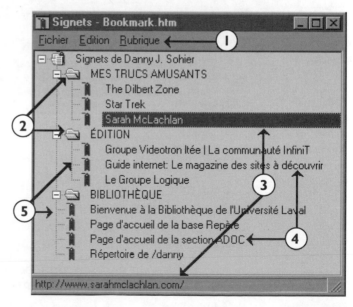

Figure 3.17
Gestion des signets

Chacune des lignes possède une petite icône à sa gauche afin d'indiquer s'il s'agit d'un signet ou d'une chemise de signets. Cette représentation est la même que celle que vous trouvez dans le menu déroulant *Signets*.

Vous pouvez transférer un signet d'une chemise à une autre simplement en cliquant sur l'un d'eux et en le glissant vers le dossier désiré. Vous pouvez ainsi mettre de l'ordre dans vos signets.

→ Pour créer un nouveau répertoire à l'intérieur de votre liste de signets, choisissez l'option *Insérez un dossier* du menu *Rubrique*.

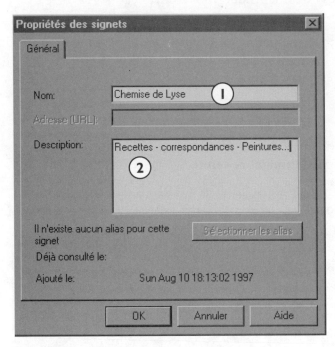

Légende

1. Titre de la chemise
2. Description du contenu

Figure 3.18
Création d'un nouveau répertoire de signets

Il ne reste qu'à inscrire le titre du nouveau répertoire dans le champ *Nom* et à fournir une description dans le champ *Description*, si vous le désirez. Cliquez sur le bouton **OK**, et la chemise est affichée dans votre liste de signets. Vous pouvez également déplacer cette dernière à l'endroit désiré.

→ Pour effacer un signet ou un répertoire de signets, cliquez sur celui-ci une fois et effectuez le raccourci **CTRL+X** dans Windows ou **Pomme+X** sur le Macintosh.

→ Pour modifier les renseignements d'un signet ou d'un répertoire, cliquez dessus une fois et choisissez l'option *Propriétés...* du menu *Rubrique*. Une fenêtre comme celle de la figure 3.18 est affichée pour vous permettre d'effectuer les modifications. Cliquez sur le bouton **OK** pour valider ces dernières.

→ Pour trier les signets d'une chemise, cliquez dessus une fois et choisissez l'option *Trier les signets* du menu *Rubrique*.

→ Pour importer un livret de signets compatible avec Netscape, choisissez l'option *Importer...* du menu déroulant *Fichier*. Un gestionnaire de fichiers apparaît pour vous aider à trouver le fichier à importer. Les signets sont ajoutés à votre liste.

→ Pour exporter votre livret de signets, sélectionnez l'option *Enregistrer sous...* du menu déroulant *Fichier*. Un gestionnaire de fichiers est affiché. Vous n'avez plus qu'à indiquer le nom du fichier sous lequel vous désirez sauvegarder vos signets.

CAPSULE — **Logiciels spécialisés dans la gestion de signets**

Il existe des logiciels ayant pour seule prétention de mieux gérer vos signets. Ces logiciels peuvent vous être utiles si vos signets sont devenus un vrai fouillis et si vous tenez à ce qu'ils soient gérés efficacement. Certains des logiciels suivants sont commerciaux:

→ **Smart Bookmarks**
(*http://www.firstfloor.com/sb30data.html*)

→ **DragNet**
(*http://www.onbasetech.com*)

→ **NetOrganizer (capture toutes vos URL pendant vos déplacements)**
(*http://www.nsb-intl.com*)

→ **Surfbot**
(*http://www.surflogic.com*)

→ **Bookmark Manager**
(*http://www.noyo.com/shareware/4981.html*)

3.3.6 J'étouffe, j'ai besoin de plus d'espace... ou la gestion de l'affichage

Si vous trouvez que l'espace disponible pour afficher les informations transmises n'est pas assez grand, vous pouvez faire disparaître les boutons d'accès rapide, la barre de boutons et l'adresse URL. Vous pouvez régler cette question avec les trois options d'affichage du menu déroulant *Options*.

3.3.7 La mise au point de Netscape

Netscape vous offre une gamme de paramètres modifiables afin d'améliorer votre expérience sur le Web. Les points suivants sont les plus importants. On peut régler les paramètres de Netscape avec les options *Préférences générales*, *Préférences de courrier et de nouvelles*, *Préférences du réseau* et *Préférences de sécurité*, toutes situées dans le menu déroulant *Options*.

Préférences générales

Ces écrans possèdent tous le même aspect. Des onglets situés dans la partie supérieure vous permettent de fixer des paramètres propres à un thème. La fenêtre suivante est affichée lorsque vous sélectionnez l'option *Préférences générales*.

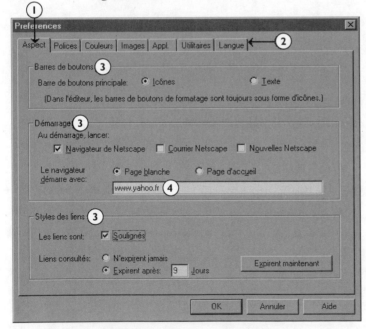

Légende

1. Onglet sélectionné
2. Onglets supplémentaires
3. Titre des boîtes
4. Document initial au démarrage

Figure 3.19
Préférences générales de Netscape

→ Onglet Aspect

C'est dans la fenêtre *Barre de boutons* qu'on détermine l'aspect de cette dernière. On a le choix entre l'affichage des icônes avec images ou avec texte seulement. La boîte *Démarrage* nous permet de déterminer l'adresse du document Web affiché par défaut au lancement de Netscape. On précise si les liens hypertextes affichés sur l'écran sont soulignés ou non dans la boîte *Style des liens.* On peut également fixer le temps nécessaire avant qu'un lien visité reprenne la couleur d'un lien non visité dans le champ *Expirent maintenant.*

→ Onglet Polices

Netscape vous offre le choix des polices fixes et vectorielles en plus du choix du codage international. Pour ce dernier élément, je vous recommande de garder le codage «Latin 1» dans les pays francophones.

→ Onglet Couleurs

Vous pouvez changer l'aspect de votre environnement Web en modifiant la couleur du lettrage, des liens visités et non visités, en plus de celle de votre fond d'écran.

→ Onglet Images

Netscape charge les images retrouvées dans les documents Web au fur et à mesure qu'elles sont transférées. Vous pouvez modifier ce mode en choisissant la fonction *Après le chargement.* Le texte du document sera affiché plus rapidement, mais vous constaterez un plus grand retard dans l'affichage des images.

→ Onglet Appl.

Il est extrêmement important que vous disiez à votre logiciel Netscape où se trouve l'application Telnet sur votre ordinateur si vous avez l'intention d'utiliser ce type de communication. Sinon, les adresses URL Telnet ne seront pas exploitées adéquatement. Un message d'erreur (*Application introuvable*) s'affiche sur l'écran dans cette situation. C'est dans le champ *Utilitaire Telnet* que vous pouvez indiquer où se trouve cette application. Pour plus de renseignements, consultez la section 6.3.

→ Onglet Utilitaires

Il arrive parfois que vous rencontriez un lien ou un élément sur le Web que votre logiciel Netscape ne peut afficher ou traiter correctement. Netscape sauvegarde généralement le fichier pour que vous puissiez le traiter en différé avec une autre application. Vous gagnez du temps en indiquant à votre logiciel Netscape le nom de l'application à lancer pour traiter une de ces entités mystérieuses. Un excellent exemple de cela se trouve au chapitre 8, qui traite en partie du *RealPlayer*. Premièrement, décrivez le type MIME dans le champ ***Type de fichier/MIME*** et le sous-type dans le champ ***Sous-type***. Dans notre exemple, il s'agit du type ***video*** et du sous-type ***quicktime***. Ensuite, inscrivez les extensions probables des fichiers dans la case ***Extension(s) de fichier***, ici, il s'agit de ***qt***, ***mov*** et ***moov***.

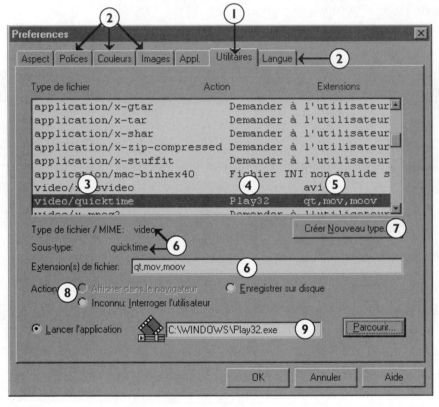

Légende

1. Onglet sélectionné
2. Onglets supplémentaires
3. Type de fichier
4. Action à entreprendre
5. Extensions utilisées par cette application
6. Informations sur le type MIME sélectionné
7. Bouton pour créer un nouveau type
8. Réglage du comportement à adopter
9. Nom et chemin de l'application traitant ce type de fichier

Figure 3.20
Paramètres pour les applications secondaires

Finalement, indiquez le comportement de Netscape avec ce type de fichier; il peut simplement l'archiver sur votre disque rigide (***Enregistrer sur disque***), ***lancer l'application*** définie dans le champ du même nom, utiliser le navigateur pour afficher le fichier (***Afficher dans le navigateur***) ou bien demander au navigateur de vous interroger à propos de l'action à entreprendre dans cette situation (***Inconnu: interroger l'utilisateur***).

Tous les nouveaux plugiciels vont fixer automatiquement, au moment de leur installation, ces paramètres sans que l'internaute n'ait à s'en occuper.

→ **Langue**

Vous déterminez dans ce dernier onglet les langues dans lesquelles vous aimeriez que le contenu puisse s'afficher à l'intérieur de votre navigateur.

Paramètres de courrier et de nouvelles...

Saviez-vous que Netscape agit également comme logiciel de courrier électronique (CE) et comme lecteur de nouvelles Usenet? On doit régler les différents paramètres propres à ces deux modules, en choisissant l'option *Paramètres de courrier et de nouvelles...* situé dans le menu déroulant *Options*, avant de pouvoir les utiliser.

→ **Aspect**

Sélectionnez la police de caractères pour la lecture et l'écriture de votre courrier et de vos messages.

→ **Rédaction**

Déterminez si vos envois sont encodés en format MIME ou simplement en 8 bits. Le format MIME permet d'incorporer images, fichiers multimédias, etc. à l'intérieur même du message. Le format 8 bits est recommandé si vos destinataires sont majoritairement en Amérique du Nord ou en Europe. Vous pouvez également décider si le courrier ou chaque message envoyé sera acheminé dans votre boîte postale ou archivé sur votre disque rigide.

→ **Serveurs**

Si vous ne connaissez pas les valeurs de ces paramètres, renseignez-vous auprès de votre administrateur de réseau ou du service à la clientèle de votre fournisseur Internet. Donnez à votre logiciel Netscape les adresses Internet de votre serveur de courrier électronique POP (*Post Office Protocol*) et SMTP (*Simple Mail Transfer Protocol*), votre nom d'utilisateur ainsi que le répertoire dans lequel seront déposés vos messages. Vous pouvez finalement fixer la taille maximale des messages et la fréquence de vérification du serveur pour voir si de nouveaux messages sont arrivés.

Pour les paramètres concernant votre serveur de nouvelles, indiquez l'adresse Internet de ce dernier, le répertoire de votre disque rigide où la gestion des groupes sera effectuée et le nombre maximal de messages transférés à chaque fois.

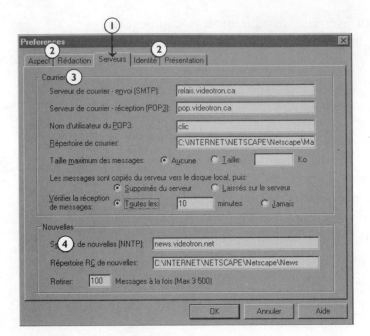

Figure 3.21
Paramètres de courrier et de nouvelles

Légende

1. Onglet sélectionné
2. Onglets supplémen-
   taires
3. Réglages du serveur
   de courrier
4. Réglages du serveur
   de nouvelles Usenet

→ **Identité**

On détermine ici votre identité lorsque vous inscrivez votre nom dans le champ *Votre nom:* et votre adresse de courrier POP (voir section 2.4.1) dans le champ *Votre adresse:*. Si votre identité sur le serveur de courrier POP est différente de votre adresse normalisée de CE, inscrivez cette dernière dans le champ *Adresse pour les réponses.* Notez que cette adresse sera affichée comme adresse de retour dans votre courrier. Inscrivez également le nom de votre organisation dans *Votre société:*. Finalement, si vous désirez inclure une signature électronique dans chaque envoi, indiquez-le dans le champ *Fichier signature.*

→ **Présentation**

Sélectionnez à l'avance l'ordre de tri de votre courrier et des messages Usenet.

Préférences du réseau

Les *Préférences du réseau* se trouvent dans le menu déroulant *Options.* Les paramètres situés à cet endroit n'ont pas besoin d'être modifiés à moins de force majeure. Ils sont réservés à des utilisateurs avancés qui connaissent très bien les termes réseaux et le micro-ordinateur.

Légende

1. Onglet sélectionné
2. Onglets supplémentaires
3. Titre de la boîte

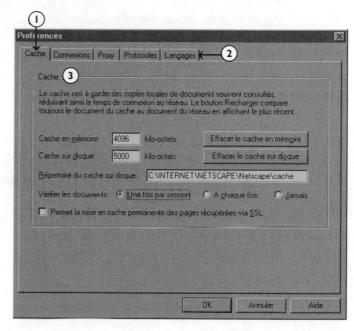

Figure 3.22
Préférences du réseau

→ **Cache**

Fixez la taille de la mémoire que Netscape utilise comme tampon pour emmagasiner les pages visitées antérieurement dans Internet, au cas où vous devriez y retourner. De cette façon, vous gagnez du temps. Mais dosez bien ces paramètres pour ne pas manquer de mémoire vive et d'espace-disque pour vos autres applications.

→ **Connexions**

Netscape peut ouvrir plusieurs connexions avec le même serveur pour transférer simultanément le fichier source HTML et les différentes images liées à ce fichier. Vous pouvez fixer le nombre de connexions. Un plus grand nombre ralentira cependant votre affichage.

→ **Proxy**

Si votre organisation est branchée à Internet par le biais d'une passerelle sécuritaire (*Firewall*), pour une meilleure sécurité, indiquez l'adresse Internet et les ports IP des serveurs utilisés pour avoir accès aux différentes ressources dans le réseau. Votre administrateur de réseau possède ces informations.

CHAPITRE 3

→ **Protocoles**

Vous décidez, sous cet onglet, si vous désirez être averti avant d'envoyer un formulaire par courrier électronique ou alors si vous autorisez un serveur à laisser un *cookie* sur le disque rigide de votre ordinateur. Un *cookie* est un ensemble d'informations sur vos préférences et vos visites à un site précis. Certains administrateurs de serveurs utiliseront cette technique pour connaître vos goûts dans le but d'afficher automatiquement les bonnes publicités la prochaine fois que vous les visiterez.

→ **Langages**

Vous avez le choix de désactiver les scripts Java. Ces programmes sont transférés en même temps qu'un document Web et sont ensuite exécutés par votre navigateur. Si votre ordinateur possède des informations ultraconfidentielles, il serait peut-être bon de désactiver ce type de transaction. Le Java n'est pas encore complètement sécuritaire au moment où j'écris ces lignes.

Préférences de sécurité

Les paramètres disponibles dans cette série d'onglets permettent la gestion de la sécurité des transactions effectuées avec des serveurs commerciaux et la gestion d'un mot de passe pour l'accès à votre logiciel.

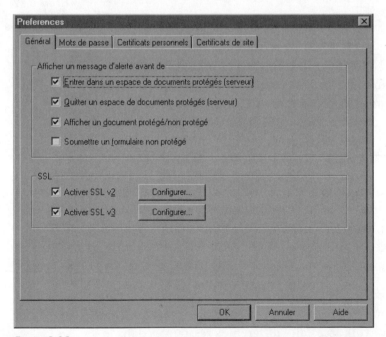

Figure 3.23
Préférences de sécurité

→ **Général**

On résume ici les situations où Netscape doit vous avertir qu'une transaction n'est pas sûre. Cela veut dire que l'échange d'informations entre votre ordinateur et le serveur n'est pas crypté. Cela n'indique cependant pas que Netscape a détecté une violation de votre lien de télécommunications. Ces messages apparaissent comme une simple précaution. Cochez les situations où vous devriez être averti par Netscape: en entrant ou en sortant d'un document sécuritaire; en affichant un document contenant une partie sécuritaire et non sécuritaire; ou en soumettant un formulaire avec un serveur non sécuritaire. Vous pouvez également définir le type de chiffrage que votre navigateur peut accepter.

→ **Mots de passe**

Si vous ne désirez pas que quelqu'un ait accès à votre navigateur, indiquez-le ici en inscrivant un mot de passe qui pourra être demandé à tous les lancements, périodiquement ou après une période d'inactivité du logiciel déterminé par l'utilisateur.

→ **Certificats personnels**

La compagnie **Verisign Inc.**, de la Californie, en collaboration avec des institutions financières réparties aux quatre coins du globe, offre maintenant l'émission d'un certificat d'identification personnelle. Ce certificat vous permet d'effectuer des transactions commerciales avec les différentes sociétés qui n'acceptent que cette attestation. Elles deviennent de plus en plus nombreuses. Une fois que votre identité est confirmée et que votre certificat vous est émis, il est gardé sous forme de code sous cet onglet.

→ **Certificats de sites**

À l'inverse, vous sélectionnez sous cet onglet la liste des serveurs qui peuvent attester de l'identité d'une société qui transige commercialement dans le réseau.

Verisign Inc. (*http://www.verisign.com*)

C
H
A
P
I
T
R
E

3

3.3.8 Le courrier électronique de Netscape 3.x

La figure 3.24 présente le module de courrier électronique disponible dans les versions 3.x du *Navigateur* de Netscape. Vous y avez accès en choisissant l'option *Courrier Netscape* du menu déroulant *Fenêtre*. N'oubliez pas de fixer les paramètres du courrier, comme l'explique la section précédente.

Légende

1. Barre de boutons
2. Transfert des nouveaux messages
3. Mise à la corbeille d'un message
4. Rédaction d'un nouveau message

5. Réponse à un message
6. Redirection d'un message
7. Message précédent et suivant
8. Impression d'un message

9. Arrêt du transfert des messages
10. Chemises de courrier
11. Messages de la chemise sélectionnée
12. Contenu du message sélectionné

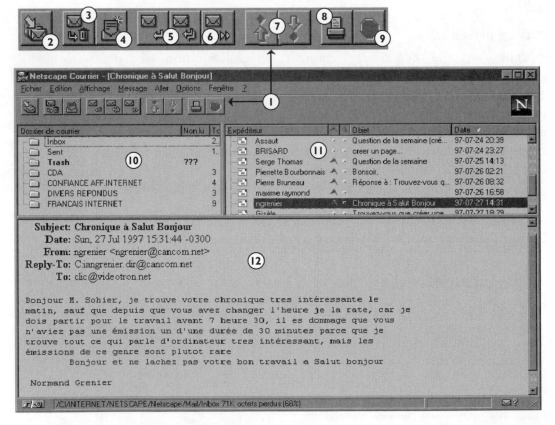

Figure 3.24
Module de courrier électronique de Netscape 3.x

Je ne m'attarderai pas à la description des fonctions incluses dans ce module. Je vous propose plutôt de consulter le chapitre 2, qui traite exhaustivement du courrier électronique. Je désire plutôt faire un tour d'horizon de cette interface. Ce logiciel se compare avantageusement à *Eudora*. Il peut suffire à une personne qui fait une utilisation normale du courrier électronique.

L'écran se divise en cinq parties. Une barre de menus déroulants domine l'interface, suivie d'une barre de boutons remplie de fonctions utiles. Les chemises de courrier apparaissent dans la partie gauche de la fenêtre médiane, et les messages inclus dans la chemise sélectionnée apparaissent dans la partie droite. Finalement, l'espace inférieur est réservé à l'affichage du message sélectionné.

Le module de courrier électronique (CÉ) de Netscape est compatible avec la norme POP (*Post Office Protocol*). Vous avez donc besoin d'un compte sur un serveur de CE POP pour consulter votre courrier électronique. Les fonctions principales se trouvent dans la barre de boutons.

Transfert et lecture du nouveau courrier

Netscape transfère votre nouveau courrier et l'accumule dans le dossier «Inbox». En accord avec la norme POP, vous devez fournir le mot de passe pour accéder à votre boîte postale.

→ Cliquez sur le bouton de transfert des nouveaux messages dans la barre de boutons ou effectuez le raccourci **CTRL+T** dans Windows ou **Pomme+T** sur le Macintosh.

→ Pour lire un message, cliquez deux fois sur l'un d'eux, dans la partie droite, pour l'afficher dans la partie inférieure.

Rédaction d'un nouveau message

Pour rédiger un nouveau message, vous pouvez:

→ Cliquer sur le bouton **Rédaction d'un nouveau message** dans la barre de boutons.

→ Sélectionner l'option *Nouveau courrier* du menu déroulant *Fichier*.

→ Faire le raccourci **CTRL+M** dans Windows ou **Pomme+M** sur le Macintosh.

Légende

1. Barre de boutons
2. Envoi du message
3. Insertion du message original
4. Insertion d'un fichier joint
5. Accès au carnet d'adresses
6. Annulation du transfert des messages
7. Menus déroulants
8. Destinataire principal
9. Destinataire secondaire
10. Titre du message
11. Contenu du message
12. Témoin d'activité réseau et accès au site de Netscape
13. Transfert des nouveaux messages
14. Indication d'un lien sûr

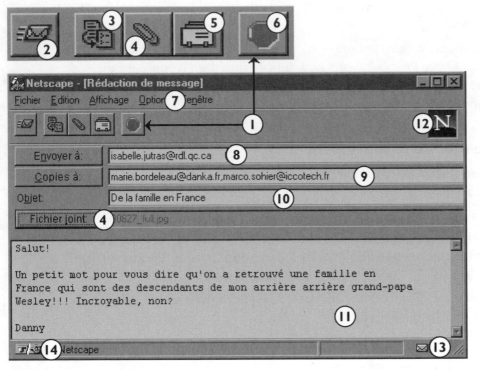

Figure 3.25
Rédaction d'un nouveau message

Cette fenêtre est la même pour toutes les opérations de rédaction: un nouveau message, une réponse ou une redirection de courrier. Le principe de l'entête est le même que pour tout message de courrier électronique. Vous pouvez accéder à votre carnet d'adresses en cliquant sur les boutons **Envoyer à** et **Copies à**. Un gestionnaire de fichiers est affiché sur l'écran pour vous aider à sélectionner ce que vous désirez incorporer au message, si vous cliquez sur le bouton **Fichier joint**. Écrivez votre message dans la fenêtre principale. Dans le cas d'une réponse ou d'une redirection, vous pouvez inclure le message original en cliquant sur le bouton approprié dans la barre de boutons. Une fois la rédaction terminée, cliquez sur le bouton d'envoi de message.

Faire suivre et répondre à un message

Sélectionnez le message désiré en cliquant une fois sur celui-ci. Ensuite, cliquez sur le bouton **réponse à l'expéditeur**, **réponse à tous les destinataires** ou **redirection**. Un écran du même type que celui affiché à la figure précédente apparaît sur votre écran pour vous assister dans la rédaction de votre message.

Chemise de courrier

La création d'une chemise de courrier est simple.

→ Il suffit de choisir l'option *Nouveau dossier...* du menu déroulant *Fichier*. Une fenêtre est affichée pour que vous puissiez inscrire le nom de cette nouvelle chemise. Les chemises sont pratiques du fait qu'elles vous aident à classer votre courrier.

→ Pour supprimer une chemise, sélectionnez-la et choisissez l'option *Supprimer un dossier* du menu déroulant *Édition*.

→ Afin de sauvegarder de l'espace-disque, vous pouvez compresser vos chemises de courrier. Sélectionnez l'option *Compresser les dossiers* du menu déroulant *Fichier*. Un message est automatiquement décompressé si vous désirez le lire.

→ Vous pouvez finalement trier les messages se trouvant dans vos chemises par date, par nom de l'auteur, par titre du message ou par ordre d'arrivée dans votre boîte postale et ce, dans un ordre croissant ou décroissant. Ces choix se trouvent tous dans l'option *Trier* du menu déroulant *Affichage*.

Destruction et impression d'un message

Vous pouvez aisément déplacer un message dans une chemise de courrier en le sélectionnant, puis en le glissant dans la chemise désirée. Vous pouvez détruire un message de deux façons. Dans les deux cas, vous devez le sélectionner d'abord. Ensuite, vous pouvez cliquer sur le bouton **Corbeille** ou simplement appuyer sur la touche de suppression de votre clavier. Vous pouvez également imprimer un message en cliquant sur le bouton **Impression**.

3.3.9 Les nouvelles Usenet de Netscape 3.0

Le monde des nouvelles Usenet est à la portée de votre logiciel Netscape quand vous sélectionnez l'option *Nouvelles Netscape* du menu déroulant *Fenêtre*.

Paramètres initiaux des nouvelles Usenet de Netscape 3.0

Avant de pouvoir consulter les messages du système Usenet, vous devez redéfinir les paramètres de votre navigateur. C'est une procédure très simple. Vous devez connaître les paramètres suivants:

→ L'adresse Internet du serveur de nouvelles Usenet

→ Votre adresse de courrier électronique

→ Le nom du fichier de votre signature électronique (facultatif)

Les deux premiers paramètres sont fournis par votre fournisseur Internet. Quant au troisième, c'est à l'utilisateur de créer sa propre signature par le biais d'un fichier texte.

Vous devez maintenant insérer ces informations dans la configuration de votre navigateur. Choisissez l'option *Paramètres de courrier et de nouvelles...* du menu déroulant *Options*. Un écran contenant des onglets est affiché à l'écran. Notez que certains paramètres sont réutilisés dans le réglage du module de courrier électronique.

→ **Onglet Aspect**

Sous l'onglet *Aspect*, vous déterminez le type de police avec laquelle les messages sont affichés. Une police à chasse fixe ou variable est disponible. Vous avez le choix d'afficher les fenêtres de messages sur le plan horizontal, vertical ou en cascade.

→ **Onglet Rédaction**

Vous contrôlez, sous l'onglet *Rédaction*, le protocole d'envoi de vos messages. Je vous conseille d'utiliser le format *Autoriser 8 bits*. Si vous désirez recevoir une copie conforme de tous vos messages envoyés par Usenet, inscrivez votre adresse de courrier électronique dans la case *Articles*. Vous pouvez également conserver une copie de votre message directement sur votre disque rigide en inscrivant le nom d'un répertoire et celui d'un fichier valide dans la case *Fichier de nouvelles*. Finalement, cliquez sur la petite case d'insertion automatique de l'article original pour que ce dernier soit effectivement inclus dans vos éventuelles réponses.

→ **Onglet Serveurs**

Cet onglet (voir figure 3.21) se sépare en deux fenêtres. La première est réservée au courrier électronique. C'est la deuxième qui nous intéresse. Elle porte le nom de *Nouvelles*. Il est impératif que vous inscriviez l'adresse Internet de votre serveur de nouvelles Usenet dans la case *Serveur de nouvelles (NNTP)*. Donnez ensuite le nom d'un répertoire valide sur votre disque rigide pour que le navigateur puisse y sauvegarder des informations concernant les groupes de nouvelles. Fixez finalement le nombre de messages transférés simultanément sur votre ordinateur en provenance du serveur de nouvelles dans la case *Retirer*.

→ **Onglet Présentation**

Ce dernier onglet est utilisé pour gérer l'ordre de présentation des messages Usenet. Vous avez le choix de les afficher par ordre chronologique, par titre de messages ou par nom d'expéditeur. On doit également indiquer si on désire que les messages soient regroupés par fils de discussion.

Description de l'interface des nouvelles Usenet de Netscape 3.0

On trouve cinq sections principales sur l'écran des nouvelles Usenet. La traditionnelle barre de menus déroulants est située dans la partie supérieure. Elle surmonte une série d'icônes résumant les fonctions principales d'un lecteur de nouvelles. Ensuite, la section médiane est séparée en deux: on trouve les groupes de discussion à gauche et le contenu de ces derniers à droite. Un crochet à côté du nom d'un groupe signifie que celui-ci fait partie de votre liste d'abonnement. Vous trouvez également le nombre d'articles non lus et le nombre total d'articles dans ce groupe. Chaque ligne dans la fenêtre de droite indique un message. Le nom de l'expéditeur et le titre du message y sont inscrits. Un «disque» à côté d'un message signifie que celui-ci n'est pas lu. Comme vous pouvez le voir, certains noms et titres sont tronqués, ce qui permet d'afficher le titre complet des groupes de nouvelles à gauche. On modifie l'affichage en cliquant sur la barre qui sépare les deux fenêtres et en la déplaçant. On peut également modifier la largeur de chaque colonne en cliquant sur la barre qui sépare le titre de ces dernières et en la déplaçant. Finalement, l'espace du bas est utilisé pour afficher le contenu d'un message.

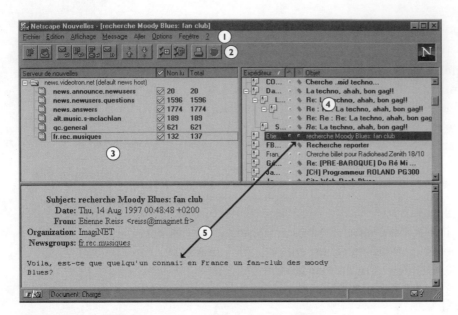

Légende

1. Menus déroulants
2. Barre d'outils de rédaction
3. Groupes de nouvelles Usenet
4. Messages Usenet
5. Contenu d'un message sélectionné

Figure 3.26
Les nouvelles Usenet de Netscape 3.0

Gestion de la liste d'abonnement

Avec plus de 15 000 groupes de discussion différents et une multitude de messages échangés quotidiennement, certains se demandent comment garder la trace des groupes qui piquent leur curiosité. Ou bien encore, comment distinguer les messages lus des messages non lus. Un principe utile dans les nouvelles Usenet est la liste d'abonnement. Elle permet de garder en mémoire les groupes que vous suivez avec assiduité. Ces derniers sont affichés à l'ouverture du module de nouvelles Usenet et, de cette façon, vous pouvez connaître le nombre d'articles lus et non lus pour chacun des groupes.

Un abonnement à un groupe de nouvelles Usenet ne coûte rien, et vous n'avez pas besoin de vous inscrire auprès d'un serveur étranger, comme dans le cas des listes de distribution par courrier électronique. Pour s'abonner à un groupe, il suffit d'ajouter le nom de ce dernier à votre liste d'abonnement et d'indiquer à votre navigateur de le garder en mémoire.

Il existe deux moyens pour insérer le nom d'un groupe de nouvelles Usenet à l'intérieur de votre liste d'abonnement. Le plus direct implique que vous connaissiez exactement le nom d'un groupe, par exemple *rec.aviation.military*. Choisissez ensuite l'option *Ajouter un forum...* du menu déroulant *Fichier*. Inscrivez le nom du groupe en question dans la fenêtre qui apparaît sur l'écran et cliquez sur **OK**.

Le nom du groupe se retrouve ensuite sur votre liste d'abonnement, et les articles du groupe sont présentés à droite de la liste. Afin de terminer votre sélection, cochez la case située à droite du nom du groupe, sinon celui-ci ne sera pas affiché au prochain démarrage.

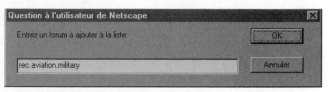

Figure 3.27
Abonnement à un groupe de nouvelles Usenet

La deuxième façon d'ajouter le nom d'un groupe à votre liste consiste à visualiser tous les groupes Usenet contenus sur le serveur de nouvelles. Choisissez l'option *Afficher tous les forums* du menu déroulant *Options*. Tous les groupes seront affichés dans la fenêtre des groupes de nouvelles. Les dossiers indiquent des racines de discussion et, donc, des groupes supplémentaires s'y trouvent cachés. Cliquez deux fois sur un dossier pour visualiser son contenu.

Légende

1. Titre des groupes de nouvelles

2. Case de sélection à cocher

3. Nombre de messages non lus

4. Nombre total de messages

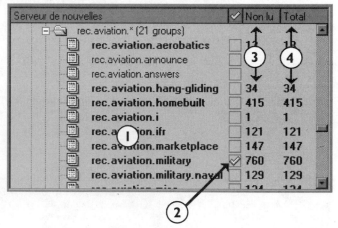

Figure 3.28
Affichage de tous les groupes Usenet

Ce que vous voyez sur l'écran est en fait la grande hiérarchie des nouvelles Usenet. Vous pouvez naviguer à travers les différentes racines très facilement. Pour ajouter des groupes à votre liste d'abonnement, cliquez sur la case située à droite du nom du groupe choisi. Pour revenir à votre liste d'abonnement, choisissez l'option *Affichez les abonnements...* du menu déroulant *Options*.

Finalement, vous n'avez qu'à supprimer le crochet situé à droite du nom du groupe de nouvelles pour l'enlever de votre liste d'abonnement. Pour ce faire, cliquez une fois sur le crochet.

C
H
A
P
I
T
R
E

3

Lecture d'un message Usenet

Cliquez sur un des groupes de nouvelles Usenet situés dans la partie gauche de l'interface pour consulter les articles qui y sont présentement offerts (voir figure 3.26). Les articles sont affichés dans la partie droite de l'écran. Cliquez ensuite sur un titre d'article intéressant pour que son contenu apparaisse dans la partie inférieure de l'écran.

Un message Usenet est séparé en deux parties, un peu comme un message de courrier électronique. L'en-tête révèle le titre, l'auteur, l'organisation ainsi que le ou les groupes de nouvelles dans lesquels le message a été publié. Le corps du texte contient l'essentiel du message. On trouvera du texte dans la majorité des messages, mais il peut arriver que des images ou des fichiers HTML s'y trouvent. Dans ce cas, votre logiciel traduit automatiquement les informations pour les afficher adéquatement.

Un petit bouton vert situé entre le nom de l'auteur et le titre du message indique si ce dernier a été lu. Cet indicateur de lecture est précédé d'un bouton gris indiquant qu'il n'est pas en fonction. Si vous cliquez sur ce bouton, l'indicateur de garde représenté par une marque rouge est enclenché, signifiant que vous désirez conserver cet article même si vous l'avez lu.

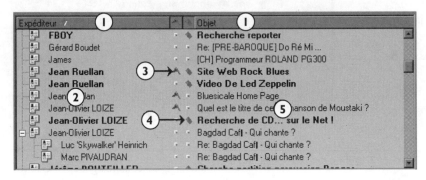

Légende

1. Boutons de tri
2. Auteurs des articles
3. Indicateur de garde
4. Indicateur de lecture
5. Titres des articles

Figure 3.29
Les messages d'un groupe de nouvelles Usenet

Les articles sont généralement triés en fonction de leur titre. L'ordre de tri peut être modifié avec l'option *Trier...* du menu déroulant *Affichage.* Les messages peuvent être triés par expéditeur, par titre ou par ordre chronologique. Vous pouvez également cliquer directement sur les mots *Expéditeur, Objet* ou *Date* surmontant la fenêtre des messages et agissant comme titres de colonnes.

En général, ce ne sont pas tous les articles qui nous semblent intéressants. Normalement, on regarde rapidement le titre des messages, on en lit quelques-uns et on laisse tomber les autres. Il serait utile qu'au démarrage subséquent, les messages lus et éliminés ne soient pas réaffichés. À cette fin, prenez l'habitude de marquer tous les articles comme «lus» avant de quitter un groupe de nouvelles. Choisissez l'option *Groupe lu* du menu déroulant *Message* ou, encore, cliquez sur l'icône *Marquage de lecture/groupe Usenet* dans la barre d'outils. Vous pouvez faire de même avec un fil d'intérêt en choisissant l'option *Groupe lu pour le fil de discussion* du menu déroulant *Options* ou en cliquant sur le bouton *Marquage de lecture/fil d'intérêt* dans la barre de boutons. Pour renverser le marquage «lu» pour un ou pour plusieurs articles, sélectionnez-les à l'aide de la souris et choisissez l'option *Mention non lu* du menu déroulant *Message*.

Finalement, si vous désirez voir tous les articles pour un groupe quelconque, peu importe leur statut «lu» ou «non lu», sélectionnez l'option *Afficher tous les messages* du menu déroulant *Options*. Pour l'affichage des articles «non lu» uniquement, choisissez *Messages non lus seulement*.

Légende

1. Rédaction d'un message Usenet

2. Rédaction d'un courrier électronique

3. Réponse par courrier électronique

4. Réponse par les nouvelles Usenet

5. Réponse par courrier électronique et par les nouvelles Usenet

6. Suivi d'un message à un autre destinataire

7. Message précédent et suivant

8. Marquage du fil d'intérêt comme «lu»

9. Marquage du groupe entier comme «lu»

10. Impression du message

11. Arrêt du transfert des messages

Figure 3.30
La barre d'outils de rédaction des nouvelles Usenet

Rédaction d'un message Usenet

Positionnez-vous sur le groupe de nouvelles Usenet dans lequel vous désirez publier un message en cliquant sur celui-ci. Sélectionnez ensuite l'option *Nouvel article* du menu déroulant *Fichier* ou cliquez sur le bouton approprié dans la barre d'outils. La fenêtre de rédaction est alors affichée (voir figure 3.25). Le nom du groupe se trouve automatiquement inscrit dans la case *Forums:*. Vous pouvez ajouter des groupes de nouvelles à votre envoi en séparant le nom des groupes par une virgule. Le message peut être expédié à une boîte de courrier électronique également. Inscrivez une adresse de courrier valide dans la case *Copies à:*. Ce même bouton vous mène vers le carnet d'adresses du navigateur Netscape. Vous devez ensuite écrire le titre de votre message dans la case *Objet:*. Finalement, vous pouvez joindre des fichiers en sélectionnant l'option *Joindre un fichier...* du menu déroulant *Fichier* ou en cliquant sur le bouton *Fichier joint*. En plus de joindre des fichiers, vous pouvez ajouter des liens URL. Si vos destinataires utilisent également un navigateur Web pour lire les nouvelles, ils pourront cliquer automatiquement sur l'adresse pour voir le site en question.

→ Une fois que vous avez terminé la rédaction de votre message, sélectionnez l'option *Envoyer maintenant* du menu déroulant *Fichier* ou appuyez sur le bouton d'envoi représenté par une petite enveloppe voyageant très rapidement.

Réponse et suivi d'un message Usenet

Il existe deux types de réponses servant à exprimer votre point de vue à la suite de la publication d'un article. Vous pouvez répondre directement dans le groupe de nouvelles Usenet ou alors entrer en contact avec l'expéditeur plus discrètement par le biais du courrier électronique. C'est à l'utilisateur de juger si ses commentaires rejoignent les objectifs du groupe de nouvelles. Dans le cas contraire, l'envoi d'un courrier électronique s'avère adéquat. Une autre option est de faire suivre un message publié sur Usenet à une autre personne par le biais du courrier électronique.

Une réponse fait suite à la lecture d'un message. Nous présumons donc que le message original est affiché dans la partie inférieure de l'écran.

→ Publiez une réponse dans le groupe de nouvelles avec l'option *Publier une réponse* du menu déroulant *Message*.

→ Envoyez une réponse par le courrier électronique avec l'option *Envoyer une réponse* du menu déroulant *Message*.

→ Publiez une réponse dans Usenet et envoyez une réponse par le courrier électronique avec l'option *Publier et envoyer une réponse* du menu déroulant *Message.*

→ Faites suivre un message par le biais du courrier électronique avec l'option *Transférer* du menu déroulant *Message.*

Ces fonctions sont également accessibles par les boutons de la barre d'outils de rédaction. Peu importe l'option choisie, une fenêtre apparaît dans laquelle se trouve le message original. Il ne reste plus qu'à donner certaines informations, comme l'adresse de votre destinataire et celle du groupe de discussion, puis à écrire votre message.

Gestion des messages Usenet

Vous pouvez avoir recours aux opérations usuelles de sauvegarde sur disque rigide et d'impression pour les articles que vous désirez conserver.

→ Pour enregistrer sur disque rigide, sélectionnez en premier lieu l'article en cliquant sur celui-ci et choisissez ensuite l'option *Enregistrer le(s) message(s) sous...* du menu déroulant *Fichier.* Un gestionnaire de fichiers apparaît afin que vous puissiez confirmer le nom et le répertoire pour la sauvegarde.

→ Pour imprimer, sélectionnez l'article en cliquant sur celui-ci et choisissez l'option *Imprimer le(s) message(s)...* du menu déroulant *Fichier* ou cliquez sur le bouton d'impression situé dans la barre d'outils de rédaction.

3.3.10 Un dernier mot sur Netscape 3.0

Même si les versions de Netscape pour Macintosh et pour Windows sont en constante évolution, ce logiciel demeure un des navigateurs les plus utilisés à l'heure actuelle pour exploiter les richesses des serveurs Web et ce, même avec l'arrivée des versions 4.0 de Netscape et de Microsoft. Quelques fonctions mineures n'ont pas été explorées dans le cadre de cet ouvrage, comme cela a été le cas des autres logiciels présentés dans ce livre. On peut obtenir de la documentation supplémentaire en sélectionnant le *Manuel* du logiciel Netscape situé dans le menu déroulant *?*.

Vous êtes maintenant prêt à naviguer. Je vous invite à passer à la section 3.6, où vous en saurez plus sur les logiciels qui sont le complément de toute navigation sur le Web.

3.4 LE COMMUNICATEUR VERSION 4.0, LE FUTUR DE NETSCAPE

La société <u>Netscape</u> nous a livré la version 4 de ses produits durant l'été de 1997. Cette version appelée *Communicateur* (*Communicator*) a été conçue pour le travail de groupe à l'intérieur de l'entreprise. La version complète comprend plusieurs modules qui ne seront pas nécessairement utiles à tous les internautes domestiques. Le *Communicator* est en fait une suite d'applications qui partagent toutes une allure commune. Dans le cadre de ce livre, on n'examinera pas tous ces modules en profondeur. Vous trouverez cependant des explications pour bien utiliser les applications susceptibles d'intéresser l'internaute domestique, soit le navigateur, le messager et Collabra.

→ **Navigateur** – Il s'agit du navigateur Web traditionnel, avec un peu plus de charme que son prédécesseur. La gestion des signets est plus facile, et la rapidité du traitement des pages Web s'est améliorée quelque peu. Une fonction intéressante est la possibilité de pouvoir maintenant créer soi-même ses propres boutons d'accès rapide.

→ **Messager** – Ce module de courrier électronique complet est compatible avec la norme POP (*Post Office Protocol*). Le classement des messages est devenu plus intuitif, comparativement à la version 3.0. Ce module permet de travailler hors ligne, permettant ainsi de libérer la ligne téléphonique. À cet effet, tous les nouveaux messages vous étant destinés sont maintenant transférés sur votre ordinateur pendant que vos nouvelles correspondances sont envoyées lorsque vous vous connectez au réseau Internet.

→ **Collabra** – Ce module est destiné au traitement de plus de 15 000 groupes de discussion qui se trouvent dans les nouvelles Usenet. Parmi les caractéristiques intéressantes, on trouve une façon plus facile de découvrir et de s'abonner à un groupe de discussion. Cependant, la gestion des messages lus et non lus semble s'être alourdie un peu, mais on s'y habitue rapidement.

→ **Composeur** – Il s'agit d'un éditeur HTML qui permettra au novice de créer des pages HTML sans prétention. On y trouve les fonctions essentielles du HTML et les petits extras reconnus uniquement par un navigateur Netscape. Il n'y a pas de fonction JavaScript ni de possibilité de générer des formulaires.

<u>Netscape</u> (*http://www.fr.netscape.com/fr*)

→ **Conférence** – Cet outil permet d'effectuer des téléconférences dans Internet. On peut également partager un document Web et on y trouve un tableau blanc sur lequel il est possible d'écrire et de dessiner.

→ **Calendrier** – Cet agenda personnel peut être également partagé avec des membres de votre organisation. C'est un outil pratique pour planifier vos rencontres avec vos collègues. Une caractéristique de cet agenda est la possibilité de le consulter, s'il se trouve sur un serveur, à partir de n'importe quel ordinateur relié à Internet.

→ **Hôte sur demande IBM** – Cet utilitaire permet de rejoindre des ordinateurs centraux de marque IBM. Il s'agit d'un logiciel de communication TN3270 (voir chapitre 6).

→ **Netcaster** – Probablement considéré comme la plus grande nouveauté, cet utilitaire permet à votre ordinateur de recevoir des informations périodiquement sur des sujets d'intérêt. Celles-ci sont transférées en bloc et sont affichées à partir de la mémoire cache de votre ordinateur. Vous pouvez ainsi lire les dernières nouvelles de presque tous les domaines de la société sans devoir aller les chercher vous-même. On appelle ce concept la «technologie du pousser» (*Push Technology* en anglais).

Avant de poursuivre, je dois vous avertir de la présence de Mozilla sur le site de Netscape, qui peut apparaître ici et là dans les différentes pages de la documentation en ligne de l'application. Il s'agit de la mascotte de la société Netscape.

Figure 3.31
«Mozilla» la terreur!

**C
H
A
P
I
T
R
E

3**

3.4.1 Installation de Netscape 4.0

Vous pouvez vous procurer ce logiciel directement du **site de téléchargement de Netscape**, mais attendez-vous à un important délai si vous le transférez par le biais d'un modem 28 800 bps, car le fichier «pèse» environ 14 Mega-octets. Il est plus probable que vous obteniez le logiciel sur cédérom.

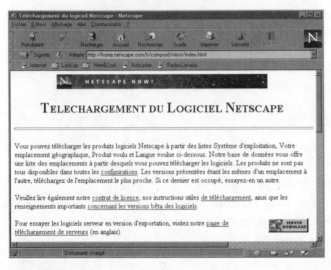

Figure 3.32
Page d'installation de Netscape

→ Avec Macintosh, vous devez lancer l'application *Netscape-Installer*; il s'agit d'une icône à quatre flèches. L'installateur vous accompagne à travers une série de menus où vous devez répondre à diverses questions. On vous présente également la notice d'utilisation; assurez-vous de bien la lire. Finalement, vous devez indiquer dans quel répertoire l'application se trouvera. Une fois que l'installation est terminée, on vous demande de redémarrer l'ordinateur pour que les nouveaux réglages du logiciel soient effectifs.

→ Avec Windows, le logiciel est fait d'un fichier dont le nom est sous la forme *c32v40nn.exe.* Vous devez exécuter ce fichier, qui vous amènera à l'installateur Netscape. Une série de fenêtres apparaîtront dans lesquelles on vous posera quelques questions. On vous présentera également des notices d'utilisation; assurez-vous de bien les lire. Finalement, on vous demandera à quel endroit de votre disque rigide vous désirez installer le logiciel.

Après le démarrage initial du *Communicateur*, on vous demandera si vous désirez compléter l'installation avec le transfert des plugiciels qui vous permettront d'exploiter une plus grande brochette d'applications Internet, comme **VRML (Virtual Reality Modeling Language)**, **Shockwave** ou **QuickTime**.

site de téléchargement de Netscape (*http://home.netscape.com/fr/comprod*)
VRML (Virtual Reality Modeling Language) (*http://www.sdsc.edu/vrml*)
Shockwave (*http://www.macromedia.com/shockwave*) • QuickTime (*http://quicktime.apple.com*)

3.4.2 ## Interface du Navigateur 4.0

L'aspect du Navigateur dans Windows est pratiquement le même que sur le Macintosh. J'utilise la version française pour Windows95 dans mes démonstrations. Le site affiché dans la figure suivante est celui du magazine <u>Voir</u>:

Légende

1. Titre du document

2. Menus déroulants

3. Barre d'outils de navigation

4. Barre d'outils d'adresse

5. Barre d'outils personnelle

6. Témoin d'activité réseau et accès direct au site de Netscape

7. Barre de défilement vertical

8. Témoin de transaction sûre

9. État de transfert du document

10. Palette d'accueil

11. Document

12. Liens vers d'autres documents

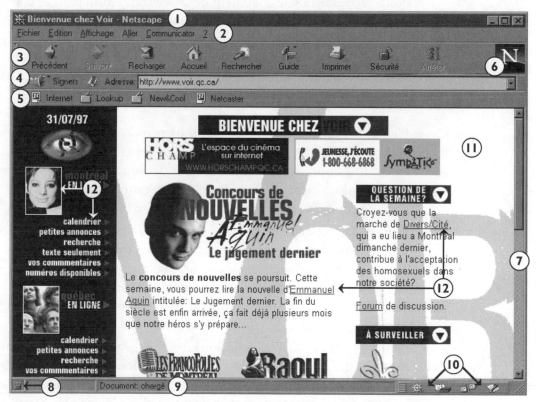

Figure 3.33
Interface du Navigateur 4.0 de Netscape

<u>Voir</u> (*http://www.voir.qc.ca*)

L'interface du *Navigateur* offre un haut degré de personnalisation tout en facilitant l'accès aux différentes fonctions du logiciel. Avec la version 4.0, on peut pratiquement tout contrôler à partir des boutons qui se trouvent par défaut sur l'écran. Peu de fonctions nécessitent de dérouler un menu afin de les exécuter. Vous verrez que de nombreux objets peuvent être déplacés à l'aide de la souris.

→ Pour modifier l'ordre des barres d'outils, cliquez sur l'une d'elles de façon continue et déplacez-la vers l'endroit désiré.

Comme dans tous les navigateurs, la plus grande partie de l'écran est réservée à l'affichage du document sélectionné. Des barres d'outils et une série de menus déroulants surmontent le document affiché. Une barre de défilement vertical se trouve à droite de l'écran pour que vous puissiez voir le reste du document s'il est trop long pour être affiché au complet. Une barre de défilement horizontal apparaîtra si le document dépasse la largeur maximale d'affichage de l'écran. La partie inférieure de l'écran est utilisée pour communiquer l'état de transfert d'un document. Finalement, une palette d'accueil également située en bas de l'écran vous permet d'accéder aux autres modules du *Communicateur*.

Les menus déroulants

→ **Fichier** – Les fonctions de ce menu mènent aux différentes opérations de gestion d'un document. On y trouve les fonctions d'ouverture, de sauvegarde et d'impression. Une autre série de fonctions facilitent la modification du document affiché en le transférant automatiquement dans le module Composeur, qui est un éditeur HTML.

→ **Édition** – Trois catégories de fonctions sont regroupées dans ce menu. Premièrement, il y a les opérations classiques de copie, de collage et de suppression. En deuxième lieu, les options de recherche permettent de trouver des éléments à l'intérieur du document actuel et ailleurs dans Internet. Finalement, vous pouvez mettre au point votre propre navigateur en utilisant les paramètres se trouvant dans les préférences.

→ **Affichage** – Les différentes options d'affichage sont réglables à partir de ce menu. L'affichage des barres d'outils, des polices de caractères et de l'actualisation du document affiché sont quelques-unes des fonctions que vous trouverez ici. Vous pouvez également visualiser le code HTML qui se cache derrière le document affiché ainsi que les informations vitales de ce dernier.

→ **Aller** – On gère la gestion de vos déplacements en affichant le titre des documents que vous avez visités durant votre présente navigation dans Internet.

→ **Communicator** – De ce menu, il est possible d'accéder aux différents modules du *Communicateur*. Vous pouvez également consulter le carnet d'adresses, les informations sur la sécurité du document actuel et l'historique de vos déplacements. Finalement, le mode d'affichage de la palette d'accueil s'y trouve.

→ **?** – Ce menu regroupe les fonctions d'aide, les manuels d'instructions et les informations sur les modules externes incorporés à votre navigateur.

La barre d'outils de navigation

La barre d'outils de navigation offre des fonctions sous forme d'icônes qui facilitent la navigation dans Internet.

Légende

1. Ouverture et fermeture de la barre d'outils

2. Visualisation du document précédent ou suivant

3. Rechargement du document à partir du serveur

4. Retour au document initial de démarrage

5. Recherche dans Internet

6. Sites intéressants d'Internet

7. Impression du document

8. Informations sur la sécurité du document

9. Arrêt du chargement du document

10. Témoin d'activité réseau et accès direct au site de Netscape

Figure 3.34
Barre d'outils de navigation du Navigateur 4.0

C
H
A
P
I
T
R
E

3

CAPSULE   Astuces pour les barres d'outils

Une languette se trouvant au début de chacune des barres d'outils permet de la fermer. La barre est alors remplacée par une languette horizontale sur laquelle on peut cliquer afin de rouvrir la barre d'outils. De plus, on peut déplacer la barre d'outils en cliquant sur elle de façon continue et en la déplaçant vers l'endroit désiré.

La barre d'outils d'adresse

Cette barre d'outils vous informe sur la localisation URL du document affiché en plus de vous donner accès à la gestion du carnet de signets. Une fonction que tout internaute devrait connaître est celle de faire glisser l'adresse URL du document actuel directement dans la barre d'outils personnalisée ou dans le carnet de signets. On clique simplement sur le signet situé à gauche de l'adresse URL de façon continue et on le déplace vers l'endroit de notre choix. Finalement, on peut rapidement accéder à un site que l'on a déjà visité en déroulant le menu de l'adresse URL.

Légende

1. Ouverture et fermeture de la barre
d'outils

2. Accès au carnet de
signets

3. Signet amovible contenant l'adresse URL du
document affiché

4. Adresse URL du
document affiché

5. Menu déroulant
constitué des sites
visités

Figure 3.35
Barre d'outils d'adresse du Navigateur 4.0

La barre d'outils personnelle

Cette barre d'outils était traditionnellement réservée à des boutons menant vers des sites entretenus par la société Netscape. Mais la version 4.0 du *Navigateur* laisse à l'utilisateur l'entière liberté de la configurer à sa guise. Il peut y ajouter des signets ou des chemises de signets. La configuration se fait de deux façons: par la gestion du livret de signets ou par le signet amovible de la barre d'outils d'adresse. Les noms qui apparaissent dans cette barre d'outils peuvent être modifiés dans le livret de signets.

Légende

1. Ouverture et fermeture de la barre d'outils

2. Chemise de signets

3. Signet

Figure 3.36
Barre d'outils personnelle du Navigateur 4.0

Le témoin de transaction sécuritaire

Le petit cadenas qui apparaît dans la partie inférieure gauche de l'interface signale à l'utilisateur si la communication avec le serveur est chiffrée ou non. Un cadenas ouvert indique que la communication n'est pas chiffrée, tandis qu'un cadenas fermé indique que la communication est sécuritaire. On utilise une communication chiffrée pour effectuer des transactions commerciales dans Internet. Assurez-vous que le cadenas est bien fermé lorsque vous effectuez vos transactions. Vous pouvez également connaître l'état de sécurité du document actuel en cliquant sur le bouton *Sécurité* de la barre d'outils de navigation.

L'état de transfert du document

On indique l'état de transfert du document actuel dans la partie inférieure de l'écran. Dans un premier temps, un témoin signale la proportion des données transférées par rapport à la taille totale du document à transférer. Deuxièmement, le logiciel indique les opérations effectuées pour transférer ce document.

CHAPITRE 3

Légende

1. Informations sur la sécurité du document

2. Proportion des don-nées transférées par rapport à la taille totale

3. Opération en cours pour récupérer le document

Figure 3.37
État de transfert d'un document

La palette d'accueil

Cette palette permet d'accéder rapidement aux quatre principaux modules du *Communicateur*, soit le navigateur, le courrier électronique, les groupes de nou-velles Usenet et l'éditeur HTML. Elle existe en deux modes: ancré et détaché. Dans le mode ancré, la palette d'accueil est reproduite en bas de l'écran pour tous les modules du *Communicateur*. Dans le mode détaché, la palette d'accueil est affichée au premier plan de votre écran et passe même par-dessus les autres applications fonctionnant simultanément sur votre ordinateur.

→ La palette d'accueil peut être ancrée ou détachée de l'interface du logiciel *Communicateur* en sélectionnant l'option à cet effet dans le menu déroulant **Communicator**.

→ On peut également cliquer sur la languette de la palette ancrée ou sur le bouton de fermeture de la palette détachée pour passer d'un mode à l'autre.

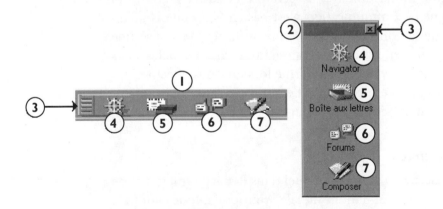

Légende

1. Palette d'accueil ancrée

2. Palette d'accueil détachée

3. Changement de mode de la palette

4. Accès au navigateur Web

5. Accès à la boîte postale

6. Accès aux groupes de nouvelles Usenet

7. Accès à l'éditeur HTML

Figure 3.38
La palette d'accueil ancrée et détachée

3.4.3 Consultation d'un document dans Internet

Quelqu'un vous offre l'adresse d'un merveilleux site Web et vous désirez le voir le plus tôt possible. Il y a plusieurs façons de le faire. La plus rapide est d'inscrire l'adresse dans la case *Adresse* et de cliquer sur la touche *Retour* de votre clavier. N'oubliez pas que vous pouvez joindre pratiquement toutes les ressources qu'Internet offre par le biais de l'adresse URL, comme on l'a vu à la section 3.2.2. Il existe deux autres façons d'inscrire une adresse URL, et, pour chacune d'elles, vous avez le choix de l'ouvrir dans une fenêtre du navigateur ou du compositeur. Il est important de noter que Netscape vous donne un coup de main si vous écrivez l'adresse d'un site ou d'une page que vous avez déjà visité. En effet, dès que le logiciel reconnaît les premières lettres d'un site, il l'inscrit en toutes lettres. Il se peut qu'il se trompe dans vos intentions. Dans ce cas, vous n'avez qu'à terminer la rédaction de votre adresse.

→ Faites le raccourci **CTRL+L** dans Windows ou **Pomme+L** sur le Macintosh.

   ou

→ Sélectionnez l'option *Consulter une page...* du menu déroulant *Fichier*.

Légende

1. Fenêtre pour inscrire l'adresse URL

2. Module utilisé pour l'ouverture

3. Accès à un gestion- naire de fichiers

4. Bouton Ouvrir

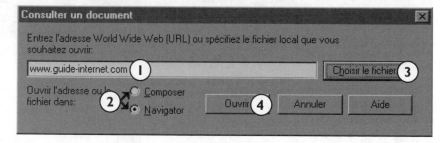

Figure 3.39
Ouverture d'une adresse URL

La fenêtre utilisée pour inscrire l'adresse URL permet également d'ouvrir facilement un document situé sur l'ordinateur de l'utilisateur en appuyant sur le bouton *Choisir le fichier...*

3.4.4 Document affiché au démarrage et l'historique de vos déplacements

C'est l'internaute qui décide du document qui sera affiché au démarrage du *Navigateur*. Il peut s'agir d'un site Web trouvé dans Internet, d'une page Web située sur votre ordinateur ou, simplement, d'une page vierge. De plus, Netscape vous offre la possibilité de commencer avec la dernière page que vous avez visitée à votre dernière session dans Internet. Si vous vous sentez d'attaque, je vous invite à créer votre propre page Web avec vos sites préférés et à l'installer sur votre disque rigide. Votre page de départ s'affichera très rapidement, et vous pourrez la modifier à votre guise.

→ Sélectionnez l'option *Préférences...* du menu *Édition* et cliquez sur le bouton *Navigateur*. Indiquez ensuite le mode de démarrage et l'adresse du document, s'il y a lieu.

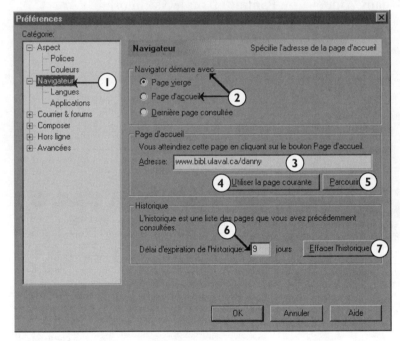

Légende

1. Catégorie sélectionnée des préférences
2. Indication du mode de démarrage
3. Adresse URL du document de démarrage
4. Insertion de l'adresse URL du document actuel
5. Sélection d'un document situé sur l'ordinateur
6. Délai d'expiration de l'historique
7. Suppression de l'historique

Figure 3.40
Spécification de la page d'accueil et de l'historique

L'historique permet de garder une trace de tous les déplacements effectués durant vos sessions de navigation dans Internet. Cette fonction peut s'avérer utile lorsque vous tentez de retrouver un site visité quelques jours auparavant.

Vous pouvez régler le délai d'expiration de l'historique en l'indiquant dans les préférences du navigateur, tel qu'expliqué au paragraphe précédent. Ce délai signifie que toutes traces d'un site visité au-delà de cette limite seront éliminées. Vous pouvez effacer rapidement l'historique au complet en appuyant sur le bouton *Effacer l'historique.*

Vous pouvez consulter la fenêtre de l'historique en tout temps. Il faut noter que cet historique est différent de celui qui est utilisé durant une session de navigation. Ce dernier est beaucoup plus court et est entièrement effacé à chaque démarrage.

→ Faites le raccourci **CTRL+H** dans Windows ou **Pomme+H** sur le Macintosh.

ou

→ Sélectionnez l'option *Historique* du menu déroulant *Communicator.*

Légende

1. Indication de la clé de tri utilisée

2. Bouton de tri des adresses URL

3. Bouton de tri de la première visite

4. Bouton de tri de la dernière visite

5. Bouton de tri de la date d'expiration

6. Bouton de tri du nombre de fois visité

7. Titre des sites visités

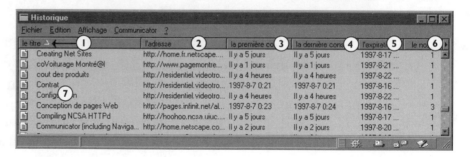

Figure 3.41
Fenêtre de l'historique

Pour ouvrir n'importe quel document affiché dans cette fenêtre, cliquez deux fois sur celui-ci. Vous pouvez trier la fenêtre en cliquant sur une des clés de tri située dans la partie supérieure de la fenêtre. Un petit triangle dans un des

C
H
A
P
I
T
R
E

3

titres de colonnes indique l'ordre de tri actuel. Les ordres de tri ascendant ou descendant sont déterminés avec les options du même nom dans le menu déroulant *Affichage*. Vous pouvez finalement sauvegarder ce carnet d'adresses avec l'option *Enregistrer* du menu déroulant *Fichier*.

3.4.5 Navigation et historique de vos déplacements courants

Le navigateur conserve la plupart de vos déplacements courants dans une mémoire cache et s'y réfère dans le cas où vous redemanderiez une page déjà visitée durant votre session de navigation. Vous pouvez vous déplacer dans cet historique courant en utilisant les boutons *Précédent* et *Suivant* situés dans la barre d'outils de navigation. Ces deux options se trouvent également dans le menu déroulant *Aller*, dans lequel vous retrouverez aussi le titre des pages que vous avez déjà visitées. Il est facile d'accéder à une de ces pages, car vous n'avez qu'à la sélectionner. N'oubliez pas qu'il est possible également de consulter un historique à long terme avec l'option *Historique* du menu *Communicator*, qui, à la différence de l'historique courant, est conservé sur votre disque rigide, tel qu'expliqué à la section précédente.

→ Des raccourcis que j'apprécie particulièrement sont CTRL+ ⇐ et CTRL+ ⇒ dans Windows, qui affichent la page précédente et la page suivante. Dans le cas de la version Macintosh, les raccourcis équivalents sont **Pomme+** ⇐ et **Pomme+** ⇒

3.4.6 Gestion du carnet de signets et de la barre d'outils personnalisée

Le *Navigateur 4.0* de Netscape a amélioré la gestion des signets depuis la version 3.0. De plus, la notion de barre d'outils personnalisée vous permet de créer vos propres boutons menant vers vos sites préférés. Rappelons d'abord que l'adresse URL affichée dans la case *Adresse* de la barre d'outils d'adresse indique celle de la page affichée présentement et que le petit signet amovible se trouvant à la gauche de celle-ci permet d'en copier l'adresse directement dans le carnet de signets ou dans la barre d'outils personnalisée. Il faut simplement cliquer de façon continue sur le signet amovible et le déplacer vers l'endroit désiré.

Légende

1. Barre d'outils d'adresse

2. Barre d'outils personnalisée

3. Accès au carnet de signets

4. Signet amovible

5. Adresse URL du document affiché

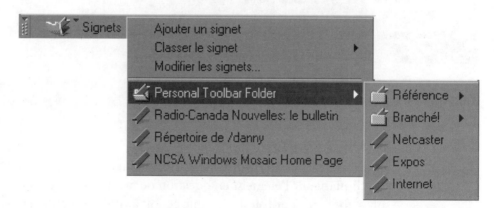

Figure 3.42
Accès au carnet d'adresses et signet amovible

L'accès à la gestion du carnet de signets se fait de deux façons. Vous pouvez cliquer sur le bouton *Signets* de la barre d'outils d'adresse ou alors sélectionner l'option *Signets* du menu *Communicator*. Dans les deux cas, un menu apparaît vous indiquant les options de gestion et la structure de la barre d'outils personnalisée.

Figure 3.43
Affichage du menu des signets

→ Pour ajouter rapidement l'adresse URL du document affiché, faites le raccourci **CTRL+D** dans Windows ou **Pomme+D** sur le Macintosh.

→ Pour accéder à la gestion des signets, faites le raccourci **CTRL+B** dans Windows ou **Pomme+B** sur le Macintosh.

Sélectionnez l'option *Modifier les signets...* du menu de gestion des signets pour effectuer les opérations principales suivantes:

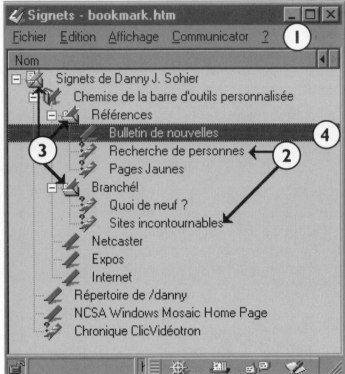

Légende

1. Menus déroulants
2. Signets
3. Chemises
4. Élément sélectionné

Figure 3.44
Gestion des signets de Netscape 4.0

Déplacer un signet ou une chemise

La modification de l'ordre d'apparition d'un signet ou d'une chemise s'effectue en cliquant sur l'élément en question de façon continue et en le déplaçant simplement vers l'endroit désiré, que ce soit à côté d'un autre signet ou à l'intérieur d'une chemise de signets.

Création d'un signet ou d'une chemise

La chemise de signets est un concept très utile qui permet de mettre de l'ordre dans vos signets et dans vos idées. Une nouvelle chemise est générée lorsque vous choisissez l'option *Nouveau dossier...* du menu *Fichier*. Une fenêtre apparaît dans laquelle vous pouvez inscrire le titre de la nouvelle chemise.

Détruire un signet ou une chemise

Sélectionnez l'élément en question en cliquant une fois sur celui-ci. Ensuite, vous pouvez appuyer sur la touche *Suppression (Suppr)* de votre clavier ou alors sélectionner l'option *Supprimer* du menu déroulant *Édition*.

Modifier les propriétés d'un signet ou d'une chemise

Sélectionnez l'élément en question en cliquant une fois sur celui-ci et choisissez l'option *Propriétés* du menu déroulant *Édition*. Une fenêtre apparaît dans laquelle vous pouvez modifier le titre et la description de l'élément, et, s'il s'agit d'un signet, vous avez la possibilité supplémentaire de modifier son adresse URL.

3.4.7 La mise au point de Netscape

Le *Communicateur* offre une gamme de paramètres modifiables afin de le personnaliser à la guise de l'utilisateur. Tous ces paramètres se trouvent dans la fenêtre *Préférences*, située dans le menu déroulant *Édition*. Les paramètres ont été classés en six catégories différentes à l'intérieur desquelles on trouve d'autres sous-catégories. Afin d'afficher les paramètres d'une de ces catégories, cliquez deux fois sur celle-ci, et ils apparaissent dans la partie droite de la fenêtre.

Catégorie Aspect

Vous retrouverez dans cette catégorie le choix du module au démarrage du *Communicateur*. On peut effectivement indiquer au logiciel de lancer le module du courrier électronique, celui des nouvelles Usenet, celui du navigateur ou alors un des autres modules présents. Vous pouvez enfin fixer les couleurs et les polices de caractères utilisées pour l'affichage des documents.

Catégorie Navigateur

Les paramètres de cette catégorie sont affichés à la figure 3.40. Principalement, vous pouvez fixer le document qui sera affiché au démarrage et le délai d'expiration de l'historique. Il est également possible de déterminer la langue dans laquelle une page Web sera affichée sur l'écran, dans les cas où une traduction est disponible. Ce concept est nouveau, alors ne comptez pas sur une traduction automatique de toutes les pages Web dans Internet. Cette décision est laissée à la discrétion des administrateurs qui conçoivent les sites.

Finalement, même si le navigateur possède de nombreuses possibilités relativement au traitement des ressources dans Internet, il ne peut pas toutes les exploiter. C'est dans la sous-catégorie *Applications* de la catégorie *Navigateur* que vous pouvez lui indiquer quoi faire d'un fichier qu'il ne peut traiter correctement. Généralement, vous avez besoin d'un logiciel qu'on incorpore au navigateur et qui s'appelle un «plugiciel». Lorsque vous installez un tel logiciel, les paramètres sont normalement réglés dans la sous-catégorie *Applications* automatiquement. Si ce n'est pas le cas, vous devrez alors créer vous-même ces paramètres.

Légende

1. Catégorie sélectionnée

2. Description des applications secondaires

3. Détails de l'application sélectionnée

4. Paramètres d'une application sélectionnée

5. Fonctions de gestion

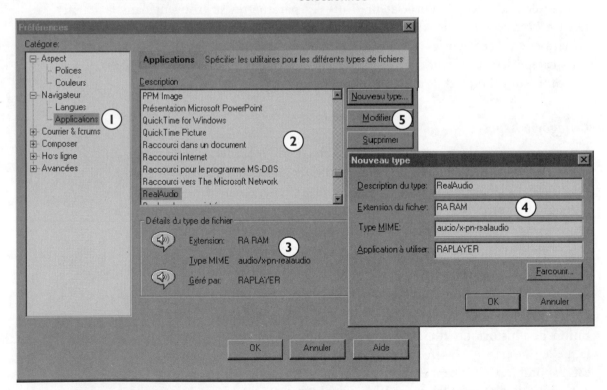

Figure 3.45
Gestion des applications secondaires

En cliquant sur le bouton *Nouveau* ou *Modifier,* une fenêtre apparaît dans laquelle on peut inscrire les paramètres d'une application secondaire. On doit fournir sa description, les extensions des fichiers exploitables par celle-ci, son type MIME tel que fourni par le manufacturier de l'application et, finalement, l'endroit et le nom de l'application à utiliser. À cet effet, il est possible de cliquer sur le bouton *Parcourir...* afin d'employer un gestionnaire de fichiers pour effectuer la localisation.

Catégorie Courrier et Forums

Cette catégorie permet de fixer tous les paramètres utilisés dans la gestion du courrier électronique et des nouvelles Usenet. D'emblée, vous pouvez indiquer la couleur et la police de caractères utilisées pour afficher les messages. La première catégorie importante est celle de l'**Identité**, dans laquelle vous devez inscrire votre nom, votre véritable adresse de courrier électronique, si elle est différente de votre adresse de retour, et la localisation de votre signature électronique. Vous pouvez également utiliser une carte de visite électronique, qui est plus sobre par sa présentation.

Légende

1. Catégorie sélectionnée
2. Nom de l'utilisateur
3. Adresse de courrier électronique véritable
4. Adresse de retour (pseudonyme)
5. Organisation d'appartenance
6. Localisation de la signature électronique
7. Gestion de la carte de visite électronique

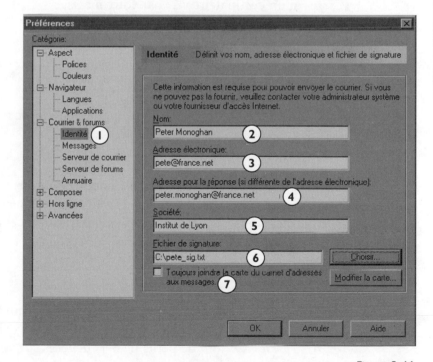

Figure 3.46
Paramètres du courrier de Netscape 4.0

→ La sous-catégorie *Messages* effectue la gestion des messages que vous envoyez. Il est possible d'indiquer l'envoi automatique d'une copie à soi-même ou à une autre adresse et son classement automatique dans une chemise donnée.

→ Les adresses des serveurs de courrier et votre identité sur ces derniers doivent être inscrits dans les paramètres offerts par la sous-catégorie *Serveurs de courrier.* Si vous ne possédez pas ces paramètres, demandez-les auprès du service à la clientèle de votre fournisseur Internet.

→ Il en va de même pour l'adresse de votre serveur de nouvelles Usenet, dans la sous-catégorie *Serveurs de forums.* Cette adresse permet à votre logiciel de consulter plus de 15 000 groupes de nouvelles qui se trouvent dans ce système.

→ Finalement, c'est dans la catégorie *Annuaire* que vous pouvez modifier la liste des annuaires d'adresses de courrier électronique disponibles dans Internet. Certains y sont inscrits par défaut. Cependant, en l'absence d'un effort officiel pour recenser toutes les adresses de courrier électronique qui existent dans Internet, il se peut fort bien que vous ne trouviez pas celle d'un destinataire visé par votre message.

Catégorie Composer

Quelques paramètres sont utilisés pour régler la composition des fichiers HTML dans le module Compositeur. Vous pouvez même indiquer l'utilisation d'un autre éditeur HTML au profit de celui qui se trouve dans Netscape.

Catégorie Hors ligne

Vous précisez ici votre désir, ou non, de démarrer votre navigateur en mode hors ligne. Ce mode permet de travailler avec le navigateur sans être branché à Internet. Vous pouvez lire des messages transférés et en rédiger de nouveaux. Le tout sera envoyé et mis à jour dès votre prochain branchement au réseau.

Catégorie Avancées

Comme le dit son nom, on y fixe des paramètres qui ne sont pas très connus des internautes novices. Le fait saillant de cette catégorie est l'acceptation ou non des *cookies.* Ce sont de petits fichiers déposés sur votre disque rigide pour que les serveurs Web connaissent vos préférences par rapport à leurs sites. Vous pouvez également désactiver la programmation Java et JavaScript. Ce sont des langages utilisés pour ajouter de l'interactivité à certaines pages Web. Certains considèrent qu'ils sont dangereux, car ce sont des programmes étrangers exécutés sur votre ordinateur, et ils peuvent ainsi représenter des failles de sécurité. Il faut toutefois noter qu'aucune attaque massive n'a été enregistrée à ce jour.

La sous-catégorie importante est celle qui règle les paramètres de la **Cache**. La taille de votre mémoire cache détermine le nombre de pages gardées par votre logiciel. Cependant, vous ne devriez pas réserver trop de mémoire à la cache, car les autres applications fonctionnant simultanément sur votre ordinateur risquent de ne plus en avoir assez. C'est à ce moment-là que les problèmes commencent... Une règle simple est d'utiliser le quart de votre mémoire vive pour la mémoire cache et entre 5 000 et 10 000 kilo-octets pour celle du disque rigide. Si vous êtes curieux, consultez certains des fichiers qui se trouvent dans le répertoire de la cache indiquée dans le champ suivant. Vous y trouverez des images et des sources HTML de pages Web visitées dernièrement. Finalement, on vous offre le choix de comparer les documents trouvés dans la cache avec ceux que vous demandez une fois par séance, à chaque fois ou jamais. Cela est fait dans le but d'actualiser ces documents si des modifications ont été apportées depuis votre dernière visite.

Légende

1. Catégorie sélectionnée
2. Taille de la mémoire cache
3. Taille de la cache sur disque
4. Localisation de la cache sur votre disque
5. Fréquence des comparaisons

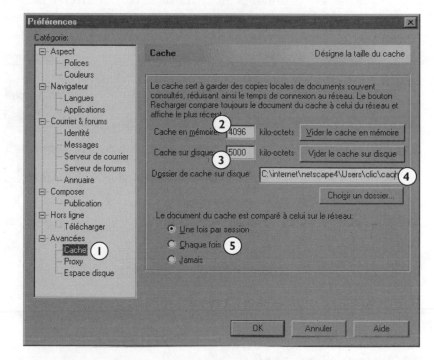

Figure 3.47
Paramètres de la cache de Netscape 4.0

La sous-catégorie *Proxy* permet d'y indiquer l'adresse Internet d'un serveur par lequel vous transitez si votre organisation est protégée par un serveur «pare-feu». On peut également utiliser un serveur Proxy pour transiter sur un site qui limite les connexions à un nombre restreint d'ordinateurs. Ce concept est utilisé à des fins précises et ne concerne généralement pas l'internaute domestique.

Vous trouverez dans la dernière sous-catégorie, *Espace disque*, des paramètres qui aident le logiciel à mieux gérer l'espace-disque qu'occupent les messages reçus par le courrier électronique et les nouvelles Usenet. Vous pouvez ainsi indiquer à Netscape de ne pas transférer des messages supérieurs à une taille précise ou de compresser des messages qui n'ont pas été consultés depuis un certain temps.

3.4.8 Le module de courrier électronique Messager

Ce module est accessible en cliquant sur l'icône de la *Boîte aux lettres* située dans la palette d'accueil ou en sélectionnant l'option *Messager – Boîte aux lettres* du menu déroulant *Communicator*. Je ne m'attarderai pas aux différentes commandes et possibilités d'un logiciel de courrier électronique, car elles ont été énumérées au chapitre 2. Vous trouverez néanmoins un bon aperçu de ce module qui saura satisfaire les besoins immédiats de messagerie électronique.

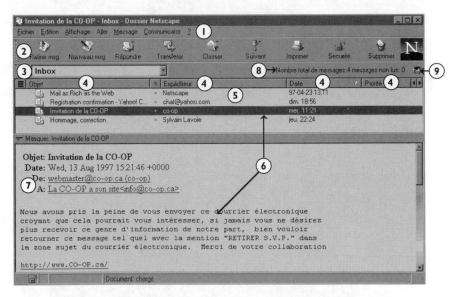

Figure 3.48
Le Messager de Netscape 4.0

Légende

1. Menus déroulants
2. Barre d'outils de navigation
3. Barre d'outils de localisation
4. Boutons de tri des messages
5. Messages constituant la chemise de courrier sélectionnée
6. Message sélectionné
7. Coordonnées d'un message
8. État de votre boîte postale
9. Accès au centre de messagerie

L'interface du Messager

L'interface est séparée en trois parties et laisse place aux outils de gestion, aux messages de la chemise de courrier et au contenu du message sélectionné. Les menus déroulants offrent les options nécessaires à la gestion de votre courrier, tandis que les fonctions situées dans la barre d'outils de navigation permettent d'effectuer rapidement les opérations de base sur vos messages.

La barre d'outils de navigation

Les inscriptions qui se trouvent sous les icônes de cette barre sont suffisantes pour expliquer leurs fonctions.

Légende

1. Ouverture et ferme-
ture de la barre d'outils

2. Retrait des nouveaux
messages

3. Rédaction d'un nou-
veau message

4. Réponse à un message

5. Transfert d'un mes-
sage à un autre desti-
nataire

6. Rangement d'un mes-
sage dans une chemise

7. Lecture du message
suivant

8. Impression du
message

9. Affichage de la sécurité
inhérente au message

10. Mise à la corbeille
du message

Figure 3.49
La barre d'outils de navigation du Messager de Netscape 4.0

Les paramètres de base

Pour utiliser adéquatement le Messager, vous devez nécessairement lui avoir donné les informations vitales concernant votre identification. Votre adresse de courrier et celle de votre serveur doivent être indiquées dans les préférences de courrier. Vous trouverez la marche à suivre pour insérer ces importants paramètres dans la section précédente.

Retrait des nouveaux messages

Pour vérifier et transférer les nouveaux messages de votre serveur de courrier, cliquez sur l'icône *Retrait des nouveaux messages* de la barre d'outils

CHAPITRE 3

de navigation. Vous pouvez également choisir l'option du même nom située dans le menu déroulant *Fichier*.

→ Le raccourci pour Windows est la combinaison **CTRL+T**, alors qu'il s'agit de **Pomme+T** pour Macintosh.

Rédaction, réponse et transfert d'un message

Ces trois options se trouvent dans la barre d'outils de navigation du Messager. On peut également les sélectionner à partir du menu déroulant *Message*. Il existe aussi des raccourcis pour accéder à ces options.

→ Pour rédiger un nouveau message, faites la combinaison **CTRL+M** dans Windows ou **Pomme+M** sur le Macintosh.

→ Pour répondre au destinataire d'un message, cliquez une fois sur celui-ci, s'il n'est pas déjà affiché, et faites **CTRL+R** dans Windows ou **Pomme+R** sur le Macintosh.

→ Pour faire suivre un message à un autre destinataire, faites la combinaison **CTRL+L** dans Windows ou **Pomme+L** sur le Macintosh.

Dans ces trois circonstances, une fenêtre de rédaction apparaîtra. Celle-ci sera vierge dans le cas d'un nouveau message, ou alors elle contiendra le message original précédé d'une marque spéciale, pour souligner que vous n'en n'êtes pas l'auteur, dans le cas d'une réponse ou d'un suivi de message.

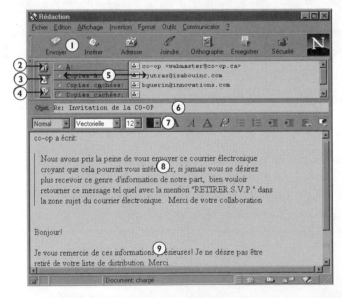

Légende

1. Barre d'outils de rédaction
2. Onglet d'adressage
3. Onglet des fichiers joints
4. Onglet des options d'envoi
5. Type du champ d'adresse et son contenu
6. Titre du message
7. Barre d'outils de style
8. Message original
9. Votre message

Figure 3.50
La fenêtre de rédaction du Messager de Netscape 4.0

Les fonctions qui se trouvent dans la barre d'outils de rédaction permettent de gérer respectivement votre message en l'envoyant, en y insérant le document précédent, en consultant votre carnet d'adresses, en vérifiant son orthographe, en l'enregistrant sur un média et en vérifiant sa sécurité.

L'en-tête du message est généré grâce à trois onglets très pratiques. **L'onglet d'adressage** permet d'insérer autant de champs que vous en avez besoin. Vous pouvez créer ainsi des adressages principal, secondaire et caché. De plus, vous pouvez envoyer votre message à un groupe de discussion Usenet grâce à l'adressage **Forums:**. **L'onglet des fichiers joints** pointe vers un gestionnaire de fichiers dans lequel vous pouvez sélectionner facilement les documents que vous désirez joindre à votre message. Finalement, **l'onglet des options d'envoi** permet d'indiquer si votre message sera chiffré et signé, lui assurant ainsi une meilleure sécurité. Il est également possible de demander un accusé de réception de la part du destinataire.

La barre d'outils de style offre à l'internaute l'option d'ajouter un peu de fantaisie à l'intérieur de son message. Il peut ainsi préciser la police de caractères utilisée, son style et sa taille ainsi que la justification du texte des messages.

Le rangement des messages et la gestion des chemises de courrier

Comme tout bon logiciel de courrier électronique, le Messager permet de gérer les chemises de courrier. On peut classer un ou plusieurs messages en cliquant sur ces derniers et en sélectionnant la fonction *Classer* de la barre d'outils de navigation. Dès lors, un menu contenant vos chemises de courrier sera affiché. Vous n'avez plus qu'à choisir la chemise de votre choix et à y ranger vos messages. Vous pouvez également utiliser l'option *Classer le message* du menu déroulant *Message*.

→ Pour créer des chemises de courrier, sélectionnez l'option *Nouveau dossier...* du menu déroulant *Fichier*. Indiquez son nom et sa localisation dans l'arborescence des dossiers de courrier.

→ Pour supprimer un message, sélectionnez-le et appuyez sur la touche *Suppression* de votre clavier. Cette action a pour effet d'insérer le message dans la corbeille. Vous pouvez également ranger le message directement dans la corbeille en appuyant sur le bouton *Supprimer* dans la barre d'outils de navigation.

→ Pour supprimer un dossier, vous devez vous rendre au centre de messages et le sélectionner en cliquant une fois sur celui-ci. Par la suite, appuyez sur la touche *Suppression* de votre clavier ou sélectionnez l'option *Supprimer le dossier* du menu déroulant *Édition*.

→ L'enregistrement ou l'impression d'un message s'effectue en le sélection-nant à l'aide de la souris et en choisissant l'option désirée dans le menu *Fichier*.

Le centre de messages

Le centre de messages est un écran commun où il est possible d'accéder aux options du courrier électronique et des groupes de nouvelles Usenet. D'un seul coup d'œil, il est possible de connaître le nombre de messages non lus et le nombre total de messages dans notre boîte de courrier et dans les groupes de discussion Usenet auxquels on est abonné. Le centre de messages est accessible en cliquant sur l'icône qui représente une flèche verte tournant sur elle-même dans la barre d'outils de l'adresse. Vous pouvez également choisir l'option *Centre de messages* du menu déroulant *Communicator*.

→ Le raccourci pour accéder au centre de messages est **CTRL+MAJ+1** pour Windows et **Pomme+MAJ+1** pour Macintosh.

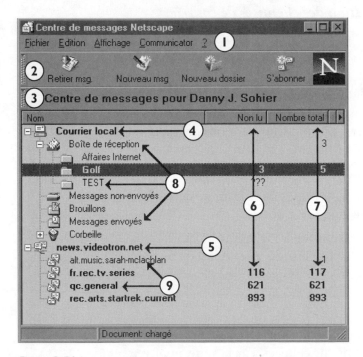

Légende

1. Menus déroulants
2. Barre d'outils de navigation
3. Barre d'outils de localisation
4. Boîte postale
5. Section des nouvelles Usenet
6. Messages non lus
7. Total des messages
8. Chemises de cour-rier électronique
9. Groupe de discus-sion Usenet

Figure 3.51
Le centre de messages de Netscape 4.0

3.4.9 Le module de nouvelles Usenet Collabra

Le monde des nouvelles Usenet est à la portée de votre logiciel Netscape en sélectionnant l'option *Collabra-Forums* du menu *Communicator.* Ce module sera expliqué au chapitre 5, où les nouvelles Usenet seront à l'honneur.

3.4.10 Le module Conférence

Ce module est le résultat d'une nette amélioration du plugiciel <u>Cooltalk</u> proposé avec la version 3.0 de Netscape. Le module Conférence permet à des collaborateurs d'entretenir une conversation et d'échanger des données en temps réel grâce à une série d'outils. Il faut noter ici que cette application a été conçue pour être utilisée dans un environnement bureautique.

Légende

1. Menus déroulants
2. Barre d'outils
3. Accès au tableau blanc
4. Accès à la navigation commune
5. Échange de documents
6. Session de bavardage
7. Adresse de courrier électronique de l'interlocuteur
8. Joindre votre interlocuteur
9. Accès à un annuaire sur le Web
10. Accès à votre carnet d'adresses
11. Boutons à accès rapide
12. Réglage du microphone
13. Réglage des haut-parleurs

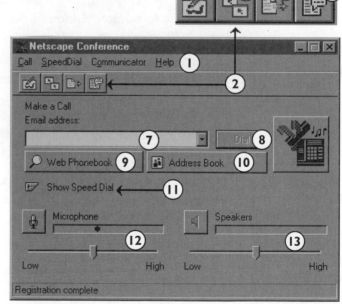

Figure 3.52
Le module de conférence de Netscape 4.0

<u>Cooltalk</u> (*http://home.netscape.com/comprod/products/navigator/version_3.0/communication/cooltalk*)

L'outil de conférence

Cet outil permet d'entretenir une conversation téléphonique avec des collègues en utilisant le réseau Internet comme moyen de transport. Avant d'effectuer un appel, vous devez d'abord connaître l'adresse IP de votre interlocuteur ou son adresse de courrier électronique. Avec cette information, le module essaie de rejoindre l'ordinateur étranger. Beaucoup d'internautes tenteront d'utiliser le module Conférence de la maison, ce qui implique que l'adresse IP de leur ordinateur change avec chaque branchement au réseau Internet. Pour contourner cela, l'utilisateur doit s'enregistrer auprès d'un serveur DLS (*Dynamic Locator Service* en anglais). Le serveur **FOUR11** est l'un des plus utilisés pour retrouver des individus. Un utilisateur qui désire recevoir un appel de la maison avec une connexion modem doit s'y enregistrer à chaque nouvelle séance dans le réseau.

La clé pour utiliser le module Conférence est de trouver sa présente localisation dans le réseau. Le bouton *Web Phonebook* vous guide vers une série d'annuaires du type DLS. Dès lors, vous pouvez effectuer des recherches et voir la liste des internautes enregistrés qui utilisent présentement le logiciel Conférence. Il est également possible d'examiner votre carnet d'adresses en appuyant sur le bouton *Address Book*. Votre carnet permet de consulter les adresses gardées localement et celles des annuaires DLS dans Internet.

Il est préférable d'ajuster le niveau sonore du microphone avant d'effectuer un appel. Le microphone s'ouvre automatiquement lorsque vous parlez. Pour régler le volume du son, appuyez sur l'icône du microphone et parlez normalement. Un indicateur vert apparaît. La barre bleue devrait se trouver tout juste sous le seuil de votre voix afin que le micro ne s'ouvre pas au moindre bruit ambiant.

→ Pour joindre un utilisateur, inscrivez son adresse IP ou de courrier électronique et appuyez sur le bouton de numérotation.

FOUR11 (*http://www.four11.com/conference*)

Une fois que la communication est établie, le bouton de numérotation devient le bouton *Hangup*, permettant de raccrocher en tout temps.

Figure 3.53
Téléconférence dans Netscape 4.0

Finalement, vous pouvez programmer des boutons d'accès rapide, comme ceux qu'on trouve sur la plupart des téléphones. Choisissez le bouton de votre choix dans le menu déroulant *SpeedDial* et donnez-lui un titre et une adresse pour joindre votre interlocuteur.

Session de bavardage

Une fois que la communication avec un interlocuteur est établie, vous pouvez utiliser cet outil pour échanger des commentaires textuels en temps réel. Cette méthode pour communiquer est évidemment plus lente, mais elle consume beaucoup moins de ressources réseau.

→ Pour utiliser l'outil *Session de bavardage*, choisissez l'option *Chat* du menu déroulant *Communicator* ou cliquez sur l'icône appropriée dans la barre d'outils.

C
H
A
P
I
T
R
E

3

> **CAPSULE**   Inscription automatique dans un annuaire DLS
>
> Pour retrouver des individus dans le but d'établir des téléconférences, vous devez bien souvent consulter un annuaire dynamique DLS si ces derniers se branchent à Internet par le biais d'une connexion modem. Avec ce genre de connexion, l'adresse IP de l'ordinateur change chaque fois. Cet annuaire retrace les adresses IP des ordinateurs des individus avec leurs adresses de courrier électronique. Évidemment, ces individus doivent s'inscrire à chaque nouvelle communication. À cette fin, vous pouvez indiquer à votre logiciel de vous inscrire automatiquement chaque fois que vous ouvrez votre module de conférence.
>
> → Sélectionnez l'option *Préférences* du menu déroulant *File*, puis cochez la case **List my name in phonebook**.
>
> Finalement, il faut noter que, pour être affiché dans l'annuaire et, du même fait, être accessible pour les autres internautes, votre outil de conférence doit nécessairement être en marche, contrairement à d'autres logiciels de téléphonie Internet. On suggère ainsi de le démarrer et de le mettre en veille dès l'ouverture de Netscape Communicator.

Le tableau blanc

Cet outil peut être utilisé lorsque vous êtes en communication pour afficher et pour modifier une image en commun. Vous et votre interlocuteur avez la possibilité de voir toutes les modifications que l'autre effectue durant la session en temps réel.

→ Pour utiliser l'outil *Tableau blanc*, choisissez l'option *Whiteboard* du menu déroulant *Communicator* ou cliquez sur l'icône appropriée dans la barre d'outils.

L'échange de fichiers

Cet outil permet le transfert de fichiers durant votre communication avec un interlocuteur. Vous n'avez pas besoin d'inscrire d'adresse Internet supplémentaire, car l'outil utilise la communication déjà établie pour livrer le fichier à votre interlocuteur. N'importe quel genre de fichier peut être transféré. Notez cependant que la qualité de la communication audio diminue pendant ce type d'échange. Dans l'outil d'échange de fichiers, sélectionnez l'option *Add to send list* pour ajouter un fichier à votre liste d'envoi. Un gestionnaire de fichiers apparaît pour vous seconder dans la recherche du fichier visé par votre action.

→ Pour utiliser l'outil *Échange de fichiers*, choisissez l'option *File exchange* du menu déroulant *Communicator* ou cliquez sur l'icône appropriée dans la barre d'outils.

La navigation commune

Avec cet outil, vous et votre interlocuteur pouvez naviguer dans Internet de façon commune, c'est-à-dire qu'un d'entre vous prend le contrôle du navigateur de l'autre. Ainsi, le contenu d'une page Web visualisée par le premier l'est automatiquement par le second. Cela est possible en communiquant au second navigateur l'adresse URL du document affiché. Celui qui lance ce type de communication devient le meneur de la navigation. Il peut céder sa place en cliquant sur la case *Control the browsers*.

→ Pour utiliser l'outil *Navigation commune*, choisissez l'option *Collaborative Browsing* du menu déroulant *Communicator* ou cliquez sur l'icône appropriée dans la barre d'outils.

Figure 3.54
Navigation commune dans Netscape 4.0

3.4.11 Le module d'édition HTML Composer

En quelques mots, l'éditeur HTML **Composer** de Netscape 4.0 incorpore une interface qui vous permet de voir le résultat de votre document Web au fur et à mesure que vous le créez. Il est possible d'ouvrir n'importe quel document situé dans Internet ou sur votre disque rigide directement dans l'éditeur. L'avantage est que vous pouvez voir immédiatement les styles utilisés dans le document. Dès lors, c'est un jeu d'enfant de déplacer des éléments, que ce soit une image, un paragraphe ou un lien HTML, d'un endroit à un autre en cliquant sur celui-ci de façon continue et en le déplaçant vers son nouvel espace. Tel qu'il est stipulé auparavant, je suis désolé de vous informer que ce livre ne couvre pas la conception des pages Web. Il s'agit là d'un domaine entier qui ne peut être traité de manière superficielle et qui pourra facilement faire l'objet d'un autre ouvrage. Je vous invite cependant à consulter la section 3.2.1, qui traite du langage HTML. Vous y trouverez une multitude de ressources en ligne qui couvrent exhaustivement ce sujet. De plus, je vous recommande le livre *Comment créer des pages Web*, rédigé par les collègues Éric Soucy et Maryse Legault et publié aux **Éditions LOGIQUES**.

Un aperçu des fonctions du **Composer** de Netscape 4.0:

→ **Éditeur de style WYSIWYG** (What You See Is What You Get, ce qui signifie que ce que vous voyez est le résultat final)

→ **Ajout, suppression et modification du texte de tout document transféré depuis Internet**

→ **Copie de tout élément provenant des modules de Netscape 4.0 et incorporation dans un document Web**

→ **Publication directe dans Internet par le biais d'un transfert de fichiers FTP**

→ **Palette de style élaborée**

→ **Insertion d'objets tels tableaux, images, lignes horizontales, liens HTML, etc.**

→ **Édition de programmes JavaScript**

→ **Aide en ligne exhaustive**

3.4.12 **La vie est plus facile avec les utilitaires de Netscape 4.0**

Les utilitaires de Netscape 4.0 permettent de rendre plus agréable l'emploi de ce logiciel. Ces utilitaires, au nombre de quatre, sont accessibles dans la chemise **Utilitaires** créée automatiquement pendant l'installation du *Communicateur*.

Légende

1. Modules du Communicateur
2. Utilitaires du Communicateur
3. Configuration du *Media player*
4. Sentinelle de téléconférences
5. Vérificateur de boîte postale
6. Gestionnaire d'utilisateurs

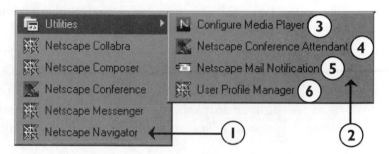

Figure 3.55
Les utilitaires de Netscape 4.0

La configuration du Media Player

Le *Media Player* est un logiciel incorporé à Netscape qui lui permet de recevoir un signal audio et vidéo continu par le réseau Internet. Ce logiciel a été créé pour exploiter les ressources générées par le serveur *Media Server*, de Netscape. Cette technologie fait beaucoup penser au **RealPlayer**, de la société Progressive Networks. Cet utilitaire est le moins utilisé, car les valeurs par défaut des autres logiciels permettent déjà d'exploiter adéquatement les éléments que vous pourriez trouver sur le Web.

La sentinelle d'appels conférence

En démarrant cette application, vous lancez également le module de conférence de Netscape. Ce dernier est immédiatement mis en veille après avoir communiqué votre présence à l'annuaire DLS que vous avez choisi par défaut. Le résultat est qu'un interlocuteur peut vous joindre par le biais de l'annuaire. Consultez la section 3.4.10 pour avoir plus d'informations à propos du module de conférence.

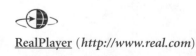

RealPlayer (*http://www.real.com*)

C
H
A
P
I
T
R
E

3

Le vérificateur de boîte postale

Cet utilitaire vous prévient si vous avez reçu de nouveaux messages dans votre boîte postale. Tout cela se fait même si le module de courrier électronique de Netscape n'est pas en marche. Il vérifie périodiquement votre boîte et, dans le cas où vous auriez reçu de nouveaux messages, fait sonner une alarme jumelée à un clignotement sur l'écran. Vous fixez le délai de vérification en choisissant l'option *Préférences* du menu déroulant *Édition*. Ensuite, sélectionnez la sous-catégorie *Serveurs de courrier* de la catégorie *Courrier et forums*. Appuyez sur le bouton *Options supplémentaires* afin de cocher et de modifier le paramètre *Vérifiez le courrier toutes les _____ minutes* à votre guise.

Lorsque le vérificateur vous annonce l'arrivée de nouveaux messages, vous pouvez simplement cliquer sur la boîte postale clignotante affichée sur l'écran pour accéder directement au module de courrier électronique de Netscape 4.0.

Le gestionnaire d'utilisateurs

Ce dernier utilitaire offre la possibilité de créer plusieurs utilisateurs du logiciel Netscape 4.0 sur le même ordinateur. Chaque utilisateur possède par la suite une boîte postale, une liste d'abonnement aux groupes de discussion Usenet, une liste de signets et un carnet d'adresses qui lui sont propres. Cet utilitaire s'avérera très utile si votre famille est constituée d'internautes émérites et que vous partagez tous le même ordinateur. Lorsque vous démarrez le *Communicateur*, le gestionnaire d'utilisateurs est automatiquement affiché si le profil de plusieurs internautes est défini dans le logiciel. Choisissez un des profils en cliquant deux fois sur ce dernier.

Figure 3.56
Les utilisateurs de Netscape 4.0

La création d'un nouvel utilisateur s'effectue rapidement. Cliquez sur le bouton *Nouveau...* et répondez aux questions que le logiciel vous pose. Soyez prêt à donner les informations suivantes: le nom de l'utilisateur, son adresse de courrier électronique, le nom de son profil, l'emplacement sur le disque rigide où sera géré son espace de travail, l'adresse de son serveur de courrier et celle de son serveur de nouvelles Usenet.

3.4.13 La technologie du pousser avec Netcaster

La technologie du «pousser» n'est pas nouvelle. Ceux qui connaissent bien le logiciel **Pointcast** comprendront le principe derrière le **Netcaster**. Tout d'abord, Netcaster est un module qui peut être inclus ou non dans la livraison initiale du *Communicateur*. Ce module permet de recevoir périodiquement, lorsque vous êtes branché au réseau Internet, des informations provenant d'un diffuseur de contenus spécialisés. C'est l'internaute qui décide des diffuseurs de qui il recevra de l'information et des fréquences de transmission. Les informations disponibles couvrent tous les domaines de la société. Il peut s'agir d'informations sur le marché boursier, des résultats sportifs, des manchettes, de la musique: bref, autant de diversité qu'il peut y avoir de diffuseurs. Même si cette technologie n'en est qu'à ses débuts, elle bénéficiera d'une grande popularité durant les mois à venir, et il y a fort à parier que les fournisseurs traditionnels de contenus Web offriront avant longtemps des canaux de distribution du type «pousser».

Une autre caractéristique qui risque fort d'intéresser les internautes est le «Bureau Web» (*WebTop* en anglais). Au lieu de recevoir et de consulter les informations provenant des diffuseurs dans une traditionnelle fenêtre de navigateur, l'internaute pourra choisir de transformer son bureau en un afficheur de documents Web. L'ère des fonds d'écran faits de petites briques est peut-être terminée. À leur place, on verra se succéder les dernières manchettes nationales et les potins du monde artistique, photos et animation à l'appui. La seule ombre au tableau est que l'on devra être branché à Internet pour recevoir ces informations et que le seul fait de les recevoir périodiquement ralentira substantiellement la connexion au réseau. Il faut toutefois être optimiste en pensant que les connexions par accès câble et les modems téléphoniques plus rapides envahissent le marché au moment où j'écris ces lignes.

Pointcast (*http://www.pointcast.ca*)

Installation du Netcaster

L'installation du module Netcaster s'effectue directement et dynamiquement depuis le site de Netscape, si vous ne l'avez pas déjà sur un cédérom. Consultez **l'entrepôt des logiciels Netscape** pour transférer ce module. Un programme est d'abord implémenté sur votre ordinateur, et ce dernier se charge d'effectuer le téléchargement et l'installation du logiciel. L'utilisateur n'a que quelques questions auxquelles répondre. Après l'installation, il doit fermer ses applications et redémarrer Netscape afin que les modifications deviennent opérationnelles.

Réglage et utilisation du Netcaster

Pour activer le **Netcaster,** vous devez sélectionner l'option du même nom dans le menu déroulant *Communicator.* Un tableau de bord s'affiche alors à gauche ou à droite de votre écran. On y trouve les fonctions nécessaires pour gérer les abonnements à un diffuseur et l'aspect des informations diffusées.

Légende

1. Section des canaux de diffusion disponibles
2. Accès aux informations des canaux de diffusion
3. Recherche de canaux de diffusion
4. Onglet d'ouverture et de fermeture du tableau de bord
5. Liste d'abonnements des canaux

6. Menus déroulants
7. Barre d'outils de navigation
8. Information sur la sécurité des informations transmises
9. Page précédente et suivante
10. Impression du Bureau Web
11. Masquage ou affichage du Bureau Web
12. Affichage du Bureau Web au premier plan ou à l'arrière-plan
13. Fermeture du Bureau Web
14. Ouverture d'une fenêtre du navigateur

Figure 3.57
Le tableau de bord du Netcaster

l'entrepôt des logiciels Netscape (*http://home.netscape.com/download*)

À l'ouverture, le tableau de bord est affiché par-dessus les autres applications fonctionnant simultanément avec Netcaster. Une fois que vous en avez terminé avec le tableau de bord, cliquez sur l'onglet de fermeture. Seul reste le petit onglet, sur lequel vous pouvez cliquer pour faire réapparaître le tableau de bord. L'ajout d'un canal de diffusion à votre liste d'abonnements se fait en cliquant deux fois sur le canal désiré dans la section des canaux disponibles. Une icône remplace le bouton dans laquelle vous verrez apparaître une mention *Add channel*. En cliquant sur cette mention, le canal est ajouté à votre liste d'abonnements. Vous pouvez visualiser cette dernière en cliquant sur *Channels* et sélectionner le Bureau Web de votre choix en cliquant sur le canal désiré dans votre liste d'abonnements.

Figure 3.58
Abonnement à un canal de diffusion Netcaster

→ L'ajout d'un canal de diffusion peut également se faire manuellement en cliquant sur le bouton *Add* dans la barre d'outils de navigation. **Netcaster** vous demande alors le nom et l'adresse URL du canal ainsi que la fréquence de renouvellement des informations.

Une fois que l'abonnement est complété et que les premières informations sont transférées, voici à quoi peut ressembler un Bureau Web: il ressemble à une immense page Web sans les contours et les barres d'outils d'une fenêtre de navigateur. Le comportement Web est le même que si vous étiez dans une fenêtre de navigateur. Donc, si vous voyez des liens HTML pointant vers d'autres documents, vous pouvez cliquer sur ceux-ci pour les afficher. Une petite différence est qu'il y a peut-être plus d'images et d'animation dans le Bureau Web que dans la moyenne des pages Web. Cela s'explique par le fait qu'elles sont emmagasinées dans la mémoire cache de votre ordinateur et qu'elles n'ont pas à être transférées avec chaque nouvelle page.

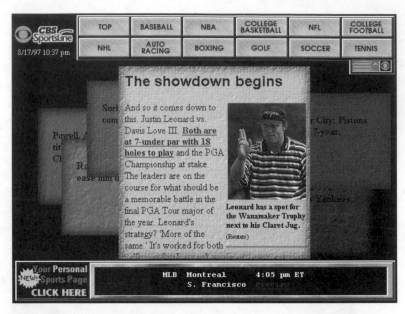

Figure 3.59
Le Bureau Web de Netcaster

La gestion des canaux de diffusion s'effectue en cliquant sur le bouton *Options* dans la barre d'outils de navigation de Netcaster. Une fenêtre apparaît sur l'écran dans laquelle vous trouverez les canaux auxquels vous êtes abonné.

→ Onglet Channels

Vous pouvez ajouter, supprimer et modifier les paramètres d'un canal de diffusion sous cet onglet. Le bouton *Update Now* permet de sauvegarder vos modifications.

→ Onglet Layout

Vous indiquez ici la position initiale, soit à droite ou à gauche de l'écran, du tableau de bord et du Bureau Web. Finalement, il est possible de préciser le canal qui sera affiché initialement.

→ Onglet Security

Netcaster vous permet d'accepter, ou non, les *cookies* et l'archivage de vos déplacements dans le Bureau Web. Ces informations sont communiquées au serveur de contenus afin qu'il connaisse vos préférences. Si vous voulez demeurer discret, ne cochez aucune de ces options.

Légende

1. Fenêtre des options de Netcaster
2. Onglets de la fenêtre d'options
3. Fenêtre des propriétés d'un canal de diffusion
4. Ajout d'un canal
5. Suppression d'un canal
6. Mise à jour d'un canal

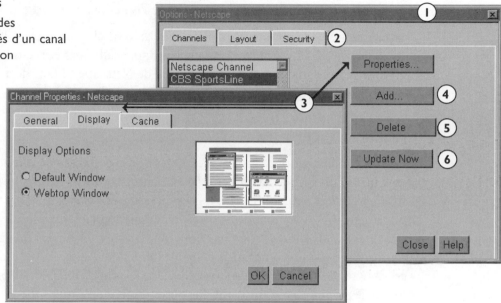

Figure 3.60
La configuration des canaux Netcaster

Les propriétés d'un canal sont fixées en cliquant sur celui-ci sous l'onglet *Channels*, dans un premier temps, et en cliquant sur le bouton *Properties...* par la suite. Une seconde fenêtre apparaît avec une autre série d'onglets contenant les paramètres du canal en question.

→ **Onglet General**

Cet onglet contient les informations de base du canal, comme son nom, son adresse URL et le délai de renouvellement des informations.

→ **Onglet Display**

Si vous n'aimez pas l'affichage des informations à l'intérieur d'un Bureau Web, vous pouvez toujours utiliser une fenêtre traditionnelle de navigateur en sélectionnant l'option *Default Window*.

→ **Onglet Cache**

Il est possible de déterminer la taille de la cache utilisée pour stocker les informations de chaque canal sous cet onglet. Je vous invite à y aller avec modération et à ne pas dépasser les 2 Mega-octets si votre ordinateur ne possède pas un minimum de 16 Mega-octets de mémoire vive et beaucoup d'espace-disque.

→ La recherche de nouveaux canaux se fait en cliquant sur le bouton *More Channels...* Une fenêtre de navigateur apparaît alors et récupère la liste des nouveaux canaux directement du site de Netscape. Il faut donc être déjà en ligne avec Internet.

3.4.14 Le mot de la fin

Comme vous avez pu vous en apercevoir dans les pages précédentes, Netscape est plus qu'un simple navigateur. Les fonctions ajoutées depuis la dernière version le rendent très polyvalent. Il est pratiquement impossible de couvrir complètement toutes les fonctions de ce vénérable logiciel. De plus, le phénomène des versions améliorées n'est pas nouveau dans le monde des navigateurs. C'est pourquoi je vous recommande de consulter le manuel d'utilisation en ligne accessible sur le site Web de la société Netscape, afin d'obtenir des précisions sur toutes les fonctions se trouvant dans les différents modules du *Communicator*. Le manuel est situé dans le menu déroulant ? .

Vous êtes maintenant prêt à naviguer. Je vous invite à passer à la section 3.6, où vous en saurez plus sur les logiciels qui sont le complément de toute navigation sur le Web.

3.5 L'EXPLORER VERSION 4.0 DE MICROSOFT

La version 4.0 d'**Explorer,** de **Microsoft** , est un très bon outil pour naviguer sur le Web. Les fonctions de base d'un excellent navigateur alliées à une symbiose parfaite avec Windows95 font de ce produit le débouché si important que recherchait le géant de l'informatique. On peut enfin dire que l'*Explorer* égale les prouesses technologiques et la convivialité du *Communicateur*, de Netscape. Deux bons points pour l'*Explorer* sont qu'il est gratuit et qu'il est remis avec le système d'exploitation Windows95, ce que ne peut prétendre Netscape. Microsoft a fait une grande percée dans le quasi-monopole que détenait Netscape il y a un an à peine, et les choses n'iront pas en s'améliorant du côté

Explorer (*http://www.microsoft.com/ie_intl/fr*) • Microsoft (*http://www.microsoft.com*)

de Netscape. C'est une des raisons pour lesquelles cette dernière favorise les clients commerciaux et l'intranet avec le *Communicateur*.

L'*Explorer* permet un jumelage total avec l'environnement Windows95, car il est possible de visualiser les fichiers et les répertoires de votre disque rigide aussi facilement que vous le feriez pour une page Web. Et si vous pouvez visualiser vos fichiers, il est également possible de faire démarrer les applications que vous avez utilisées pour les créer. C'est dire qu'en cliquant sur un document créé à l'aide de *Microsoft Word*, cette dernière sera lancée automatiquement avec le contenu du fichier en question.

Pour ce qui concerne les autres possibilités de l'*Explorer*, on se fie sur des applications externes pour traiter le courrier électronique, pour accéder aux nouvelles Usenet, pour effectuer la création de pages Web et pour participer à des téléconférences. C'est le même principe qu'avec Netscape, sauf qu'*Explorer* nous donne la possibilité de choisir chacune des applications externes.

L'*Explorer* est traduit dans une multitude de langues et s'adapte à toutes les plateformes. Cependant, l'arrivée de nouveaux produits ne se fait pas au même moment pour tous les environnements. On verra ainsi un nouveau produit pour Windows95 ou WindowsNT être lancé sur le marché quelques mois avant son pendant Macintosh.

Les possibilités d'utilisation de l'*Explorer* sont telles qu'il est impossible de toutes les approfondir. On effectuera néanmoins, ici, une excellente entrée en matière pour le débutant et l'intermédiaire. Si vous ne trouvez pas une précision sur une fonction de l'*Explorer* dans les pages qui suivent, je vous invite à consulter les rubriques **Contenu et Index** ou **Didacticiel** dans le menu déroulant **?**. Partons maintenant à la découverte d'Internet en compagnie de l'*Explorer*.

3.5.1   Installation de l'Explorer

Ce logiciel est offert gratuitement. Vous pouvez vous le procurer directement depuis Internet à partir du site **Explorer 4.0 de Microsoft**. Mais préparez-vous à un bon délai d'attente, car la taille du programme complet tourne autour des 25 Mega-octets. Votre fournisseur Internet risque de vous offrir le logiciel sur cédérom à peu de frais. Une autre alternative pour se procurer l'*Explorer* consiste à acheter le système d'exploitation Windows95, auquel il est jumelé sans frais supplémentaires.

Explorer 4.0 de Microsoft (*http://www.microsoft.com/ie_intl/fr/ie40*)

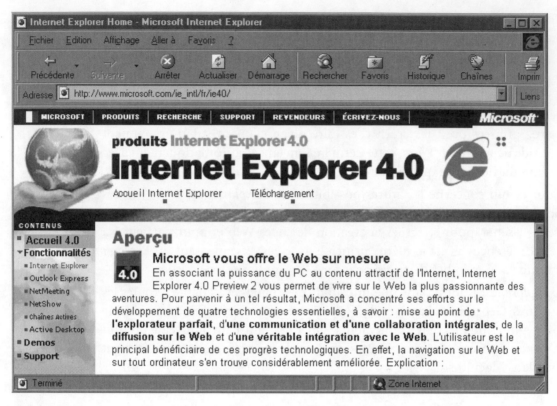

Figure 3.61
La page de l'Explorer 4.0

Vous devez exécuter le programme *ie4setup.exe*, qui se chargera d'installer l'*Explorer* depuis Internet ou à partir du cédérom. Le programme d'installation vous posera quelques questions auxquelles vous devrez répondre. Assurez-vous de bien lire le contrat d'utilisation de ce logiciel, car l'installateur vous demandera d'en accepter, ou non, les termes. Vous devrez également indiquer dans quel répertoire le logiciel sera installé. Une fois que l'installation est terminée, vous devez fermer toutes vos applications et redémarrer votre ordinateur afin que les modifications apportées prennent effet.

Dès le démarrage, vous verrez que l'aspect des icônes et des chemises du système d'exploitation Windows95 a changé quelque peu. Leurs titres sont maintenant soulignés, et les fenêtres de programmes sont maintenant équipées de barres d'outils de navigation, tout comme celles que l'on trouve dans l'*Explorer*. Tout cela dans le but de vous offrir un accès direct et rapide au Web à partir de n'importe quel point de votre bureau de travail électronique.

3.5.2 Une exploration de l'Explorer

Commençons maintenant à nous familiariser avec l'interface de base de l'*Explorer*. D'emblée, on peut s'apercevoir que la plus grande partie de l'écran est utilisée pour afficher le contenu d'une page Web. On trouve une barre d'état dans la partie inférieure de l'écran, qui nous donne des informations sur l'état de transfert du document actuel. Finalement, on trouve dans la partie supérieure de l'écran plusieurs barres d'outils ainsi qu'une série de menus déroulants.

Légende

1. Titre du document
2. Menus déroulants
3. Barre d'outils de navigation
4. Barre d'outils d'adresse
5. Barre d'outils personnalisée
6. Barre de défilement vertical
7. État de transfert du document
8. Zone de sécurité
9. Fenêtre d'affichage du document
10. Liens hypertextes vers d'autres documents

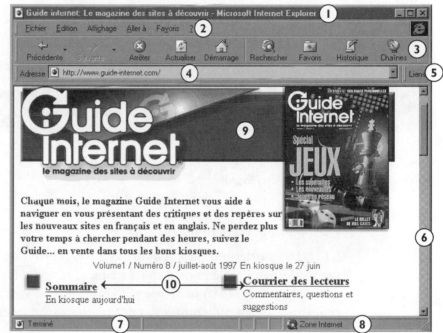

Figure 3.62
Interface de l'Explorer 4.0

CHAPITRE 3

Les menus déroulants contiennent une multitude de fonctions, qui servent à régler les différents paramètres de votre navigation et qui permettent d'effectuer les opérations de gestion usuelles, telles la sauvegarde et l'impression. Le titre du document Web est affiché complètement en haut de l'écran. Les barres d'outils offrent des accès rapides à la majorité des fonctions de l'*Explorer*.

Comme c'est le cas pour la majorité des produits de Microsoft, vous pouvez déplacer n'importe quelle barre d'outils en cliquant sur celle-ci de façon continue et en la déplaçant vers l'endroit désiré. Regardons maintenant les outils de la barre de navigation.

Légende

1. Début de la barre d'outils

2. Visualisation du document précédent ou suivant

3. Visualisation de la liste des documents précédents ou suivants

4. Arrêt du transfert d'un document

5. Rechargement depuis le serveur du document actuel

6. Retour au document affiché au démarrage

7. Accès à une page de recherche dans Internet

8. Accès aux documents favoris (signets)

9. Accès à l'historique des déplacements

10. Accès aux chaînes de diffusion

11. Impression du document

12. Modification de la police de caractères

13. Accès au courrier électronique

14. Accès à l'éditeur HTML

Figure 3.63
Barre d'outils de navigation de l'Explorer 4.0

Document précédent ou suivant

L'*Explorer* garde une trace à court et à long terme de tous vos déplacements dans Internet. La mémoire à court terme se rappelle les déplacements effectués durant la présente séance de travail. Ainsi, vous pouvez avancer ou reculer dans cet historique en utilisant un des deux boutons suivants:

→ Les raccourcis pour avancer et pour reculer dans l'historique sont **CTRL**+ → et **CTRL**+ ← dans Windows et **Pomme**+ → et **Pomme**+ ← sur le Macintosh.

Liste des documents suivants ou précédents

Pour accélérer le déplacement vers un site déjà visité, vous pouvez cliquer sur une des deux flèches des boutons suivant ou précédent; ce sont les flèches qui pointent vers le haut et vers le bas. Vous verrez apparaître un menu déroulant dans lequel se trouve une liste de sites déjà visités. Cliquez-en un pour le voir affiché sur l'écran.

Arrêt du transfert d'un document

Il arrive qu'on clique sur un lien par inadvertance ou que le temps de transfert trop long d'un document nous décourage au point qu'on ne désire plus le voir. Le bouton d'arrêt remédie à cette situation en stoppant le transfert.

→ La touche *Échap* sert de raccourci pour arrêter le transfert d'un document.

Rechargement d'un document

Cliquez sur ce bouton pour demander une nouvelle version du document affiché. L'*Explorer* garde en réserve quelques documents visités au cas où vous voudriez y revenir. Cette stratégie vous évite de transférer une copie d'un document à chaque fois. Cependant, si les données du document sont de nature à être modifiées rapidement, vous n'aurez pas accès à ces modifications. Il faut donc préciser à l'*Explorer* d'aller en chercher une nouvelle copie en appuyant sur ce bouton.

→ Le raccourci pour recharger un document est **CTRL+R** dans Windows et **Pomme+R** sur le Macintosh.

Document affiché au démarrage

Appuyez sur ce bouton pour revenir à votre point de départ. L'utilisatieur peut modifier ce dernier en sélectionnant l'option *Options...* du menu déroulant *Affichage*. Le champ en question se nomme *Adresse* et se trouve sous l'onglet *Général*.

Recherche dans Internet

Ce bouton affiche une liste d'engins de recherche qui vous permettent de retrouver des documents dans Internet.

Accès aux signets, à l'historique, aux chaînes de diffusion, au courrier électronique et à l'éditeur HTML

L'utilité de ces fonctions vous sera expliquée plus en détail un peu plus loin.

Légende

1. Début de la barre d'outils d'adresse

2. Signet amovible

3. Adresse URL du document

4. Liste des sites visités

5. Début de la barre d'outils de liens

6. Liens vers des sites Internet

Figure 3.64
Barre d'outils d'adresse et de liens de l'Explorer 4.0

Le signet amovible

Vous pouvez transférer l'adresse URL d'un document facilement et rapidement en cliquant de façon continue sur son signet amovible et en le déplaçant vers l'endroit désiré. Cet endroit peut être dans la chemise de vos sites préférés ou sur le mot *Liens* de la barre d'outils d'adresse pour l'y insérer.

Adresse URL du document

En plus d'y voir l'adresse URL complète du document affiché, vous pouvez inscrire dans cette case une adresse quelconque et, après avoir appuyé sur la touche *Retour,* voir apparaître le document y étant associé.

La barre d'outils de liens

Vous trouvez dans cette barre des boutons représentant des sites d'intérêts. L'utilisateur peut la modifier soit en y insérant une nouvelle adresse avec le signet amovible d'un document, soit en accédant à la fonction *Signet (Sites préférés)* de la barre d'outils de navigation. Les opérations de gestion pour chacun de ces boutons sont accessibles en cliquant sur l'un d'eux avec le bouton droit de la souris pour Windows ou de façon continue pour Macintosh. Vous pouvez ainsi modifier, imprimer, déplacer ou simplement détruire le bouton sélectionné.

3.5.3 La configuration de l'Explorer

La configuration du logiciel *Explorer 4.0* se fait en insérant les paramètres de certains serveurs Internet à l'intérieur d'une série d'écrans auxquels on accède en sélectionnant l'option *Options...* du menu déroulant *Affichage*. Une fenêtre apparaît dans laquelle vous trouvez des boîtes à onglets.

→ Pour afficher le contenu d'une de ces boîtes, cliquez sur son onglet.

Légende

1. Onglet sélectionné
2. Onglets supplémentaires
3. Page de démarrage
4. Gestion des fichiers temporaires
5. Gestion de l'historique

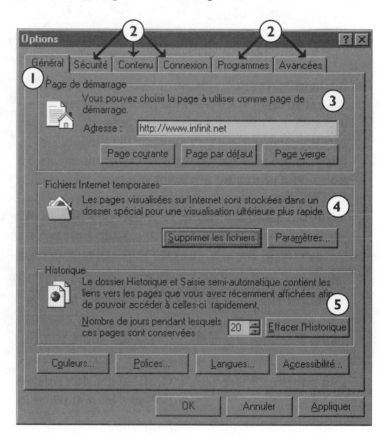

C
H
A
P
I
T
R
E

3

Figure 3.65
Onglet Général de l'Explorer 4.0

→ **Onglet Général**

Vous pouvez indiquer à l'*Explorer* la page qui sera affichée au démarrage dans la case *Adresse*. Il est possible de désigner la *Page courante*, la *Page par défaut* (celle de Microsoft) ou une *Page vierge* comme document de départ en cliquant sur le bouton approprié.

La boîte *Fichiers Internet temporaires* permet à l'internaute d'effectuer la gestion des fichiers temporaires ou, encore, de la mémoire cache à long terme. On y retrouve les paramètres permettant de fixer la taille de la mémoire cache et son emplacement sur votre disque rigide. Sa taille ne devrait pas dépasser 10 % de votre disque rigide, et même moins si ce dernier contient moins de 200 Mega-octets de données. Si vous manquez d'espace, vous pouvez facilement *Supprimer les fichiers* et réduire la taille de votre cache en cliquant sur *Paramètres.*

La boîte de l'*Historique* contient l'information concernant le nombre de jours pendant lesquels votre logiciel doit garder en mémoire les adresses et le contenu des pages visitées auparavant. Je trouve cette fonction joliment intéressante car, avec celle-ci, vous pouvez rapidement accéder à un site visité il y a de cela quelques jours. Si vous disposez de beaucoup d'espace dans votre cache, ne vous limitez pas quant au nombre de jours.

→ **Onglet Sécurité**

L'*Explorer 4.0* possède la particularité d'offrir des zones de sécurité. Le logiciel vous indique, dans le coin inférieur droit de son interface, à quelle zone le document Web actuel appartient. Vous pouvez déterminer l'appartenance d'un site à une zone dans l'onglet *Sécurité*. Choisissez une des quatre zones disponibles et insérez l'adresse du site en question. La seule zone où il est impossible d'ajouter un site est celle qui s'appelle **Internet**, car elle englobe les trois autres. La zone **Intranet** est utilisée pour signaler les serveurs à l'intérieur de votre organisme qui sont accessibles uniquement par vos membres. La zone des **sites de confiance** dénote les lieux dans Internet qui ont prouvé leur identité et qui ont gagné votre confiance. Finalement, vous pouvez créer une liste noire des sites douteux à l'aide de la zone des **sites sensibles**.

L'internaute fixe le comportement du logiciel lorsqu'il rencontre un site inclus dans une zone quelconque. Les niveaux vont de **Bas**, où vous permettez au serveur de déposer à peu près n'importe quoi sur votre ordinateur, jusqu'à **Haut**, où aucun élément dangereux, comme un *cookie,* un programme Java ou JavaScript, ne sera déposé sur votre ordinateur. Finalement, vous pouvez personnaliser le niveau de sécurité en cliquant sur *Paramètres,* mais son réglage ne devrait être entrepris que par des initiés d'Internet.

Légende

1. Onglet sélectionné
2. Onglets supplémen-
   taires
3. Zones de sécurité
4. Niveaux de sécurité

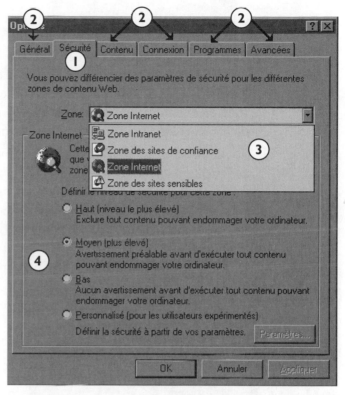

Figure 3.66
Onglet Sécurité de l'Explorer 4.0

→ **Onglet Contenu**

Vous trouverez sous cet onglet les paramètres nécessaires pour contrôler l'accès à des sites douteux et pour gérer les certificats d'identité, qui deviendront bientôt un fait accompli dans Internet. Commençons par le contrôle de l'accès à des sites contenant du matériel que vous ne désirez pas voir afficher. Vous pouvez vouloir le faire afin de contrôler ce que vos enfants voient dans Internet. Le service de contrôle <u>**RSAC (Recreational Software Advisory Council on the Internet)**</u> offre un moyen permettant de juger si un site contient du matériel potentiellement offensant. C'est l'administrateur d'un site qui doit faire la démarche de s'enregistrer auprès du RSAC, qui lui donnera en revanche un code spécial qu'il pourra insérer dans ses pages Web. L'*Explorer* reconnaît ce code et vérifie s'il a la permission d'afficher le document. Il existe quatre catégories, soit: langue, nudité, sexe et violence. Pour chacune de celles-ci, on peut fixer le

<u>RSAC (Recreational Software Advisory Council on the Internet)</u> (*http://www.rsac.org*)

niveau toléré. Si un site donné affiche une cote incompatible avec ces réglages, l'*Explorer* avertira l'utilisateur. Si celui-ci ne possède pas le mot de passe adéquat, il ne pourra y avoir accès. Je vous invite à visiter le site du **RSAC** afin d'obtenir plus de renseignements. Il faut noter que cette stratégie n'est pas valable si un site n'est pas enregistré auprès du RSAC. C'est pourquoi les logiciels spécialisés qui contrôlent tout ce qui entre dans votre ordinateur par Internet demeurent une meilleure solution si vous voulez absolument effectuer une surveillance adéquate.

La boîte des **Certificats** permet à l'internaute de décider des organisations auxquelles il fait confiance pour valider l'identité d'un second site. Ces certificats sont utilisés dans le cadre de transactions commerciales avec un fournisseur dans Internet. L'internaute peut également se doter d'un certificat auprès d'une des organisations fichées dans cette fenêtre. Certains fournisseurs peuvent refuser de faire des affaires avec vous si vous n'en possédez pas un, mais ils sont peu nombreux pour l'instant. L'obtention de ce certificat coûte environ une cinquantaine de dollars. L'*Explorer* est doté automatiquement du certificat électronique dès que l'organisme responsable de les authentifier vous le fait parvenir.

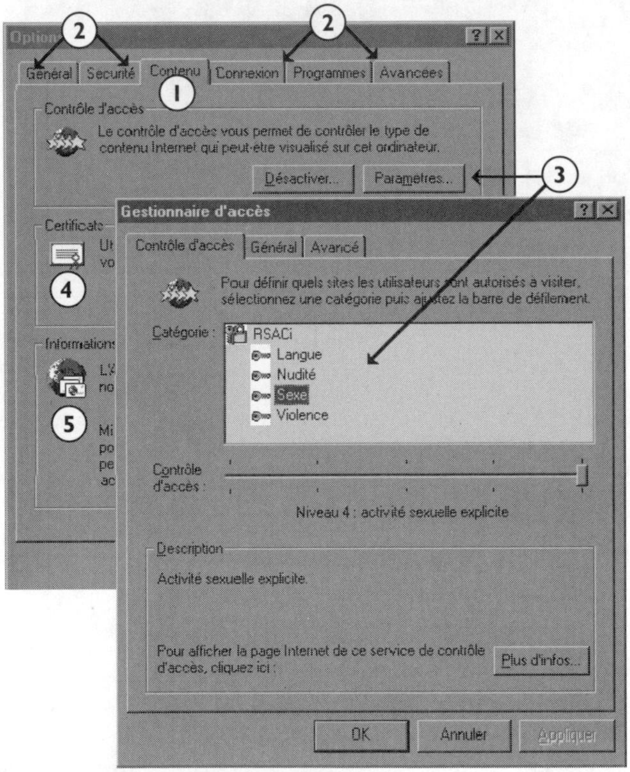

Légende

1. Onglet sélectionné
2. Onglets supplémentaires
3. Contrôle d'accès
4. Gestion des certificats
5. Informations personnelles

Figure 3.67
Onglet Contenu de l'Explorer 4.0

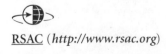

RSAC (*http://www.rsac.org*)

→ **Onglet Connexion**

Il est possible de déterminer la méthode pour se brancher à Internet à partir de cet onglet. De plus, vous pouvez configurer la connexion modem en utilisant l'*Assistant de connexion*. Il est finalement possible d'indiquer l'adresse d'un serveur pare-feu, si votre ordinateur est situé dans un réseau local qui est à la fois branché à Internet et protégé contre les accès venant d'Internet.

→ **Onglet Programmes**

Vous pouvez indiquer sous cet onglet les logiciels qui seront utilisés par l'*Explorer* pour traiter le courrier électronique, les nouvelles Usenet et les télé-conférences. Des logiciels sont fournis par défaut avec l'*Explorer* pour utiliser ces ressources. Je vous suggère plutôt d'opter pour <u>Eudora</u> pour ce qui est du courrier électronique. Je parle de ce logiciel au chapitre 2.

→ **Onglet Avancés**

Les paramètres qui se trouvent sous cet onglet sont réservés aux initiés d'Internet qui connaissent assez bien les termes techniques de l'environnement Web. La gestion de ces paramètres est simple. Vous dites à l'*Explorer* quels sont les éléments qu'il peut transférer, ou non, sur votre ordinateur. Parmi les catégories d'éléments, on trouve les ressources multimédias, les éléments propres à la navigation, les protocoles sécuritaires, les actions permises par un programme Java et la version du protocole HTTP privilégiée.

3.5.4 **La navigation et l'historique des documents**

L'*Explorer* s'ouvre en affichant la page de démarrage. Référez-vous à la section précédente pour modifier cette page. Vous pouvez consulter n'importe quel document dans Internet si vous possédez son adresse URL. Plusieurs choix s'offrent à vous pour inscrire cette adresse.

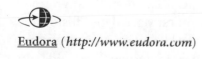

<u>Eudora</u> (*http://www.eudora.com*)

Figure 3.68
Ouverture d'un document dans Explorer 4.0

Légende

1. Inscription d'une adresse URL

2. Menu déroulant incorporant les derniers sites visités

3. Accès à un gestionnaire de fichiers

→ Pour consulter un document, inscrivez son adresse dans la case *Adresse* de la barre d'outils d'adresse.

→ Vous pouvez également utiliser le raccourci **CTRL+O** pour Windows ou **Pomme+O** pour Macintosh. Cela fera apparaître une fenêtre dans laquelle vous pourrez inscrire votre adresse. Cette fenêtre possède un menu déroulant qui permet de consulter rapidement les sites visités dernièrement. Finalement, le bouton *Parcourir* affiche un gestionnaire de fichiers avec lequel vous pouvez sélectionner un fichier HTML logé sur votre disque rigide.

Historique de vos déplacements à court terme

Durant une session avec l'*Explorer,* les sites que vous visitez sont gardés en mémoire sur une liste. Les outils *Document précédent* et *Document suivant* dans la barre d'outils de navigation sont utilisés pour vous déplacer à l'intérieur de cette liste. Cet historique est dit à «court terme», car la liste disparaît dès que vous arrêtez votre *Explorer.* Elle se trouve dans le menu déroulant *Fichier,* et vous pouvez accéder à n'importe quel document en le sélectionnant.

Historique de vos déplacements à long terme

Je vous ai induit en erreur! Le signalement des sites constituant l'historique à court terme ne se volatilise pas lorsque vous fermez l'*Explorer.* Il est vrai que l'historique à court terme est vidé, mais son contenu est versé dans l'historique à long terme. Celui-ci contient le signalement de tous les sites visités depuis un certain temps. Cette période est déterminée par l'internaute à l'aide du paramètre *Historique,* qui est situé sous l'onglet *Général.* Les onglets de configuration se trouvent dans l'option *Options* du menu déroulant *Affichage.*

→ Pour accéder au contenu de l'historique à long terme, cliquez sur le bouton *Historique* de la barre d'outils de navigation ou sélectionnez *Historique* dans l'option V*olet d'exploration* du menu déroulant *Affichage.*

Légende

1. Bouton «Historique»
2. Fenêtre de l'historique
3. Fenêtre du document

4. Arborescence chronologique des déplacements

5. Sites visités
6. Documents visités
7. Document sélectionné

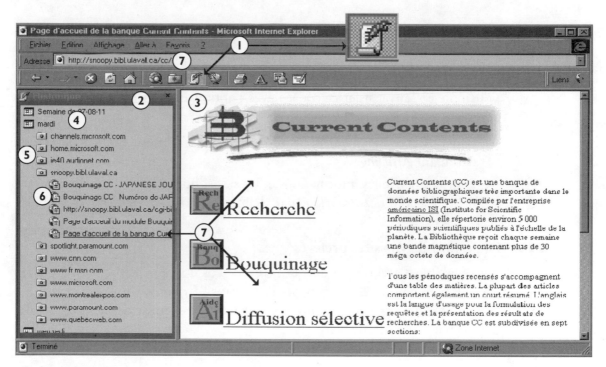

Figure 3.69
Consultation de l'historique de l'Explorer 4.0

Une fenêtre s'ouvre à même votre navigateur lorsque vous consultez l'historique de vos déplacements. Dans celle-ci, vous trouverez une arborescence chronologique de vos déplacements. Pour chaque jour que vous passez dans Internet, une chemise est créée, laquelle s'ouvre en cliquant deux fois sur celle-ci pour révéler de nouvelles chemises représentant les sites visités. Finalement, vous pouvez visionner les documents consultés sur ceux-ci en cliquant dessus deux fois. Il ne vous reste plus qu'à sélectionner le document désiré par la suite.

Il est possible de détruire une partie ou la totalité de l'historique en cliquant avec le bouton droit de la souris sur les icônes représentant la semaine, la journée ou le site. Avec Macintosh, cliquez de façon continue sur l'icône désirée. Un menu s'affiche dans lequel vous pouvez sélectionner l'option *Supprimer l'élément de l'historique*. Le signalement d'un document ne peut être détruit.

→ Pour effacer le contenu complet de l'historique, cliquez sur *Effacer l'historique* sous l'onglet *Général*. Les onglets se trouvent sous *Options* dans le menu déroulant *Affichage*.

3.5.5 Informations d'un document

Chaque document que vous transférez sur votre ordinateur possède un fichier source dans lequel se trouve le codage HTML utilisé pour sa représentation. Vous pouvez sauvegarder ce codage avec l'option *Enregistrer sous...* du menu déroulant *Fichier*.

→ Pour afficher uniquement le codage, utilisez l'option **Source** du menu déroulant *Affichage*.

→ Pour connaître les informations et les statistiques vitales du document affiché, sélectionnez *Propriétés* dans le menu déroulant *Fichier*.

3.5.6 La gestion de vos sites préférés

Il est possible d'archiver les adresses URL de vos documents préférés. C'est un concept bien connu des navigateurs Web. Dans l'*Explorer*, vous pouvez emmagasiner des adresses à deux endroits, soit dans votre chemise de sites préférés ou dans la barre d'outils de liens.

La chemise de sites préférés

Vous pouvez consulter vos sites préférés en cliquant sur le bouton *Accès aux documents préférés* de la barre d'outils de navigation: c'est l'icône qui représente une chemise avec une étoile au centre. Vous pouvez également choisir *Favoris* à partir de l'option *Volet d'exploration* du menu déroulant *Affichage*. De la même manière qu'avec l'affichage de l'historique, une fenêtre s'ouvre à même le navigateur illustrant vos sites préférés.

→ Ajoutez un site ou un document à la liste de vos favoris en l'affichant préalablement dans votre navigateur. Ensuite, cliquez de façon continue sur le signet amovible dans la barre d'outils d'adresse et faites-le glisser dans votre chemise de sites préférés au bon endroit. Vous pouvez également sélectionner l'option *Ajouter aux favoris* du menu déroulant *Favoris*.

→ La modification ou le retrait d'un site de votre liste de favoris s'effectue en cliquant sur celui-ci avec le bouton droit de la souris dans Windows ou de manière continue sur le Macintosh. Un menu s'affiche dans lequel vous trouvez les options *Modifier, Renommer, Supprimer* et quelques autres, telles *Ouvrir* et *Imprimer*. Notons que l'option *Modifier* implique une modification du codage HTML utilisé pour la représentation du document.

→ Pour modifier l'ordre de présentation de vos sites préférés et de vos dossiers, cliquez sur un élément désiré de façon continue et déplacez-le vers l'endroit voulu.

→ Créez une chemise de sites en sélectionnant l'option *Nouveau dossier...* du menu déroulant *Fichier*.

La barre d'outils de liens

Cette barre d'outils est généralement située à droite de la barre d'outils d'adresse. Vous y trouvez vos sites préférés sous la forme de boutons sur lesquels vous pouvez cliquer afin d'y accéder. Les sites qui font partie de cette barre d'outils figurent dans la chemise **Liens** à l'intérieur de vos sites préférés. Ils sont donc assujettis aux mêmes règles que les sites préférés. Rappelons que vous pouvez ajouter le document actuel à cette barre d'outils simplement en cliquant sur le signet amovible de ce dernier de façon continue et en le déplaçant dans la barre d'outils de liens.

3.5.7 **Le courrier électronique et les nouvelles Usenet avec l'Explorer**

Pour ce qui est du courrier électronique, je décris exhaustivement l'utilisation du logiciel <u>Eudora</u> *(http://www.eudora.com)* au chapitre 2. Ce logiciel est, à mon avis, le meilleur sur le marché. En ce qui concerne les nouvelles Usenet, je ferai le tour complet des capacités d'un lecteur de nouvelles au chapitre 5. L'*Explorer* vous offre la possibilité d'utiliser les logiciels de votre choix pour

<u>Eudora</u> *(http://www.eudora.com)*

traiter chacune de ces ressources Internet. Ces paramètres sont fixés en consultant l'onglet *Programmes* situé dans les *Options* du menu déroulant *Affichage*.

Cependant, il y a fort à parier que votre *Explorer* vous sera remis avec le logiciel *Outlook Express*. Ce logiciel se débrouille fort bien pour traiter le courrier électronique et les nouvelles Usenet. Un bon guide de l'utilisateur est accessible à même le logiciel lorsque vous sélectionnez l'option *Rubriques d'aide* du menu déroulant **?**.

Voici tout de même quelques-unes des fonctions de base du logiciel *Outlook Express*. Vous serez ainsi capable de partir du bon pied et d'effectuer les opérations de base relativement au traitement du courrier électronique et des nouvelles Usenet.

Réglage des adresses de serveurs

→ Sélectionnez l'option *Comptes...* du menu déroulant *Affichage*.

→ Inscrivez l'adresse de votre serveur de nouvelles sous l'onglet *News* en cliquant sur *Ajouter...News...*

→ Inscrivez l'adresse de votre serveur de courrier et votre adresse de courrier électronique en cliquant sur *Ajouter...Courrier...*

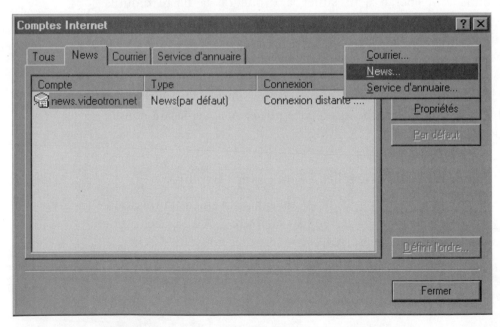

Figure 3.70
Réglage des serveurs de courrier et de nouvelles dans Outlook Express

Récupération et envoi de vos messages électroniques

Choisissez l'une de ces options:

→ Sélectionnez l'option *Envoyer et recevoir* du menu déroulant *Outils*.

→ Cliquez sur le bouton *Envoyer et recevoir* dans la barre d'outils.

→ Utilisez le raccourci **CTRL+M** dans Windows ou **Pomme+M** sur le Macintosh.

Rédaction d'un nouveau message

Choisissez l'une de ces options:

→ Sélectionnez l'option *Nouveau message* du menu déroulant *Message*.

→ Cliquez sur le bouton *Composer un message* dans la barre d'outils.

→ Utilisez le raccourci **CTRL+N** dans Windows ou **Pomme+N** sur le Macintosh.

Réponse et transfert d'un message

Après avoir sélectionné le message en cliquant sur celui-ci une ou deux fois, choisissez l'une de ces options:

→ Sélectionnez un des modes de réponses situés dans le menu déroulant *Message*.

→ Cliquez sur un des boutons désirés dans la barre d'outils.

→ Utilisez le raccourci **CTRL+R** dans Windows ou **Pomme+R** sur le Macintosh pour **répondre à l'expéditeur**.

→ Utilisez le raccourci **CTRL+Maj+R** dans Windows ou **Pomme+Maj+R** sur le Macintosh pour **répondre à tous les destinataires**.

→ Utilisez le raccourci **CTRL+F** dans Windows ou **Pomme+F** sur le Macintosh pour **transférer votre message à un autre destinataire**.

Gestion de votre courrier à l'aide des chemises de courrier

Par défaut, votre courrier est acheminé directement dans la chemise de réception. Vous pouvez tout de même créer de nouvelles chemises pour classer vos messages lus. Ces chemises apparaissent à gauche de votre écran.

→ Sélectionnez *Dossier...* dans le menu déroulant *Fichier* pour la création et la modification de chemises.

→ Pour détruire un dossier, cliquez sur celui-ci avec le bouton droit de votre souris dans Windows ou de façon continue sur le Macintosh. Un menu apparaît contenant l'option *Supprimer*.

Élimination d'un message de votre courrier électronique

Après avoir sélectionné le message en cliquant une fois sur ce dernier, choisissez l'une de ces options:

→ Glissez-le dans la corbeille située à droite.

→ Appuyez sur la touche *Suppr* de votre clavier.

Gestion de votre liste d'abonnement de groupes Usenet

Choisissez l'une de ces options:

→ Sélectionnez l'option *Groupes de discussion* du menu déroulant *Outils*.

→ Sélectionnez l'icône *Groupes de discussion* dans la barre d'outils.

→ Cliquez sur une des icônes représentant un serveur de nouvelles à gauche de l'écran.

Transfert des nouveaux messages Usenet

Choisissez l'une de ces options:

→ Sélectionnez l'option *Transférer tout* dans le menu déroulant *Outils*.

→ Utilisez le raccourci **CTRL+Maj+M** dans Windows ou **Pomme+Maj+M** sur le Macintosh.

Lecture de messages d'un groupe Usenet

→ Ouvrez un des groupes de discussion.

→ Cliquez deux fois sur un message qui vous intéresse.

Réponse à un message Usenet

Sélectionnez le message préalablement en cliquant sur celui-ci une ou deux fois pour l'afficher.

→ Sélectionnez un des modes de réponse situés dans le menu déroulant *Message*.

→ Cliquez sur un des boutons désirés dans la barre d'outils.

→ Utilisez le raccourci **CTRL+R** dans Windows ou **Pomme+R** sur le Macintosh pour **répondre à l'auteur par le courrier électronique**.

→ Utilisez le raccourci **CTRL+G** dans Windows ou **Pomme+G** sur le Macintosh pour **répondre dans le groupe de nouvelles Usenet**.

→ Utilisez le raccourci **CTRL+F** dans Windows ou **Pomme+F** sur le Macintosh pour **transférer votre message à un autre destinataire** par le courrier électronique.

3.5.8 Les téléconférences du NetMeeting

Vous pouvez atteindre le module *NetMeeting* en sélectionnant l'option ***Appel Internet*** du menu déroulant ***Aller.*** Cette ressource Internet permet de vous entretenir avec une autre personne branchée, elle aussi, au réseau. Vous pouvez communiquer en envoyant ou en recevant un signal vidéo ou audio. Un «Tableau blanc» est disponible avec lequel les deux participants peuvent visionner et modifier la même image en temps réel. Il y a aussi un outil permettant d'initier une séance de bavardage à l'aide du clavier si la performance du réseau rend impossible une conversation de vive voix. Finalement, on trouve un outil pour échanger des fichiers entre les participants. Le *NetMeeting* ressemble beaucoup au logiciel *Conférence* de Netscape. Les fonctions et les capacités des deux applications sont identiques.

Pour effectuer une communication, branchez-vous sur un serveur annuaire et cliquez sur un des utilisateurs présents.

Légende

1. Menus déroulants
2. Barre d'outils de navigation
3. Réglage du microphone
4. Réglage des haut-parleurs
5. Catégorie des utilisateurs affichés
6. Serveur d'adresses dynamiques utilisé
7. Adresse des utilisateurs branchés au serveur
8. Indication de leur capacité audio
9. Indication de leur capacité vidéo
10. Renseignements personnels
11. Onglets

12. État de la communication actuelle

13. Indication d'une communication active

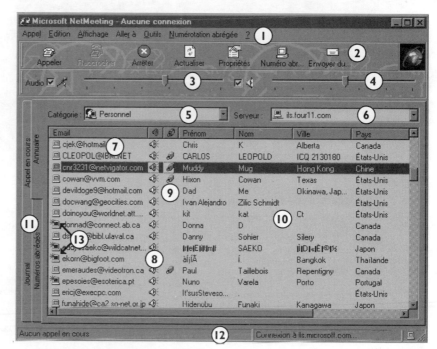

Figure 3.71
Interface de NetMeeting

CHAPITRE 3

Un guide de l'utilisateur est accessible à même le logiciel *NetMeeting*. Vous pouvez le consulter en sélectionnant l'option **Rubriques d'aide** du menu déroulant **?**. À l'intérieur, vous y trouverez les procédures permettant d'effectuer chacune des opérations mentionnées dans le paragraphe précédent.

Il faut noter que, pour effectuer un appel Internet, vous devez être enregistré dans un annuaire dynamique dans Internet qui notera votre adresse IP actuelle ainsi que vos coordonnées de base. Vous pouvez communiquer ensuite avec un interlocuteur si vous connaissez exactement l'adresse IP de son ordinateur ou alors son adresse de courrier électronique, si ce dernier est également inscrit dans un annuaire.

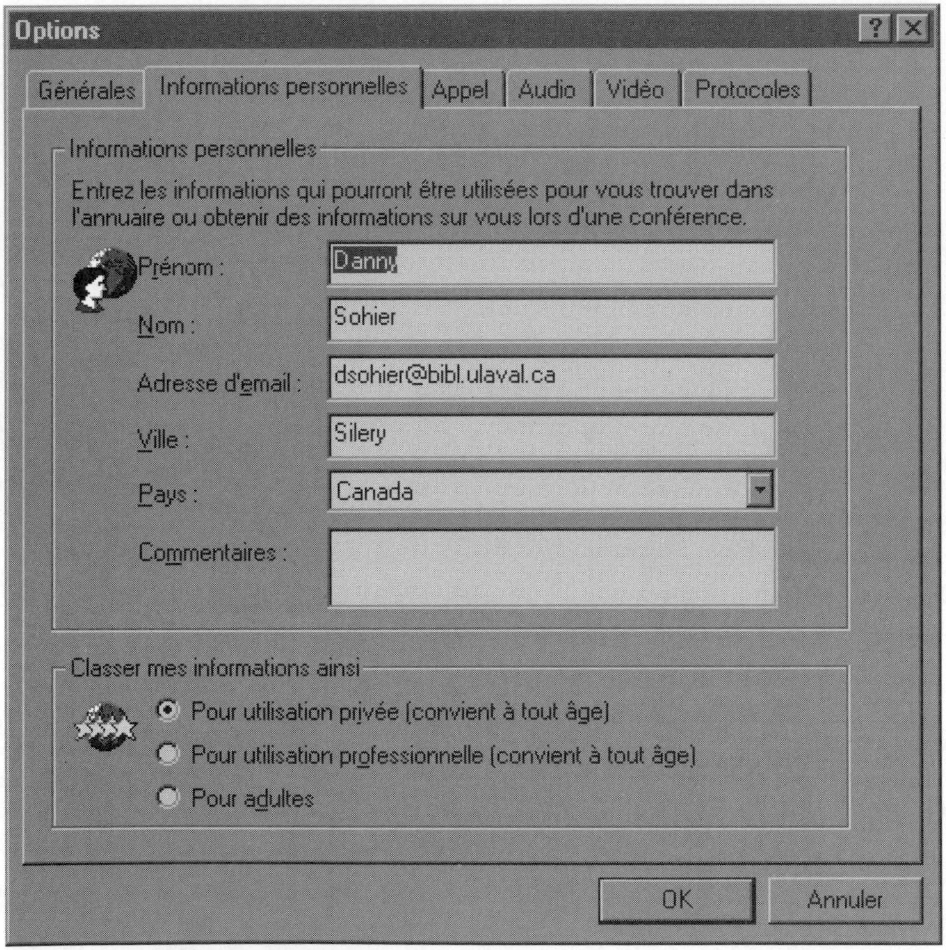

Figure 3.72
Modification de vos informations personnelles dans NetMeeting

Les informations envoyées à votre sujet à l'annuaire dynamique peuvent être modifiées en sélectionnant l'option *Modifier les informations personnelles* du menu déroulant *Fichier*. Chaque onglet de la fenêtre qui apparaît alors permet de régler un aspect important de vos communications en temps réel. Je vous invite à consulter plus particulièrement les onglets suivants:

→ Onglet Informations personnelles

Si vous êtes avare de renseignements propagés à propos de votre personne, c'est sous cet onglet que vous pourrez vous plonger dans la discrétion la plus totale en modifiant les champs désirés.

→ Onglet Appel

Précisez ici auprès de quel annuaire vous désirez être inscrit. Vous pouvez également indiquer à NetMeeting d'ajouter automatiquement tous vos interlocuteurs dans votre carnet d'adresses.

→ Onglets Audio et Vidéo

C'est sous ces onglets que vous pouvez régler les différents paramètres de diffusion et de réception audio et vidéo.

3.5.9 Les chaînes de diffusion

Une chaîne de diffusion est un concept que l'on rencontre dans la technologie du «pousser» (*Push* en anglais). Il s'agit d'un site qui diffuse des informations dans le format HTML, soit le format d'une page Web. Votre *Explorer* vérifie si le site possède de nouvelles informations à vous communiquer selon un horaire que vous avez vous-même fixé. Si c'est le cas, ces informations sont transmises sans qu'on vous le demande. Le type d'informations transmises est déterminé par l'utilisateur. Il existe plusieurs chaînes de diffusion offertes par défaut sur le site de Microsoft. Vous pouvez également ajouter une chaîne si vous connaissez son adresse Internet. Les informations transmises par les chaînes de diffusion peuvent être affichées sur l'écran de trois façons, soit dans une fenêtre de l'*Explorer*, directement sur le bureau de travail ou à l'intérieur d'un écran de veille.

CHAPITRE

3

Abonnement à une chaîne

Une façon de s'abonner rapidement est d'afficher les chaînes offertes par Microsoft. Sélectionnez *Chaînes de diffusion* dans l'option *Volet d'exploration* du menu déroulant *Affichage*. Vous pouvez également cliquer sur le bouton *Chaînes de diffusion* dans la barre d'outils de navigation. Une seconde fenêtre apparaît alors dans votre navigateur Web. Elle contient la description de quelques chaînes.

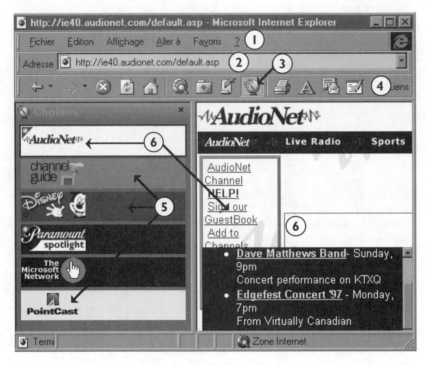

Légende

1. Menus déroulants
2. Adresse de la chaîne sélectionnée
3. Bouton Chaîne de navigation
4. Barre d'outils de navigation
5. Chaînes de diffusion
6. Chaîne sélectionnée

Figure 3.73
Volet des chaînes de diffusion

En cliquant sur une de ces chaînes, vous trouverez, dans la partie de l'écran réservée à l'affichage Web, une description de celle-ci ainsi que des options d'abonnement. Chaque chaîne utilise une méthode d'abonnement différente; vous n'avez qu'à suivre les instructions proposées par l'*Assistant d'installation* de cette dernière.

Un autre moyen est d'utiliser le guide de programmation de Microsoft en cliquant sur la chaîne **Channel Guide** ou **Guide des chaînes**. On vous propose alors des catégories de chaînes. Sélectionnez-en une pour faire afficher une liste de fournisseurs spécialisés. Encore une fois, l'abonnement s'effectue quand vous cliquez sur l'une des chaînes offertes.

La gestion de vos abonnements s'effectue avec un gestionnaire spécialisé. Sélectionnez *Gérer les abonnements* dans l'option *Abonnements* du menu déroulant *Favoris*.

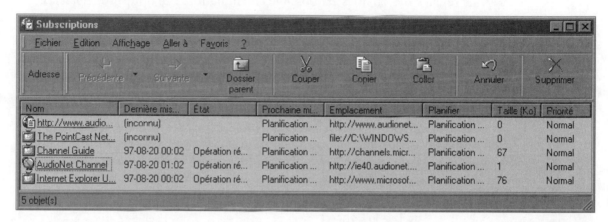

Figure 3.74
Gestionnaire d'abonnements de l'Explorer 4.0

Dès lors, vous pouvez modifier l'horaire des renouvellements pour chacune des chaînes. La destruction d'un abonnement s'effectue en cliquant sur la chaîne en question et en appuyant sur la touche *Suppr* de votre clavier.

Diffusion d'une chaîne dans l'écran de veille

Le contenu d'une chaîne de diffusion peut être affiché par le biais de votre écran de veille. C'est facile; suivez ces quelques instructions:

→ Abonnez-vous à une ou à plusieurs chaînes.

→ Cliquez sur votre bureau de travail avec le bouton droit de votre souris.

→ Cliquez sur l'onglet *Écran de veille* et sélectionnez l'option *Écran de veille des chaînes* dans la liste des écrans de veille.

→ Cliquez sur *Paramètres* pour indiquer la chaîne qui sera diffusée dans votre écran de veille.

Diffusion d'une chaîne dans le bureau électronique (Bureau Web)

Vous pouvez également choisir de diffuser le contenu d'une chaîne directement dans votre bureau. Vous créez ainsi un *Bureau Web* (*WebTop* en anglais).

→ Abonnez-vous à une ou à plusieurs chaînes.

→ Cliquez sur votre bureau de travail avec le bouton droit de votre souris.

→ Cliquez sur l'onglet *Web* et cochez une ou toutes les chaînes qui s'y trouvent.

→ Le réglage des chaînes est possible en cliquant sur le bouton *Propriétés*.

Voici un exemple de Bureau Web. Remarquez les icônes surmontant l'écran: elles demeurent accessibles comme avant. Une caractéristique intéressante est que vous pouvez cliquer sur un des liens hypertextes affichés dans le bureau. Une fenêtre de navigation est alors affichée avec le contenu du document demandé.

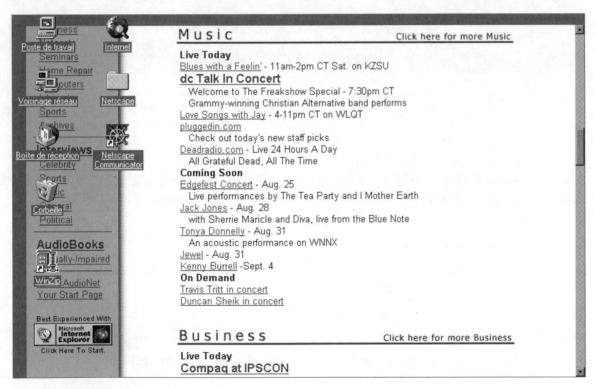

Figure 3.75
Le Bureau Web de l'Explorer 4.0

3.5.10 Le mot de la fin pour l'Explorer

Ouf ;-) Ça en fait, des trucs à se rappeler afin de naviguer dans Internet! L'*Explorer* offre encore plus de possibilités. Je vous invite à consulter son manuel de l'utilisateur en sélectionnant l'option *Contenu et index* du menu déroulant **?**. Vous y trouverez des fonctions additionnelles qui se veulent plus discrètes. Vous venez de voir les points majeurs qui vous permettront de faire une très bonne utilisation de l'*Explorer*. Vous êtes maintenant prêt à naviguer, et je vous montrerai comment le faire dans les prochaines sections.

3.6 LES PLUGICIELS WEB (PLUG-INS)

La mise au point de nouvelles ressources logicielles est en pleine ébullition. Que ce soit de nouvelles normes multimédias ou de nouveaux protocoles pour interroger les bases de données, les nouvelles technologies ont pour but d'améliorer le rapport entre l'ordinateur et l'utilisateur. De l'autre côté de la médaille, il y a la migration vers ces nouvelles technologies qui peut être ardue. De nouvelles versions de logiciels doivent être rédigées chaque fois.

Pour Internet, et particulièrement pour les navigateurs Web, on a trouvé une solution à cette situation agaçante. Les plugiciels Web (modules externes incorporés ou *plug-ins* en anglais) sont des «morceaux» de logiciels qu'on peut greffer au navigateur, lui permettant d'exploiter de nouvelles ressources. Ce scénario fait le bonheur de tout le monde. Les manufacturiers de navigateurs n'ont pas besoin de récrire le code périodiquement pour incorporer les nouveautés. Ils peuvent attendre une bonne période de temps et lancer une version qui regroupe les nouvelles technologies éprouvées. L'utilisateur choisit parmi les plugiciels ceux qui l'intéressent et gagne du temps et de l'espace-disque. Les innovateurs en technologie peuvent commencer à distribuer rapidement leurs produits.

Les plugiciels sont offerts à plusieurs endroits: sur <u>la page des plugiciels</u>, chez les manufacturiers de navigateurs et chez les fabricants de nouvelles technologies. Votre navigateur vous avertit lorsque vous cliquez sur un lien HTML qui nécessite un plugiciel absent de votre ordinateur. Généralement, des informations spéciales apparaissent dans le document Web affiché, qui vous mèneront vers le plugiciel manquant.

<u>la page des plugiciels</u>
(*http://home.fr.netscape.com/fr/comprod/products/navigator/version_2.0/plugins/index.html*)

CHAPITRE 3

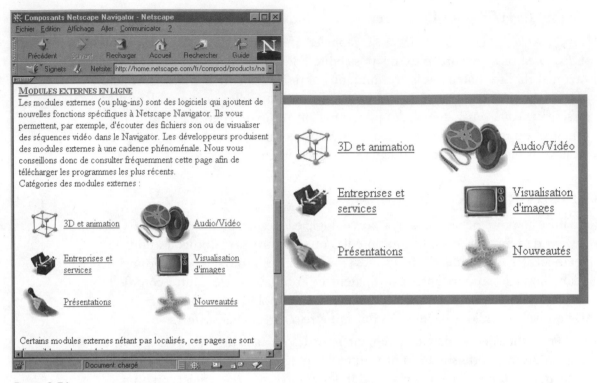

Figure 3.76
Page des plugiciels de Netscape

CAPSULE   Répertoire de plugiciels

Vous retrouvez dans Internet plusieurs sites qui maintiennent à jour des listes de plugiciels...

→ **Le guide PageFrance** (*http://www.pagefrance.com/leguide*)

→ **La page des plugiciels de Netscape** (*http://home.fr.netscape.com/fr/comprod/products/navigator/version_2.0/plugins/index.html*)

→ **Le répertoire «Plug-in» de Yahoo!** (*http://www.yahoo.com/Computers_and_Internet/Software/Internet/World_Wide_Web/Browsers/Plug_Ins*)

→ **Plugin Plaza** (*http://browserwatch.internet.com/plug-in.html*)

→ **Macintosh Plugins** (*http://home.pacific.net.sg/~hattrick*)

→ **Plugins's Gallery** (*http://www2.gol.com/users/oyamada*)

Le *Navigateur* de Netscape vous permet de visualiser la liste des plugiciels installés. Sélectionnez l'option **À propos des modules externes** du menu déroulant **?**. Dans le monde *Microsoft Explorer*, les plugiciels sont utilisés de manière différente, alors que vous les installez simplement sur votre ordinateur, comme tout autre logiciel.

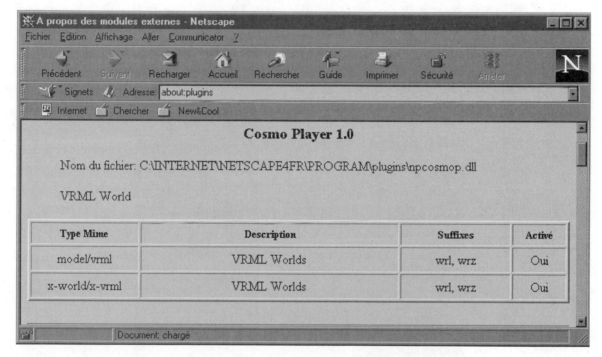

Figure 3.77
Liste des plugiciels installés dans votre navigateur

Vous vous apercevrez que le navigateur reconnaît l'utilisation d'une ressource par son type MIME. Vous pouvez configurer de nouveaux plugiciels en choisissant l'option *Préférences*. Je vous présenterai dans les prochaines sections les plus populaires plugiciels utilisés dans Internet. Il y a une foule de plugiciels qui n'ont pas acquis la notoriété escomptée, et c'est la raison pour laquelle il ne faut pas nécessairement tous les installer dès leur sortie.

3.6.1 Java et JavaScript

Java est une expression anglaise qui désigne une variété de café. On connaît bien le goût marqué des informaticiens pour la caféine, et elle se reflète très bien ici. Je vais tenter d'expliquer l'environnement Java afin que l'utilisateur acquière une notion générale de cette nouvelle entité. D'abord, Java est un langage de programmation. Ce langage se trouve présentement dans une phase agitée de développement visant la production d'une version officielle. Cette nouvelle ressource n'existe que depuis avril 1994, et c'est la compagnie **Sun Microsystems**, important manufacturier de stations de travail Unix, qui en est le maître d'œuvre. Vous pouvez consulter le site Web pour **JAVA** afin de connaître tous les derniers développements à son sujet. Plusieurs compagnies, dont **IBM**, **Microsoft** et **Hewlett-Packard**, tentent de former des alliances stratégiques afin de présenter des versions officielles de ce langage.

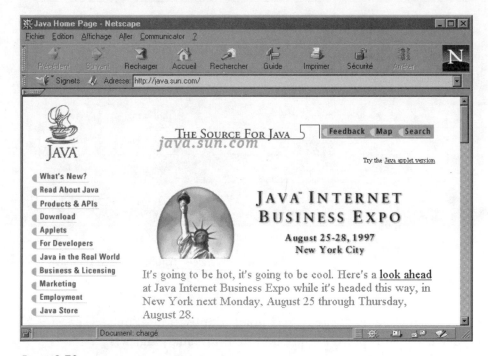

Figure 3.78
Le site Web de JAVA

Sun Microsystems (*http://www.sun.com*) • JAVA (*http://java.sun.com*) • IBM (*http://www.ibm.com*)
Microsoft (*http://www.microsoft.com*) • Hewlett-Packard (*http://www.hp.com*)

La chose importante à savoir pour l'internaute est que le plugiciel Java est inclus dans le *Navigateur* de Netscape depuis la version 2.02. Pour ce qui est de l'*Explorateur* de Microsoft, il y est incorporé depuis la version 3.x. Vous n'avez donc pas de souci à vous faire si vous possédez un de ces deux logiciels. Si vous n'avez pas accès aux programmes Java, un message est affiché sur l'écran de votre navigateur. Dans ce cas, je vous suggère de vous procurer la toute dernière version de votre navigateur Web.

Avec Java, on ajoute la possibilité d'exécuter de petits programmes appelés *applets*, qui permettent l'animation d'éléments sur votre écran et une meilleure interaction avec les formulaires Web. Ces éléments peuvent être un tableau d'affichage électronique du style téléimprimeur déroulant les cours de la Bourse, une petite balle qui rebondit sur les côtés de la fenêtre affichée, ou bien Java peut se résumer à l'entrée d'un paramètre valide dans un formulaire, et ainsi de suite. Les applications sont sans fin. Ces *applets* sont programmés dans un langage que l'on appelle «JavaScript», un langage orienté-objet optimisé pour la création d'applications exécutables et distribuées. Le code «JavaScript» est inclus dans le code HTML d'une page Web. C'est entre les étiquettes <applet> et </applet> qu'on l'incorpore.

```
<applet codebase="applets/NervousText"
        code=NervousText.class
        width=300
        height=50>
<param name=text value="Java, c'est super flash!">
</applet>
```

Une application rédigée en «JavaScript» sur une machine Unix fonctionnera dans n'importe quel autre environnement où l'on retrouve ce plugiciel. Si vous désirez devenir un créateur d'applications Java, consultez le **Tutoriel Java**. Je vous conseille fortement de visiter ce site si vous êtes un passionné de l'informatique et que vous désirez améliorer vos chances d'emploi...

Tutoriel Java (*http://java.sun.com/docs/books/tutorial*)

C
H
A
P
I
T
R
E

3

CAPSULE　　　Ressources Java et JavaScript

→ JavaScript Authoring Guide
(*http://home.netscape.com/eng/mozilla/Gold/handbook/javascript/index.html*)

→ Le guide JavaScript
(*http://ourworld.compuserve.com/homepages/jcastellani*)

→ Introduction au JavaScript (*http://www.ac-grenoble.fr/jmoulin/WWildW/ENCYCLO/JSCRIPT/DIDACT/fscript.htm*)

→ Un cours Java en français (*http://siisg1.epfl.ch/Java/Cours*)

→ Groupe de nouvelles Usenet à propos de Java
(n*ews://comp.lang.java*)

→ Le site de Sun pour la France (*http://www.sun.fr*)

→ Répertoire d'*applets* en version Beta (*http://www.gamelan.com*)

→ Répertoire Yahoo! des ressources Javascript
(http://www.yahoo.com/Computers_and_Internet/Programming_Languages/JavaScript)

Malheureusement, vous ne trouverez pas de conseils de programmation JAVA dans ce livre. Ce sujet est tellement large qu'il fait l'objet de son propre ouvrage. Il en existe plusieurs présentement sur le marché. Je vous propose celui de Bill Joy, James Gosling et Guy Steele intitulé *The Java Language Specification*, une bible écrite par les créateurs du langage.

3.6.2　Le langage «VRML»

«VRML» veut dire *Virtual Reality Modeling Language*. Il s'agit d'un tout nouveau concept visant à faire d'Internet un immense univers de réalité virtuelle hyperlié à l'environnement Web. Rappelez-vous qu'Internet est un lien physique dans lequel on trouve entre autres le Web et, maintenant, l'univers «VRML». Les deux mondes sont étroitement liés en ce sens que vous pouvez visiter un monde virtuel grâce à un plugiciel ajouté à votre navigateur Web.

Imaginez un peu: entrer physiquement à l'intérieur d'un musée sans même quitter votre ordinateur! Vous pouvez sauter dans un autre musée simplement en cliquant sur un lien de type URL (voir section suivante) qui flotte dans les airs sous la forme d'une sphère bleue. Ou bien, entrer dans une pièce où est générée la représentation graphique de personnes et avoir la capacité d'engager une conversation avec celles-ci même si elles se trouvent à des milliers de kilomètres de vous. On pense alors à **Active Worlds** (voir chapitre 8) en trois dimensions et en réalité virtuelle. Ce ne sont que quelques exemples parmi ce que les gourous de cette nouvelle technologie espèrent voir naître d'ici le nouveau millénaire.

C'est à la conférence W3 de Darmstadt, en avril 1995, que le VRML version 1.0 fut adopté non pas comme modèle final, mais bien comme base pour les énormes développements à venir. Cet effort coopératif de volontaires s'est attiré les grâces de nombreuses entreprises de prestige, dont Netscape et Microsoft. À ce jour, une vingtaine d'organisations ont signé des ententes stratégiques afin de développer et de respecter un standard unique, le «VRML». De nombreux sites d'informations se trouvant dans Internet ont pour but d'aider les gens qui veulent en connaître davantage sur ce sujet. Le meilleur point de départ est hébergé par le centre pour superordinateurs de San Diego et porte le nom de **Répertoire VRML**.

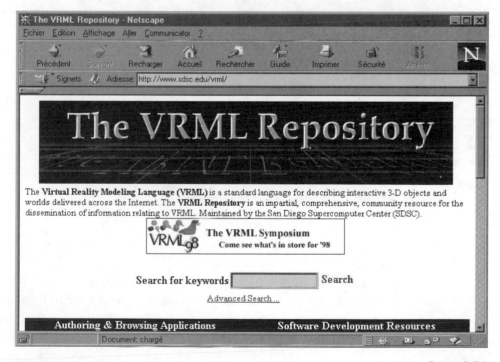

Figure 3.79
Le Répertoire VRML

Active Worlds (*http://www.activeworlds.com*) • Répertoire VRML (*http://www.sdsc.edu/vrml*)

C
H
A
P
I
T
R
E

3

Lorsqu'on entre dans un monde virtuel généré en VRML, on peut avancer, reculer, voler et se déplacer à sa guise afin de voir les différents éléments de notre environnement. Les déplacements se font à l'aide de la souris. On retrouve de plus en plus de ces mondes utilisés sur les sites Web axés sur la promotion. Dernièrement, à l'occasion de la mission martienne **Pathfinder**, les images transmises par la sonde ont été adaptées pour créer plusieurs modèles virtuels. Les analystes de la NASA ont ensuite utilisé ces modèles pour diriger le petit robot Sojourner sur la surface de Mars. Les internautes bénéficient également de cette technologie, car la majorité des modèles virtuels de Mars sont toujours accessibles dans Internet.

Figure 3.80
Le voisinage de la sonde Pathfinder en réalité virtuelle

Deux plugiciels sont présentement au sommet de ce marché. Ils sont gratuits et utilisables avec Macintosh et Windows. Visitez le site Web de **Cosmo**, de la société Silicon Graphics, ou celui de **Live3D**, de la société Netscape, afin de transférer l'un de ces deux logiciels sur votre ordinateur. Démarrez le logiciel et suivez les instructions d'installation. Ensuite, branchez votre navigateur Web vers un monde virtuel, et n'oubliez pas d'aller manger à l'heure du repas...

Pathfinder (*http://mpfwww.jpl.nasa.gov*) • Cosmo (*http://vrml.sgi.com*)
Live3D (*http://home.netscape.com/comprod/products/navigator/live3d*)

CAPSULE   Mondes et ressources VRML

Voici quelques mondes virtuels ouverts aux visites...

→ Planet 9 – plus de 100 villes en VRML (*http://www.planet9.com*)
→ Librairie de molécules de l'Université de New York
  (*http://www.nyu.edu/pages/mathmol/library*)
→ Répertoire VRML de Silicon Graphics (*http://vrml.sgi.com/worlds*)
→ Mars et Pathfinder (*http://mars.sgi.com*)
→ La Lune et la Terre en VRML
  (*http://www.pacificnet.net/~mediastorm/*)
→ Exposition d'objets VRML (*http://www.ocnus.com/models*)

CAPSULE   Rubrique *Yahoo!* des mondes VRML

Rubrique *Yahoo!* des mondes VRML
(VRML*http://www.yahoo.com/Computers_and_Internet/Internet/World
_Wide_Web/Virtual_Reality_Modeling_Language__VRML_/Worlds*)

Voici des informations pour les créateurs et les curieux sur la fabrication
des mondes virtuels:

→ VRML 1.0 et 2.0 en français (*http://apia.u-strasbg.fr/vrml*)
→ Répertoire VRML officiel (*http://www.sdsc.edu/vrml*)
→ Le fourneau VRML (*http://www.mcp.com/general/foundry*)
→ Magazine électronique VRMLSite (*http://www.vrmlsite.com*)
→ Rubrique *Yahoo!* des ressources VRML
  (*http://www.yahoo.com/Computers_and_Internet/Internet/World_
  Wide_Web/Virtual_Reality_Modeling_Language__VRML_*)

230

3.6.3 Shockwave

Shockwave est un produit de la compagnie américaine **Macromedia**, populaire pour son produit de présentation interactive *Director*. Les fichiers produits par ce logiciel sont maintenant accessibles sur le Web avec *Shockwave*. Vous pouvez interagir avec des présentations multimédias en audio et en vidéo. Le plugiciel est gratuit et il est offert pour Macintosh et pour Windows. Le *Navigateur* de Netscape ainsi que l'*Explorateur* de Microsoft sont compatibles avec ce produit. Vous devez transférer ce logiciel à partir du site Web **Shockwave**. Une fois qu'il est transféré, démarrez-le et suivez les instructions d'installation.

À la suite de l'installation, pointez votre navigateur vers la galerie de présentations ShockWave. Un généreux répertoire vous y attend avec des présentations sur les arts, la science, les affaires et les loisirs.

CAPSULE　　　Sites Web pour trouver des présentations Shockwave

→ ShockZone – La galerie de ShockWave
(*http://www.macromedia.com/shockzone*)

→ Shocker! Une autre galerie (*http://www.shocker.com/shocker*)

→ Shockade – Arcade de jeux ShockWave
(*http://www.expanse.com/shockade*)

3.6.4 Mpeg et Quicktime

Commençons avec le standard Mpeg défini par l'Organisation des Standards Internationaux. Le terme Mpeg veut dire *Moving Pictures Experts Group* et représente le groupe de personnes qui définissent et font avancer cette technologie. Un fichier Mpeg incorporé dans un document Web permet de visionner une piste vidéo accompagnée d'audio, lorsque c'est accessible. Cette technologie n'est pas propre à Internet. Cependant, on utilise maintenant ce standard multimédia dans les documents Web. Il existe plusieurs plugiciels dans les navigateurs. Je vous propose le produit gratuit de la compagnie **InterVu**, car il

Shockwave (*http://www.macromedia.com/shockwave*) • Macromedia *(http://www.macromedia.com/fr)*
InterVu *(http://www.intervu.com)*

est disponible pour Windows et pour Macintosh. Vous devez consulter le site Web de la compagnie pour transférer ce logiciel.

> **CAPSULE** Sites Web offrant des ressources Mpeg
>
> → Liste de sites offrant des pistes Mpeg
>   (*http://www.intervu.net/partners/menu.html*)
> → Liste monstre de sites Mpeg
>   (*http://www.islandnet.com/~carleton/monster/monster.html*)
> → Faq Mpeg (*http://www.powerweb.de/mpeg/mpegf.html*)
> → Visites Mpeg dans un trou noir par la NASA
>   (*http://antwrp.gsfc.nasa.gov/htmltest/rjn_bht.htm*)

Quicktime (QT) et *Quicktime VR* (QTVR) sont des produits mis au point par la compagnie **Apple** . Il s'agit du standard multimédia Apple pour la lecture de fichiers multimédias. Cette technologie est incorporée dans la version 7.x du système d'exploitation de Macintosh. Ces fichiers utilisés uniquement dans l'univers Macintosh débordent maintenant sur le Web. Des plugiciels conçus par la compagnie Apple existent maintenant pour Windows95. Le *Navigateur* de Netscape et l'*Explorer* de Microsoft incorporent désormais ce plugiciel. Si vous n'avez pas le plugiciel **Quicktime** sur votre ordinateur, visitez le site pour le transférer.

Quicktime VR est un produit qui permet d'entrer dans des mondes virtuels en trois dimensions. Ce produit est pareil au *VRML*. Ce plugiciel n'est pas installé *de facto* dans les navigateurs. Vous devez vous le procurer en consultant le site Web.

Apple (*http://www.apple.com*) • Quicktime (*http://quicktime.apple.com*)
QuickTime VR (*http://qtvr.quicktime.apple.com*)

CAPSULE   Des exemples d'utilisation de QT et de QTVR

→ Bandes-annonces de films en *Quicktime*
   (*http://film.softcenter.se/flics*)

→ Galerie *QuickTime VR*
   (*http://qtvr.quicktime.apple.com/sam/sam.html*)

→ Galerie *QuickTime* (*http://quicktime.apple.com/sam*)

3.6.5 Crescendo pour les fichiers Midi

Ce produit permet d'écouter un fichier Midi (*Musical Interface for Digital Instruments*) incorporé dans un document Web. Le standard Midi est utilisé par tous les musiciens professionnels pour emmagasiner des pistes musicales dans le format numérique. Ces fichiers font désormais partie de l'univers Web avec *Crescendo*, un produit de la compagnie **Live Update Inc.** On peut écouter un fichier Midi en transfert continu ou en emmagasinant le fichier sur le disque rigide pour une écoute ultérieure. Le produit est compatible avec les navigateurs des compagnies *Netscape* et *Microsoft*, et ce, sur les plateformes Macintosh et Windows. Le plugiciel **Crescendo** est gratuit et disponible sur le site Web de la compagnie.

CAPSULE   Répertoire de sites Web offrant des pistes Midi

→ Le répertoire MIDI de *Live Update*
   (*http://www.liveupdate.com/exper.html*)

→ 1000 sites Midi! (*http://www.liveupdate.com/1000sites.html*)

→ Karaoke Bar (*http://web.access.net.au/~hdumas*)

→ Harmony Central (*http://www.harmony-central.com/MIDI*)

→ Midi World (*http://midiworld.com*)

→ MidiWeb – La communauté Midi (*http://www.midiweb.com*)

→ Archives Midi (*http://www.cs.ruu.nl/pub/MIDI*)

Live Update Inc. (*http://www.liveupdate.com*) • <u>Crescendo</u> (*http://www.liveupdate.com*)

3.6.6 RealPlayer

RealPlayer est un produit de la compagnie Progressive Networks. Ce plugiciel permet la réception d'un signal audio ou vidéo continu sur votre ordinateur. De nombreuses stations de radio et de télévision diffusent des émissions en direct ou en différé. Grâce au plugiciel, on peut capter des émissions à caractère sportif, informatif, social et musical. Visitez le site du **RealPlayer** pour transférer une copie de ce logiciel. Vous trouverez au chapitre 9 du présent livre des explications exhaustives sur l'utilisation du *RealPlayer*.

3.6.7 Les fichiers PDF et l'Acrobat par Adobe

PDF veut dire *Portable Document Format*. Ce standard en est un de la compagnie **Adobe**. Il permet de transmettre des documents créés avec un logiciel de traitement de texte, avec un logiciel de chiffrier, etc., à n'importe quel utilisateur n'utilisant pas les mêmes applications. Il s'agit d'un format de description de pages qui demeure fidèle à la copie originale. On peut lire un document PDF avec le logiciel **Acrobat**. Pour créer ces documents, vous devez posséder la version commerciale d'*Acrobat*. Avec cette dernière, vous n'avez qu'à lui indiquer quel fichier doit être transformé pour qu'il devienne un fichier PDF.

On peut ensuite placer ces documents sur le Web. On les visualise avec le plugiciel **Acrobat**. Ce format est utile, car le format HTML ne permet pas de rendre formellement le concept du créateur d'un document. Les polices de caractères sont différentes d'un ordinateur à l'autre, la dimension de la fenêtre d'affichage n'est pas la même et les navigateurs modifient parfois l'aspect d'un document. Avec un fichier PDF, on visualise le document tel qu'il a été pensé par son créateur. L'internaute n'a pas besoin d'installer ce plugiciel s'il ne rencontre pas de document PDF sur son cyber-chemin.

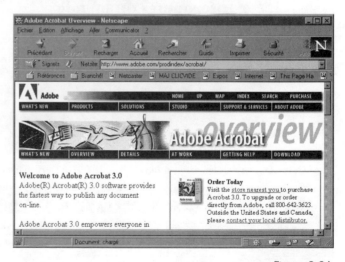

Figure 3.81
Le site d'Acrobat par Adobe

RealPlayer (*http://www.real.com*) • **Adobe** (*http://www.adobe.com*) • **Acrobat** (*http://www.adobe.com/acrobat*)

234

Le plugiciel **Acrobat** se trouve sur le site Web de la compagnie Adobe. Il est disponible pour les environnements Windows et Macintosh et, oui, il est également gratuit.

3.7   OUI! ON PEUT S'Y RETROUVER SUR LE WEB

Le Web n'a ni début ni fin. Cependant, un bon point de départ est généralement la page d'accueil du serveur Web de votre site ou celle de votre fournisseur d'accès Internet. Généralement, vous y trouvez d'excellents points de départ locaux et mondiaux, des engins de recherche qui permettent de localiser facilement des sites Web à l'aide de mots clés, des serveurs de fichiers et, parfois, une liste de sites qui brillent par l'originalité de leur contenu et de leur apparence. La page d'accueil de la société **FrancoMedia** est un bon exemple d'un point de départ pour un fournisseur d'accès.

Figure 3.82
Exemple d'un bon point de départ

Acrobat (*http://www.adobe.com/acrobat*) · FrancoMedia (*http://www.francomedia.qc.ca*)

Au moment où j'écris ces lignes, le Web compte approximativement 100 millions de pages différentes, et on file allégrement vers le cap des 200 millions en 1998. On a donc le choix! Ce qui m'amène à vous communiquer le leitmotiv suivant à propos du Web.

Le Web, c'est un immense livre

Les documents Web agissent comme l'étoffe du livre. La table des matières se présente sous la forme de **répertoires** de ressources; l'index, sous le masque des différents **engins de recherche**. Une information est rapidement trouvée dans Internet lorsqu'on sait déjà ce que l'on cherche. Un bon guide pour vous aider dans vos recherches est <u>GIRI</u>. Conçu pour aider la clientèle des universités québécoises à effectuer des recherches dans Internet, il a été créé par des bibliothécaires qui sont des experts dans ce type de recherche.

3.7.1 La table des matières du Web

Le catalogue de ressources **Yahoo!** est, à mon avis, le meilleur endroit pour trouver un ensemble de ressources sur un sujet précis. On retrouve des exemplaires de ce site un peu partout sur le globe: il y a le site principal aux <u>États-Unis,</u> le <u>site canadien</u> et le <u>Yahoo! francophone</u>. La figure suivante nous offre un coup d'œil sur ce site.

GIRI (Guide d'Initiation à la Recherche Internet) (*http://www.bibl.ulaval.ca/vitrine/giri*)
États-Unis (*http://www.yahoo.com*) • site canadien (*http://www.yahoo.ca*)
Yahoo! francophone (*http://www.yahoo.fr*)

Légende

1. Adresse du répertoire
2. Liste de nouveautés
3. Sites originaux
4. Actualités et manchettes

5. Liste de répertoires Yahoo!
6. Inscription de vos termes de recherche

7. Activation de la recherche
8. Catégories Yahoo!

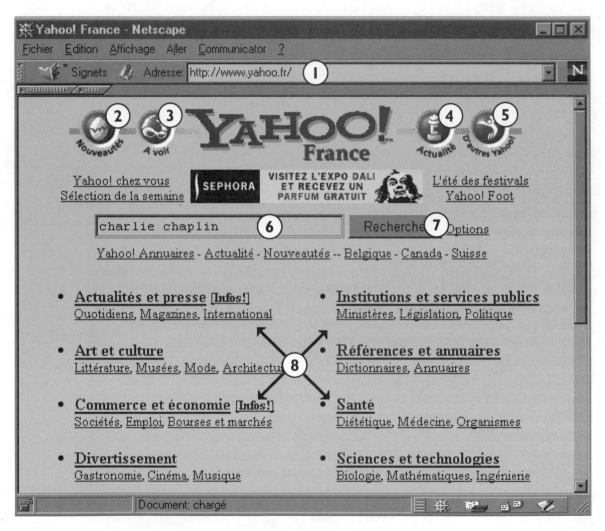

Figure 3.83
Le répertoire Yahoo! francophone

On y trouve des catégories telles que les affaires, les actualités, l'éducation, les gouvernements, etc. On peut également y faire une recherche afin de localiser des titres de catégories. Les sites qui possèdent des informations incontournables s'y trouvent. Ce qui est intéressant d'un site-répertoire comme *Yahoo!*, c'est qu'il effectue un travail de recherche et de traitement pour nous économiser une montagne de temps. Dans notre exemple, on désire localiser des sites consacrés au grand du cinéma muet: *Charlie Chaplin.*

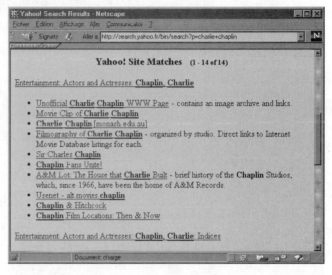

Figure 3.84
Réponse du répertoire *Yahoo!*

D'autres bons répertoires existent, et vous y accéderez par une fonction intégrée de votre navigateur Web.

→ Netscape 3.x – Appuyez sur *Destinations* dans la barre des boutons d'accès rapide.

→ Netscape 4.x – Sélectionnez *Rechercher dans Internet* dans le menu déroulant *Édition.*

→ Explorer 4.x – Sélectionnez *Recherche sur le Web* dans le menu déroulant *Aller à.*

Une autre excellente ressource est le <u>répertoire mondial des serveurs Web</u> cantonné sur le site du Consortium W3.

<u>répertoire mondial des serveurs Web</u> (*http://www.w3.org/pub/DataSources/WWW/Servers.html*)

CAPSULE   Répertoire de sites francophones

→ La piste francophone (*http://www.toile.qc.ca/francophonie*)

→ Carrefour francophone (*http://www.carrefour.net*)

→ Lokace – Répertoire français (*http://lokace.iplus.fr*)

→ Nomade – Répertoire français (*http://www.nomade.fr*)

→ La toile du Québec (*http://www.toile.qc.ca*)

→ FranceCité (*http://www.i3d.qc.ca*)

→ Répertoire des sites européens (*http://www.yweb.com/home-fr.html*)

→ Répertoire des sites français (*http://www.urec.fr/France/web.html*)

→ Répertoire canadien (*http://www.csr.ists.ca/w3can*)

→ Répertoire belge (*http://www2.ccim.be*)

→ Répertoire du Luxembourg
(*http://www.restena.lu/luxembourg/lux_welcome.html*)

→ Répertoire de Monaco (*http://www.monaco.mc*)

→ Centre international pour le développement de l'inforoute en français (*http://www.cidif.org/Naviguer*)

Lorsqu'on parle de la France, il ne faut jamais oublier le **MINITEL**, le système télématique privilégié depuis fort longtemps. Il existe une passerelle Web permettant d'avoir accès aux ressources de ce système.

Figure 3.85
Services du MINITEL sur le Web

MINITEL (*http://www.minitel.fr*)

Figure 3.86
La piste francophone

3.7.2 Les engins de recherche

Si vous désirez effectuer une recherche à l'intérieur des documents Web, vous avez besoin d'un engin de recherche. Vos navigateurs offrent des fonctions de recherche intégrées qui vous guideront vers ces engins.

→ Netcape 3.x – Cliquez sur le bouton *Rechercher* dans la barre des boutons d'accès rapide.

→ Netscape 4.x – Sélectionnez *Rechercher dans Internet* dans le menu déroulant *Édition*.

→ Explorer 4.x – Sélectionnez *Recherche sur le Web* dans le menu déroulant *Aller à*.

Vous pouvez également consulter le méga-site **Beaucoup** afin de trouver un répertoire de sites de recherche. De plus, il est possible d'exécuter, à partir de ce site, des recherches combinées sur plusieurs engins de recherche. Je vous livre maintenant mon opinion sur l'un des meilleurs engins de recherche disponibles dans Internet. Il s'agit du site **Hotbot**, une initiative conjointe de la société Inktomi et du populaire magazine Internet **Wired!** Ce site est simple et très efficace. Sa caractéristique importante est qu'il cherche par défaut des documents comprenant tous les termes de recherche, contrairement à ses compétiteurs où on doit les préciser.

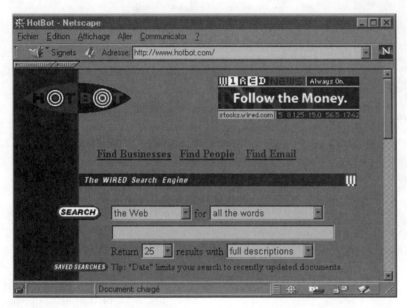

Figure 3.87
L'engin de recherche Hotbot

Commencez avec des termes généraux afin de voir ce que l'engin de recherche peut vous offrir. Ensuite, aiguisez vos recherches en ajoutant des mots clés. C'est là une bonne stratégie de recherche. Je vous propose le livre d'André Vuillet et Louis-Gilles Lalonde, intitulé **Internet - Comment trouver ce que vous voulez** et publié aux Éditions LOGIQUES, si vous désirez devenir des experts de la recherche Internet.

Beaucoup (*http://www.beaucoup.com*) • Hotbot (*http://www.hotbot.com*) • Wired! (*http://www.wired.com*)
Internet - Comment trouver ce que vous voulez (*http://www.logique.com/lalonde_vuillet*)

> **CAPSULE** Engins de recherche
>
> Voici une liste d'engins de recherche que je considère parmi les meilleurs.
>
> → HotBot (*http://www.hotbot.com*)
>
> → Altavista (*http://altavista.digital.com*)
>
> → Lycos (*http://www.lycos.com*)
>
> → Euroseek (*http://www.euroseek.net*)
>
> → Infoseek (*http://www.infoseek.com*)
>
> → Excite (*http://www.excite.com*)
>
> → Lokace (*http://lokace.iplus.fr*)
>
> → WebCrawler (*http://www.webcrawler.com*)
>
> → Répertoire d'engins de recherche (*http://www.beaucoup.com*)

3.7.3   Les nouveautés

Je vous suggère deux endroits pour connaître les derniers sites Web à avoir fait leur entrée dans Internet. Vous avez d'abord le groupe de discussion Usenet **comp.infosystems.www.announce**, dans lequel les administrateurs annoncent leurs derniers venus. De plus, l'administrateur de ce groupe de discussion vous offre, selon lui, **la liste des meilleurs sites parmi les nouveautés**. Je termine, enfin, en vous proposant **la liste des nouveautés chez *Yahoo!***, où les sites sont classés par ordre chronologique de leur lancement.

3.7.4   Les meilleurs sites

Quels sont les meilleurs sites Web dans Internet? C'est tout à fait relatif. L'idée d'un internaute sur la valeur d'un site Web vaut bien celle d'un autre. Il existe de nombreuses listes sur le Web, dans les magazines et dans les livres, qui prétendent connaître les meilleurs sites. Pour ce qui est des livres francophones, je vous propose *Les 500 meilleurs sites en français de la planète*, rédigé par un

comp.infosystems.www.announce (*news:comp.infosystems.www.announce*)
la liste des meilleurs sites parmi les nouveautés (*http://www.boutell.com/announce*)
la liste des nouveautés chez *Yahoo!* (*http://www.yahoo.fr/nouveautes*)

internaute émérite et journaliste Internet pour la Société Radio-Canada, Bruno Guglielminetti. Cet ouvrage est publié aux Éditions LOGIQUES. Du côté des magazines, je vous suggère le mensuel **Guide Internet** publié aux Éditions Trustar au Québec, et **Planète Internet**, publié par les Éditions Netpress en France.

Pour ma part, je vous propose **La liste de l'internaute**. Elle contient toutes les adresses qui ont réussi à se frayer un chemin pour se retrouver dans ce livre; elles sont donc dignes de mention. À cela, j'ai ajouté mes coups de cœur et des sites incontournables qui, je l'espère, vous plairont. Elle se trouve sur le Web et à l'annexe B de ce livre.

CAPSULE   Sites Web des listes des meilleurs sites

Voici maintenant quelques prétendants dans le domaine des meilleurs sites à consulter.

→ La liste de l'internaute
(*http://www.logique.com/internaute98/liste.html*)

→ Hit-Parade francophone (*http://www.hit-parade.com*)

→ Liste des Top100 générée à chaque heure (*http://www.web100.com*)

→ Liste des 1000 sites les plus consultés
(*http://www.digits.com/top/usage_1000.html*)

→ Liste hebdomadaire des 100 meilleurs sites (*http://www.100hot.com*)

→ Meilleurs sites – Rubrique *Yahoo!* francophone
(*http://www.yahoo.fr/Informatique_et_multimedia/Internet/World_Wide_Web/Le_meilleur_du_Web*)

Guide Internet (*http://www.guide-internet.com*) • Planète Internet (*http://www.netpress.fr*)
La liste de l'internaute (*http://www.logique.com/internaute98/liste.html*)

3.7.5 Vous désirez en savoir plus sur le Web?

Le site Web du **Consortium W3** est un bon endroit où trouver des informations sur les serveurs et clients Web, sur le langage HTML, sur les tutoriels, sur les passerelles CGI, sur la sécurité, sur les dernières nouvelles officielles concernant cette technologie, etc. N'oubliez pas le site Web **Stars.Com** consacré aux créateurs de sites Web.

Il est vraiment impossible de fournir toutes les adresses de sites Web dans le monde. De toute façon, il est difficile de croire à cette approche quand on connaît le caractère dynamique du Web. Je préfère renseigner les gens sur les techniques de recherche d'informations dans le réseau, telles que l'utilisation des répertoires et des engins de recherche.

Allez hop! Bonne navigation...

3.8 PAS DE CLIENT? UTILISEZ TELNET...

Vous pouvez essayer de contacter *telnet.w3.org* avec un client Telnet et ce, sans avoir besoin d'un mot de passe. Vous serez automatiquement mis en contact avec un client Web en mode texte.

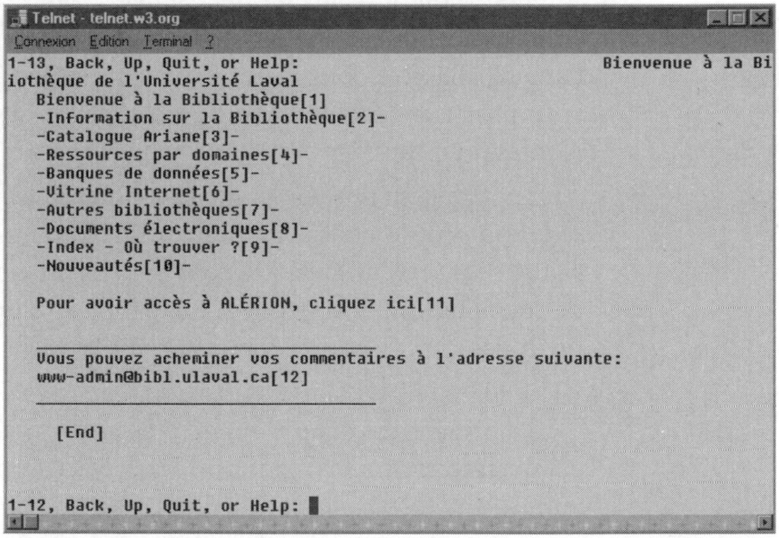

```
Telnet - telnet.w3.org                                    _ □ ×
Connexion  Édition  Terminal  ?
1-13, Back, Up, Quit, or Help:                Bienvenue à la Bi
iothèque de l'Université Laval
    Bienvenue à la Bibliothèque[1]
   -Information sur la Bibliothèque[2]-
   -Catalogue Ariane[3]-
   -Ressources par domaines[4]-
   -Banques de données[5]-
   -Vitrine Internet[6]-
   -Autres bibliothèques[7]-
   -Documents électroniques[8]-
   -Index - Où trouver ?[9]-
   -Nouveautés[10]-

   Pour avoir accès à ALÉRION, cliquez ici[11]


   Vous pouvez acheminer vos commentaires à l'adresse suivante:
   www-admin@bibl.ulaval.ca[12]


   [End]


1-12, Back, Up, Quit, or Help: █
```

Figure 3.88
Le Web dans une interface texte

Consortium W3 (*http://www.w3.org*) • Stars.Com (*http://www.stars.com*)

C
H
A
P
I
T
R
E

3

Un lien est déterminé par un chiffre situé à droite du terme. On peut l'activer en l'inscrivant en bas du texte. Ce n'est pas le grand luxe, mais vous pouvez néanmoins exploiter les liens hypertextes s'y trouvant et, de là, parcourir la planète. On peut visualiser une adresse précise avec la commande **GO http://www.adresse.internet**. Vous pouvez également consulter le fichier d'aide avec la commande *Help*. Notons qu'un site offrant ce type de connexion en mode Telnet possède une certaine limite quant au nombre d'utilisateurs simultanés. Une limite de 20 connexions Telnet à ce site a été établie.

Ce service a été conçu pour les utilisateurs n'ayant pas accès à des interfaces graphiques comme Windows ou Macintosh. On pense à ceux qui n'ont qu'un terminal ou un vieil ordinateur PC exploitant uniquement DOS. Il se peut que les administrateurs de votre site aient installé un logiciel client en mode texte sur un ordinateur central pour que les terminaux de votre site aient accès au Web. Informez-vous de cette possibilité si vous possédez un terminal ou un ordinateur moins puissant.

3.9 L'AVENIR DU WEB

Ce chapitre s'achève sur ce que le Web pourrait nous apporter à l'avenir. Attendez-vous à récupérer des éléments multimédias à mesure que les voies de communication s'élargissent. Des technologies comme Java et VRML décrites dans ce chapitre constituent un avant-goût des choses à venir. Vous pourrez vous procurer des discours de gens célèbres, des clips musicaux, des séquences d'animation de toutes sortes, etc. en un clic très bientôt.

Le Web peut devenir le nouveau bureau électronique où tout le monde possède son propre espace. Chaque ordinateur aurait la possibilité de devenir à la rigueur un serveur Web. Les gens pourraient y déposer des documents aux fins de consultation, et vos collègues de travail pourraient même apporter directement des commentaires sur ces derniers, un peu comme pour une conférence en différé.

Le monde des affaires prend d'assaut l'univers du Web. C'est pourquoi des compagnies comme MasterCard, Visa, Microsoft, IBM, Apple et Netscape, entre autres, ont formé un consortium pour donner à Internet des protocoles de communication chiffrés et sécuritaires à l'abri des fraudeurs et des pirates informatiques, afin que le réseau devienne la nouvelle place d'affaires par excellence de la planète. Je pense notamment au protocole SET mis au point par Visa et MasterCard. Des banques commencent d'ores et déjà à offrir des guichets automatisés, des firmes vendent des biens et services de toutes sortes, et ce n'est que le début. En 1997, la lune de miel entre Internet et le monde du commerce a fait avancer la technologie du Web comme on ne l'a jamais vu auparavant. Nous verrons en 1998 la concrétisation de tous ces projets et la véritable réalisation du commerce électronique.

Le transfert de fichiers Internet

«Internet, dit le disque dur de la planète...»

Voici une situation agaçante: il existe des tonnes de logiciels publics et de fichiers de toutes sortes dans Internet qu'on aimerait bien avoir sur son propre disque rigide. Le problème, avec ce scénario, c'est que les fichiers se trouvent sur un ordinateur étranger et non sur le vôtre. FTP (*File Transfer Protocol*) résout ce problème de main de maître car, avec cette ressource, vous ne faites pas que consulter un fichier, vous le transférez sur votre ordinateur. Telle est la précieuse fonction de FTP.

Comme en ce qui concerne tous les autres outils d'Internet, il vous faut un client FTP pour effectuer ce type de transfert. Un client FTP négocie les communications entre votre ordinateur et le serveur étranger. Tous les navigateurs Web possèdent de bonnes possibilités pour transférer des fichiers avec FTP. Cependant, on utilisera un programme spécialisé dans ce chapitre, car les navigateurs Web possèdent certaines failles de sécurité au point de vue de l'identification de l'utilisateur. Le logiciel FTP qu'on emploiera se nomme **WS/FTP**. Il s'agit d'un logiciel du domaine public conçu pour les transferts de fichiers.

WS/FTP (*http://www.ipswitch.com/Products/WS_FTP*)

CAPSULE   Logiciels spécialisés dans le transfert de fichiers

Voici quelques indices sur des noms d'utilitaires FTP. Vous n'avez pas besoin de chercher loin du côté d'Unix : la commande est implantée dans le système d'exploitation. Il suffit de taper la commande «ftp». Le programme Fetch, conçu par une équipe du collège de Dartmouth, est l'outil parfait pour Macintosh. Du côté Windows, la version publique WS_FTP LE est un très bel exemple de logiciel convivial.

→ FETCH (*http://www. dartmouth.edu/pages/softdev/fetch.html*)
→ WS_FTP (*http://www.ipswitch.com/Products/WS_FTP*)

4.1   **LES ROUAGES INTERNES DE FTP**

FTP est le sigle de *File Transfer Protocol*, qu'on traduit en français par «Protocole de transfert de fichiers». FTP fonctionne pratiquement de la même façon que Telnet. Au moment de la liaison, un compte utilisateur et un mot de passe sont demandés pour valider l'identité de la personne qui veut établir un lien. À partir du nom de l'utilisateur, le serveur détermine les droits de celui-ci et, ainsi, les fichiers qui lui sont accessibles. Il s'agit, encore une fois, d'une approche client-serveur. Le logiciel *WS_FTP, Fetch* ou le navigateur Web de votre ordinateur est le «client». Il se charge de trouver l'adresse IP de l'hôte visé et d'établir la liaison. Ensuite, il passe vos commandes jusqu'au moment où un transfert est demandé. Il gère le débit d'informations envoyées par l'hôte et enregistre les informations reçues sur le disque rigide dans la bonne séquence. Il termine également, en douceur, la connexion avec l'hôte.

Le «serveur» est un logiciel résidant sur un ordinateur de n'importe quel type. Il n'y a pas de restrictions pour un serveur FTP: il peut s'agir d'un PC, d'un Macintosh, d'une station Unix ou de n'importe quel ordinateur central. Le service écoute normalement le port IP 21 pour ses communications. Lorsque des demandes de connexions sont effectuées, il valide l'identité des utilisateurs. Par la suite, il traite les demandes des clients. Il gère aussi les périodes de non-utilisation. Afin de libérer des ports d'entrée, il peut interrompre une liaison inactive après un certain temps. Il est également agent de sécurité. Il veille à la sécurité des données en vérifiant si un utilisateur qui demande le transfert d'un fichier a véritablement accès à ce dernier.

4.2 LA SESSION FTP

À des fins de démonstration, je vous rappelle que j'utilise le logiciel WS_FTP pour Windows. La figure 4.1 montre l'interface de ce dernier; on reviendra souvent sur cette image pour parler des différentes fonctions.

Légende

1. Adresse Internet du serveur FTP
2. Répertoire local
3. Gestion des fichiers locaux
4. Aiguillage du transfert
5. Répertoire étranger
6. Gestion des fichiers étrangers
7. Mode de transfert
8. Messages du serveur
9. Barre d'outils

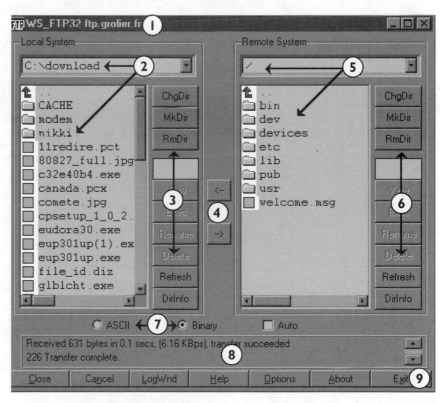

Figure 4.1
Interface du logiciel WS_FTP

C H A P I T R E 4

Voici maintenant un aperçu de l'interface du logiciel Fetch pour Macintosh.

Légende

1. Adresse Internet du
serveur FTP

2. Répertoire étranger

3. Informations sur le
fichier transféré

4. Aiguillage du transfert

5. Mode de transfert

6. Bouton d'arrêt

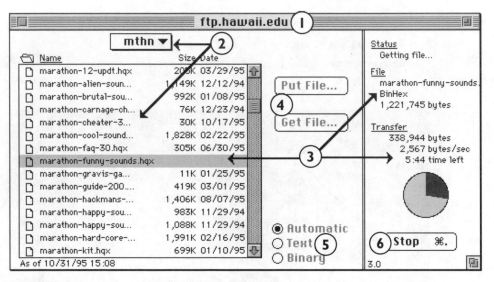

Figure 4.2
Interface du logiciel Fetch

En mode terminal, une séance FTP est amorcée lorsque le logiciel est appelé: ftp *adresse.Internet.du.serveur.ftp*

Voyons le résultat de cette commande:

```
C: \>ftp ftp.grolier.fr                          → Commande initiale

Userid for logging in on ftp.grolier.fr

(dsohier)? anonymous                             → Demande du compte

331 Votre compte invité est accepté. Veuillez envoyer votre adresse
233 de courrier électronique à titre de mot de passe

Password for logging in as anonymous            → Demande du mot de passe
on ftp.grolier.fr? ************************

230 User anonymous logged in.                    → Connexion acceptée

ftp: ftp.grolier.fr> _                           → Attente d'une commande
```

Ce langage ne s'affiche pas si vous utilisez un logiciel ayant une interface graphique. Dans ce cas, une fenêtre apparaît quand vous cliquez sur le bouton *connect* situé dans la barre d'outils de WS_FTP. Vous y inscrivez l'adresse de l'appareil, le nom d'utilisateur et le mot de passe.

Par la suite, les fichiers de l'ordinateur étranger sont affichés, tel que montré à la figure 4.1.

La fenêtre de gauche représente le contenu de votre disque rigide, tandis que celle de droite montre les répertoires et les fichiers de l'ordinateur étranger.

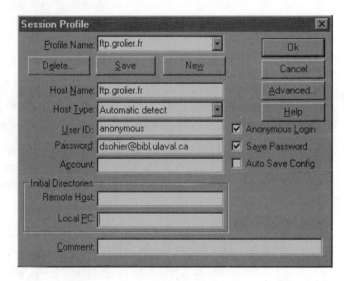

Figure 4.3
Ouverture d'une séance FTP

C
H
A
P
I
T
R
E

4

4.2.1 Gestion des fichiers et des répertoires

Avec WS_FTP, les fonctions usuelles de gestion de fichiers sont accessibles autant sur votre système que sur le serveur FTP étranger. Les trois boutons *ChgDir*, *MkDir* et *RmDir* situés à droite des fenêtres de répertoires vous permettent de respectivement changer de répertoire, créer un nouveau répertoire et modifier le nom d'un répertoire. Votre action se fera soit sur le serveur, soit sur votre propre ordinateur, selon le bouton que vous utilisez. Notez que vous devez avoir les droits appropriés sur le serveur étranger pour effectuer ces actions. La navigation dans les répertoires peut se faire autrement qu'en cliquant sur le bouton *ChgDir*. Vous pouvez cliquer sur un des répertoires qui apparaissent dans les fenêtres supérieures et y avoir ainsi accès.

Plusieurs actions sont possibles pour les fichiers, autant sur le serveur étranger que sur votre ordinateur. Dans les deux cas, vous devez sélectionner un fichier en cliquant sur ce dernier. Cliquez ensuite sur un des boutons situés à droite des fenêtres des fichiers.

BOUTON	EXPLICATION
View	→ Affiche le contenu du fichier. S'il se trouve sur le serveur étranger, le fichier est d'abord transféré.
Exec	→ Exécute le programme, s'il s'agit d'un programme exécutable. S'il se trouve sur le serveur, le fichier est d'abord transféré.
Rename	→ Modifie le nom du fichier.
Delete	→ Supprime le fichier.
Refresh	→ Affiche le contenu du présent répertoire afin de tenir compte des dernières modifications.
DirInfo	→ Fait apparaître une fenêtre contenant les informations complètes à propos des fichiers du présent répertoire, incluant la taille, la date de création et les droits d'accès, dans le cas d'un serveur Unix.

4.2.2 Transfert de fichiers

Avec WS_FTP, le transfert d'un fichier est facile.

→ Positionnez-vous sur le répertoire désiré dans lequel vous allez transférer le fichier.

→ Cliquez deux fois sur le fichier que vous désirez transférer.

→ Une fenêtre apparaît pour que vous validiez le nom du fichier une fois copié. Ce dernier prendra la direction que vous lui aurez indiquée.

4.2.3 Modification du type de transfert

Vous verrez d'une façon plus détaillée à la section 4.4 les deux modes de transfert FTP. Pour l'instant, il faut mentionner qu'on peut modifier le type de transfert en cliquant sur le bouton radio *ASCII* ou *Binary*. Ces boutons sont localisés au-dessus de la barre d'outils dans la partie inférieure de l'écran. Vous pouvez demander au logiciel de fixer le mode pour vous en cliquant sur la case *Auto* située à droite des deux types de transfert. Cependant, il n'est pas certain à 100 % que le logiciel sera capable de bien reconnaître les fichiers à transférer.

4.2.4 Opération sur plusieurs fichiers

Vous pouvez transférer, supprimer ou modifier le nom de plusieurs fichiers en même temps. Vous n'avez qu'à les sélectionner à l'aide de votre souris et, ensuite, à effectuer l'opération de votre choix.

4.2.5 Terminer la séance

La séance se termine lorsque vous cliquez sur le bouton *Close* situé dans la barre d'outils.

4.2.6 Conclusion

Il existe des options, à la fois dans le logiciel WS_FTP et dans Fetch pour Macintosh, qui gardent en mémoire les paramètres des serveurs FTP visités. Il y a d'autres fonctions encore, qui vous permettent de modifier l'apparence des polices de caractères et de votre interface. Je vous invite à consulter le manuel de l'utilisateur, qui est normalement transféré avec l'application, pour plus de renseignements sur ces fonctions.

4.3 LES COMMANDES FTP EN MODE TERMINAL

Une fois qu'il est en liaison avec le serveur, l'utilisateur en mode terminal doit négocier les commandes FTP adéquates pour transférer des fichiers. Pour l'aider, voici la liste des principales commandes et leurs fonctions:

DIR	→ Donne le contenu d'un répertoire.
PWD	→ Indique le nom du répertoire courant.
CD *<répertoire>*	→ Change de répertoire.
PARENT	→ Monte d'un répertoire dans la hiérarchie.
GET *<source> <destination>*	→ Transfère la source localisée sur le serveur à votre disque rigide.
MGET *<nom*>*	→ Transfère plusieurs fichiers sur votre disque rigide.
PUT *<source> <destination>*	→ Transfère la source localisée sur votre disque rigide au serveur.
MPUT *<nom*>*	→ Transfère plusieurs fichiers sur le serveur.
BIN	→ Fixe le mode de transfert à binaire.
ASCII	→ Fixe le mode de transfert à ASCII.
DELETE *<nom_de_fichier>*	→ Supprime un fichier.

RENAME *<ancien> <nouveau>*	→	Renomme un fichier.
MKDIR *<nom_de_répertoire>*	→	Crée un répertoire sur le serveur.
RMDIR *<nom_de_répertoire>*	→	Supprime un répertoire sur le serveur.
LCD *<répertoire_local>*	→	Fixe le répertoire par défaut sur votre ordinateur.
FCD	→	Fixe le répertoire par défaut sur le serveur.
OPEN *nom.machine.internet*	→	Ouvre une connexion avec un serveur FTP.
USER *<nom_utilisateur>*	→	Permet de donner son nom d'utilisateur.
CLOSE	→	Ferme la connexion avec le serveur sans sortir de FTP.
BYE ou QUIT	→	Ferme la connexion.

4.4 LES TYPES DE TRANSFERTS

On va voir maintenant les différences dans les modes de transfert. Si vous transférez un logiciel ou un fichier comprimé en mode ASCII, il y a fort à parier qu'il soit corrompu. En effet, en mode ASCII, afin de rendre le texte plus lisible, une transformation de certains caractères s'opère entre le serveur et le client. Toutefois, dans le cas de fichiers de type binaire, comme ceux énumérés plus haut, cette traduction ne doit pas avoir lieu, car le changement d'un seul caractère rend le fichier inutilisable.

→ Pour travailler en mode BIN (binaire), cliquez sur le bouton *Binary* ou tapez la commande *BIN* en mode terminal.

→ Pour travailler en mode ASCII, cliquez sur le bouton *ASCII* ou utilisez la commande *ASCII* en mode terminal.

Notez bien que la plupart des clients graphiques FTP et des navigateurs Web sont capables de régler automatiquement pour vous le type de transfert. Ils négocient en fonction de l'extension du fichier que vous transférerez. Les fichiers étiquetés avec des extensions *.txt* sont transférés en mode ASCII, tandis que la majorité des autres fichiers, possédant des extensions telles *.exe*, *.zip*, *.bin*, *.doc*, *.hqx*, etc., sont transférés en mode binaire.

Vous devez transférer les fichiers suivants dans le mode binaire: logiciels, images, sons, multimédias, fichiers compressés, documents de traitement de texte et de chiffrier, documents de logiciels d'éditique et tout autre fichier binaire. Le mode ASCII n'est pratiquement utilisé que lorsqu'il s'agit de fichiers textes ou ne contenant que des données numériques.

Chaque fois que le mode est changé, le serveur vous en envoie la confirmation:

```
ftp: ftp.ulaval.ca> bin
200 Type set to I.
ftp: ftp.ulaval.ca> ascii
200 Type set to A.
```

Si vous regardez bien la figure 4.1, qui représente l'interface du logiciel Windows WS_FTP, vous apercevez les boutons *ASCII* et *Binary* entre le gestionnaire de fichiers et la barre de menus située dans la partie inférieure de l'écran. Pour ce qui est de Fetch pour Macintosh, les boutons *Text* et *Binary* sont situés à droite du gestionnaire de fichiers.

4.5 FTP ANONYME

Afin de communiquer avec un serveur FTP, vous devez posséder un nom d'utilisateur et un mot de passe. Une des grandes missions d'un serveur FTP consiste à distribuer des fichiers et des logiciels du domaine public. Internet est une grande place publique où l'on adore partager des trouvailles. On pourrait même dire qu'Internet sert de disque rigide pour la planète. Il devient alors un peu ardu de distribuer un compte à tous les internautes pour que chacun puisse avoir accès à un serveur. Grâce à la notion de FTP anonyme, on peut y accéder en employant un nom d'utilisateur générique. Ce compte ne possède pas de mot de passe, ce qui facilite l'accès aux informations cachées dans les méandres du serveur.

Par convention, le nom d'utilisateur employé globalement dans Internet est «**anonymous**». Lorsque le serveur détecte ce nom d'utilisateur, il vous demande votre adresse de courrier électronique en guise de mot de passe. Cela permet à l'administrateur du site FTP d'établir des statistiques sur les personnes accédant à son service. On peut également vérifier la validité de votre adresse électronique, afin de démasquer les personnes qui tentent de commettre des méfaits. Par méfaits, on entend l'infiltration de virus ou la destruction volontaire de données. Voici un exemple de séance avec le serveur FTP anonyme de Grolier Interactif Europe à l'adresse *ftp.grolier.fr*. C'est un site généreux en ce qui a trait aux logiciels du domaine public:

```
# ftp ftp.grolier.fr
Connected to ftp.grolier.fr.
220-
220- *** Bienvenue sur le ftp de GROLIER INTERACTIVE EUROPE ***
220-
```

C
H
A
P
I
T
R
E

4

```
220-Tous les transferts sont loggues, si vous n'aimez pas cette methode,
220-vous pouvez encore vous deconnecter.
220-
220- Infos: mgc@grolier.fr
220-
220- tagada FTP server (Version wu-2.4(2) Thu May 16 22:06:07 MET DST
     1997)
220- ready
Name (ftp.grolier.fr:root): anonymous
331 Guest login ok, send your complete e-mail address as password.
Password: *********************
230-
230-* Bienvenue sur le FTP de Grolier Interactive Europe *
230-
230-Ce site est ouvert a tous!!!
230-
230-Vous y trouverez:
230-
230-- simtelnet: logiciels PC, le successeur du defunt Simtel
230-- Aminet: logiciels Amiga
230-- Info-Mac: Logiciels Machintosh
230-- Linux: miroir du site Linux Francais de l'IBP
230-- Gnu: miroir du site FTP de l'INRIA
230-- NetBSD: version current, I386 et Amiga
230-
230-........ plus beaucoup d'autres choses tres interessantes
230-
230-Info: mgc@grolier.fr
230-
230 Guest login ok, access restrictions apply.
ftp> _
```

Lorsque le nom d'utilisateur a été demandé, j'ai inscrit «**anonymous**» et j'ai donné mon adresse de courrier électronique comme mot de passe. Le serveur a approuvé ma connexion, m'a envoyé un mot de bienvenue et m'a donné les informations nécessaires sur le site.

La majorité des sites anonymes possèdent ce genre de message de bienvenue. Ces sites sont très courus; c'est pourquoi il arrive fréquemment que leurs administrateurs restreignent les connexions pendant les périodes d'affluence. D'autres iront jusqu'à interdire l'accès à ces sites pendant les heures d'affaires.

C'est compréhensible: un site FTP anonyme est un service public et ne devrait pas empêcher l'organisme responsable de s'acquitter de sa mission. Il suffit seulement de quelques transferts simultanés de gros fichiers pour qu'un serveur soit dans l'impasse. Il faut alors essayer un peu plus tard d'accéder au site. : (

Vous trouverez une liste exhaustive de sites FTP anonymes sur le site Web de la société **Tile.Net**. Ces sites y sont listés par catégorie de contenu, par pays et par nom de site.

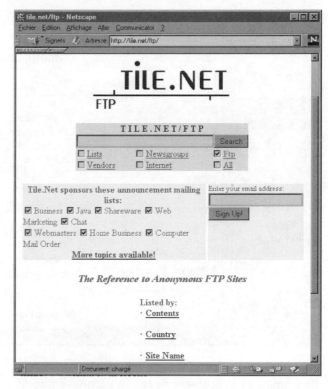

Figure 4.4
Répertoire de sites FTP anonymes de Tile.Net

4.5.1 **Bouées incontournables pour les sites FTP anonymes**

L'univers Web offre une myriade de sites destinés au catalogage des sites FTP anonymes, comme celui de **Tile.Net**. Ils sont là pour une seule raison: nous rendre la vie plus facile, à nous les internautes. Ces sites offrent leurs services gratuitement. En échange, ils nous exposent à des bannières publicitaires de temps à autre. C'est un échange fort acceptable pour l'économie de temps réalisée. Le plus important site de ce genre porte le nom de **Shareware.com**.

Tile.Net (*http://tile.net/ftp*) · Shareware.com (*http://www.shareware.com*)

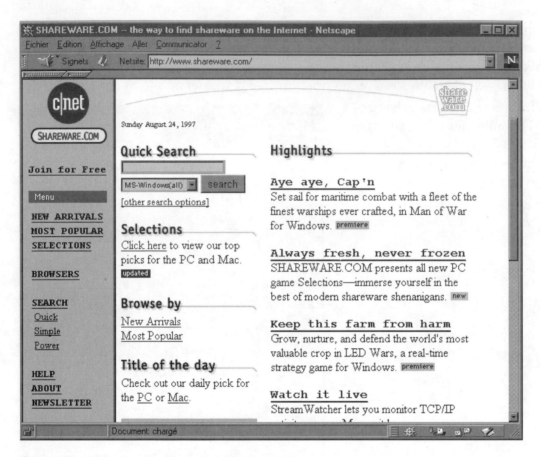

Figure 4.5
Répertoire de signalement de logiciels Shareware.com

Ce service a indexé le contenu des différents sites FTP anonymes éparpillés dans Internet qui sont considérés comme fiables, c'est-à-dire qu'ils seront toujours là demain et que la connexion avec eux se fait assez facilement. Une liste de nouveautés ainsi qu'une liste des programmes les plus populaires peuvent y être consultées. On y a indexé des logiciels de tous les domaines, allant des jeux aux utilitaires pour les affaires. Également, on peut y chercher des programmes pour tous les environnements: Macintosh, Windows95, Unix, etc. En mode «recherche», le serveur Shareware.com nous offre une liste de sites FTP situés dans différents pays. Je vous conseille de sélectionner ceux qui se trouvent les plus proches de vous; ainsi, vous gagnerez du temps. Un indicateur affiché à côté de chacun des sites sous la forme d'une échelle souligne la fiabilité de transfert.

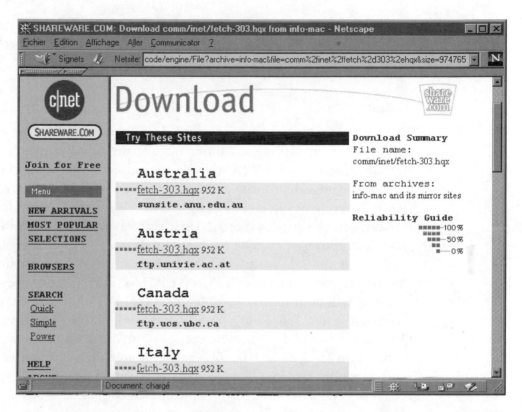

Figure 4.6
Résultats d'une recherche sur le site Web Shareware.com

CAPSULE   Sachez trouver le bon fichier...

Voici maintenant quelques autres sites Web spécialisés dans la recherche de fichiers sur les serveurs FTP anonymes:

→ Shareware.com (*http://www.shareware.com*)

→ Tile.Net (*http://tile.net/ftp*)

→ Francociel – Répertoire FTP francophone (*http://www.cam.org/~mad/*)

→ Snoopie (*http://www.snoopie.com*)

→ FTPsearch (*http://ftpsearch.ntnu.no/ftpsearch*)

→ Rubrique Partagiciels de *Yahoo!* (*http://www.yahoo.fr/Informatique_et_multimedia/Logiciels/Shareware*)

De plus en plus, les logiciels du domaine public sont listés sur des pages Web; vous pouvez alors consulter un des nombreux engins de recherche Web énumérés à la section 3.7.

4.5.2 Archie

Une autre façon de trouver des logiciels dans Internet est d'utiliser Archie. Cette ressource est un peu moins utilisée maintenant qu'on trouve de merveilleux sites de recherche sur le Web. Archie s'adresse aux nostalgiques d'Internet et à ceux qui ne possèdent aucun accès graphique au réseau Internet. Avec tous ces sites FTP anonymes accessibles dans Internet, il est pratiquement impossible de ne pas trouver ce que l'on cherche. Un logiciel ou un fichier convoité doit nécessairement se trouver quelque part sur l'un de ces sites. Le seul problème est de connaître le nom de ce site. Voilà une bonne raison pour créer une ressource Internet, ce dont un groupe de l'Université McGill s'est chargé. Des experts ont créé ARCHIE pour indexer le contenu des sites FTP anonymes les plus utilisés. Ils ont par la suite fondé leur propre compagnie, qui se nomme **Bunyip Canada**. Qui dit indexation dit également consultation. Ainsi, on peut envoyer une demande à un service ARCHIE concernant un nom de logiciel ou de fichier, et il nous répondra par une liste de sites possédant ces noms. Les informations reçues par ARCHIE ne doivent malheureusement pas être considérées comme absolues, car les sites FTP changent continuellement. Un logiciel présent au moment de l'indexation peut ne plus y être lorsque vous irez le chercher. Toutefois, ARCHIE fournit suffisamment de sites pour que l'on puisse trouver ce qu'on cherche sans trop de problèmes. N'espérez cependant pas trouver de grands noms, comme *Word, Excel, PageMaker* ou *Photoshop*, sur ces sites FTP. Vous trouverez plus sûrement des utilitaires et des programmes du domaine public. Il existe plusieurs services ARCHIE dans le monde. La compagnie Nexor est la gardienne de la **liste des serveurs Archie**.

Il y a plusieurs façons de consulter les secrets d'un service ARCHIE. **Si vous possédez un navigateur Web, passez immédiatement à la section Consultation à l'aide du Web, située un peu plus loin.** Examinons ces différents moyens en recherchant un utilitaire nommé Fetch. Il s'agit d'un logiciel-client FTP fonctionnant sur Macintosh.

Bunyip Canada (*http://www.bunyip.com*)
liste des serveurs Archie (*http://www.nexor.com/archie.html*)

Consultation par Telnet

La première façon de consulter un service ARCHIE est de recourir à Telnet. Tout d'abord, démarrez la communication avec un des serveurs suivants et utilisez le nom d'utilisateur générique **archie**.

Adresse Internet	Adresse IP	Site
archie.belnet.be	→ 193.190.248.18	→ Belgique
archie.bunyip.com	→ 192.77.55.2	→ Canada
archie.cs.mcgill.ca	→ 132.206.51.250	→ Canada
archie.uqam.ca	→ 132.208.250.10	→ Canada
archie.univ-rennes1.fr	→ 129.20.254.2	→ France
archie.bbnplanet.com	→ 192.239.16.130	→ États-Unis (MD)
archie.internic.net	→ 204.179.186.65	→ États-Unis (NJ)
archie.internic.net	→ 192.20.239.132	→ États-Unis (NJ)
archie.rutgers.edu	→ 128.6.21.13	→ États-Unis (NJ)

La communication avec le service est établie, et nous pouvons effectuer des consultations. Un serveur ARCHIE accepte différentes commandes. En voici quelques-unes:

AIDE (HELP)	→ En tapant cette commande, vous entrez dans le programme d'aide d'Archie. Vous pouvez dès lors taper n'importe quelle autre commande Archie, et une description s'affiche sur l'écran.
FIND <*nom_de_fichier*> **PROG** <*nom_de_fichier*>	→ C'est la principale commande. Elle vous permet de repérer tous les endroits où le programme visé est disponible. Archie vous donne la localisation du fichier sur le système étranger, ainsi que la date de sa dernière modification.
LIST	→ Une liste de tous les serveurs FTP anonymes indexés dans le service que vous explorez présentement s'affiche sur l'écran. Le nom et l'adresse IP des serveurs sont affichés, ainsi que leur date d'entrée sur la liste des serveurs indexés. Soyez prudent avec cette commande, car la liste est nécessairement longue.

C
H
A
P
I
T
R
E

4

SERVERS	→ Si vous n'avez pas trouvé ce que vous cherchez, Archie possède une liste de serveurs Archie supplémentaires vers lesquels vous pouvez vous tourner. Cette liste comprend le nom et l'adresse IP des serveurs, ainsi que leur localisation géographique.
QUIT	→ Ferme la connexion avec le serveur.

Consultation à l'aide du Web

Il est également possible de consulter ARCHIE par le biais du Web. Consultez la **liste des serveurs Archie** de la compagnie Nexor afin d'en obtenir la liste complète. Vous pouvez également aller faire un tour du côté de la **rubrique Archie produite par *Yahoo!***.

4.6 LE TRANSFERT DE FICHIERS FTP PAR LE WEB

Nous avons traité du Web au chapitre 3. Un navigateur Web demeure très intéressant si tout ce que vous désirez faire est de transférer des logiciels situés sur des serveurs FTP anonymes. Si vous désirez utiliser un navigateur pour consulter un serveur de fichiers FTP privé, vous devez inscrire votre nom d'utilisateur et votre mot de passe dans l'adresse URL, ce qui n'est pas commode côté sécurité. Cette adresse est envoyée de façon non cryptée dans Internet, et le risque qu'elle soit interceptée est plus élevé que la normale.

Pour joindre un serveur FTP, vous devez composer son adresse URL en y ajoutant le préfixe **ftp://**. Si vous possédez le nom du répertoire que vous voulez consulter, vous pouvez l'ajouter à la fin de l'adresse URL. Par exemple, si vous désirez accéder au serveur FTP anonyme situé à l'adresse *mirrors.aol.com* et consulter directement le répertoire **/pub/music**, vous inscrirez l'adresse URL suivante dans votre navigateur Web: *ftp://mirrors.aol.com/pub/music*

liste des serveurs Archie (*http://www.nexor.com/archie.html*)
rubrique Archie produite par *Yahoo!*
(*http://www.yahoo.com/Computers_and_Internet/Internet/FTP_Sites/Searching/Archie*)

Un serveur FTP apparaît comme ceci sur le Web:

Légende

1. Adresse URL du site FTP
2. Répertoire
3. Fichier

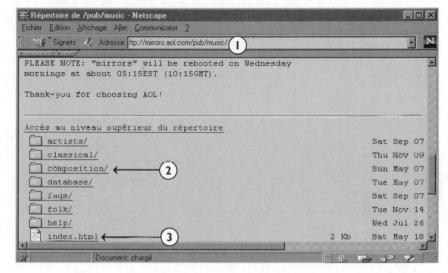

Figure 4.7
Serveur FTP anonyme consulté par un navigateur Web

L'interface est rudimentaire. Quand vous cliquez sur un dossier, le contenu de ce répertoire s'affiche. Si vous cliquez sur une feuille de papier, la représentation d'un fichier, ce dernier sera transféré sur votre disque rigide. C'est aussi facile que cela.

Maintenant, s'il ne s'agit pas d'un serveur FTP anonyme, mais bien d'un serveur privé, et que vous possédez un nom d'utilisateur jumelé d'un mot de passe valide pour y avoir accès, vous devez formuler votre adresse URL en inscrivant, l'un après l'autre, votre nom d'utilisateur, le signe « : », votre mot de passe et un arobas tout de suite après le préfixe *ftp://*, comme dans l'exemple suivant. Je vous rappelle d'être discret avec cette adresse, car votre mot de passe n'est pas crypté.

ftp://utilisateur:mot_de_passe@mirrors.aol.com/pub/music

CHAPITRE 4

4.7 LES FICHIERS COMPRESSÉS

Afin d'économiser de l'espace-disque et de s'assurer que tous les fichiers nécessaires à l'exécution d'un programme sont bel et bien transférés, on compresse généralement les archives d'un site FTP. Il existe plusieurs techniques de compression. Elles proviennent des différents environnements DOS, Macintosh et Unix. On peut déterminer le type de compression par le suffixe que porte un fichier. Voici une liste des techniques de compression les plus utilisées:

Compression	Suffixe	Exemple
Gzip	→ .gz	→ scan.tar.gz
BinHex	→ .hqx	→ apple.hqx
Stuffit	→ .sit	→ sttng.sit
Pkzip	→ .zip	→ wintrump.zip
Compress	→ .Z	→ scan.tar.Z
Pack	→ .z	→ rapport.z

CAPSULE   Utilitaires pour traiter les fichiers compressés

Voici une liste d'utilitaires pour Windows et pour Macintosh capables de traiter les différentes méthodes de compression:

→ La compagnie Pkware – créateur de l'archive zip
  (*http://www.pkware.com*)

→ WinZip – Archives zip et gzip pour Windows
  (*http://www.winzip.com*)

→ MacGzip – Archives gzip pour Macintosh
  (*http://persephone.cps.unizar.es/general/gente/spd/gzip/gzip.html*)

→ ZipIt – Archives zip pour Macintosh
  (*http://www.awa.com/softlock/zipit*)

→ StuffIt – Archives .hqx et .sit pour Mac/Windows
  (*http://www.aladdinsys.com*)

GZIP

Cette méthode est celle de GNU, une organisation spécialisée dans les compilateurs C. Un nouveau fichier se crée à la suite de la compression. Le nom du nouveau fichier est la combinaison de l'ancien nom, et du suffixe **.gz**.

ZIP

Cet utilitaire a été conçu par la firme <u>**Pkware**</u> et est du domaine public. Des frais peuvent y être rattachés selon l'usage qui en est fait. L'utilisateur devrait vérifier la licence d'utilisation. Il existe des versions pour Macintosh, DOS, et Windows. Les opérations se déroulant dans un environnement graphique sont d'une utilisation simple. Un fichier compressé avec cette technique porte le suffixe «**.zip**».

STUFFIT, BINHEX et COMPACT PRO

Ces formats sont utilisés dans l'environnement Macintosh. Le logiciel StuffIt Expander peut gérer ces trois types d'archives.

COMPRESS

Cette technique est née dans le monde UNIX. Un fichier compressé selon cette technique porte le suffixe «**.Z**». Les commandes à utiliser sont accessibles par défaut sur les systèmes UNIX. À la suite d'une compression, le fichier original est détruit pour être remplacé par celui qui a été compressé. La décompression, à son tour, entraîne la destruction du fichier compressé, qui est remplacé par le fichier original. L'option -v sert à indiquer le mode message au moment de la compression. L'utilitaire vous annonce alors le degré de compression du fichier.

Pour compresser, on tape: → **compress** -v <nom_de_fichier>

Pour décompresser, on tape: → **uncompress** <nom_de_fichier>

TAR

L'utilitaire TAR ne compresse pas les fichiers; il les regroupe. Par la suite, il est plus facile de comprimer ce seul fichier. Un document de ce type porte le suffixe «.tar».

<u>Pkware</u> (*http://www.pkware.com*)

TAR a été conçu pour archiver et faire des copies de sécurité sur bande magnétique sous Unix. Il est également utilisé pour créer des archives sur disque rigide.

Pour archiver une liste: → **tar** -cf <*nom.tar*> <*liste de fichiers*>

Pour désarchiver une liste: → **tar** -xvf <*nom.tar*>

4.8 LE MOT DE LA FIN SUR FTP

Comme pour n'importe quelle ressource d'Internet, il existe une bonne et une mauvaise façon d'utiliser le FTP. Les règles ne sont pas nombreuses. Parmi les choses à éviter, notons le transfert d'énormes fichiers durant la journée, qui alourdissent le temps de réponse, surtout durant les heures d'affluence. Je vous suggère d'effectuer ce genre de transfert tôt le matin ou tard le soir. Évidemment, évitez de déposer des fichiers contenant des virus sur les serveurs. Agissez en bon citoyen, et tout se passera bien…

Finalement, de plus en plus de logiciels du domaine public possèdent désormais leur propre page Web. Il est intéressant de noter que l'on peut trouver des logiciels rapidement en utilisant des outils comme **la rubrique des sites FTP de *Yahoo!*** ou le site **Shareware.com**.

la rubrique des sites FTP de *Yahoo!* (*http://www.yahoo.com/Computers_and_Internet/Internet/FTP_Sites*)

Shareware.com (*http://www.shareware.com*)

Les groupes de discussion Usenet

«Le peuple se rencontre, le peuple s'exprime, et le portrait exquis de notre société se dessine...»

U senet est un regroupement de groupes de discussion. Certains d'entre vous sont probablement déjà membres d'une ou de plusieurs listes de discussion par courrier électronique. Le problème est que votre boîte de courrier électronique se trouve assez souvent remplie de messages provenant de ces listes. Usenet offre une solution à ce problème. Les messages de plus de 15 000 groupes de discussion différents s'accumulent sur un serveur central auquel vous avez accès. Vous pouvez les consulter, comme s'il s'agissait d'un tableau d'affichage, et choisir de lire seulement les articles qui vous intéressent.

Dans les pages qui suivent, on explique différentes facettes d'Usenet, à savoir son historique, sa structure, la façon de l'utiliser et ses possibilités. Les nouvelles Usenet sont également connues en anglais sous le nom de *Usenet News*. Usenet peut devenir un outil de travail très performant, que vous soyez chercheur, analyste, bibliothécaire, administrateur ou simple utilisateur.

5.1 INTRODUCTION À USENET

On fera connaissance avec cette ressource en nous penchant sur son histoire et sur sa diversité. Je vais également tenter d'éliminer certaines croyances à son sujet.

5.1.1 Définition

Usenet n'est pas un réseau. Il s'agit d'une ressource que l'on trouve sur le réseau mondial Internet. Plus précisément, Usenet est un regroupement de serveurs Internet échangeant des messages. Ces ordinateurs sont appelés serveurs de nouvelles. Les messages sont composés par les utilisateurs d'Internet et traitent d'une immense variété de sujets. Les messages traitant d'un même sujet sont classés par groupes de nouvelles. L'expéditeur doit indiquer à quel(s) groupe(s) de nouvelles son message est destiné. Sur réception, le serveur de nouvelles fera parvenir celui-ci aux autres serveurs à travers la planète pour publication. C'est de cette façon qu'un utilisateur situé géographiquement à l'autre bout de la planète pourra consulter ce message sur son serveur de nouvelles.

Usenet sert à l'échange dynamique d'information entre les millions d'utilisateurs d'Internet. On trouve dans Usenet environ 15 000 groupes de nouvelles. Ce nombre varie constamment au gré de la suppression et de l'ajout quotidien de groupes. À l'intérieur de ces derniers, les participants vont émettre des questions, des réponses, des opinions, des annonces, des statistiques et même afficher des images, des sons et des fichiers multimédias.

Les serveurs de nouvelles Usenet ne sont pas accessibles par tous les internautes. En raison du coût élevé de maintenance pour ce type de service, les fournisseurs de liens Internet l'offrent exclusivement à leurs propres utilisateurs. Lorsque vous vous abonnez, le service à la clientèle de votre fournisseur vous communique l'adresse Internet du serveur de nouvelles Usenet auquel vous avez accès. Dans le cas d'une entreprise, demandez ce renseignement au responsable informatique.

En résumé, Usenet est un moyen dont se sont dotés les internautes pour diffuser et échanger plus efficacement des informations.

5.1.2 La diversité

La diversité des membres d'Internet est notoire. Outre le fait que l'on y trouve des membres d'une multitude de pays, la nature de l'utilisation de chacun est très différente de celle des autres. Internet réunit des universités, des organismes gouvernementaux, des écoles secondaires, d'importantes institutions de recherche, des compagnies privées œuvrant dans divers secteurs, des gens de toutes religions, races et philosophies: bref, un petit portrait exquis de notre société.

C'est précisément en raison de cette diversité que les sujets des groupes de nouvelles Usenet sont aussi variés. Il ne s'exerce aucun contrôle véritable sur les sujets discutés. Seul l'administrateur du serveur de nouvelles décide de l'accessibilité des groupes de nouvelles aux utilisateurs de son site. En effet, étant donné la nature du contenu de certains groupes de nouvelles, ceux-ci peuvent ne pas être disponibles sur n'importe quel serveur. On doit également tenir compte des contraintes d'espace sur le disque rigide du serveur. Il s'échange présentement environ 8 giga-octets de données compressées quotidiennement entre les serveurs Usenet de la planète. Ce volume d'informations représente le trafic généré par un demi-million de messages quotidiennement. Tous les sites ne peuvent pas emmagasiner cet important volume d'informations. Un administrateur ne gardera que les groupes qui intéressent les utilisateurs au détriment des autres groupes. Les demandes de «libération» pour la publication d'un groupe non affiché doivent être faites auprès de l'administrateur du serveur en question. Pour connaître les statistiques quotidiennes du service Usenet, visitez le site **Erols**, qui les affiche sur son site Web.

Pour consulter les messages emmagasinés sur le serveur Usenet, vous utilisez votre navigateur Web. Mais attention! ce ne sont pas toutes les versions de navigateur Web qui pourront accomplir cette opération. Assurez-vous de posséder soit la version 2.0 et plus du *Navigateur* de Netscape ou la version 3.0 et plus de l'*Internet Explorer* de Microsoft. L'indication de la version apparaît généralement au démarrage du logiciel.

5.1.3 Ce que Usenet n'est pas

Usenet n'est pas une organisation

Il n'y a aucune autorité centrale. En fait, rien n'est centralisé. Les messages sont acheminés d'un serveur à l'autre. C'est un effort coopératif et distribué.

Usenet n'est pas démocratique

Pour qu'il y ait démocratie, il doit y avoir un regroupement précis de personnes. Tel n'est pas le cas pour Usenet, car chaque utilisateur décide de sa participation. Il n'y a pas de policiers Usenet. Un utilisateur peut choisir d'écrire des sottises de toutes sortes pour publication, et personne n'aura le pouvoir légal de

Erols (*http://thereisnocabal.news.erols.com/feedinfo*)

l'en empêcher. La liberté d'expression règne sur Usenet. Par contre, le droit d'ignorer des messages et celui d'y répondre à notre façon sont tout aussi réels.

Usenet n'est pas Internet

C'est plutôt une ressource que l'on trouve dans le réseau physique de télécommunications Internet.

Usenet n'est pas un logiciel

Il existe plusieurs logiciels qui nous permettent de lire les nouvelles Usenet. Ce type de logiciel se nomme Lecteur de nouvelles. Il en existe pour pratiquement toutes les plates-formes et pour tous les systèmes d'exploitation.

Usenet n'est pas le berceau de la pornographie

Des rumeurs circulent, selon lesquelles des gens s'échangent des images érotiques à l'intérieur d'Usenet. Oui, c'est vrai. Mais ce n'est certes pas la seule utilisation de cette ressource. Avides de sensationnalisme, arrière! Le volume consommé par ces images ne fait pas le poids par rapport à celui des informations destinées aux autres sphères d'intérêt, disons, moins charnelles.

Usenet n'est pas le courrier électronique (CÉ)

Les internautes en herbe confondent quelquefois le CÉ et les nouvelles Usenet. Le fonctionnement d'une liste de distribution par CÉ n'est pas le même que celui d'un groupe de discussion. Dans Usenet, on s'abonne en insérant le nom d'un groupe dans une liste d'abonnement, tandis que, pour le CÉ, on doit envoyer un message à un administrateur et attendre patiemment l'avis d'abonnement. Les différences sont énormes.

Usenet n'est pas une fonction du Web

C'est une ressource qui est accessible par un navigateur Web de la même façon qu'un serveur FTP anonyme ou toute autre ressource Internet. Le navigateur est pratiquement devenu le seul outil dont a besoin l'internaute pour naviguer dans Internet, voilà un indice sur l'appellation du navigateur. ;-)

Usenet est démocratique

Pardon? N'avait-on pas affirmé le contraire précédemment? Oui. Cependant, la création de la plupart des groupes de discussion distribués sans restriction mondialement est sous la tutelle d'un système de vote précis que l'on verra un peu plus loin.

Usenet n'est pas commercial

Cependant, les gens d'affaires ont flairé le coup. Un jour ne passe pas sans que tous les groupes Usenet ne soient bombardés par des messages publicitaires. On appelle ce phénomène le *spamming*[1].

5.1.4 Historique des nouvelles Usenet

Au début, il y avait le courrier électronique. C'était très intéressant, mais la diffusion d'un message était restreinte; puis vint Usenet en 1979. Deux étudiants diplômés de l'Université Duke, en Caroline du Nord (UNC), Tom Truscott et Jim Ellis, décidèrent de relier deux ordinateurs Unix pour échanger de l'information. Un autre étudiant de l'Université de la Caroline du Nord, Steve Bellovin, élabora la première version d'un lecteur de nouvelles permettant de mieux échanger les informations, et il installa ce logiciel sur les deux premiers sites d'Usenet, soit DUKE et UNC. Après quelques révisions et une migration vers le langage C, la version «A» fut proposée, en 1980, à la conférence UseNix, au Colorado. Cette version avait la capacité de manipuler seulement quelques messages par jour. Le volume de courrier grossit, et un étudiant de l'Université de Berkeley, en Californie, Matt Glickman, mit au point la version «B», en 1981, pour régler ce problème. Ces deux premières versions ne furent pas distribuées, seuls quelques sites participèrent à Usenet. Cela changea, en 1982, lorsque la première édition publique du serveur de nouvelles, la version 2.1, fut lancée.

Par la suite, plusieurs versions se sont succédé; la dernière à ce jour est la version 2.11, révision 19. Elle porte aussi le nom de «C» News. Elle a été élaborée par deux étudiants de l'Université de Toronto, Geoff Collyer et Henry Spencer. La manipulation des messages et la stabilité du système furent les deux éléments pris en considération dans cette version. Les codes sources de ces

---

1. Terme relié à une marque de jambon en conserve popularisée en Amérique du Nord. On y voit le reflet sur-commercialisé d'un produit. Ce terme désigne également l'inondation volontaire d'une liste de distribution ou d'un groupe de discussion par des messages de nature commerciale de mauvais goût.

logiciels sont publics, mais demeurent la propriété des auteurs. Le protocole d'échange officiel entre les serveurs Usenet se nomme NNTP (*Network News Transfer Protocol*). La description officielle de ce protocole se trouve dans le document **RFC (Request For Comments) #977**.

Aujourd'hui, plus de 8 giga-octets d'informations sont produits quotidiennement par l'ensemble des utilisateurs de cette ressource. On compte plus d'un million d'utilisateurs différents par mois. Le nombre d'articles publiés mensuellement se chiffre aux alentours de 15 millions. Le volume de données consacrées à Usenet sur l'ensemble des serveurs à travers la planète dépasse la mirobolante marque de 125 téra-octets (1 téra-octet = 1 000 giga-octets = 1 000 000 méga-octets).

CAPSULE   Informations supplémentaires à propos d'Usenet

Il existe une myriade d'informations supplémentaires et exhaustives dans Internet sur les différentes facettes de cette ressource. Je vous propose les groupes d'administration Usenet.

→ Statistiques/listes des groupes Usenet (*news:news.lists*)

→ Un coin pour les novices francophones (*news:fr.annouce.newusers*)

→ Questions des novices, réponses des experts
(*news:news.newusers.questions*)

→ Nouveaux groupes francophones (*news:fr.announce.newgroups*)

→ FAQ publiés dans Usenet (*news:news.answers*)

→ Annonce de nouvelles rubriques Usenet
(*news:news.announce.newusers*)

→ Discussions sur la création de nouveaux groupes
(*news:news.announce.newgroups*)

→ Rubrique Usenet du site *Yahoo!*
(*http://www.yahoo.com/News/Usenet*)

RFC (Request For Comments) #977 (*ftp://nic.merit.edu/documents/rfc/rfc0977.txt*)

5.2 LES GROUPES DE NOUVELLES

Examinons maintenant comment sont organisés les groupes de nouvelles Usenet. Pour le novice, il est important de comprendre les conventions et la hiérarchie de ces groupes. Il est également bon de savoir pourquoi un groupe porte un nom distinct.

5.2.1 Conventions

Certains termes nouveaux vont apparaître dans les pages qui viennent. Voici quelques définitions qui permettront au lecteur de mieux comprendre cette terminologie.

TERME	DÉFINITION
ARTICLE	→ Message électronique que des auteurs écrivent sur différents sujets.
AFFICHE	→ Un article.
AFFICHER	→ Action d'écrire un article et de le publier dans Usenet.
FAQ	→ Liste de questions fréquentes accompagnées des réponses appelée «Foire Aux Questions».
FLAMME	→ Commentaire agressif à un message original.
FIL D'INTÉRÊT	→ Série de messages en réponse à un message original.
NOUVELLE	→ Un article.
PARTICULARITÉ	→ Caractéristique d'un groupe de discussion.
RACINE DE DISCUSSION	→ Regroupement des groupes de discussion ayant un intérêt commun.
SUIVI	→ Réponse électronique à un article original écrit par un autre auteur.

5.2.2 La structure

L'auteur d'un article décide dans quel(s) groupe(s) de discussion il s'intégrera. Le nom d'un groupe est composé de mots clés le décrivant. Ces descriptions sont généralement données en anglais. On verra toutefois que certains sites offrent des descriptions dans d'autres langues. Voici un exemple de nom pour un groupe de nouvelles: *sci.space.shuttle*

On peut aisément deviner la nature des messages qui circulent dans ce groupe. Notez que chaque mot clé est séparé des autres par un point. Le premier mot de chaque description désigne un intérêt général, et les mots suivants sont plus précis. Ici, le mot *sci* indique un intérêt scientifique général, c'est une *racine de discussion*. Par la suite, **space** indique que la spécialité est l'espace et **shuttle,** que la navette spatiale est le sujet de choix. La structure Usenet est arborescente. On peut donc trouver plusieurs rubriques sous chaque mot clé. Voici la représentation d'une arborescence:

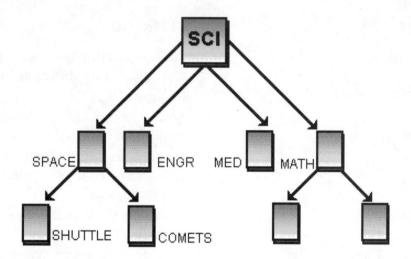

Figure 5.1
Arborescence de groupes de nouvelles Usenet

Voici d'autres exemples de groupes de nouvelles:

sci.engr	→ Ingénierie générale
sci.engr.biomed	→ Ingénierie biomédicale
sci.engr.chem	→ Ingénierie chimique
sci.engr.civil	→ Ingénierie civile
sci.engr.mech	→ Ingénierie mécanique
sci.engr.mech.hyp	→ Hypothèses sur l'ingénierie mécanique

5.2.3   Les racines de discussion majeures

Une racine de discussion rassemble des groupes Usenet qui traitent d'un même champ d'expertise. Cette notion forme la base de la hiérarchie arborescente des nouvelles Usenet. Il existe plus d'une centaine de racines de discussion, mais on en note une dizaine, plus importantes, pour lesquelles la fréquentation est plus volumineuse. De plus, ces racines sont généralement distribuées sur tous les serveurs Usenet.

bit.

Sujets variés rassemblant des groupes qui se trouvent sur des ordinateurs centraux dans l'ancien réseau BITNET. Les contenus de plusieurs listes de discussion par courrier électronique se trouvent également sous cette souche.

comp.

Rubrique portant sur les ordinateurs, les systèmes d'information, les logiciels et le matériel informatique.

humanities.

Thèmes relatifs aux arts et aux sciences humaines s'adressant aux professionnels et aux amateurs.

misc. et alt.

Rubriques portant sur tout ce qui ne peut être catégorisé. Le mot d'ordre est «anarchie». On y trouve des sujets aussi variés que le ping-pong, le tarot, les images numérisées, les Pierrafeu ou l'art des graffitis.

news.

Discussions portant sur les avancements d'Usenet, les nouveaux serveurs, les groupes de discussion, les lecteurs de nouvelles, et publication de nombreuses FAQ sur de nombreux sujets.

rec.

Groupes orientés vers les loisirs, allant des sports à *Star Trek*, en passant par la musique et l'humour, tout est là pour votre divertissement. Attention, ce groupe peut vous rendre dépendant d'Usenet… ;-)

276

sci.

Sujets relevant du domaine scientifique: la médecine, l'espace, etc.

soc.

Discussions sur les différentes sciences sociales et sur les événements sociaux de notre temps. On y trouvera aussi des renseignements sur les nombreuses cultures de la Terre.

talk.

Groupe de débats dans lequel les opinions sur tous les sujets trouvent refuge. On peut assister à de belles batailles d'egos, mais on y trouve peu d'informations concrètes et précises. On pourrait comparer cette souche aux tribunes téléphoniques à la radio.

La distribution de ces racines est mondiale. On trouvera des racines distribuées plus étroitement, comme:

qc. can. et *fr.*

Discussions sur des sujets propres au Québec, au Canada et à la France. Vous y trouverez des groupes de nouvelles en français. Je vous invite à consulter le site Web des <u>Groupes Usenet *fr.*</u>* pour en savoir plus sur les groupes constituant cette racine d'intérêt.

5.2.4 La durée de vie des articles

Les articles apparaissant dans les différents groupes de discussion sont affichés pendant un certain temps, qui sera déterminé par l'administrateur du serveur de chaque site. Un article peut être gardé deux jours sur un site et quinze jours sur un autre. L'important volume d'articles rédigés quotidiennement rend impossible la conservation de tous les articles, c'est pourquoi ils sont effacés après un certain temps. Dans le cas d'une université, par exemple, les périodes d'affichage sont déterminées par l'intérêt démontré par les utilisateurs pour

<u>Groupes Usenet *fr.*</u>* (*http://www.fr.net/news-fr*)

certains groupes et le volume d'articles généré par ces derniers. Les articles suscitant moins d'intérêt sont rapidement effacés. Voici un exemple d'une politique de gestion des groupes Usenet sur un serveur de nouvelles:

alt.binaries.sex.pictures.*   → Non diffusé à l'université, jugé non pertinent pour l'éducation

bit.listserv.banyan-l   → 30 jours

bit.listserv.oracle-l   → 30 jours

comp.*   → 14 jours

univertite.*   → 60 jours

alt.*   → 3 jours

autre   → 6 à 8 jours selon le volume

5.2.5 Les particularités d'un groupe et la FAQ

La grande majorité des groupes de nouvelles se fondent sur des règles de création et de fonctionnement. Au moment de la création d'un groupe, une «raison d'être» ou «raison sociale» est publiée. Dans celle-ci, on trouve les sujets traités par le groupe, la raison pour laquelle il a été créé et ses règles d'utilisation.

Cette «raison sociale» est publiée périodiquement par la personne responsable du groupe. Cette publication se nomme FAQ pour *Frequently Asked Questions*; en français, on parle des «questions fréquentes» ou d'une «foire aux questions». Heureusement pour nous, la FAQ regroupe également les réponses. De plus, on peut savoir le nom des responsables du groupe et si le contenu de ce dernier est archivé.

Par exemple, on trouve, dans la FAQ du groupe Usenet *rec.arts.startrek.info*, la question suivante: «Quel est le nom du capitaine du vaisseau spatial *Enterprise NCC 1701-B* dans l'épisode *Yesterday's Enterprise?*» La réponse suit: «Capt. Rachel Garret».

La FAQ est produite pour empêcher l'engorgement du groupe avec des questions un peu trop simplistes aux yeux des utilisateurs avancés. Une bonne règle à suivre, lorsqu'on se joint à un nouveau groupe de nouvelles, c'est d'attendre la parution de la FAQ et de la lire attentivement avant de poser des questions au groupe de discussion. Les créateurs de FAQ les publient souvent dans le groupe de nouvelles *news.answers*. Allez y faire un tour, et vous vous apercevrez de la richesse de ces fichiers.

Vous pouvez également en trouver un bon nombre sur le site **FAQ Archive** de l'Université de l'Ohio.

5.2.6 La création d'un groupe de nouvelles

Il y a deux façons de créer un groupe. On peut le rendre accessible dans tout le réseau ou le limiter au site local. Pensons, par exemple, à la racine *ulaval*, qui s'adresse aux personnes du campus de l'Université Laval.

Groupe distribué dans Internet

Comme je l'ai mentionné auparavant, Usenet n'est pas une démocratie. Néanmoins, le moyen le plus populaire de créer un groupe de nouvelles accessible dans tout le réseau implique un vote pour déterminer le soutien (ou l'opposition) vis-à-vis de la nouvelle proposition. Celle-ci doit présenter les particularités du groupe (voir section 5.2.5); elle est ensuite affichée dans le groupe *news.announce.newsgroup*. Une discussion libre s'amorce alors entre les membres d'Usenet. Celle-ci est entièrement volontaire. L'un des sujets discutés est la place de l'éventuel groupe de nouvelles dans la hiérarchie des groupes existants. La période de discussion initiale est de 30 jours.

Après cette phase, si le ton des discussions est plutôt favorable à l'idée de créer ce nouveau groupe, une demande de vote est émise par l'instigateur dans *news.announce.newsgroup*. Cette demande de vote doit mentionner la raison sociale et être précise. Le demandeur choisit une période de vote entre 21 et 31 jours. Les électeurs sont tous des internautes, comme vous et moi. Il s'agit d'un vote libre. L'électeur doit envoyer une réponse claire par courrier électronique, du genre «J'approuve la création du groupe *nouveau.groupe.propose*» ou «Je désapprouve la création du groupe *nouveau.groupe.propose*».

Après la période de vote, l'administrateur du groupe *news.announce.newsgroup* annonce le résultat. Pour qu'un groupe soit créé, on doit compter au moins 100 votes de plus en sa faveur et une majorité des deux tiers. Si l'une de ces conditions n'est pas remplie, la création du groupe est refusée. Dans ce cas, le demandeur peut faire une autre proposition six mois plus tard.

FAQ Archive (*http://www.cis.ohio-state.edu/hypertext/faq/usenet*)

Il faut noter qu'en ce qui concerne les racines *alt.* et *misc.*, où règne une anarchie complète des groupes de discussion, ce processus n'a pas cours. Un administrateur de serveur de nouvelles peut créer un nouveau groupe sans aucune permission et le distribuer globalement dans Internet. Toutefois, comme on l'a mentionné auparavant, chaque administrateur décide des groupes offerts sur son propre site.

CAPSULE   **Création de groupes et consultation de groupes bannis**

Afin de connaître tous les détails du processus électoral, je vous prie de consulter un des documents Web suivants, qui vous mettront au courant des nouveautés à ce sujet. De plus, vous trouverez ci-dessous des trucs pour consulter des groupes bannis par votre site.

→ Guidelines for Usenet group creation
   (*http://www.indiana.edu/ip/ip_support/usenet_guidelines.html*)
→ Création d'un groupe *alt.*
   (*http://www.cis.ohio-state.edu/~barr/alt-creation-guide.html*)
→ How to receive banned Newsgroups
   (*http://www.braxi.com/zatar/banned.html*)
→ Public Usenet sites
   (*http://www.geocities.com/SiliconValley/Pines/3959/usenet.html*)

Groupe distribué localement

Un groupe d'intérêt local peut être facilement créé sur demande auprès de l'administrateur local. Il sera placé sous une racine locale et deviendra accessible exclusivement aux utilisateurs de ce même site. Il est toujours préférable d'annoncer une raison sociale, même si ce groupe n'est pas disponible sur l'ensemble du réseau Internet. En effet, il est intéressant de savoir pourquoi ce groupe existe.

5.3 NÉTIQUETTE D'USENET

On ne pouvait y échapper! Voici la section sur la nétiquette d'Usenet. Il existe plusieurs traditions dans Usenet et dans Internet. L'une de ces traditions est la façon de se comporter lorsqu'un utilisateur envoie un message dans le réseau. La nétiquette est simple à suivre. Il s'agit d'être poli et d'avoir une certaine considération envers les autres. Si vous suivez les quelques règles suivantes, vous et les gens qui vous liront ne vous en porterez que mieux.

5.3.1 Signature électronique

Vous verrez à la fin des messages affichés sur Usenet les signatures électroniques des auteurs. Cet élément sert à donner une meilleure information sur l'envoyeur. Cela devient très utile dans le cas où l'on voudrait joindre celui-ci directement. Il est même possible de mieux comprendre l'opinion d'une personne en sachant à quel organisme elle se rattache et où elle réside.

La signature doit comprendre le nom complet de l'utilisateur, son adresse électronique, son organisation et le lieu où il se trouve. Il est intéressant de noter que les signatures électroniques sont devenues les graffitis d'Internet. En effet, plusieurs vont inclure à leur signature des paroles de chansons ou des citations de philosophes et de personnages de cinéma. On verra aussi des serments d'allégeance à des équipes de sport professionnelles et des dessins sous forme ASCII. Les utilisateurs personnalisent ainsi leur signature. Il est recommandé que la signature ne dépasse pas une dizaine de lignes afin de ne pas alourdir votre message et, du fait même, le trafic du réseau.

Il n'est pas nécessaire d'ajouter une signature électronique; en effet, personne ne supprimera votre accès au réseau si vous n'en mettez pas une. Si vous oubliez de l'ajouter à l'un de vos messages, ne vous en faites donc pas. Il est inutile d'envoyer de nouveau le message uniquement pour préciser votre signature.

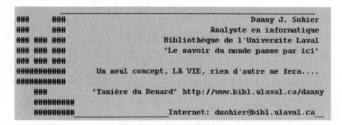

Figure 5.2
Mon illustre signature électronique

5.3.2 Affichage dc messages personnels

Si, pour une raison ou pour une autre, le canal normal de courrier électronique est en panne et que vous désirez envoyer un message à une personne hors de votre site, n'utilisez pas Usenet. De un, vous perdez toute confidentialité, de deux, vous créez un trafic inutile dans le réseau de télécommunications et, de trois, les gens ne sont généralement pas intéressés par ces messages personnels.

5.3.3 Affichage de courrier électronique

Il est considéré comme de très mauvais goût d'afficher un message provenant de votre courrier électronique, à moins bien sûr d'avoir obtenu auparavant l'approbation de l'envoyeur. Les débats légaux à ce sujet ne sont pas encore clairs, mais la majorité des intervenants considèrent que tout courrier électronique doit être traité de façon confidentielle, au même titre que le courrier sur papier.

5.3.4 Ignorez… Ceci est un test

Plusieurs utilisateurs novices d'Usenet vont écrire et afficher des messages bidon dans des groupes de discussion pour tester cette nouvelle ressource. Ces messages ressemblent aux suivants: NE PAS LIRE ou CECI EST UN TEST, IGNOREZ… Étant donné le nombre volumineux d'informations à traiter à l'intérieur d'Usenet, l'envoi de tels messages est considéré comme un faux pas. Il existe en revanche plusieurs groupes où un utilisateur peut faire ses premiers essais; les voici: *alt.test* ou *misc.test*. Certains serveurs prévoient même des réponses automatiques pour ces messages. Vous les recevrez dans votre boîte de courrier électronique.

5.3.5 Citations

L'une des caractéristiques intéressantes d'Usenet est la possibilité de répondre à des messages écrits par un autre internaute. C'est ce que l'on appelle un **suivi d'article**. Dans un suivi d'article, le lecteur de nouvelles affiche avec sa réponse le message original qu'il a reçu et place le caractère «>» (plus grand que) devant chaque ligne de ce message. Ce fonctionnement est très utile lorsqu'on veut répondre à un point particulier d'un message ou, tout simplement, pour soutenir l'ensemble de sa réponse. Voici un exemple:

```
In article <393921@cerb.uciin.edu>, oshaka@umin.edu writes:
> Le meilleur logiciel pour comptabiliser est sûrement
> Lotus 123 car il est là depuis le tout début des > chiffriers…
Je n'y crois pas. Excel est le meilleur…
```

Voilà une bonne façon d'utiliser des citations. En revanche, il en existe de très mauvaises. Pensons à la reprise de longs articles originaux dans une réponse, dans le but de donner un avis ou de répondre à un seul des nombreux points traités, comme dans l'exemple suivant:

```
In article <393921@cerb.uciin.edu>, oshaka@umin.edu writes:
> Voici une liste des 23 amendements pour la ratification
> de notre charte sur les procédures internes…
```

… 100 lignes plus loin…

```
> démocratie de cette entente. Nous vous demandons votre
> avis dans le but d'un sondage.
Je suis d'accord.
```

L'utilisateur, dans ce cas, a envoyé dans Usenet un message d'une centaine de lignes uniquement pour dire «Je suis d'accord». L'un des éléments de la nétiquette du réseau veut que vous diffusiez les points auxquels vous répondez sans envoyer de trop longues citations.

Vous pouvez aussi vous permettre de supprimer une série de réponses accumulées dans un message afin d'en réduire la taille et d'éclairer la nature de votre envoi. Vous vous apercevrez que certains messages deviennent illisibles en raison du fait que les auteurs incluent quatre ou cinq autres réponses dans leur message. Ce comportement est à proscrire. Voici un exemple où les lignes «>» se multiplient plus rapidement que le nombre d'amis qu'on trouve après avoir gagné à la loterie:

```
In article <3320342@athena.ulaval.ca>, fmercier@bibl.ulaval. ca writes:
>>>Je crois que le cours d'infographie a ses désavantages
> > > > > car les appareils utilisés ne sont plus à la hauteur. De
> > > > De quels appareils parles-tu?
> > > Et bien, moi je suis d'accord avec toi… si le contenu du
> > > cours ne tient pas debout, tu dois le dire au directeur.
> > > > > plus la matière est désuète selon moi. Aidez-moi, que
> > De vieux IBM PC 8086!:(
> Qui est le directeur?
> > > > > me conseillez-vous de faire?
```

Si vous lisez ce message ligne par ligne, vous le trouverez confus, et à juste titre. On y trouve les réponses de six personnes consécutives. Diffusez vos réponses pour qu'elles ne ciblent que des points très précis.

5.3.6 Heureux :) Malheureux :-(et ivre :*)

Pendant votre exploration dans Usenet, vous verrez des regroupements incompréhensibles de caractères à la suite de certaines phrases. Ne vous méprenez pas, ce ne sont pas des fautes de frappe. Ce ne sont pas non plus des hiéroglyphes de l'ancienne Égypte. On appelle ces signes des **binettes.** Elles dénotent plutôt l'humeur des auteurs et donnent des indications sur la nature de leurs articles. En effet, si vous regardez les signes suivants en penchant la tête vers la gauche, vous verrez apparaître des visages souriants, malheureux, et même des clins d'œil: :-) ;-) :-| et :-(. Vous pouvez utiliser ces signes pour donner un peu plus d'expression à votre article. Je vous offre en annexe une liste de ces petits monstres. =)

5.3.7 Abréviations

Pour raccourcir les articles, on utilise souvent des abréviations pour éliminer des phrases qui reviennent assez souvent. Il faut mentionner que la liste suivante contient un peu d'anglais, la raison étant que ces expressions sont là depuis le début des temps... euh, depuis 30 ans. L'utilisateur est libre d'employer des abréviations françaises. En revanche, si vous vous adressez à des non-francophones, vous risquez de ne pas vous faire comprendre... Voici cette courte liste:

A+	→ À Plus tard		
AMO	→ À Mon Avis		
TK	→ En tout cas		
QQ'UN	→ Quelqu'un		
VOYEL	→ VOYou ELectronique		
IMHO	→ À mon humble avis	→ In My Humble Opinion	
BTW	→ À part ça	→ By The Way	
FYI	→ Pour votre information	→ For Your Information	
RTM	→ Lisez le manuel d'instructions	→ Read The Manual	
ROTFL	→ Je me roulais par terre, tellement c'était drôle…	→ Rolling On The Floor Laughing	

5.3.8   Tout feu tout flamme...

Dans Usenet, l'orgueil de certains peut être parfois malmené. En effet, des réponses furieuses peuvent suivre un article. Ces «réponses furieuses» sont appelées des flammes, sûrement parce qu'elles blessent et n'ont d'autre fonction que d'être négatives. Ces flammes apparaissent dans les groupes de nouvelles; normalement, elles ne le devraient pas. Les flammes doivent être envoyées directement à l'auteur de l'article par courrier électronique; n'utilisez pas Usenet pour envoyer des commentaires trop «enflammés», cela ne ferait que porter atteinte à votre propre réputation. Cela n'est pas un jugement contre les flammes, au contraire; si vous avez envie de réagir à un commentaire, répondez, mais de la bonne façon. Voici l'exemple d'un message au vitriol et d'une flamme envoyée par la suite:

```
In article <123232@athena.ulaval.ca>. hsigner@rcss.ulaval.ca writes:
Je crois que tous ces fous à lier du Parti Vert devraient mourir dans une
gigantesque marmite d'acide sulfurique infestée de requins nourris pendant
trois semaines au poulet frit à la Kentucky pour qu'ils soient vraiment af-
famés. Voilà, c'est TOUT!
```

Et la réponse enflammée:

```
In article <123259@athena.ulaval.ca>. jfaullem@the.ulaval.ca writes:
> Je crois que tous ces fous à lier du Parti Vert devraient
> mourir dans une gigantesque marmite d'acide sulfurique
> infestée de requins nourris pendant trois semaines au poulet
> frit à la Kentucky pour qu'ils soient vraiment affamés.
> Voilà, c'est TOUT!

T'es vraiment tombé sur la caboche l'oignon. Va te faire voir par un bour-
reau tandis que tu y es, tête de céleri. Non mais, pour qui tu te prends de
t'en prendre à notre bande, espèce de */"|0""!!&?/
```

Cela peut continuer ainsi jusqu'à engourdissement des doigts. Ces messages sont amusants, et je me refuse à écrire des jurons dans cet ouvrage, mais les flammes sont souvent beaucoup plus éclatantes encore. S'il vous plaît, envoyez-les par courrier électronique à l'interlocuteur concerné et épargnez les autres internautes. Je vous remercie à l'avance.:)

5.3.9   Guerres de religion

Quel que soit le type d'ordinateur qu'une personne utilise, celle-ci est convaincue que son appareil est doté des meilleurs éléments technologiques sur le marché et que le reste ne vaut pas grand-chose. C'est vrai aussi pour les différents systèmes d'exploitation et logiciels. C'est pour cette raison qu'afficher un article posant la question «Quel est le meilleur achat, IBM ou Macintosh?» va provoquer une guerre de religion et attirer des arguments plus partisans que sérieux. Si vous voulez vraiment provoquer de telles discussions, joignez-vous au groupe *alt.religion.computers.* Je vous suggère aussi de consulter vos collègues de travail et de feuilleter des magazines pour trouver réponse à votre question. Ce phénomène se produit également dans les sports. J'avais un argument «Nordiques vs Canadiens» qui était à point, mais il n'est plus valide aujourd'hui (désolé pour les lecteurs européens qui ne comprennent pas). On peut étaler ce type d'argument à la langue (français vs anglais), à la religion et même aux problèmes d'ordre ethnique.

5.3.10 ## Qualité et précision de vos articles

La façon dont vous vous exprimez dans vos articles est importante. Ne tournez pas autour du pot. Si vous avez une question, expliquez la situation, votre besoin et, finalement, posez une question claire et sans équivoque. Un article vague va vous attirer l'indifférence des utilisateurs d'Usenet. La qualité de vos articles détermine votre identité dans le réseau. Ne l'oubliez pas.

Dans le même ordre d'idées, donnez à vos articles des titres clairs et directs, dénués de négativisme. Voici quelques exemples, bons et mauvais:

BON	→ Configuration d'un cédérom Pioneer
MAUVAIS	→ Je cherche les paramètres d'installation d'un lecteur de cédérom de marque PIONEER.
MAUVAIS	→ MON $%?/&*"!?!"/ DE LECTEUR PIONEER NE MARCHE PAS.
BON	→ À la recherche de Windows 1.0!
MAUVAIS	→ Windows
MAUVAIS	→ \<No subject given\>

5.3.11 ## Qualité du ton

Allons-y avec un peu de naïveté de ma part dans ce prochain point. Étant donné que l'on ne dispose pas encore de messagerie vocale numérisée sur nos ordinateurs ou dans Internet (mais ça viendra :-)), la façon d'écrire nos articles peut avoir des répercussions sur la réponse. En voici un exemple:

```
N'importe qui soutenant l'équipe de hockey Les Canadiens de Montréal devrait
aller se faire voir…
```

Ce genre de commentaire engendrera probablement des réponses disgracieuses. Une meilleure tournure pourrait être:

```
Pourquoi les gens soutiennent-ils l'équipe des Canadiens?
```

De même, l'utilisation exclusive de lettres MAJUSCULES dans vos articles implique que vous criez très fort, et les utilisateurs d'Usenet ont les oreilles fragiles. UTILISEZ LES LETTRES MAJUSCULES À BON ESCIENT, OK? MERCI DE VOTRE BONNE ATTENTION... Bon, je baisse le ton un peu.

5.4 LECTURE, ÉCRITURE ET GESTION DE MESSAGES USENET

Je privilégie l'utilisation du navigateur Web de la compagnie Netscape comme lecteur de nouvelles Usenet. Il existe des logiciels conçus exclusivement pour la consultation des nouvelles Usenet. Cependant, l'espace-disque étant rare de nos jours, le tracas d'installer un second logiciel et le temps consacré à apprendre un nouvel environnement sont d'excellentes raisons pour demeurer à un endroit que l'on connaît bien, soit le navigateur Web. De plus, il ne se fait plus de lecteurs de nouvelles spécialisés depuis deux ans à cause de la facilité d'accès offerte par les navigateurs.

Notez que mes exemples sont produits à l'aide de la version française 4.0 du *Communicator* de la compagnie Netscape. J'utilise plus précisément le module **Collabra-Forums** de Netscape. Vous pouvez utiliser toute version supérieure ou égale à 2.0 du *Navigateur* de Netscape ou toute version supérieure ou égale à 3.0 pour l'*Explorer* de Microsoft. Pour ce dernier, le module de nouvelles se nomme **Outlook Express**. Les instructions que j'offre ici sont valides pour Netscape. Vous retrouverez cependant les mêmes fonctions avec l'*Explorer* de Microsoft.

Pour obtenir l'écran des nouvelles Usenet après avoir démarré votre navigateur, sélectionnez l'option *Collabra-Forums* située dans le menu déroulant *Communicator*.

5.4.1 Paramètres initiaux

Avant de pouvoir consulter les messages du système Usenet, vous devez paramétrer votre navigateur. C'est très simple. Vous devez connaître les paramètres suivants:

Adresse Internet du serveur Usenet

Sous la forme *adresse.serveur.internet*, il s'agit du serveur à partir duquel vous avez le droit de transiger dans Usenet.

Votre adresse de courrier électronique

Sous la forme ***votre.nom@adresse.fournisseur.internet***, il s'agit effectivement de votre adresse personnelle.

Le nom du fichier de votre signature électronique

Ce dernier est facultatif. Si vous possédez un document que vous désirez voir affiché à la fin de chacun de vos envois pour mentionner vos nom, adresse, citation préférée, etc., il est possible de le faire.

Les deux premiers paramètres sont fournis par votre fournisseur Internet. Quant au troisième, c'est à l'utilisateur de créer sa propre signature par le biais d'un fichier texte.

→ Pour insérer ces informations dans la configuration de votre navigateur, choisissez l'option *Préférences* du menu déroulant *Édition.* Un écran contenant une arborescence de paramètres est alors affiché.

→ En cliquant sur *Courrier & Forums*, un choix de catégories propres aux nouvelles Usenet apparaît à l'écran.

Légende

1. Catégories de paramètres propres aux nouvelles Usenet
2. Nom de l'utilisateur
3. Adresse de courrier électronique
4. Adresse de retour
5. Nom de l'organisation d'appartenance
6. Fichier de la signature électronique

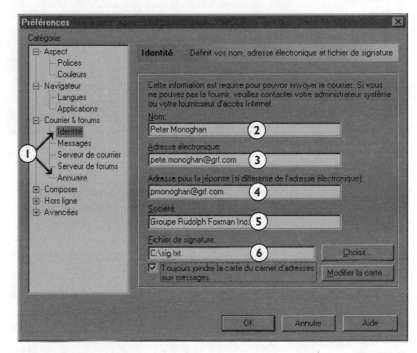

Figure 5.3
Les paramètres d'identification

C
H
A
P
I
T
R
E

5

Identité de l'utilisateur

Cette catégorie de paramètres sert à vous identifier. Inscrivez votre nom usuel, votre adresse de courrier électronique, une adresse électronique de retour pour le cas où cette dernière est différente de votre véritable adresse de courrier, le nom de votre organisation et, finalement, indiquez le chemin et le nom du fichier texte contenant votre signature électronique.

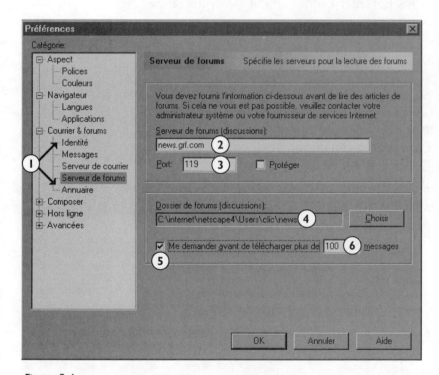

Légende

1. Catégories de paramètres propres aux nouvelles Usenet

2. Adresse du serveur de nouvelles

3. Port IP utilisé

4. Dossier des forums

5. Confirmation pour transférer plus de messages que la limite

6. Nombre maximal de messages pouvant être transférés

Figure 5.4
Les paramètres du serveur de nouvelles Usenet

Serveurs de forums

Cette catégorie de paramètres est la dernière que vous devez remplir avant de pouvoir consulter les nouvelles Usenet. Indiquez l'adresse de votre serveur Usenet, tel que stipulé par votre fournisseur de liens Internet. Le port IP des nouvelles Usenet est normalement le 119. Donc, sauf avis contraire, vous n'aurez pas à modifier ce paramètre. Indiquez à votre navigateur l'endroit où seront enregistrées les informations à propos des groupes que vous consulterez. Finalement, fixez la limite du nombre de messages à transférer lorsque vous consultez un groupe de nouvelles. Ce paramètre vous évitera de perdre trop de temps si un groupe contient un volume trop important de messages. Dans ce cas, **Collabra** vous demandera s'il doit transférer tous les messages ou seulement le nombre limite.

5.4.2 Le centre de messages: la porte d'entrée aux nouvelles Usenet

Pour obtenir l'écran des nouvelles Usenet après le démarrage de votre navigateur, sélectionnez l'option *Collabra-Forums* du menu déroulant *Communicator*. Vous pouvez également cliquer sur le bouton *Forums* dans la palette d'accueil. Le centre de messages de Netscape s'affiche. On y trouve un accès vers votre courrier local, un autre vers le serveur de nouvelles Usenet, ainsi que votre liste d'abonnement à différents groupes de nouvelles.

Légende

1. Menus déroulants

2. Barre d'outils de navigation

3. Accès au courrier local

4. Accès au serveur de nouvelles Usenet

5. Groupes de discussion Usenet

6. Nombre d'articles non lus

7. Nombre total d'articles

8. Bouton *Forums* dans la palette d'accueil

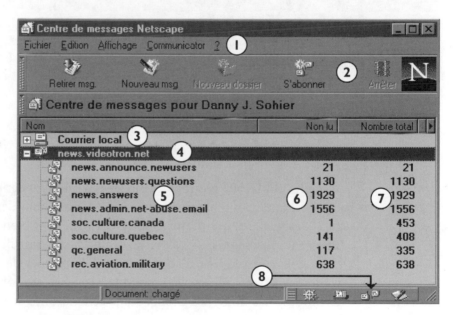

Figure 5.5
Le centre de messages de Netscape

Maintenant, vous pouvez cliquer sur n'importe quel groupe de discussion Usenet et voir apparaître les messages qui s'y trouvent. Au fur et à mesure que vous lisez des messages, le nombre de messages non lus indiqué sur l'écran diminue. Les opérations de gestion sur un groupe sont accessibles en cliquant sur celui-ci avec le bouton droit de la souris dans Windows ou de façon continue dans Macintosh. Un menu apparaît dans lequel vous trouvez les options permettant d'ouvrir le groupe sélectionné, de marquer comme «lu» tous les articles qui le composent, de le supprimer de votre liste d'abonnement, d'y rechercher un message précis et de connaître ses données vitales.

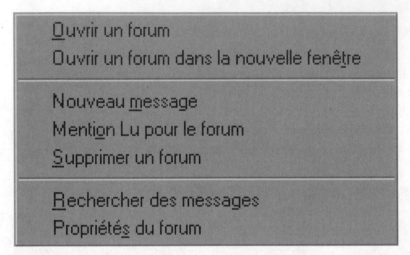

Figure 5.6
Opérations de gestion sur un groupe de nouvelles

5.4.3 Gestion de la liste d'abonnement

Avec plus de 15 000 groupes de discussion différents et une multitude de messages échangés quotidiennement, certains se demandent comment garder la trace des groupes qui piquent notre curiosité. Ou bien encore, comment distinguer les messages lus des messages non lus. Un principe utile dans les nouvelles Usenet est la liste d'abonnement. Elle permet de garder en mémoire les groupes que vous suivez avec assiduité. Ces derniers sont affichés à l'ouverture du module des nouvelles Usenet et, de cette façon, vous pouvez ainsi connaître le nombre d'articles lus et non lus pour chacun des groupes.

Un abonnement à un groupe de nouvelles Usenet ne coûte rien, et vous n'avez pas besoin de vous inscrire auprès d'un serveur étranger, comme dans le cas des listes de distribution par courrier électronique. Pour s'abonner à un groupe, il suffit d'ajouter le nom de ce dernier à votre liste d'abonnement et d'indiquer à votre navigateur de le garder en mémoire.

→ Cliquez sur le bouton *S'abonner* dans la barre d'outils de navigation ou sélectionnez cette même option dans le menu déroulant *Fichier*. Le gestionnaire de groupes de nouvelles est ainsi affiché à l'écran.

→ S'il s'agit de votre première visite dans Usenet, votre navigateur téléchargera les descriptions de tous les groupes contenus sur le serveur pour vous permettre de mieux les chercher.

Légende

1. Inscription du groupe de nouvelles

2. Onglets supplémentaires

3. Racines d'intérêt

4. Groupes de nouvelles

5. Nombre de messages

6. Case à cocher pour signaler un abonnement

7. Bouton de désabonnement

8. Adresse du serveur de nouvelles

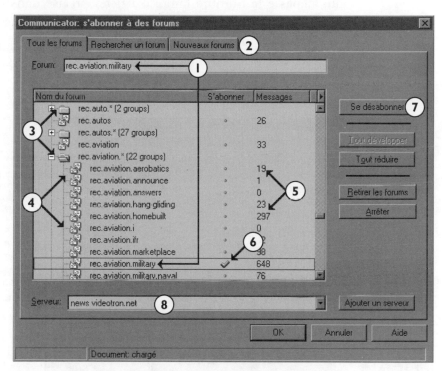

Figure 5.7
S'abonner à un groupe de nouvelles

Il existe deux moyens pour insérer le nom d'un groupe de nouvelles Usenet à l'intérieur de votre liste d'abonnement. Le plus direct implique que vous connaissiez exactement le nom d'un groupe, par exemple *rec.aviation.military*.

→ Inscrivez le nom du groupe en question dans la boîte *Forum* et cochez la case à droite du groupe pour signaler votre abonnement.

→ Vous pouvez également naviguer dans l'arborescence des groupes Usenet et cocher tous les groupes qui vous intéressent.

Les noms des groupes sélectionnés se trouvent ensuite sur votre liste d'abonnement, et les articles des groupes sont présentés à droite de la liste.

5.4.4 Lecture d'un message Usenet

Cliquez sur un des groupes de nouvelles Usenet situés sur votre liste d'abonnement pour consulter les articles qui s'y trouvent. Si le nombre d'articles non lus dépasse le nombre limite d'articles précisé dans les paramètres de votre navigateur, une fenêtre apparaît et vous demande quelle action doit être alors engagée, soit tous les transférer ou transférer le nombre limite seulement, et, dans ce cas, marquer ou non les autres articles comme lus.

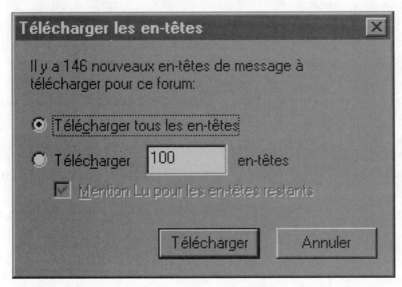

Figure 5.8
Gestion du transfert de messages

Une fois que les en-têtes de messages sont transférés, ils sont affichés dans la partie supérieure de l'écran. Cliquez sur l'un d'eux pour que son contenu soit affiché dans la partie inférieure de l'écran.

Légende

1. Menus déroulants
2. Barre d'outils de navigation
3. Groupe de nouvelles affiché
4. Statistiques de lecture

5. Retour au centre de messages
6. Début d'un fil d'intérêt
7. Articles
8. Indication lu ou non lu
9. Expéditeurs

10. Date de l'envoi
11. En-tête d'un message
12. Corps du message
13. Accès aux groupes de la liste d'abonnement
14. Boutons de tri

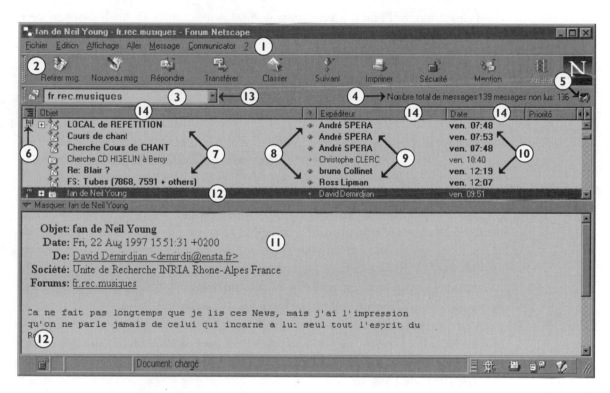

Figure 5.9
Lecture d'un article Usenet

Un message Usenet est séparé en deux parties un peu comme un message de courrier électronique. L'en-tête révèle le titre, l'auteur, l'organisation ainsi que le ou les groupes de nouvelles dans lesquels le message a été publié. Le corps du texte contient l'essentiel du message. On trouvera du texte dans la majorité des messages, mais il peut arriver que des images ou des fichiers HTML s'y trouvent. Dans ce cas, votre logiciel traduit automatiquement les informations pour les afficher adéquatement.

Mention de lecture

Un petit bouton vert situé entre le nom de l'auteur et le titre du message indique si ce dernier a été lu. La mention de lecture d'un ou de plusieurs articles est contrôlée avec l'option *Mention* du menu déroulant *Message*. Voici cependant quelques raccourcis :

→ Pour indiquer qu'un message est lu, cliquez sur son bouton vert pour qu'il disparaisse.

→ Pour changer l'état d'un message de lu à non lu, cliquez sur le bouton vert pour qu'il réapparaisse.

→ Pour indiquer que tous les messages affichés sont lus, faites la combinaison **Maj.+C** ou sélectionnez *Lu pour tout* situé dans l'option *Mention* du menu déroulant *Message*.

En général, ce ne sont pas tous les articles qui nous semblent intéressants. Normalement, on regarde rapidement le titre des messages, on en lit quelques-uns et on laisse tomber les autres. Il serait utile qu'au démarrage subséquent, les messages lus et éliminés ne soient pas réaffichés. À cette fin, prenez l'habitude de marquer tous les articles comme «lus» avant de quitter un groupe de nouvelles.

Ordre de tri

Les articles sont généralement triés en fonction de leur titre. L'ordre de tri peut être modifié avec l'option *Trier...* du menu déroulant *Affichage*. Les messages peuvent être triés en fonction de l'expéditeur, du titre ou de l'ordre chronologique. Vous pouvez également cliquer directement sur les mots *Expéditeur, Objet* ou *Date* surmontant la fenêtre des messages et agissant comme titres de colonnes.

Affichage des messages

Il y a plusieurs modes d'affichage des messages dans les groupes Usenet. On peut régler l'affichage avec l'option *Messages* du menu déroulant *Affichage*. Ensuite, vous pouvez faire afficher tous les messages peu importe leur statut «lu» ou «non lu», ou seulement les nouveaux messages.

5.4.5 Rédaction d'un message Usenet

Positionnez-vous sur le groupe de nouvelles Usenet dans lequel vous désirez publier un message en cliquant sur celui-ci et choisissez une des options suivantes pour atteindre la fenêtre de composition:

→ Sélectionnez le bouton *Nouveau msg.* dans la barre d'outils de navigation.

→ Sélectionnez l'option *Nouveau... Message* du menu déroulant *Fichier*.

→ Faites le raccourci **CTRL+M** pour Windows ou **Pomme+M** pour le Macintosh.

Légende

1. Titre de l'article
2. Menus déroulants
3. Barre d'outils de navigation
4. Groupes destinataires
5. Destinataire par courrier électronique
6. Sélection du type de destinataire
7. Onglet des destinataires
8. Onglet des fichiers joints
9. Onglet de la sécurité
10. Barre d'outils de styles
11. Contenu du message

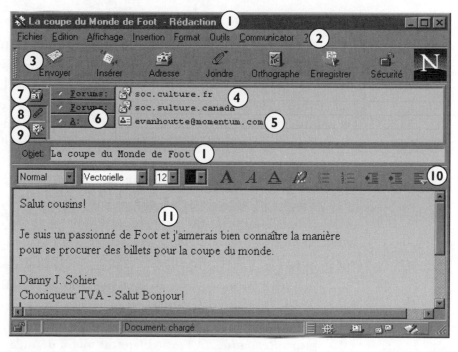

Figure 5.10
Rédaction d'un message Usenet

C
H
A
P
I
T
R
E

5

Le nom du groupe se trouve automatiquement inscrit dans la case *Forums*. Vous pouvez ajouter des groupes de nouvelles à votre expédition en inscrivant leurs noms dans les cases plus bas. Le message peut être envoyé à une boîte de courrier électronique également. Dans la boîte de sélection du type de destinataire, cliquez sur le mode courrier électronique. Inscrivez ensuite une adresse de courrier électronique valide. Écrivez ensuite le titre de votre message dans la case *Objet*. Vous pouvez joindre des fichiers en sélectionnant l'onglet des fichiers joints et en indiquant au navigateur le nom et l'emplacement des fichiers qui doivent être acheminés. Finalement, rédigez le message dans la fenêtre inférieure.

→ Une fois que vous avez terminé la rédaction de votre message, cliquez sur le bouton *Envoyer* dans la barre d'outils de navigation ou sélectionnez une des options d'envoi dans le menu déroulant *Fichier*.

Il y a encore beaucoup de petites fonctions disponibles, comme celles qui se trouvent dans la barre d'outils de styles pour modifier l'apparence de votre message. Je vous laisse le soin d'explorer davantage les menus déroulants pour approfondir vos connaissances.

5.4.6 Réponse et suivi d'un message Usenet

Il existe deux types de réponses servant à exprimer notre point de vue à la suite de la publication d'un article. Vous pouvez soit répondre directement dans le groupe de nouvelles Usenet, soit entrer en contact avec l'expéditeur plus discrètement par le biais du courrier électronique. C'est à l'utilisateur de juger si ses commentaires rejoignent les objectifs du groupe de nouvelles. Dans le cas contraire, l'envoi d'un courrier électronique s'avère adéquat. Une autre option possible est de faire suivre un message publié dans Usenet à une autre personne par le biais du courrier électronique.

Une réponse fait suite à la lecture d'un message. On présume donc que le message original est affiché dans la partie inférieure de l'écran. Voici les différents boutons et commandes utilisés pour répondre à un message:

→ Pour publier une réponse dans le groupe de nouvelles, sélectionnez l'option *Répondre... Forum* du menu déroulant *Message* (CTRL+D pour Windows et **Pomme+D** pour Macintosh).

→ Pour envoyer une réponse par le courrier électronique, sélectionnez l'option *Répondre... À l'expéditeur* du menu déroulant *Message* (CTRL+R pour Windows et **Pomme+R** pour Macintosh).

→ Pour publier une réponse dans Usenet et envoyer une réponse par le courrier électronique, sélectionnez l'option *Répondre... À l'expéditeur et au forum* du menu déroulant *Message* (CTRL+Maj+D pour Windows et **Pomme+Maj+D** pour Macintosh).

Ces fonctions, et plusieurs autres, sont accessibles par les boutons de la barre d'outils de navigation. Encore une fois, on présume que le message auquel vous désirez répondre est affiché dans la partie inférieure de l'écran.

Légende

1. Retrait des nouveaux messages du serveur

2. Rédaction d'un nouveau message

3. Répondre dans Usenet

4. Répondre par le courrier électronique

5. Classement du message

6. Message suivant

7. Impression du message

8. Affichage du statut sécuritaire du message

9. Modification des mentions lu et non lu

Figure 5.11
Barre d'outils de navigation

Lorsque vous sélectionnez une fonction, une fenêtre s'affiche dans laquelle se trouve le message original. Vous trouverez dans l'en-tête le nom du groupe de nouvelles ou l'adresse de courrier électronique de l'expéditeur selon le choix de réponses que vous aurez fait.

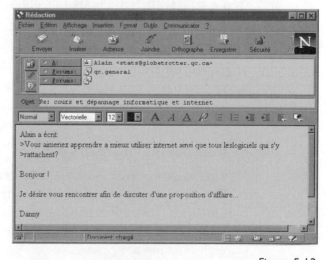

Figure 5.12
Réponse à un groupe de nouvelles et par le courrier électronique

CHAPITRE 5

Dans cet exemple, je réponds à l'expéditeur original tout en publiant une copie de mon message dans le groupe de nouvelles. J'ai le choix de faire suivre le message à autrui en inscrivant des adresses supplémentaires de courrier électronique. On doit sélectionner le bon type d'envoi dans l'en-tête et y inscrire les adresses.

5.4.7 Gestion des messages Usenet

Vous pouvez avoir recours aux opérations usuelles de sauvegarde sur disque rigide et d'impression pour les articles que vous désirez conserver. Pour enregistrer sur disque rigide, sélectionnez en premier lieu le(s) article(s) à l'aide de la souris. Choisissez ensuite l'option *Enregistrer le(s) message(s) sous...* du menu déroulant *Fichier*. Un gestionnaire de fichiers apparaît afin que vous puissiez confirmer le nom et le répertoire pour la sauvegarde.

Pour imprimer, sélectionnez les articles désirés avec la souris. Ensuite, choisissez l'option *Imprimer le(s) message(s)...* du menu déroulant *Fichier* ou cliquez sur le bouton d'impression (**insérez le fichier useprint.tif à cet endroit**) situé dans la barre de boutons dans la partie supérieure de l'écran.

Finalement, vous pouvez classer les messages dans les dossiers de votre boîte de courrier électronique. Cliquez sur le bouton *Classer* dans la barre d'outils de navigation ou sélectionnez l'option *Classer le message* du menu déroulant *Message.*

5.5 LA RECHERCHE DANS LES GROUPES USENET

Les groupes Usenet constituent une ressource tellement riche en information que l'on ne peut pas prétendre être capable de tout consulter. Les internautes y voient un trésor qu'on ne peut laisser tomber facilement. On peut faire des recherches parmi les articles périmés ou même rechercher un nom de groupe de nouvelles Usenet qui satisfera notre intérêt.

5.5.1 Consultation d'articles périmés

Une question fréquente est: «Existe-t-il des archives des groupes Usenet que l'on peut interroger?» Jusqu'à maintenant, certains groupes profitaient de bienfaiteurs qui prenaient la peine d'archiver leurs articles et de créer les index nécessaires à la consultation. Toutefois, il fallait connaître le site où la consultation était possible pour chacun de ces groupes. En vérité, il n'y avait rien de concret. La meilleure chose est de consulter, si elle existe, la FAQ du groupe en question afin de savoir si des archives existent. Vous pouvez également poser cette question à ce même groupe si vous ne trouvez pas la FAQ.

Cependant, il y a à peine deux ans, un service sans pareil a vu le jour dans Internet. Il s'agit de **Deja News**. Ce service, qui est toujours gratuit, permet de consulter la majorité des groupes Usenet. La couverture remonte jusqu'à mars 1995. C'est vraiment formidable, car la base de données comprend environ une centaine de giga-octets de données compressées! La figure suivante vous offre un aperçu de ce service, qui a tardé à faire son entrée dans Internet.

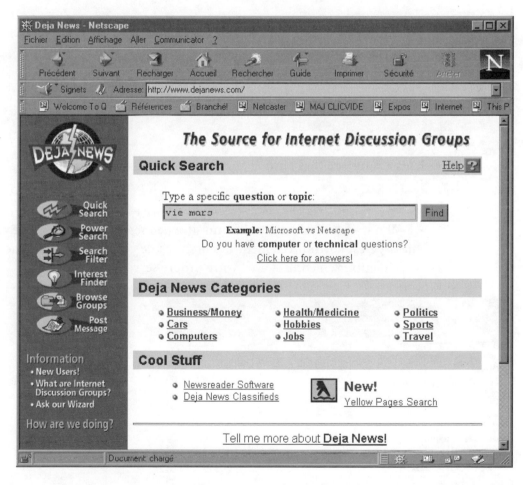

Figure 5.13
Le site Deja News

Deja News (*http://www.dejanews.com*).

Après que j'ai inscrit les mots clés «vie» et «mars», le service a effectué une recherche, et les résultats suivants se sont ensuite affichés.

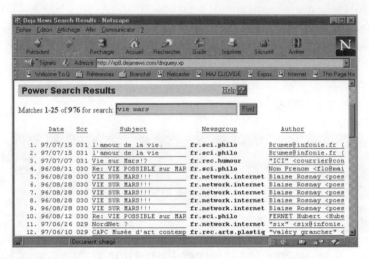

Figure 5.14
Résultats de recherche sur le site Deja News

Il n'y a plus qu'à cliquer sur un titre de message pour en lire le contenu. Le message est sorti directement des archives de ce site. Il n'est même pas nécessaire d'entrer en contact avec votre propre serveur Usenet.

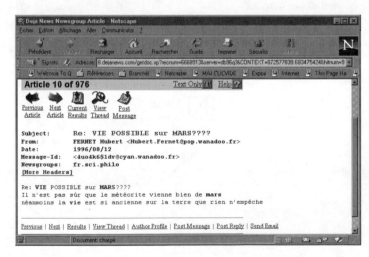

Figure 5.15
Affichage d'un article sur le site Deja News

La société Deja News mentionne qu'elle ne garantit pas la gratuité éternelle de ce service. C'est toutefois son but. Les revenus proviennent jusqu'à maintenant des messages publicitaires affichés dans les pages du service. Un dernier inconvénient est que le site n'archive pas le contenu des groupes spécialisés dans la distribution d'images, de sons et d'animations multimédias.

CAPSULE **Serveurs indexant le contenu des nouvelles Usenet**

Il existe encore quelques services qui indexent un certain contenu de nouvelles Usenet. Je vous offre ici ces quelques adresses:

→ **Index Usenet Deja News** (*http://www.dejanews.com*)

→ **Index Usenet du MIT** (*http://usenet-addresses.mit.edu*)

→ **Engin de recherche Infoseek** (*http://guide.infoseek.com*)

→ **Engin de recherche Excite** (*http://www.excite.com*)

→ **Engin de recherche Altavista** (*http://altavista.digital.com*)

→ **Engin de recherche Hotbot** (*http://www.hotbot.com*)

→ **Search for Usenet Groups**

(*http://sunsite.unc.edu/usenet-i/search.html*)

Pour une description exhaustive de ces engins de recherche, je vous suggère le livre **Internet – Comment trouver ce que vous voulez**, écrit par MM. Louis-Gilles Lalonde et André Vuillet, et publié aux Éditions LOGIQUES.

5.5.2 Trouver le bon groupe Usenet

Avec plus de 15 000 groupes de nouvelles Usenet différents, il peut se révéler difficile de trouver le bon. Je vous suggère de consulter une page Web très utile pour la recherche de noms de groupes Usenet. Cet engin de recherche a la caractéristique de chercher dans la FAQ de chaque groupe. Le site **Search for Usenet Groups** est maintenu par l'Université de la Caroline du Nord.

Internet – Comment trouver ce que vous voulez (*http://www.logique.com/lalonde_vuillet*)
Search for Usenet Groups (*http://sunsite.unc.edu/usenet-i/search.html*)

## CHAPITRE 6

Au terminal avec Telnet

«Un des premiers outils des ancêtres d'Internet...»

La session Telnet a été l'outil le plus utilisé dans Internet pour communiquer avec d'autres ordinateurs avant l'avènement des gophers[1] et du Web[2]. Cette ressource semble bien souvent masquée par d'autres, car elle est utilisée comme une forme de sous-traitance par votre navigateur Web, lorsque vous devez consulter les catalogues de bibliothèques, par exemple. La session Telnet n'est certes pas un plat gastronomique pour les yeux, il s'agit d'écrans et d'interfaces en mode texte. Cependant, votre cerveau sera heureux de voir apparaître les informations beaucoup plus rapidement...

6.1 QU'EST-CE QUE TELNET?

La session Telnet permet à l'utilisateur d'entrer en communication avec des bases de données, des services d'information, des systèmes de gestion, etc., tous accessibles sur des ordinateurs étrangers. Les serveurs qui peuvent accepter ce mode de communication sont des ordinateurs centraux ou des stations Unix. À l'aide d'un logiciel Telnet, un utilisateur se branche à partir de son poste de travail à un ordinateur étranger pour exploiter les programmes qui s'y trouvent, si, évidemment, il en a la permission. Quand doit-on utiliser Telnet? Eh bien, la majorité d'entre vous aurez à négocier une session Telnet afin de consulter le catalogue d'une bibliothèque. Une session Telnet est également nécessaire si

---

1. Voir chapitre 11.
2. Voir chapitre 3.

votre bureau possède encore un système administratif situé sur un vieil ordinateur central. Un autre cas est celui des utilisateurs qui naviguent dans Internet sans lien TCP/IP ou SLIP/PPP[3], donc par une session terminale. Quoique Telnet rende de fiers services, l'un de ses désavantages est son incapacité à effectuer un transfert de fichiers pendant une session. Vous devez utiliser l'outil FTP décrit au chapitre précédent.

Telnet fonctionne sur deux niveaux. Un logiciel client Telnet doit être installé sur votre ordinateur. Il en existe une multitude pour toutes les plates-formes du marché. On vous offre quelques suggestions à ce sujet à la section 6.2. Une session Telnet débute lorsque votre «client» amorce une communication avec le serveur. Le logiciel se charge de transformer et d'envoyer vos commandes dans un langage compréhensible pour l'ordinateur étranger. Finalement, il convertit les informations du serveur en données lisibles sur l'écran. Durant cette session, ce n'est pas votre ordinateur qui fait fonctionner le programme logé dans la fenêtre Telnet. Il s'agit bien de l'ordinateur étranger.

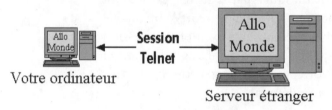

Figure 6.1
Schéma de l'approche client-serveur Telnet

La partie «serveur» est simplement un logiciel fonctionnant sur un appareil étranger. La session Telnet utilise généralement le port IP 23. Il arrive parfois que d'autres ports IP soient utilisés pour une raison ou pour une autre. Le serveur alloue une petite partie de sa mémoire pour gérer la communication avec un client. L'espace-mémoire est libéré une fois que la session est terminée. À l'instar du Web, les deux ordinateurs sont en contact constant durant la session.

6.2 ■ SESSION TELNET

Au départ, on n'utilisait pas d'interface graphique pour effectuer une session Telnet. Tout se faisait sur le mode texte. Il existe maintenant des programmes de communication Telnet pour Windows et pour Macintosh avec des interfaces graphiques. Ne vous méprenez pas, les seules installations ajoutées sont des fonctions de gestion concernant l'environnement de la session. Les commandes

---

3.   Voir section 1.6.3, qui traite de la connexion à Internet.

adressées directement au système d'exploitation du serveur étranger sont toujours entrées, directement par vous, au clavier.

Le logiciel le plus souvent utilisé dans l'environnement Macintosh est *NCSA Telnet*. Les informations sur ce logiciel du domaine public sont accessibles sur le site Web du National Center for Supercomputers Applications à l'adresse <u>URL</u>. Il existe une version française de ce logiciel qui permet de consulter convenablement les catalogues de bibliothèques qui affichent des accents français. Vous trouverez les renseignements à l'adresse <u>URL</u>.

Une pléiade de logiciels Telnet pour Windows sont accessibles. WinQVT est assez souvent rencontré. Vous pouvez vous le procurer sur plusieurs sites FTP anonymes. Il contient également un logiciel de courrier électronique compatible avec le standard POP (*Post Office Protocol*), ainsi qu'un client FTP et un lecteur de nouvelles Usenet. Voici quelques sites d'où il peut être transféré:

Site FTP anonyme:	→ *ftp.direct.ca*	→ Canada
	→ *ftp.grolier.fr*	→ France
	→ *mirrors.aol.com*	→ États-Unis
Répertoire:	→ /pub/simtelnet/win3/inet/qvtws398.zip	

De notre côté, on verra comment établir une session Telnet de la bonne vieille manière dans un environnement DOS. Pour entamer une session, il s'agit d'appeler le programme, dans notre cas «telnet.exe», et de lui transmettre l'adresse Internet de l'ordinateur étranger en paramètre, comme ceci:

c: \> TELNET ariane.ulaval.ca

Le «c: \>» nous vient de DOS et indique que l'ordinateur est prêt à accepter des instructions. Grâce à cette simple commande, un lien est établi avec l'ordinateur étranger. Il faut ensuite donner un nom d'utilisateur et un mot de passe afin de valider notre accès sur le système en question. Certains ordinateurs ne demandent qu'un nom d'utilisateur, sans que celui-ci soit accompagné d'un mot de passe. Ce cas se présente lorsque le serveur couvre un service pour le grand public. Voyons un exemple de session Telnet:

<u>URL</u> (*http://www.ncsa.uiuc.edu/SDG/Software/MacTelnet*)
<u>URL</u> (*http://www.bibl.ulaval.ca/ariane/guideari/intermac.html*)

```
c:\> telnet ariane.ulaval.ca
trying
Connected to ariane.ulaval.ca
Escape character is ALT+F10 or F10
Username: danny
Password: *********
Ariane> _
```

On vient de commencer une session Telnet avec l'ordinateur portant l'adresse Internet *ariane.ulaval.ca.* Avant de vous communiquer les informations émises par l'hôte, Telnet vous rappelle la commande permettant d'interrompre la session. Il est important que vous vous en souveniez. Ici, il s'agit de **ALT+F10** ou de **F10**. Ces commandes peuvent être différentes avec d'autres programmes Telnet. On rencontre, entre autres, assez souvent la commande **CTRL+]**. Le serveur étranger demande un nom d'utilisateur (*Username*) ainsi qu'un mot de passe (*Password*). Si la réponse est correcte, il envoie un message de bienvenue et vous informe de quelques statistiques à propos de votre compte. Finalement, un message de l'hôte indique qu'il est prêt à accepter les commandes.

Pour quitter, il faut choisir la commande d'interruption. Dans notre cas, il s'agit de **ALT+F10** ou de **F10**. Tapez la touche «c» pour demander la commande «close». Telnet coupera la communication immédiatement. Pour ceux qui utilisent des logiciels dans un environnement graphique, cette commande devrait se trouver dans un des menus déroulants. On utilise *File/Exit* avec WinQVT et *File/Close Connection* ou la combinaison **Pomme+K** avec NCSA/Telnet pour Macintosh.

6.3 PORTS IP DIFFÉRENTS

Tel que mentionné, le port IP par défaut de Telnet est le 23. Qu'arrive-t-il lorsqu'on vous demande de communiquer avec un ordinateur ayant l'adresse Internet *machine.domaine.pays* sur un port différent du 23, par exemple le port *n*, afin de joindre un service quelconque? C'est simple, vous devez mentionner à votre programme Telnet: $ **telnet machine.domaine.pays n**

Prenons l'exemple du serveur météorologique de l'Université de l'Alabama à Huntsville (É.-U.), à l'adresse Internet *wind.atmos.uah.edu* sur le port 3 000, et tentons d'amorcer cette connexion avec le logiciel Telnet offert avec Windows95.

→ Choisissez l'option *Système distant...*
du menu déroulant *Connexion*.

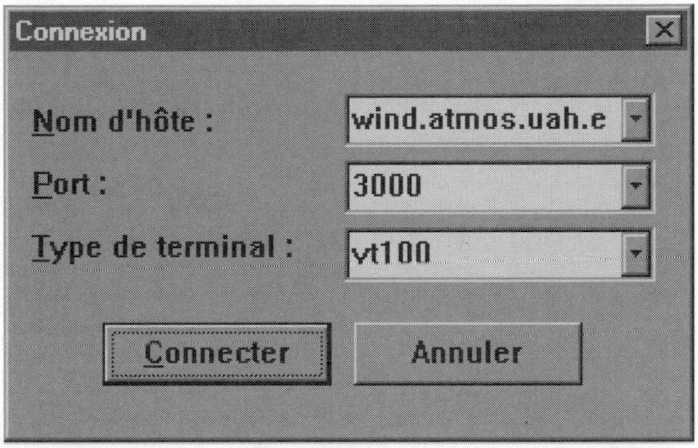

Figure 6.2
Ouverture d'une connexion Telnet

Une fenêtre apparaît dans laquelle vous devez indiquer l'adresse Internet du
serveur visé par votre démarche et le port IP devant être utilisé. Vous indiquerez
finalement le type d'émulation que le logiciel utilisera pour communiquer avec
le serveur. Cette dernière notion sera expliquée à la section suivante.

Légende

1. Adresse Internet
du serveur

2. Menus déroulants

3. Fenêtre d'affichage
Telnet

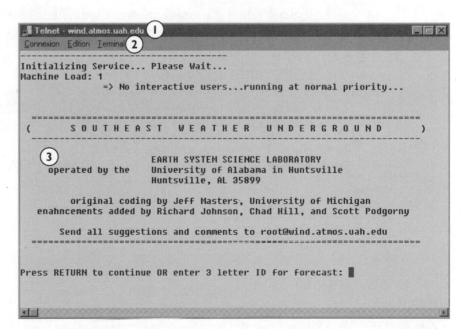

Figure 6.3
Connexion Telnet établie

À partir de ce point, vous procédez selon les règles d'utilisation du serveur étranger. Il vous faut donc connaître les fonctions particulières des menus présentés sur l'écran. Il ne reste plus qu'à vous débrancher à la fin de votre session de travail.

6.4 ÉMULATIONS DE TERMINAUX

Je vais tenter d'expliquer simplement en quoi consiste une émulation de terminal sans entrer dans des détails techniques. Avant l'arrivée des réseaux TCP/IP, on ne pouvait joindre les ordinateurs centraux que par liens séries. On avait un terminal «idiot», car il ne possédait aucune puissance de calcul, et on le reliait physiquement à l'ordinateur central avec un câble. Tout le traitement se faisait sur le central. Ces terminaux équipés de claviers n'étaient en fait que des fenêtres sur le traitement effectué sur le serveur. Pour pouvoir communiquer, on a créé des normes concernant la façon dont les claviers et les terminaux interprétaient les informations entre l'utilisateur et le central. Ainsi, plusieurs protocoles de terminaux ont été écrits au fur et à mesure de l'avancement de la technologie, afin d'offrir, avec chaque nouveau protocole, des clés de fonctions et d'autres caractéristiques. On connaît ces versions de protocoles sous les noms VT52, VT100, VT220, VT320, VT420, 3270, 3278, TTY, etc.

Le logiciel Telnet communique avec l'ordinateur central par le biais d'un de ces protocoles appelés émulation de terminal. Le protocole le plus utilisé dans ce genre de communication est le VT100. Par défaut, la quasi-totalité des logiciels de communication sont paramétrés avec ce protocole. Vous pouvez toutefois utiliser une autre émulation. Ajoutons que le VT100 ne comprend pas les caractères accentués. Il faut exploiter une émulation VT220 et plus, ou un protocole signé IBM (3270, 3278, etc.), pour commencer à fonctionner en français. Un exemple de ceci est le **catalogue Ariane de la Bibliothèque de l'Université Laval,** où vous devez avoir un logiciel émulant le VT220.

catalogue Ariane de la Bibliothèque de l'Université Laval (*telnet://ariane.ulaval.ca*)

6.5 TN3270

On a vu Telnet; ce moyen de communication permet d'échanger avec une bonne majorité des serveurs dans Internet. Toutefois, Telnet n'est pas capable de joindre les ordinateurs centraux de type IBM. Il faut alors utiliser un hybride du programme qui se nomme TN3270 et qui fonctionne de la même façon que Telnet. La seule différence réside dans le protocole utilisé.

Un nom d'utilisateur jumelé à un mot de passe vous sera également demandé. Ce programme est généralement distribué avec Telnet. Il se peut même que votre version de Telnet parvienne à détecter automatiquement le type de serveur et qu'elle agisse en conséquence pour négocier le bon protocole. Il est très rare désormais de voir ce type de protocole, car IBM se penche maintenant vers les émulations traditionnelles. Il reste cependant quelques dinosaures cachés dans des sous-sols d'institutions...

La **Société Hummingbird** offre une gamme de logiciels spécialisés dans ce type d'émulation. L'internaute domestique n'aura probablement jamais à travailler dans cet environnement, mais, pour ceux qui auront à le faire, l'administrateur de réseau de votre organisation vous conseillera le bon logiciel.

6.6 VOTRE NAVIGATEUR WEB ET TELNET

L'adresse URL pour obtenir une ressource Telnet sur le Web possède toujours le préfixe **telnet://**. L'adresse Internet du serveur étranger se trouve immédiatement après le préfixe. Si le port IP est différent du 23, on l'indique en ajoutant **:n** à la fin de l'adresse, où **n** est égal au numéro du port IP. La bonne adresse URL pour l'exemple de la section 6.3 donne ceci:

telnet://wind.atmos.uah.edu:3000

Il est important de noter que votre navigateur Web doit connaître le nom et le répertoire de votre logiciel Telnet. Sinon, il vous répond par un message d'erreur du type **Helper application not found**.

Société Hummingbird (*http://www.hummingbird.com*)

Configuration de Netscape 3.0

→ Choisissez l'option *Préférences générales...* du menu déroulant *Options* et, ensuite, sélectionnez l'onglet *Appl.* Inscrivez finalement où se trouve votre logiciel Telnet.

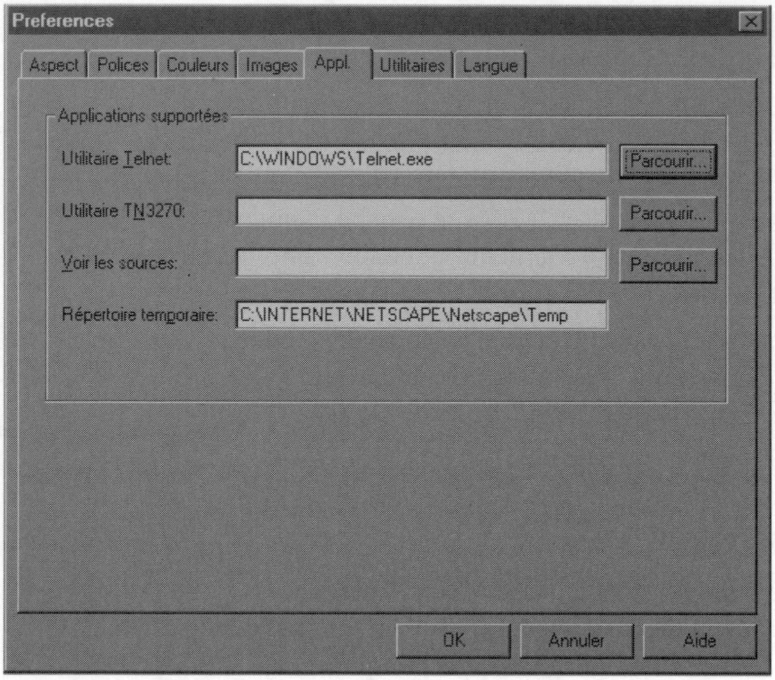

Figure 6.4
Écran des paramètres des applications pour Netscape 3.0

Configuration de Netscape 4.0

→ Choisissez l'option *Préférences* du menu déroulant *Édition.*

→ Cliquez deux fois sur *Navigateur* dans les catégories de préférences puis sélectionnez *Applications.*

→ Trouvez la description du type *URL: Protocole Telnet.*

→ Cliquez sur le bouton *Modifier...* pour inscrire finalement l'endroit où se trouve votre logiciel Telnet.

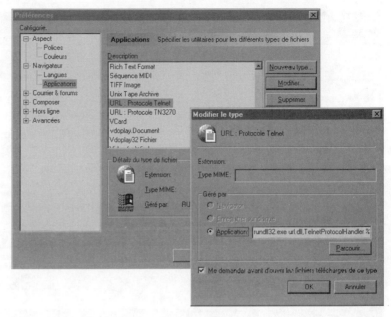

Figure 6.5
Écran des paramètres Telnet pour Netscape 4.0

Configuration d'Explorer 4.0

Pour ce navigateur, c'est le système d'exploitation Windows95 ou le gestionnaire du Macintosh qui est chargé de retrouver l'application. Au pire, il vous demandera l'emplacement de votre logiciel Telnet lorsque vous l'utiliserez pour la première fois.

6.7 HYTELNET

Hytelnet est une ressource d'Internet. Elle groupe la liste de la majorité des catalogues de bibliothèques et des systèmes d'information qu'il est possible de consulter publiquement dans Internet avec Telnet. On y trouve plus de 1 500 catalogues et systèmes d'information. Cette base de données est gérée par **Peter Scott**), de l'Université de la Saskatchewan. On peut consulter **Hytelnet** sur le Web, mais il existe également des clients Hytelnet pour PC et pour Macintosh. Ces logiciels sont accessibles sur le site Web **Hytelnet**.

Hytelnet (*http://www.lights.com/hytelnet*) • Peter Scott (*mailto:scottp@moondog.usask.ca*)

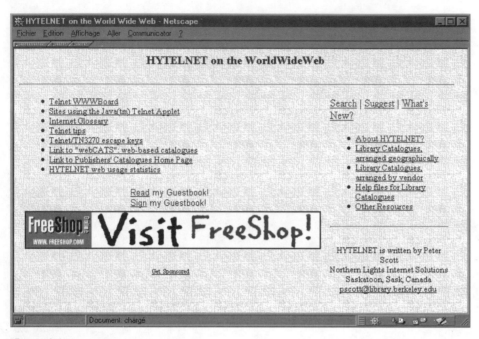

Figure 6.6
Hytelnet sur le Web

On trouve également dans Hytelnet un petit glossaire des termes d'Internet, ainsi que des conseils pour utiliser Telnet et TN3270. Hytelnet ne contient que les adresses des ressources. Une fois que vous avez sélectionné l'une de celles-ci, Hytelnet glisse tous les paramètres de communication vers votre logiciel Telnet qui, lui, effectue la communication. Voyons ce qui se cache sous l'option **Europe/Middle East** lorsqu'on sélectionne la rubrique des bibliothèques (figure ci-contre).

Finalement, on peut sélectionner un pays et en obtenir la liste de catalogues. On clique sur l'un de ces derniers, et les modalités d'entrée en ligne sont affichées. Il ne reste plus qu'à cliquer sur le nom du catalogue pour obtenir la connexion.

Figure 6.7
Rubrique des catalogues de bibliothèques européennes

Sessions de bavardage IRC – (Chat)

*«Laissez vos inhibitions à la porte et
faites ressortir votre véritable personnalité...»*

IRC est l'acronyme de *Internet Relay Chat.* Cette ressource Internet ressemble légèrement aux nouvelles Usenet, dans le sens où l'on y trouve des milliers de groupes de discussion au sein desquels les internautes s'échangent des messages. La comparaison s'arrête là. IRC diffère par son interactivité en temps réel. La méthode d'utilisation est assez simple: on se joint à un forum de discussion appelé **canal IRC**, où on peut assister à des conversations ou y participer en direct. Vous écrivez une phrase à l'aide de votre clavier et, presque au même moment, tous les utilisateurs branchés sur votre canal peuvent la lire et y répondre tout aussi rapidement.

L'analogie de la «Ligne en fête» est excellente dans ce cas-ci. On peut s'imaginer en train de déambuler dans un couloir sans fin. Une série de portes, de chaque côté, dissimulent des pièces où des gens sont rassemblés pour discuter de différents sujets, et vous êtes invité à communiquer avec eux… dans certains cas. Dans chaque forum, on trouve un modérateur, un thème et des participants. Il arrive parfois qu'on y serve des victuailles virtuelles, et l'ambiance qui y règne est détendue. Toutefois, tempérez vos propos, car le modérateur a le pouvoir de vous expulser momentanément, et même de vous bannir à tout jamais! Vous ne trouvez pas votre bonheur? Créez alors votre propre forum et invitez des copains. Vous pourrez ainsi tout vous permettre à l'intérieur de cet univers virtuel.

Certains s'interrogent sur la valeur du système IRC, qui n'est utilisé, pratiquement, qu'à des fins de divertissement. Les administrateurs et les dirigeants d'entreprises regardent d'un mauvais œil ce sous-ensemble d'Internet.

Pourtant, les adeptes se multiplient et défendent plus que jamais leur lien avec la virtualité. Des gens forgent quotidiennement des liens; des amoureux, l'un à New York et l'autre en Australie, se sont mariés en 1994 sur IRC!

Cette ressource est la trouvaille de Jarko Oikarinen (*jto@tolsun.oulu.fi*). L'objectif était alors d'améliorer le programme **talk** que l'on trouve sur les ordinateurs centraux. IRC a vu le jour en 1988 et a gagné en popularité pendant la guerre du Golfe, alors que les nouvelles des combats étaient diffusées en temps réel et commentées par les internautes. Ainsi, chaque événement majeur qui secoue la planète, comme la tentative de coup d'État contre Boris Elstine, en 1993, bénéficie d'une couverture immédiate sur un canal IRC. Dans ce dernier cas, quelques personnes demeurant non loin du Kremlin, à Moscou, ont présenté des témoignages en direct, alors que les combats faisaient rage. Comme autre exemple, citons la soirée du référendum sur l'indépendance du Québec: le canal **#referendum** contenait plus de 500 internautes. Évidemment, la majorité des canaux de discussion n'est pas ainsi branchée sur l'actualité. Les sessions de bavardages IRC sont des endroits pour se détendre et parler entre copains. Bien sûr, toutes les langues, religions et opinions y sont acceptées. Cependant, le harcèlement et les menaces n'y sont pas les bienvenus et ce, même si le droit d'expression est élémentaire dans Internet. Ces attitudes ne sont pas acceptées dans la vie quotidienne, et il en va de même dans Internet. N'oubliez pas que vous vous adressez à d'autres personnes comme vous et non pas à des personnalités numérisées.

IRC est le système utilisé à l'occasion de conférences interactives mondiales, et des vedettes comme Michael Jackson, Sharon Stone et David Bowie y parlent directement à leurs admirateurs. Le 27 août 1997, le mégagroupe Genesis lançait son nouveau disque depuis Cap Canaveral, en Floride. Pour cette occasion, le lancement était retransmis dans Internet par le biais de la ressource **RealVideo**, et les musiciens du groupe ont accepté de répondre aux questions des *fans* qui utilisaient le système IRC. Ce genre d'activité est devenu monnaie courante. Un dernier exemple met en vedette la brochette d'artistes qui constituait la tournée **Lilith Fair** durant l'été 1997. Tous les trois jours les internautes avaient l'occasion de discuter avec une de leurs artistes préférées.

RealVideo (*http://www.real.com*) • Lilith Fair (*http://www.lilithfair.com*)

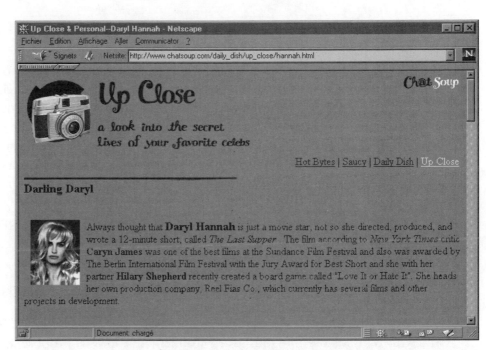

Figure 7.1
Rencontre interactive avec l'actrice Daryl Hannah

CHAPITRE 7

CAPSULE Sites Web qui offrent des sessions de bavardage avec des personnalités

Une multitude de sites offrent de telles occasions de discuter avec des célébrités, et il en existe quelques-uns qui fonctionnent dans la langue de Molière.

→ Cyberblack (*http://www.cyberblack.com*)

→ MusiquePlus (*http://www.musiqueplus.com*)

→ MuchMusic (*http://www.muchmusic.com*)

→ Mr. Showbiz (*http://www.mrshowbiz.com/chat*)

→ Cyber-Star (*http://www.cyber-star.com*)

→ Chat Soup (*http://www.chatsoup.com*)

7.1 LOGICIELS ET PARAMÈTRES IRC

Les sessions de bavardage existent sous deux formes, en utilisant soit un logiciel spécialisé IRC, soit un service spécialisé sur un site Web. Vous obtenez beaucoup plus de canaux et de liberté lorsque vous utilisez un logiciel IRC. On trouve dans Internet, comme vous le verrez plus loin, trois réseaux de serveurs spécialisés qui offrent une multitude de forums que vous pouvez exploiter avec un logiciel IRC. Les sujets de conversation des sessions de bavardage sur le Web sont beaucoup plus spécialisés. Cependant, l'internaute n'a pas à utiliser de logiciel supplémentaire pour discuter avec ses semblables. Dans l'univers Web, les commandes traditionnelles du système IRC n'ont pas leur place: on choisit un forum et on commence à jaser. On commencera par les logiciels IRC et, ensuite, on terminera par le bavardage à la manière du Web.

CAPSULE   Logiciels IRC

On les trouve dans presque tous les environnements. Je vous propose les logiciels suivants:

→ MIRC pour Windows et Windows95 (*http://mirc.stealth.net*) ou (*http://www.mirc.co.uk*)

→ GlobalChat pour Windows et Macintosh (*http://www.qdeck.com/qdeck/products/globalchat*)

→ Site FTP de logiciels IRC pour Windows (*ftp://ftp.undernet.org/irc/clients/windows*)

→ HOMER pour Macintosh (*ftp://ftp.undernet.org/irc/clients/macintosh/homer*)

→ Site FTP de logiciels IRC pour Macintosh (*ftp://ftp.undernet.org/irc/clients/macintosh*)

Le logiciel *MIRC* est celui que je préfère pour l'environnement Windows. Il a été créé par des mordus du IRC qui sont devenus de vrais gourous en la matière. La majorité des commandes utiles sont représentées par des icônes situées près de la barre des menus déroulants. Sans aller dans des détails trop techniques à propos de *MIRC*, je l'utiliserai dans mes exemples pour démontrer les notions de base du système IRC.

Légende

1. Menus déroulants
2. Barre d'outils de fonction
3. Nom et thème du forum
4. Commentaires d'internautes
5. Messages du système
6. Administrateurs
7. Utilisateurs
8. Forums actifs

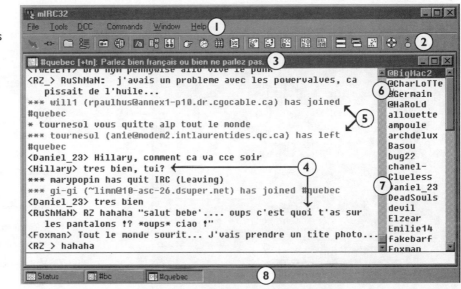

Figure 7.2
Interface du logiciel IRC *MIRC* pour Windows

Afin de connaître les fonctions précises d'un logiciel quelconque, je vous invite à consulter le guide de l'utilisateur qui l'accompagne. Je vous signale toutefois que les principales commandes et fonctions IRC sont les mêmes pour tous les logiciels IRC. Elles sont présentées à la section 7.4 et constituent tout ce que vous devez savoir pour bien utiliser le système IRC.

7.2   LA SESSION IRC

La session IRC s'amorce lorsque l'utilisateur fait démarrer le logiciel conçu pour cette ressource. À votre première session, le logiciel vous demande les paramètres qui seront utilisés à chaque démarrage suivant. Observez ci-dessous l'écran de configuration du logiciel **MIRC** pour Windows. En temps normal, vous sélectionnez l'option *Set up...* du menu déroulant *File* pour faire afficher cet écran de contrôle.

MIRC (*http://mirc.stealth.net*) ou (*http://www.mirc.co.uk*)

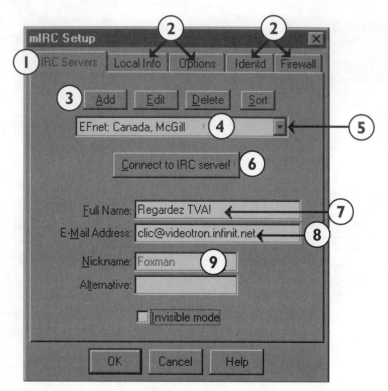

Figure 7.3
Écran de configuration du logiciel *MIRC* pour Windows

Légende

1. Onglets des serveurs IRC
2. Onglets supplémentaires
3. Gestion de la liste de serveurs IRC
4. Serveur IRC sélectionné
5. Accès à une liste de serveurs IRC
6. Connexion au serveur IRC
7. Votre nom
8. Votre adresse de courrier électronique
9. Votre pseudonyme

L'onglet *IRC Servers* offre déjà un choix exhaustif de serveurs IRC. Faites la sélection d'un serveur qui vous est accessible. Informez-vous auprès de votre service à la clientèle à propos de la marche à suivre, si vous ne pouvez accéder à aucun de ces serveurs. Il vous aidera à trouver l'adresse d'un serveur plus accueillant. Vous pouvez gérer votre liste de serveurs IRC avec les boutons *Add, Edit* et *Delete.* Une fois que vous avez fourni toutes les informations requises, vous pouvez vous brancher sur le serveur sélectionné.

L'utilisateur doit lui-même entrer les informations qui servent à l'identifier dans l'environnement IRC. La véracité des informations n'est cependant pas obligatoire. Vous allez rapidement vous apercevoir que les utilisateurs IRC aiment bien conserver l'anonymat. Au début, je recommande aux néophytes d'inscrire des informations fictives. C'est malheureux, mais certains individus profitent de la naïveté des nouveaux venus pour les harceler par le biais du courrier électronique.

Full Name	→ Votre prénom et votre nom (facultatif).
E-mail Address	→ Votre adresse de courrier électronique (facultatif).
Nickname	→ Votre pseudonyme IRC (obligatoire).
Alternate	→ Un second pseudonyme IRC dans l'éventualité où le premier serait déjà utilisé (facultatif).

7.2.1 Réseaux IRC, serveurs IRC et ports IP

Un réseau IRC est constitué de plusieurs serveurs, éparpillés çà et là dans Internet. Il existe plusieurs réseaux principaux: EFNet, Undernet, DalNET, ChatNet, etc. Ces réseaux ne sont pas à l'extérieur d'Internet. Il s'agit de sous-ensembles. La raison pour laquelle il existe plusieurs réseaux différents est que les politiques d'un réseau ne font pas souvent l'unanimité. De plus, chaque réseau privilégie une clientèle particulière; d'où la dissension. C'est pourquoi vous entendrez parler du canal IRC **#quelconque** dans Undernet ou dans un autre des réseaux. Ces réseaux ne communiquent pas entre eux. Ainsi, le contenu du canal **#quebec** dans EFNet et celui portant le même nom dans Undernet seront différents. Le bon côté est que vous n'aurez aucun problème à trouver des serveurs IRC. Il y en a même certains qui sont indépendants de ces réseaux. Ils sont ouverts uniquement pour une utilisation spéciale ou privée. C'est le cas, par exemple, de **chat.infinit.net:6667,** qui est offert aux clients du fournisseur Internet Vidéotron.

Il est **important de noter** que les serveurs présentés ci-dessous ne sont pas tous accessibles à l'ensemble de la communauté Internet. Le trafic IRC peut devenir trop lourd à supporter pour un serveur. Pour cette raison, l'administrateur offre l'accès aux internautes de son site ou à ceux qui sont géographiquement plus proches du serveur.

Les serveurs IRC s'échangent les messages des utilisateurs qu'ils hébergent. Ainsi, tout le monde peut lire rapidement les messages de chacun. C'est en se branchant à l'un de ces serveurs qu'on peut se joindre aux nombreux canaux de conversation IRC. Les serveurs sont identifiés par leur adresse Internet ou IP. Pour obtenir les meilleurs délais de réponse, je vous suggère de vous connecter au serveur le plus proche de votre lieu géographique.

EFNet

Ce premier réseau, EFNet (E*ris-Free Network*), est le plus ancien, le plus important et le plus ouvert quant à la liberté d'expression. On y trouve en moyenne plus de 3 000 canaux différents. La plupart des gens ne font aucune différence entre IRC et ce réseau. Les serveurs de ce réseau communiquent sur le port IP 6667. Vous devez posséder ce renseignement lorsque vous configurez vos adresses de serveurs IRC dans vos logiciels.

CAPSULE   Le réseau EFNet sur le Web

Vous trouverez une liste de serveurs et de ressources à propos du réseau IRC EFNet sur le Web à plusieurs endroits:

→ Welcome to EFNet – Site officiel (*http://www.efnet.net*)

→ Liste des serveurs EFNet (*http://www.efnet.net/serverlist.html*)

→ Forums EFNet répertoriés dans *Yahoo!*
(*http://www.yahoo.com/Computers_and_Internet/Internet/Chat/ IRC/Networks/EFnet/Channels*)

Le canal #parisien dans EFNet

Figure 7.4
Le site Web officiel du réseau IRC EFNet

EFNet (*http://www.geocities.com/Paris/8797*)

Voici un échantillon de quelques serveurs, mais sachez qu'il en existe plus d'une centaine dans Internet:

Adresse Internet	Pays
irc.mcgill.ca	→ Canada
portal.mbnet.mb.ca	→ Canada
irc.magic.mb.ca	→ Canada
elk.nstn.ca	→ Canada
irc.vianet.on.ca	→ Canada
irc.polymtl.ca	→ Canada
irc.ec-lille.fr	→ France

Undernet

Ce deuxième réseau se fonde sur une approche plus stricte et plus contrôlée. Il mène une lutte très chaude à EFNet pour le titre du réseau le plus populaire. Le réseau Undernet prétend attirer plus de 20 000 personnes en tout temps à l'intérieur de ses forums. Vous pouvez consulter le site Web du réseau IRC **Undernet** pour de plus amples renseignements. Les serveurs de ce réseau communiquent sur plusieurs ports de 6660 à 7777.

CAPSULE   Le réseau Undernet sur le Web

Vous trouverez dans Internet une multitude de sites Web pour dénicher les informations les plus détaillées à propos du réseau IRC Undernet:

→ **Site officiel du réseau IRC Undernet** (*http://www.undernet.org*)

→ **Liste des serveurs Undernet** (*http://servers.undernet.org*)

→ **Forums Undernet** (*http://cservice.undernet.org*)

Undernet (*http://www.undernet.org*)

Sites Web des forums <u>Undernet dans</u> Yahoo!

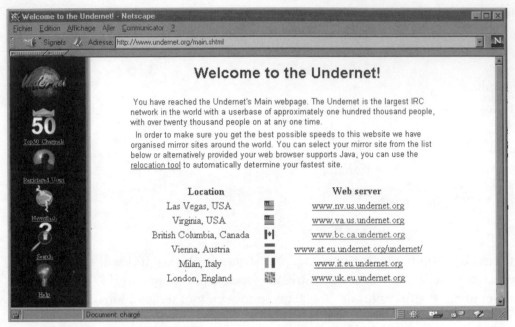

Figure 7.5
Le site Web officiel du réseau IRC Undernet

Voici un échantillon des serveurs accessibles dans le réseau IRC Undernet:

Adresse Internet	Pays	Ports IP
montreal.qu.ca	→ Canada	→ 6660-6669, 7777
toronto.on.ca	→ Canada	→ 6660-6669, 7000, 7777
vancouver.bc.ca	→ Canada	→ 6660-6669, 7000, 7777
caen.fr.eu	→ France	→ 6666, 6667

Dalnet

Ce troisième réseau est encore plus structuré que les deux autres. Les utilisateurs y sont également plus gentils. Ce réseau est tout jeune. Il a été créé par les utilisateurs du canal *#startrek* du réseau EFNet, qui en avaient assez de se faire déranger par des mauvais plaisantins. Ici, vous pouvez enregistrer votre pseudonyme IRC pour éviter que quelqu'un d'autre ne vous l'emprunte. Vous

<u>Undernet dans *Yahoo!*</u>
(*http://www.yahoo.com/Computers_and_Internet/Internet/Chat/IRC/Networks/Undernet/Channels*)

pouvez créer des canaux IRC qui resteront toujours en ligne même si personne ne s'y trouve. Une autre particularité est que des policiers IRC patrouillent ces environs pour repérer les trouble-fête. Le *leitmotiv* de ce réseau est simplement: «Le réseau amical». Je vous invite à visiter le site Web du réseau IRC **Dalnet** pour en savoir plus. Le port IP généralement utilisé est le 7000.

CAPSULE　　　Informations à propos du réseau IRC Dalnet sur le Web

→ Site Web officiel du réseau IRC Dalnet (*http://www.dal.net*)
→ Liste des serveurs Dalnet (*http://www.dal.net/servers*)
→ Le canal #quebecois dans Dalnet
(*http://www.npsmicro.com/quebecois*)
→ Sites Web des forums Dalnet dans *Yahoo!*
(*http://www.yahoo.com/Computers_and_Internet/Internet/Chat/ IRC/Networks/DALnet/Channels/*)

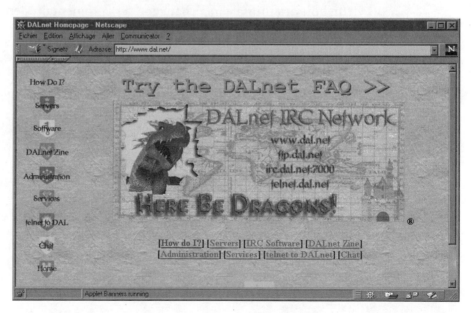

Figure 7.6
Le site Web officiel du réseau IRC Dalnet

Dalnet (*http://www.dal.net*)

Voici une courte liste de serveurs IRC Dalnet:

Adresse Internet	Pays	Ports IP
toronto.on.ca.DAL.net	→ Canada	→ 7000
raptor.ab.ca.DAL.net	→ Canada	→ 6660-6669, 7000
liberator.uk.DAL.net	→ Europe	→ 6668, 7000

Autres réseaux IRC

Vous trouverez des réseaux IRC supplémentaires ici et là dans Internet. Les raisons pour lesquelles ces autres réseaux sont créés ne sont pas toujours claires. Elles découlent parfois d'un besoin de contrôle accru par certains fournisseurs Internet ou elles sont carrément d'ordre pécuniaire. Il existe environ une vingtaine de ces réseaux secondaires qui comblent certaines niches précises; vous les trouverez dans la **rubrique des réseaux IRC de *Yahoo!***.

7.2.2 Canaux ou forums IRC

Les termes canal IRC et forum IRC sont utilisés pour désigner un endroit virtuel où des utilisateurs échangent des commentaires en temps réel. Il existe des milliers de canaux différents. On identifie un canal en faisant précéder son nom du signe dièse (#). Voici quelques canaux intéressants dans le réseau EFNet:

#quebec	→ Endroit où les internautes québécois fraternisent entre eux.
#france et *#francais*	→ Canaux français.
#irchelp	→ Canal pour trouver de l'aide sur IRC.
#hockey	→ Canal pour les amateurs de hockey.
#football	→ Canal pour les amateurs de football.
#baseball	→ Canal pour les amateurs de baseball.
#movies	→ Canal des cinéphiles.

rubrique des réseaux IRC de *Yahoo!*
(*http://www.yahoo.com/Computers_and_Internet/Internet/Chat/IRC/Networks*)

Utilisez les commandes suivantes:

→ Pour obtenir une liste des canaux, tapez la commande /**list** lorsque vous êtes branché sur un serveur IRC. Cette liste risque d'être exhaustive et lourde à consulter. Je vous propose donc d'ajouter les paramètres -**min nombre** ou -**max nombre** afin de découvrir les canaux qui vous intéressent.

EXEMPLES

/**list -min 10 -max 25** → Liste des canaux avec au moins 10 et au plus 25 utilisateurs présents.

/**list -min 20** → Liste des canaux avec au moins 20 utilisateurs présents.

/**list -max 40** → Liste des canaux avec un maximum de 40 utilisateurs.

Pour connaître les canaux qui traitent d'un sujet particulier, ajoutez le paramètre # **sujet** à la commande /**list** de cette façon: /**list fran**

Légende

1. Statistiques de la recherche

2. Titres des canaux trouvés

3. Nombre d'utilisateurs actifs

4. Thèmes des canaux

Figure 7.7
Résultats d'une recherche de canaux avec le logiciel *MIRC*

On trouve sur cette liste tous les canaux qui comportent la chaîne de caractères (fran), le nombre d'utilisateurs présents et le thème du canal, s'il existe. Vous pouvez aussi permuter les paramètres de la commande /**list** de cette façon: /**list fran -min 10**

| #francais | → 12 | → Aucun sujet |
| #france2 | → 34 | → On libere le pays! |

→ Pour se brancher sur un canal, on tape la commande **/join #canal**.

→ Pour avoir accès à un canal verrouillé par mot de passe, on doit entrer la commande **/join #canal mot_de_passe**.

→ Pour quitter un canal, on utilise la commande **/part #canal**.

On peut se brancher sur autant de canaux que notre logiciel nous le permet. Notons qu'un logiciel graphique rend cette manipulation un peu plus facile. Vous n'avez qu'à cliquer sur le nom d'un des forums affichés pour y accéder.

En terminant, signalons que les canaux IRC les plus populaires et sérieux possèdent maintenant une page Web sur laquelle on trouvera des renseignements sur les habitués de la place, les choses permises et prohibées, les noms des administrateurs, la raison d'être de ce canal, etc. Si vous êtes chanceux, vous verrez peut-être les photos qui se cachent derrière les pseudonymes IRC. À titre d'exemple, voici la page du **canal #quebecois** situé dans le réseau Dalnet.

Figure 7.8
Page Web du canal #quebecois dans le réseau Dalnet

canal #quebecois (*http://www.npsmicro.com/quebecois*)

7.2.3 Opérateur de canal IRC

Chaque canal IRC possède un maître de cérémonie, appelé l'opérateur ou le modérateur de canal IRC (*Channel operator*). OP est l'abréviation utilisée pour désigner cette personne à l'intérieur des canaux. On différencie l'opérateur d'un canal par le «@» qui précède son pseudonyme IRC. Il n'y a pas de limite au nombre d'opérateurs au sein d'un même canal, comme l'indique la figure 7.2, où la plupart des utilisateurs sont aussi opérateurs. On devient opérateur de deux façons: en créant un nouveau canal [c'est facile, on explique la manière de procéder plus bas ;-)] ou bien lorsqu'un opérateur vous octroie ce droit.

L'opérateur règne sur son canal et y fait respecter sa loi. Il peut exiler ou bannir des utilisateurs, changer le thème de discussion du canal et octroyer différents droits aux utilisateurs. Si un opérateur ne souhaite plus que vous soyez présent sur son canal, vous n'y pouvez rien. IRC est un environnement où les règles changent d'un forum à l'autre. Il faut s'adapter très rapidement aux règles de fonctionnement de chacun des canaux. Le meilleur conseil que je puisse vous donner est de devenir l'ami de ces opérateurs.

7.2.4 Caractéristiques d'un canal et d'un utilisateur

Chaque canal IRC possède ses propres caractéristiques. Ces dernières sont déterminées par l'opérateur du canal et précisent le champ d'action des utilisateurs sur celui-ci. Certains logiciels, *MIRC,* par exemple, affichent les caractéristiques d'un canal dans la partie supérieure de l'écran, comme l'illustre la figure 7.2 au point 3.

L'autre façon de connaître les caractéristiques d'un canal consiste à exécuter la commande:

/mode #canal_IRC

Si l'on effectue cette commande avec le canal présenté à la figure 7.8, on obtient le résultat suivant:

/mode #quebec
#quebec +tn

Le signe + indique que les paramètres «t» et «n» sont en fonction. Voici la liste des indicateurs pour un canal et, en premier lieu, la commande pour les modifier:

/mode #canal ±commuteurs(s) [paramètre(s)]

Commuteur	Caractéristique du canal
t	→ Seul l'opérateur de canal peut modifier le sujet.
n	→ Vous devez être branché au canal pour y communiquer.
i	→ On accède au canal sur invitation seulement. Vous devez avoir reçu une invitation d'une personne déjà branchée au canal.
l [nombre]	→ Le canal est limité au nombre d'utilisateurs indiqué.
m	→ Le canal est modéré. Seuls les opérateurs peuvent échanger des commentaires. Ces commentaires sont accessibles à tous.
p ou s	→ Le canal est privé (ou secret). Il n'apparaît pas lorsqu'on demande une liste de canaux.
b [alias]	→ Cette personne n'a plus accès à ce canal. Elle en est bannie.
k [mot_de_passe]	→ Insertion d'un mot de passe pour accéder à ce canal.

Pour enlever ce mot de passe, on fait la commande:

/mode #canal -k mot_de_passe.

Le canal IRC n'est pas le seul à posséder des caractéristiques. On détermine les actions possibles d'un utilisateur par sa description, également donnée par certains paramètres. Généralement, il vous faut être opérateur de canal pour modifier les droits des autres utilisateurs.

Paramètre	Caractéristiques de l'utilisateur
o	→ Octroi du statut d'opérateur IRC.
v	→ Donne une voix à un utilisateur à un canal modéré.

La commande permettant de modifier les caractéristiques d'un utilisateur est:

/mode #canal ±[paramètre(s)] alias_irc

Finalement, les utilisateurs peuvent s'octroyer deux paramètres.

Paramètre	Caractéristiques de l'utilisateur
s	→ Permet de lire les messages d'entretien du serveur IRC.
i	→ Donne l'invisibilité (l'anonymat). On doit connaître votre nom pour vous faire parvenir des messages.

La commande de modification du profil par et pour l'utilisateur est:

/mode alias_irc ±[paramètre(s)]

7.2.5 Alias ou pseudonyme IRC

Chaque fois que vous entrez dans l'univers IRC, vous devez choisir une identité. On appelle ce surnom l'*alias* ou le pseudonyme. Les gens peuvent utiliser n'importe quel pseudonyme. Il peut s'agir du nom d'un personnage de bande dessinée, de votre surnom usuel, d'un nom fictif, etc. Ce nom peut comporter un maximum de neuf caractères. Vous indiquez votre pseudonyme à la configuration initiale de votre logiciel. Les gens vont ensuite vous connaître sous ce surnom. Mon pseudonyme IRC est *Foxman*. Mais attention! il m'arrive d'emprunter d'autres noms…

Si votre pseudonyme ne vous plaît plus, vous pouvez le modifier dans la configuration de votre logiciel, pour ainsi redémarrer sous un nouveau surnom dès la séance suivante.

→ Si vous décidez de changer votre pseudonyme au beau milieu d'une séance, utilisez la commande */nick nouvel_alias*

Cette commande fonctionne dans tous les environnements, quoique certains logiciels puissent vous offrir d'autres façons d'effectuer cette modification.

Un pseudonyme ne peut être utilisé par deux personnes. Si quelqu'un se sert déjà de celui que vous voulez choisir, vous devez en prendre un autre. La seule chose que vous pourriez faire serait de demander poliment à l'autre personne de vous le rendre. Je vous préviens, les gens ne rendent généralement pas leur pseudonyme aussi facilement. Un des seuls endroits où le pseudonyme IRC est réservé à un utilisateur, même en son absence, est dans le réseau Dalnet. Consultez la section 7.2.1 à ce sujet.

7.2.6 Le lag et le net split

Il peut arriver que les messages que vous inscrivez n'apparaissent pas immédiatement à l'écran, et même qu'ils soient affichés avec un délai de plusieurs secondes pendant un certain temps. Ce phénomène s'appelle un «retard» (*lag*). Il signifie que le serveur IRC sur lequel vous êtes branché gère plusieurs tâches et se trouve momentanément débordé. Il tente de répondre le plus rapidement possible à toutes les requêtes. Ces périodes de retard ne sont généralement pas très longues.

Un autre phénomène est le *net split*. Imaginez que vous discutez sur un canal avec une trentaine de copains et que, soudain, 20 de ceux-ci quittent le canal en utilisant le même message. Étrange mais explicable: un *net split* vient d'empoisonner votre séance. Un serveur IRC, peut-être le vôtre, vient tout simplement de perdre sa connexion avec les autres, et, ainsi, tous les utilisateurs reliés à ce dernier en subissent les conséquences. Ironiquement, les utilisateurs qui ont quitté le canal à cause de la rupture voient le même message que vous sur l'écran, à la différence qu'ils croient que c'est vous qui êtes parti. Cette situation ne dure pas longtemps. Une fois qu'un serveur s'aperçoit qu'il a perdu la connexion, il s'affaire à la rétablir le plus rapidement possible. Il faut parfois être patient.

7.3　LA JUNGLE IRC

En plus de connaître les données de base concernant IRC, vous devez connaître les comportements des utilisateurs humains et des robots qui peuplent ces jamborees, ainsi que les règles en vigueur sur les canaux de discussion. Notez que la plupart des commandes suivantes sont facilitées par l'utilisation d'icônes ou d'outils à l'intérieur de votre logiciel IRC.

7.3.1　Parlez un à un

→ Il est possible de faire parvenir des messages confidentiels à un autre utilisateur. Pour ce faire, utilisez la commande */msg alias_IRC message*

Par exemple, si je décide de faire parvenir un message à un copain qui porte le pseudonyme *PeteVez*, voici la commande que j'enverrai:

/msg PeteVez Salut vieux! Que dirais-tu d'un jam virtuel???

Voici ce qui est alors affiché sur l'écran de mon destinataire:

\<Lulu99\> Voyons donc! ;-)
\<Trombone\> J'te'l dis!
* Foxman * Salut vieux! Que dirais-tu d'un jam virtuel???

Mon message apparaît, précédé de mon propre pseudonyme (*Foxman*) entre deux astérisques (*), pour indiquer qu'il est personnel. Aucun autre utilisateur ne l'a reçu.

→ On peut également effectuer la commande */query alias_IRC,* qui a pour résultat d'ouvrir une fenêtre dans laquelle on peut parler directement, et confidentiellement, à un autre utilisateur IRC.

7.3.2 Créer, administrer et détruire un canal

Il est très facile de créer un canal IRC. Il suffit de se rallier à un canal inexistant dont vous devenez l'administrateur. N'oubliez pas de taper le signe dièse avant le nom du groupe:

/join #nom_de_canal_inexistant

Vous devez ensuite administrer le nouveau groupe en tant qu'opérateur de canal. Fixez les caractéristiques du canal, donnez-lui un thème et invitez vos amis. Soyez créatif et amusez-vous! Un canal cesse d'exister lorsque la dernière personne le quitte; il n'est alors plus ouvert. Vous pouvez donc perdre votre droit d'opérateur si vous quittez le canal et que quelqu'un d'autre forme un groupe en votre absence. Dans ce cas, vous n'aurez aucun recours.

7.3.3 L'art de l'exil et du bannissement

Une personne qui fait un commentaire déplacé peut être exclue du groupe par l'opérateur. Ce dernier peut effectivement «exiler» (*kick*) un utilisateur pour n'importe quelle raison, justifiée ou non. C'est son privilège.

→ On exile un utilisateur en exécutant la commande */kick #canal_IRC alias_IRC*

Il est même possible de diffuser la raison pour laquelle on a exclu un utilisateur en l'inscrivant à la fin de la commande, comme le démontre cet exemple:

<Curly> Je ne t'aime pas Fox!:)
/kick #internaute curly C'est un canal d'amour ici!!
*** Curly was kicked by Foxman (C'est un canal d'amour ici!!)

Maintenant, si la personne exclue est réellement récalcitrante, on peut carrément la bannir d'un canal.

→ Bannissez un trouble-fête avec la commande */ban #nom_de_canal alias_IRC* ou */mode #nom_de_canal +b alias_IRC*

→ L'utilisateur demeure banni tant que le canal existe ou jusqu'à ce qu'un opérateur fasse la commande */mode #nom_de_canal -b alias_IRC*

7.3.4 DCC

DCC est le sigle pour *Direct Client to Client*. Ce sous-ensemble de commandes propres à l'environnement IRC permet d'échanger des fichiers ou d'établir une connexion directe et confidentielle avec un autre utilisateur. Cela est très utile lorsque vous êtes en conversation avec quelqu'un et que vous désirez échanger un fichier.

→ Échangez des fichiers avec la commande */dcc send alias_IRC_destinataire nom_du_fichier*

→ Recevez des fichiers avec la commande */dcc get alias_IRC_envoyeur*

Le fichier est ensuite échangé entre les deux ordinateurs. On peut également créer un lien direct avec un autre utilisateur sans avoir à inscrire la commande */msg* chaque fois qu'on veut lui adresser un commentaire. En créant un lien *dcc chat*, c'est comme si on formait un nouveau canal, si ce n'est que seuls vous et la personne avec laquelle vous désirez converser avez le droit de participer.

→ Créez votre lien un à un avec la commande */dcc chat alias_IRC*

→ Pour accepter cette offre d'un autre internaute de s'entretenir avec vous en privé, utilisez la commande */dcc chat alias_IRC_du_demandeur*

Toutes ces commandes sont accessibles avec présentation graphique, grâce à un bon logiciel IRC Macintosh ou Windows. Il serait profitable de consulter le manuel d'utilisation fourni avec chacun des logiciels Internet que vous employez afin de savoir comment les commandes ont été exécutées.

7.3.5 Les actions

Vous avez déjà entendu l'expression: «Les actions parlent plus fort que les mots»? C'est souvent le cas avec IRC. La commande */me* indique une action de votre part. Votre logiciel substitue votre pseudonyme IRC à la commande */me*. Par cette commande, vous exprimez une action. Un utilisateur peut ainsi offrir un verre à tout le monde avec la commande suivante:

/me offre un verre à tout le monde.
<Curly> Fait chaud! J'ai soif…
<Proxima> Moi aussi, j'ai le gosier sec.
*** Foxman offre un verre à tout le monde
<Curly> Gulp! Messi Fox!:))

L'action est un excellent moyen d'agrémenter une conversation dans un groupe. Il existe, en fait, des jeux interactifs *Donjons et Dragons* qui dépendent beaucoup des actions. On appelle ces jeux MUD pour *Multi-Users Dungeons*. Chaque univers interactif possède ses propres instructions et règles. Consultez **la rubrique des jeux interactifs dans *Yahoo!*.**

7.3.6 Robots IRC

Certains utilisateurs préfèrent garder des canaux ouverts de façon permanente. Au lieu de rester constamment en ligne sur un canal, ils rédigent et laissent derrière eux des programmes qui agissent comme un utilisateur IRC. On appelle ce type de programme un «robot» (*Bot*). Généralement, ces robots fonctionnent sur les canaux où ils se trouvent. Leur présence n'est pas tolérée par tous les serveurs IRC, car ils nécessitent beaucoup de temps de traitement. De plus, nombre d'utilisateurs n'aiment pas qu'un robot soit maître et roi d'un canal. La sensation d'être à la merci d'un programme les met mal à l'aise.

Un robot est programmé pour accomplir certaines tâches. Entre autres, il offre les droits d'opérateur chaque fois qu'un de ses maîtres apparaît sur le canal. Cela frustre bien des utilisateurs qui aimeraient devenir opérateurs. On a alors l'impression que le canal n'appartient qu'à quelques personnes. Le robot répondra également à certaines commandes rédigées par son créateur. Tous les robots sont différents, donc les commandes diffèrent aussi. Toutefois, le robot peut offrir de l'aide, garder une trace des utilisateurs qui sont passés sur le canal, présenter des messages d'accueil, etc. Il peut également bannir des utilisateurs en fonction de leurs actions ou de leurs paroles. N'exprimez pas trop votre aversion pour les robots. Ils vous écoutent…

la rubrique des jeux interactifs dans *Yahoo!*
(*http://www.yahoo.com/Recreation/Games/Internet_Games/MUDs__MUSHes__MOOs__etc_*)

CAPSULE   Robots IRC

Je vous offre quelques liens utiles sur le Web qui vous permettront d'en savoir plus sur les robots IRC:

→ Opbot, le petit robot français (*http://www.f-wavers.com/OPBOT*)

→ BotSpot – Répertoire de robots internet (*http://www.botspot.com*)

→ Mirc Bots (*http://www.xcalibre.com*)

→ Bots (*http://www.geocities.com/SiliconValley/Park/6453/bots.html*)

→ Rubrique des «Bots» de *Yahoo!*
(*http://www.yahoo.com/Computers_and_Internet/Internet/Chat/IRC/Bots*)

7.3.7 Administrateur IRC

L'administrateur et l'opérateur IRC jouent deux rôles distincts. L'administrateur est la personne qui gère un serveur IRC, tandis que l'opérateur est celle qui gère un canal se trouvant sur le serveur. On peut comparer l'administrateur IRC au maître de poste d'un site. On le reconnaît à l'astérisque (*) précédant son pseudonyme. Il n'a aucun pouvoir direct sur ce qui se passe sur les canaux. Toutefois, il peut «tuer» la connexion d'un utilisateur IRC en tout temps.

→ Brisez la connexion d'un trouble-fête avec la commande */kill alias_IRC*. Je vous rappelle que vous devez être l'administrateur d'un site IRC pour pouvoir effectuer cette opération.

7.3.8 Mais qui sont ces gens?

Si le pseudonyme d'un utilisateur ne vous suffit pas et que votre curiosité exige une recherche plus approfondie sur cette personne, il existe différents moyens d'en savoir plus.

→ Apprenez-en davantage sur un utilisateur avec la commande */whois alias_IRC*

Voici un exemple d'application de cette commande:

/whois Foxman

      Foxman dsohier@bibl.ulaval.ca * Danny J. Sohier

      Foxman #quebec @#ulaval

      Foxman portal.mbnet.mb.ca MBnet IRC Server

      Foxman #quebec de retour dans 15.

      Foxman 229 seconds idle

      Foxman End of /WHOIS list.

La commande */whois* révèle mon adresse de courrier électronique, ma présence sur les canaux *#ulaval*, où je suis opérateur, et *#quebec*, mon serveur IRC. Les gens de *#quebec* reçoivent ce message lorsqu'ils tentent de communiquer avec moi et que je suis inactif.

Comme on l'a vu précédemment, certains canaux possèdent leur propre page Web, où on peut trouver les photos des utilisateurs les plus réguliers. Demandez aux utilisateurs d'un canal si une telle page existe. Peut-être vous y trouverez-vous d'ici peu!

7.3.9 L'art d'ignorer

→ Si les messages personnels de certaines personnes dans IRC vous semblent désagréables, ignorez-les en utilisant la commande */ignore alias_IRC*. À partir de ce moment, les messages de ces personnes ne seront plus affichés sur votre écran.

→ Pour annuler ce mode, faites la commande */ignore off*

7.3.10 Thème d'un canal

Chaque canal IRC peut avoir son propre thème de discussion. Généralement, ce sont les opérateurs de canaux qui peuvent modifier ce thème. Toutefois, si la caractéristique +t n'est pas activée pour un canal, tout le monde a le droit d'en modifier le thème.

→ On modifie le thème d'un canal avec la commande */topic #canal_IRC thème*

7.3.11 Les commandes douteuses

Faites attention aux commandes qu'un utilisateur peut vous demander de taper sur votre ordinateur. C'est peut-être une ruse pour vous embêter. Une commande comme */names* fait afficher les noms de tous les utilisateurs IRC présents sur tous les canaux. Cette liste est très longue et peut vous paralyser pendant un certain temps. On peut également chercher à effacer certaines données vitales sur votre ordinateur. Si une commande vous paraît douteuse, consultez le lexique qui se trouve à la section 7.4.

7.3.12 Vous devez vous absenter quelques minutes?

Par exemple, vous entretenez une discussion mouvementée avec une dizaine de copains, mais vous avez laissé quelque chose sur le feu. Afin de ne pas frustrer les gens qui désirent vous parler durant votre absence, utilisez la commande */away #canal_IRC message*. Grâce à ce message, les gens comprendront que vous serez absent momentanément. Prenez, par exemple, la commande suivante:

/away #ulaval Je vais éteindre le feu! De retour dans 5 minutes.

Maintenant, si je fais la commande */whois* avec mon pseudonyme, j'obtiens le résultat suivant:

/whois Foxman
      Foxman dsohier@bibl.ulaval.ca * Danny J. Sohier
      Foxman #quebec @#ulaval
      Foxman portal.mbnet.mb.ca MBnet IRC Server
      Foxman #ulaval Je vais éteindre le feu! De retour dans 5 minutes.

7.3.13 GT, IRL et binettes (smiley's)

Certaines expressions reviennent à l'occasion à l'intérieur d'un canal. Parmi celles-ci se trouve celle qui indique qu'il y aura un «GT» à une date et à un endroit précis. Il s'agit simplement d'un *Get Together*, une rencontre (dans la vraie vie) pour les gens du canal. Rencontrer les gens que vous ne connaissez que par leur pseudonyme et par ce qu'ils vous ont raconté présente un certain intérêt. On parle également de rencontres IRL pour *In Real Life*.

Finalement, les binettes peuplent sans relâche les discussions IRC. Tout le monde se salue avec un :-) et exprime ses états d'âme avec ces petites créatures. Je vous invite à faire de même. =)

7.3.14 Liste préférée de pseudonymes IRC

La commande */notify* sert à vous prévenir de la présence de vos copains sur IRC. Une liste de vos amis est gardée sur votre ordinateur. Vous êtes prévenu chaque fois qu'une personne possédant un pseudonyme qui se trouve sur votre liste de notification se joint à IRC ou le quitte.

→ Pour ajouter des pseudonymes à cette liste, vous devez inscrire la commande */notify alias_IRC*

→ Vous pouvez inscrire la commande */notify off* afin de désactiver cette fonction.

7.4 COMMANDES IRC

Je vous offre ci-dessous le lexique des commandes les plus courantes dans l'univers IRC. Il est important de vous rappeler que la majorité de celles-ci se trouvent sous la forme d'un bouton ou d'une option à l'intérieur d'un menu déroulant pour les logiciels IRC qui fonctionnent dans un environnement graphique.

/ban #canal_IRC alias_IRC	→ Bannir un utilisateur d'un canal.
/beep nombre délai	→ Émettre un certain nombre de sons dans un délai donné.
/ctcp alias_IRC finger	→ En connaître plus sur le propriétaire du pseudonyme.
/ctcp alias_IRC ping	→ Connaître le temps de réponse d'un utilisateur. Cette fonction est utilisée pour vérifier le retard d'un serveur IRC.
/ctcp alias_IRC version	→ Connaître la version du logiciel de cet utilisateur.
/dcc get alias_IRC	→ Recevoir un fichier de cet utilisateur.
/dcc chat alias_IRC	→ Établir une conversation confidentielle avec un utilisateur.
/dcc send alias_IRC fichier	→ Transmettre un fichier à un utilisateur.
/invite alias_IRC #canal_IRC	→ Inviter une personne à se joindre à un canal.
/join #canal_IRC	→ Se joindre à un canal IRC.

/kick #canal_IRC alias_IRC → Expulser une personne d'un canal.

/list #canal_IRC -min # -max # → Offre un répertoire des canaux existants. On peut fournir des paramètres comme une chaîne de caractères ou alors un nombre minimal ou maximal d'utilisateurs présents pour limiter la liste.

/me action → Agir virtuellement sur un canal.

/mode #canal|alias ±param → Modifier les caractéristiques d'un canal ou d'un utilisateur (voir section 7.2.4).

/msg alias_IRC message → Transmettre un message personnel à un autre utilisateur.

/names #canal_IRC → Afficher les pseudonymes présents sur un canal.

/nick alias_IRC → Changer votre pseudonyme IRC.

/notify → Vérifier si des gens inscrits sur votre liste d'amis se trouvent sur IRC.

/notify alias_IRC → Ajouter un pseudonyme à votre liste d'amis. Dès que ce dernier entre sur IRC, vous en êtes averti.

/notify off → Annuler la commande qui vous indique si un membre de votre liste d'amis est présent sur IRC.

/part #canal_IRC → Quitter un canal IRC.

/query alias_IRC → Ouvrir une fenêtre confidentielle avec un utilisateur IRC.

/quit message → Quitter la séance IRC en laissant un message derrière vous.

/set hold mode on|off → Indiquer à l'utilisateur qu'il doit appuyer sur une touche pour voir chaque écran d'une longue liste en mode ON.

/topic #canal_IRC message → Modifier le thème d'un canal.

/whois alias_IRC → Obtenir des informations sur la personne correspondant à ce pseudonyme.

7.5 IRC SUR LE WEB

On commence à voir l'émergence du système IRC à même l'environnement Web. On connaît ces systèmes sous les appellations *World Chat* ou *Global Stage*. Leur utilité est présentement limitée, car, pour certains systèmes, les commandes IRC ne fonctionneront pas toutes, et, pour d'autres, on doit recharger une page Web toutes les minutes avant de connaître les réponses des autres. Dans ce dernier cas, on n'est même plus en temps réel, comme sur le véritable IRC. Toutefois, avec l'avènement de la nouvelle génération du langage HTML, du langage JAVA et de logiciels Web, cette barrière sera abolie. On verra IRC devenir encore plus populaire grâce à ces technologies. Il est même inévitable que l'on se dirige dans cette voie. La quête d'un logiciel unique pour naviguer dans Internet, sous toutes ses formes, sera bientôt terminée. On pourra inévitablement échanger avec les autres des images de soi-même et des clips audio.

CHAPITRE 7

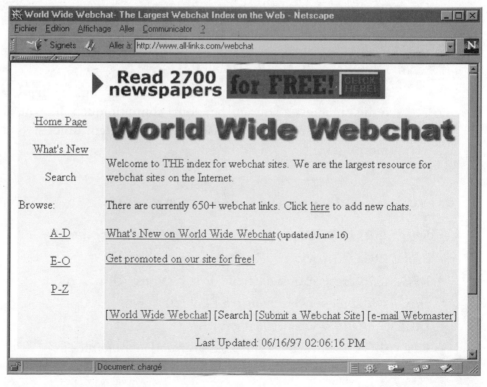

Figure 7.9
Répertoire «World Wide Webchat»

CAPSULE   Séances de bavardages sur le Web

Si vous désirez en savoir plus et vous familiariser avec ce nouvel univers, je vous invite à pointer votre logiciel Web sur l'une de ces adresses:

→ WebChat et JavaChat de Quebec.Net (*http://www.quebec.net*)

→ World Wide Webchat – Répertoire de 650 sites (*http://www.all-links.com/webchat*)

→ Webchat Broadcasting System (*http://www.irsociety.com*)

→ ChatWeb (*http://chatweb.com*)

→ Chatalyst (*http://www.chatalyst.com:8080*)

→ Rubrique d'événements Webchat quotidiens (*http://events.yahoo.com/Computers_and_Internet*)

→ Rubrique de sites Webchat dans *Yahoo!* (*http://www.yahoo.com/ Computers_and_Internet/Internet/ World_Wide_Web/Chat*)

7.6   **INFORMATIONS IRC DANS INTERNET**

Internet est une mine d'or d'informations sur tous les sujets, y compris sur les outils mêmes qu'on utilise pour communiquer. Je vous offre ci-dessous quelques ressources qui vous seront grandement utiles si vous pensez être un mordu de IRC.

CAPSULE   Informations à propos du système IRC

→ Statistiques IRC (*http://www.comco.com/dougmc/irc-stats*)

→ Projet IRC3 (*http://www.the-project.org*)

→ RFC 1459 – Description officielle de la ressource IRC (*ftp://cs-ftp.bu.edu/irc/support/rfc1459.txt*)

→ IRC Help! (*http://www.irchelp.org*)

→ Ensor IRC's Extravaganza (*http://www.rahul.net/dholmes/irc*)

→ Groupe Usenet sur le IRC (*news://alt.irc*)

→ Questions dans Usenet à propos de IRC (*news://alt.irc.questions*)

→ Rubrique IRC dans le *Yahoo!* francophone (*http://www.yahoo.fr/ Informatique_et_multimedia/Internet/Conversation_sur_Internet*)

7.7 CONCLUSION

Ce chapitre donne une excellente vue du monde IRC. Cet univers est appelé à grandir, car les internautes y voient une des missions d'Internet: la communication. Je vous encourage à rencontrer les gens virtuellement et à développer de nouvelles amitiés. Faites cependant attention de ne pas révéler trop de renseignements à votre sujet tant que vous n'aurez pas rencontré la personne avec laquelle vous communiquez. Il est impossible de se douter de qui se cache derrière les nombreux pseudonymes IRC. Cette mise en garde ne vise pas à vous faire peur; il s'agit simplement d'un conseil de quelqu'un qui s'est déjà fait prendre au jeu.

Téléphonie et vidéoconférence Internet

*«Parlez à vos proches où qu'ils soient et
refilez les frais d'interurbains à Internet...»*

Il existe plusieurs systèmes de conférences multimédias qui utilisent Internet comme lien entre les différents participants. Le terme «multimédia» n'implique pas automatiquement un signal vidéo de 30 images/seconde jumelé à un son stéréo parfait. Il est souhaitable d'atteindre cet objectif, mais les liens de télécommunications utilisés pour Internet ne sont pas encore assez robustes pour supporter ce genre de transmissions partout sur la planète. Les efforts sont présentement axés sur des techniques de compression et de décompression de données afin qu'on obtienne un meilleur débit d'information avec les mêmes liens de télécommunications. On doit se contenter d'images quelquefois saccadées et d'une qualité de son simplement acceptable. Toutefois, le matériel informatique et les ordinateurs présentement sur le marché sont aptes à recevoir les nouvelles technologies. Presque tous les pays concernés par l'Infobahn ont mis sur pied des comités afin d'augmenter la bande passante des liens de télécommunications. On peut espérer obtenir la qualité souhaitée pour les transmissions audio et vidéo dans un avenir très rapproché.

Une multitude de facteurs entrent dans l'équation de la qualité audio d'un lien téléphonique dans Internet. Le premier est la vitesse des modems utilisés par les deux interlocuteurs. Les logiciels de téléphonie présentement sur le marché sont quand même assez performants. Les internautes doivent alors s'aider en employant un modem rapide. Le modem 28,8 kbps (kilobits par seconde) est le plancher prescrit pour obtenir une qualité fonctionnelle. Évidemment, la qualité s'améliore à mesure que la vitesse du modem s'accroît. Les modèles 33,6 kbps ou 56 kbps et le modem câble fonctionnant à plusieurs mégabits par seconde sont des appareils qui vous offriront un bien meilleur rendement.

Ce chapitre contient des sections sur la téléphonie entre internautes. Ces systèmes sont-ils nécessaires à la survie de l'internaute? Ciel! non. L'utilisateur satisfait de surfer sur le Web n'a pas à s'en faire outre mesure. Certains systèmes peuvent être intéressants, mais, si vous désirez installer tous les logiciels dont on traitera dans ce chapitre, préparez votre disque rigide à de bonnes séances d'exercices. Le marché des logiciels de téléphonie connaît une effervescence incroyable due non seulement à Internet, mais également à la popularité indéniable de l'ordinateur multimédia, dans lequel on trouve un microphone et des haut-parleurs. Les néophytes sont curieux d'explorer ces nouveaux périphériques qu'on incorpore par défaut dans presque chaque nouvel ordinateur. Il y a présentement une quinzaine de produits qui se bousculent dans la course au monopole Internet. Les grands du Web, Netscape et Microsoft, ont même inclus ce module à la version 4 de leurs navigateurs, tel qu'on l'a vu au chapitre 3. Les joueurs sont nombreux, mais ceux qui ont pris une longueur d'avance sont ceux qui ont su entrer dans la course avant tout le monde. C'est ainsi que je vous ferai grâce de la majorité des produits qui existent sur le marché pour me concentrer sur les meneurs de l'heure. Néanmoins, je vous donne les renseignements nécessaires pour trouver les informations sur les membres du peloton. :)

Si on regarde **la rubrique des systèmes de téléphonie Internet dans *Yahoo!*,** on trouve environ une quinzaine de produits différents. Je vous offre à la section 8.4 une liste des produits dignes de mention. Quel choix faire? Je vous propose les deux plus importants systèmes en vous rappelant que le **Communicator** de Netscape et l'**Explorer** de Microsoft offrent également des systèmes de téléphonie Internet. Je vous suggère un produit qui fonctionne avec Windows et avec Macintosh. Il s'agit d'**Internet Phone 5.0**, de la société Vocaltec. Ce logiciel permet également la vidéoconférence. Notons également qu'Internet Phone exige un ordinateur assez puissant et que sa version Macintosh est un peu en retard sur la version PC.

la rubrique des systèmes de téléphonie Internet dans *Yahoo!*
(*http://www.yahoo.com/Computers_and_Internet/Internet/Internet_Phone*)
Internet Phone 5.0 (*http://www.vocaltek.com*)

> **CAPSULE**   Informations générales accessibles dans Internet
>
> Vous êtes un mordu de la téléphonie Internet et vous désirez suivre l'action de près? Je vous suggère les sites suivants:
>
> → **Rubrique spécialisée de *Yahoo!*** (*http://www.yahoo.com/Computers_and_Internet/Internet/Internet_Phone*)
>
> → **Coalition VON** (*Voice On the Net*) (*http://www.von.com*)
>
> → **Guide du débutant** (*http://www.virtual-voice.com*)
>
> → **Coalition de la téléphonie Internet** (*http://itel.mit.edu*)

La technologie est-elle au point? Pas nécessairement. Les compagnies trébuchent l'une par-dessus l'autre dans la course pour annoncer le dernier produit. De plus, l'ensemble des logiciels utilisent plusieurs protocoles de communication différents, ce qui les rend incompatibles entre eux. C'est quand même intéressant de voir les premiers balbutiements de ce nouvel hybride.

Mais avant de commencer la discussion sur les différents produits, je vous explique comment ces logiciels utilisent le réseau Internet pour transmettre sons et images d'un bout à l'autre de la planète.

8.1   ENCODAGE ET COMPRESSION

Quel est le mystère? La voix humaine est de type «analogique», car il s'agit d'une onde sonore. Le réseau téléphonique est également de type analogique, d'où l'utilité des modems, car les ordinateurs parlent numériquement en «1» et en «0». Les modems transforment le langage numérique en onde analogique et vice-versa lorsque le signal arrive à bon port. Comment notre ordinateur fait-il pour transformer le son de notre voix en signal numérique, pour ensuite convertir celui-ci en onde analogique dans le réseau téléphonique, laquelle est reconvertie en signal numérique pour le bénéfice de l'ordinateur étranger, qui le transforme en onde analogique pour reproduire notre voix pour l'autre interlocuteur, le tout avec seulement quelques précieuses secondes de délai?

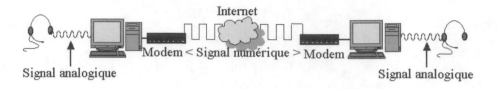

Figure 8.1
Transformation de la voix dans Internet

Les messages audio envoyés dans Internet sont préalablement encodés et compressés afin de gagner en rapidité et de diminuer le volume de la transmission. Une nouvelle ressource technologique subit toujours une crise d'identité à ses débuts; la téléphonie Internet n'y échappe pas. Il existe plusieurs standards d'encodage et de compression, et les concepteurs de logiciels de téléphonie Internet ne savent pas où donner de la tête. Certains vont même jusqu'à créer leurs propres standards; on qualifie ce genre de protocole de propriétaire. Si un utilisateur de téléphone Internet exploite un logiciel qui ne peut s'accorder avec le protocole de votre logiciel, vous ne pourrez lui parler. Mis à part les protocoles propriétaires, les techniques d'encodage et de compression les plus utilisées sont H.323, RTP (*Real Time Protocol*) et GSM (*Global System for Mobile telecommunications*). Notez que ce dernier protocole est utilisé en Europe par les réseaux cellulaires.

CAPSULE   **Standards de compression/décompression (CODEC) audio/vidéo dans Internet**

→ VON – (*Voice On the Net*) (*http://www.von.com*)

→ Page des standards CODEC du MIT
(*http://rpcp.mit.edu/~itel/standards.html*)

→ Standard H.323 (*http://www.imtc.org/i/standard/itu/i_h323.htm*)

→ RTP (*Real Time Protocol*) (*http://www.cs.columbia.edu/~hgs/rtp*)

→ RFC #1890 – Description officielle du RTP
(*ftp://ds.internic.net/rfc/rfc1890.txt*)

8.2 FRAIS D'APPELS INTERURBAINS

Y aura-t-il des frais d'appels interurbains pour les communications établies avec l'Italie, le Japon ou alors Edmonton par le biais du téléphone Internet? La réponse pour 1998 est «non». Les dépenses se limitent aux frais afférents à votre connexion Internet. N'oubliez pas que votre fournisseur Internet vous offre un «tuyau» branché sur la planète. Ce que vous faites ensuite de cette bretelle Internet ne concerne que vous. Vous jouissez d'un grand avantage. Profitez-en!

La réponse pour les prochaines années est noyée dans la brume qui voile les grands lobbies des compagnies de télécommunications de tous les pays. Si la technologie devient suffisamment bonne pour qu'on l'adopte, c'est à ce moment que les compagnies de téléphone et les frais d'interurbains se montreront le nez. À part quelques remous, ils se tiennent tranquilles pour l'instant. Mais, avec le taux de croissance des nouvelles technologies aujourd'hui, qui sait?

8.3 INTERNET PHONE DE VOCALTEC

La compagnie **VocalTec** détient la plus grande part de ce lucratif marché de la téléphonie. Elle prévoit que le nombre d'utilisateurs atteindra plus de 16 millions d'ici 1999. *Internet Phone* se fait pour Windows 3.1, pour Windows95 et pour les Power Macintosh. Son prix est d'environ 60 $CAN. La nouvelle version 5.0 pour Windows95 offre la vidéoconférence et une passerelle vers le réseau téléphonique traditionnel. Avec celle-ci, vous pouvez entrer en contact avec quelqu'un possédant un téléphone sans avoir nécessairement une connexion Internet. Pour Macintosh, on doit se contenter de la version 3.1, qui n'offre que des capacités audio. Quelle que soit la version que vous désirez vous procurer, je vous invite à en faire l'essai préalablement en la transférant depuis le site Web de la société **VocalTec**.

VocalTec (*http://www.vocaltec.com*)

Figure 8.2
Le site Web de VocalTec

C
H
A
P
I
T
R
E

8

Assurez-vous de lire les FAQ de la version que vous envisagez d'utiliser. Elles contiennent une foule d'informations qui vous seront utiles. La version «démo» vous permet de bénéficier de toute la fonctionnalité du logiciel. Les seules contraintes sont sa période d'essai de 7 jours et sa limite de 60 secondes par appel.

8.3.1 Caractérisques

Internet Phone vous permet de converser en temps réel avec d'autres internautes. Il fonctionne avec n'importe quelle carte audio PC et, évidemment, avec la carte de son intégrée du Macintosh. Il permet la mise en marche automatique du microphone afin d'éliminer la statique et le trafic inutile dans Internet. Une interface très conviviale permet aux utilisateurs de bien contrôler l'environnement de ce logiciel. La compagnie met à la disposition de ses clients un annuaire continuellement mis à jour. Ce service est gratuit et permet aux gens de se retrouver plus rapidement. On peut même se joindre à des groupes de discussion où des gens venant de partout échangent leurs idées sur des thèmes d'intérêt commun. On peut également se brancher à l'un des trois réseaux IRC pour retrouver d'autres utilisateurs d'*Internet Phone*. Certaines compagnies l'utilisent pour tenir des conférences entre plusieurs grands centres afin d'économiser sur les frais d'interurbains. De plus, avec *Internet Phone,* on peut enregistrer des messages téléphoniques et les envoyer par le courrier électronique à d'autres utilisateurs du même logiciel.

8.3.2 De votre ordinateur au téléphone traditionnel

La société VocalTec gère un réseau de serveurs éparpillés un peu partout sur la planète qui transfère les appels des internautes vers le réseau téléphonique traditionnel. Vous pouvez ainsi joindre quelqu'un qui possède un téléphone, mais qui n'a pas accès à un ordinateur. Cependant, les tarifs pour cette opération sont loin d'être révolutionnaires. On parle de 12 cents/minute pour un appel en Amérique du Nord, alors que les compagnies d'interurbains gravitent elles aussi autour de ce prix. Et, quoique *Internet Phone* offre une bonne qualité sonore, elle n'égale pas encore celle du réseau téléphonique. L'attrait de ce logiciel consiste à entrer en contact avec des internautes possédant le même produit sans avoir à débourser de frais supplémentaires. Consultez le site du __réseau virtuel VocalTec__ pour en savoir plus à ce sujet.

__réseau virtuel VocalTec__ (*http://www.gold.vocaltec.com/iphone5/services/telephony.htm*)

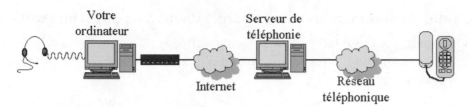

C
H
A
P
I
T
R
E

8

Figure 8.3
Appel provenant du réseau Internet

8.3.3 Le nécessaire pour faire fonctionner Internet Phone

Avant d'acheter *Internet Phone*, testez-le et vérifiez bien si votre ordinateur peut supporter les particularités de ce logiciel.

Équipement de base pour la version 5.0 de Windows95

Pentium 75MHz ou mieux et une mémoire vive de 16 méga-octets
Windows95 ou NT
Une carte de son compatible Windows
Microphone et haut-parleurs
Une connexion Internet minimale de 28,8 kbps
Une carte de capture vidéo pour envoyer de la vidéo uniquement

Équipement de base pour la version 3.2 de Windows 3.1

Microprocesseur 486sx 25 MHz et une mémoire vive de 8 méga-octets
Une connexion Internet minimale de 14 400 bps et un logiciel TCP/IP
Windows 3.1
Une carte de son compatible Windows
Microprocesseur 486 50 Mhz pour une connexion bidirectionelle en tout temps
Microphone et haut-parleurs

Équipement de base pour la version 3.1 du Power Macintosh

Un Power Macintosh avec une mémoire vive de 12 méga-octets
Le système 7.5.1, mais le 7.5.3 est recommandé
Un microphone
MacTCP 2.0.6 ou Open Transport 1.1 avec Mac PPP ou une connexion Internet minimale de 14 400 bps
Quicktime 2.1 et Sound Manager 3.1 (tous deux sont inclus avec le système 7.5.3)

8.3.4 Un clin d'œil sur l'utilisation d'Internet Phone 5.0 pour Windows95

Au démarrage, l'interface principale est affichée sur l'écran. Celle-ci présente des boutons qui permettent d'effectuer la plupart des opérations de numérotation et de gestion d'appels.

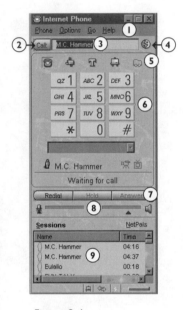

Légende

1. Menus déroulants
2. Bouton d'appel
3. Interlocuteur
4. Accès au navigateur communautaire
5. Barre d'outils de navigation
6. Clavier numérique
7. Fonctions téléphoniques
8. Contrôles sonore et vidéo
9. Interlocuteurs contactés

L'adresse ou le pseudonyme de l'interlocuteur avec qui vous vous entretenez est affiché dans la case située au-dessus du clavier numérique. Vous trouvez également cette adresse dans la fenêtre inférieure, là où votre logiciel garde un historique de vos appels durant une séance de travail active.

Figure 8.4
Interface du logiciel *Internet Phone 5.0*

CAPSULE   **Trois façons pour communiquer avec un interlocuteur dans Internet Phone**

→ Inscrivez l'adresse de courrier électronique d'un utilisateur dans la case réservée à l'interlocuteur et appuyez sur le bouton **Call**.

→ Accédez au navigateur communautaire pour retrouver un annuaire d'internautes branchés présentement sur le serveur *Internet Phone*. Cliquez sur l'un d'eux pour amorcer une communication.

→ Cliquez sur le bouton **Téléphone** dans la barre d'outils de navigation pour faire un appel à un téléphone traditionnel. Vous devez être préalablement inscrit à un service de téléphonie accrédité par la société VocalTec pour placer ce type d'appel. Je vous invite à consulter la section précédente pour plus de renseignements.

L'interface principale est le système central du logiciel. Toutes les fonctions y sont contrôlées. Vous devez cliquer sur le bouton *Answer* pour répondre à un appel, sur le bouton *Hang up* pour terminer la communication (raccrocher le récepteur du téléphone), sur le bouton *Directory* pour accéder au répertoire planétaire des utilisateurs de ce logiciel. Pendant une communication avec un internaute, vous pouvez accéder à des statistiques et à des informations à l'aide des quatre sections déroulantes situées dans la partie inférieure de l'écran.

Les menus déroulants situés dans la partie supérieure de l'interface sont vos portes d'accès aux différentes fonctions du logiciel. Finalement, une barre d'outils de navigation permet d'accéder rapidement aux modules de conférence du logiciel.

Légende

1. Appel à un téléphone traditionnel

2. Envoi d'un message vocal par le courrier électronique

3. Accès à la session de bavardage par clavier

4. Accès au tableau blanc partagé

5. Transfert de fichiers

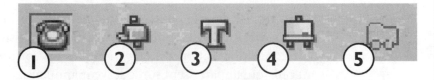

Figure 8.5
Barre d'outils de navigation du logiciel *Internet Phone 5.0*

Ce sont des fonctions que l'on trouve maintenant dans bon nombre de logiciels de conférence. La seule différence se rapporte à la messagerie vocale. En effet, vous pouvez enregistrer un message sonore et le faire parvenir à un destinataire par le biais du courrier électronique.

8.3.5 Les préférences

Certains renseignements, ayant pour but de faciliter vos communications, vous sont demandés lorsque vous installez le logiciel. Vous pouvez modifier ces renseignements par la suite en sélectionnant l'option *Preferences...* du menu déroulant *Options*.

CHAPITRE 8

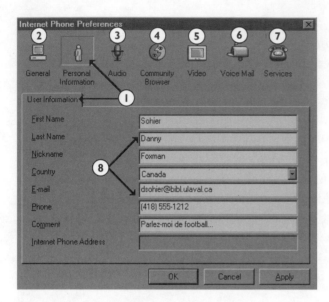

Légende

1. Informations person-
   nelles

2. Réglage général du logiciel

3. Réglage du niveau
   sonore

4. Réglage du navigateur
   communautaire

5. Réglage de la transmission vidéo

6. Paramètres de la boîte
   postale

7. Services disponibles

8. Paramètres personnels

Figure 8.6
Préférences du logiciel *Internet Phone 5.0*

On trouve dans la configuration **générale** du logiciel les paramètres pour l'affichage de l'interface, pour la localisation de l'historique et pour la vitesse de votre connexion Internet. Les paramètres de votre **identification personnelle** sont ceux qui apparaissent sur le serveur annuaire de la société VocalTec. Si vous êtes une personne discrète, je vous invite à ne pas en dire trop à votre sujet. Finalement, vous devez bien remplir les paramètres de votre **boîte postale** si vous voulez être en mesure d'acheminer un message vocal à un destinataire. Le paramètre important à cet endroit est l'adresse Internet de votre serveur de courrier, lequel se trouve localisé sous l'onglet *mail server*.

8.3.6 Le navigateur communautaire

On accède au navigateur communautaire en cliquant sur le bouton situé à droite de la case interlocuteur ou en sélectionnant l'option *Community browser...* du menu déroulant *Go*. Il s'agit d'un navigateur Web qui accède au site annuaire de la société VocalTec. La majorité des utilisateurs d'*Internet Phone* s'y trouvent listés dans une des nombreuses catégories créées dans le but de regrouper les gens par champ d'intérêt. L'internaute peut choisir sa catégorie en cliquant sur celle-ci. Il verra alors les noms des autres personnes qui ont décidé d'y être affichées.

Légende

1. Menus déroulants
2. Index
3. Catégories
4. Forums

5. Utilisateurs en conversation
6. Utilisateurs prêts à
   converser
7. Capacités sonores et
   vidéo

8. Page Web du forum
   sélectionné
9. Forums dans lesquels
   l'utilisateur est listé

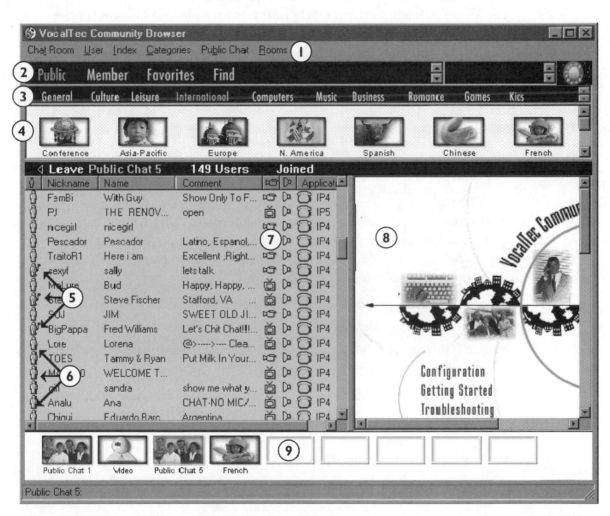

C
H
A
P
I
T
R
E

8

Figure 8.7
Le navigateur communautaire

Précisons qu'à chaque consultation de cet annuaire, vous établissez une connexion avec le serveur central géré par la compagnie VocalTec. L'annuaire est divisé en plusieurs parties. On peut visualiser l'annuaire comme une arborescence. L'**Index** est à la racine de celle-ci et compte quatre branches principales. La branche **publique** est constituée par des **catégories** de **forums** qui sont supportés par la société VocalTec, et, comme son titre le présume, ils sont ouverts à tous les internautes. La branche des **membres** contient les forums créés par les utilisateurs. Certains de ces forums sont publics, et d'autres, privés. La branche des **favoris** est composée des forums que l'internaute trouve intéressants. Cela ressemble au concept des signets dans le monde du Web.

→ Pour ajouter un forum sur votre liste des favoris, positionnez-vous sur celui-ci et sélectionnez l'option *Add to favorites* du menu déroulant *Chat rooms*.

→ Pour supprimer un forum de votre liste des favoris, positionnez-vous sur celui-ci et sélectionnez l'option *Remove from favorites* du menu déroulant *Chat rooms*.

Chaque utilisateur est représenté par une petite icône signalant s'il est déjà en communication, ou non, avec un autre internaute. Un petit bonhomme portant un drapeau rouge indique que l'utilisateur est déjà en communication. Les capacités sonores et vidéo d'un utilisateur sont représentées par un amalgame de trois icônes situées à droite de son nom.

→ Un téléviseur indique une capacité de réception vidéo.

→ Une caméra signale la capacité de recevoir et d'envoyer un signal vidéo.

→ Un haut-parleur souligne que l'utilisateur peut transmettre et recevoir un signal audio.

En cliquant deux fois sur n'importe quel utilisateur dont le nom se trouve dans le navigateur communautaire, une communication est amorcée avec lui.

8.3.7 Gestion de la communication

Si votre interlocuteur est présent et qu'il accepte la communication, la conversation s'engage. Si celui-ci possède la capacité de transmettre un signal vidéo, les images s'afficheront dans une fenêtre qui remplacera le clavier numérique.

Légende

1. Boutons de gestion

2. État de la communication

3. Raccrocher

4. Mise en garde

5. Répondre

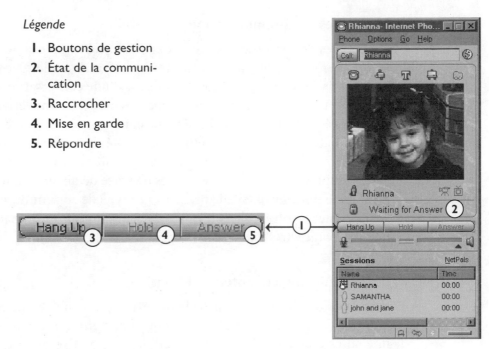

Figure 8.8
La gestion d'un appel

En tout temps, l'état de la communication est affiché sous la fenêtre principale. Les boutons de gestion d'appel permettent de raccrocher, de mettre en attente un utilisateur et de répondre à un appel. Une fois que vous avez mis en
attente un appel, vous devez cliquer sur le bouton *Resume,* qui prend la place
du bouton *Hold,* ou sur un des noms listés dans la fenêtre des utilisateurs actifs
qui se trouve dans la partie inférieure de l'écran.

Lorsqu'un internaute tente d'entrer en communication avec vous, un son
de cloche est émis par votre ordinateur, et le bouton *Answer* clignote en rouge.
Pour accepter la communication, cliquez sur le bouton *Answer,* sinon cliquez
sur *Hangup.* Utilisez ce dernier bouton pour terminer la communication.

→ La fonction *Auto answer* du menu déroulant *Phone* permet à votre logiciel
d'accepter la communication d'un interlocuteur qui entre en contact avec
vous sans que vous n'ayez à cliquer sur le bouton *Answer.*

→ Vous pouvez bloquer tous les appels momentanément en sélectionnant
l'option *Do not disturb* du menu déroulant *Phone.* Pour annuler cette fonction, effectuez la même opération une deuxième fois.

8.3.8 Les modes de communication

Deux types de conversations sont possibles: «plein-duplex» ou «semi-duplex». Le premier correspond à une conversation normale où les deux interlocuteurs peuvent parler en même temps. Dans le cas d'une conversation «semi-duplex», une seule personne à la fois peut parler. Ces modes de conversation sont dictés par votre équipement audio. Le Macintosh fonctionne en mode «plein-duplex». Les ordinateurs PC sont assujettis à la qualité de la carte de son installée. Les cartes de son 32 bits et les bonnes cartes 16 bits permettent une conversation «plein-duplex». Informez-vous auprès de votre détaillant avant de faire l'achat de la carte pour savoir si elle permettra ce type de communication. Vous pouvez indiquer à votre logiciel le mode de communication souhaité en sélectionnant les paramètres *audio* dans les *préférences* du menu déroulant *Options*.

8.3.9 Le Web et le logiciel Internet Phone

Il est possible de créer des liens hypertextes qui mèneront directement au démarrage du logiciel *Internet Phone* et qui amorceront une communication avec une adresse précise. L'adresse URL arborant le préfixe **iphone:** a besoin d'une adresse Internet ou d'une adresse de courrier électronique valide et enregistrée auprès de l'annuaire VocalTec pour qu'une communication soit établie avec succès.

iphone:mon_nom@internetphone.com

8.3.10 L'historique et votre carnet d'adresses personnelles

L'adresse de chaque interlocuteur, contacteur ou contacté, avec *Internet Phone* est archivé sur votre disque rigide pour référence ultérieure. Vous avez accès à cet historique en sélectionnant l'option *Outgoing history...* pour les appels envoyés ou *Incoming history...* pour les appels reçus du menu déroulant *Go*. Alors, une fenêtre s'affiche avec de petites icônes représentant les utilisateurs en question. Vous pouvez les joindre en cliquant deux fois sur les icônes désirées. Également, une série d'options vous est offerte en cliquant sur l'icône d'un utilisateur avec le bouton droit de la souris. Vous devez vous rappeler que, si vous ne possédez pas l'adresse IP de l'ordinateur de votre interlocuteur, ce dernier devra être branché au serveur annuaire VocalTec pour que vous puissiez le joindre.

Le carnet d'adresses est accessible en sélectionnant l'option *Personal directory* du menu déroulant *Go*. Une fenêtre du même style que celle de l'historique s'affiche alors. Pour ajouter un nom à votre carnet, sélectionnez *Add to personal directory* dans l'option *User* du menu déroulant *Phone*.

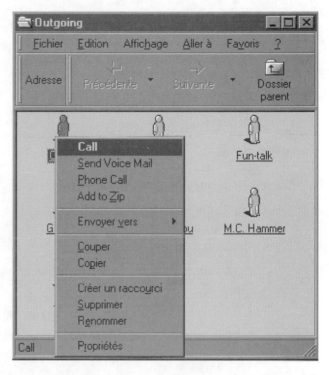

Figure 8.9
Historique d'*Internet Phone*

8.4 AUTRES SYSTÈMES DE TÉLÉPHONIE INTERNET DIGNES DE MENTION

On pourrait continuer de la sorte à énumérer des produits de téléphonie Internet, mais on ne serait pas plus avancé. Je suis satisfait de vous avoir présenté le logiciel *Internet Phone*. N'oubliez pas qu'un logiciel de téléphonie Internet est inclus avec les versions 4.0 du **Communicator, de Netscape**, et de l'**Explorateur, de Microsoft**. Soyez quand même aux aguets pour de nouveaux produits. Des géants des télécommunications se préparent à lancer de nouveaux logiciels qui permettront d'établir des conversations dans le réseau Internet. Parmi eux, les américaines AT & T et MCI.

Je vous présente maintenant les sites Web des autres systèmes de téléphonie dignes de mention. Ils ne sont pas placés dans un ordre particulier. En règle générale, ils ont des versions «démo» de leurs produits pour vous tenter.

Communicator, de Netscape (*http://home.fr.netscape.com/fr*)
l'**Explorateur, de Microsoft** (*http://www.microsoft.com/ie*)

N'oubliez pas de visiter la **rubrique des systèmes de téléphonie Internet dans** *Yahoo!*. Un fait intéressant à noter est que la majorité de ces systèmes offrent également la vidéoconférence.

CAPSULE   Sites Web de compagnies offrant des systèmes de téléphonie Internet

→ Internet Phone de VocalTec (*http://www.vocaltec.com*)

→ Outlook Express de Microsoft
  (*http://www.microsoft.com/ie/ie40/oe*)

→ VDOPhone de VDO Net
  (*http://www.vdo.net/vdostore/info/vdophone*)

→ Intel Internet Videophone d'Intel Corp.
  (*http://www.intel.com/iaweb/cpc/iivphone*)

→ Cooltalk pour Netscape 3.0 (*http://live.netscape.com*)

→ Digiphone de Planeteers (*http://www.digiphone.com*)

→ CU-SeeMe - Version publique (*http://cu-seeme.cornell.edu*)

→ CU-SeeMe - Version commerciale (*http://www.cuseeme.com*)

→ WebTalk de Quaterdeck Inc. (*http://webtalk.qdeck.com*)

→ Voxware de Voxware Inc. (*http://www.voxware.com*)

→ Irisphone de Irisphone (*http://www.irisphone.com*)

→ WebPhone de Netspeak Corp. (*http://www.netspeak.com*)

→ FreeTel de FreeTel Communications Inc. (*http://www.freetel.com*)

---

rubrique des systèmes de téléphonie Internet dans *Yahoo!*
(*http://www.yahoo.com/Computers_and_Internet/Internet/Internet_Phone*)

Radio et télévision Internet

«Vous écoutez et vous regardez Internet en direct...»

Certains ont raison d'exprimer du scepticisme à l'égard de la vague multimédia. Des goulots d'engorgement se forment aux heures de pointe, empêchant même ceux qui accèdent à Internet à des vitesses vertigineuses de recevoir une bande passante acceptable, car le signal est ralenti ailleurs dans le réseau. Ces problèmes devront être examinés, car de plus en plus de gens se fient au battage publicitaire des médias et des compagnies qui vendent les produits multimédias. La téléphonie Internet et la vidéoconférence sont d'excellents exemples. Leur qualité est bonne lorsque les autoroutes électroniques sont désertes. Ces technologies sont idéales pour le réseau local d'une compagnie. Mais qu'en est-il pour l'internaute domestique?

A priori, l'internaute ne doit pas s'attendre à une qualité sans pareille qui permet de croire que l'ère de la télévision et de la radio est révolue. Alors, à quoi bon? Ce qu'Internet offre en matière de logiciels, de performance et de programmation radio et télévision présentement n'est qu'une expérience en perpétuelle évolution. Les internautes assistent aux premiers balbutiements de ce qu'on appellera plus tard «la programmation sur demande». Oui, ce concept existe présentement, mais il demeure cerné par les limites du câblodistributeur local en matière de sélection. Le modèle ultime serait que chaque individu de la planète puisse s'offrir n'importe quel programme en direct et en différé. Telle est la grande expérience à laquelle les internautes participent présentement avec les différents logiciels qui permettent de recevoir sur leur ordinateur un signal vidéo ou audio.

La radiodiffusion et la télédiffusion dans Internet consistent simplement en l'écoute de programmes, de concerts, de descriptions d'événements sportifs et politiques directement sur votre ordinateur par le biais d'Internet avec une qualité sonore qui s'approche de celle du disque compact! On peut certainement comparer le signal audio à celui d'une station AM et même, pour les nouveaux protocoles de diffusion, à celui d'une station FM. Le signal vidéo, par contre, est un peu moins bon. Les problèmes inhérents à cette technologie sont le minuscule cadre d'écran utilisé pour visionner les images et le mouvement saccadé de ces dernières. Malgré ces désavantages, il est possible de regarder des émissions transmises dans Internet, de n'importe où dans le monde, en direct ou en différé, qui ne seront probablement jamais diffusées sur une chaîne locale. Cela vous intéresse? Si cela ne vous convainc pas, une nouvelle tendance consiste à offrir des cours enregistrés avec un des protocoles de diffusion Internet afin que les étudiants puissent les suivre à distance et à l'heure qui leur convient.

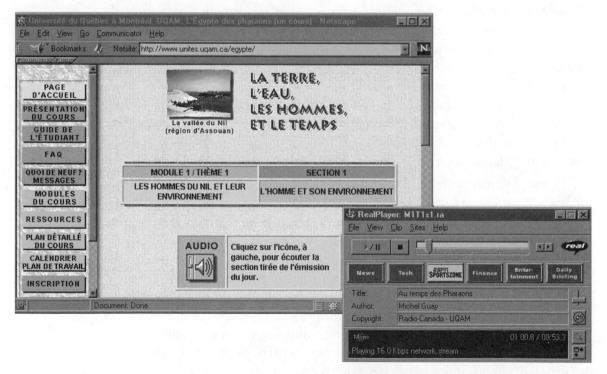

Figure 9.1
Cours «Égypte des pharaons» de l'UQAM offert en partie par *RealAudio*

Les avantages de cette technologie reposent sur plusieurs facteurs. Un lien permanent est créé entre le serveur et votre ordinateur, donc la communication n'a pas à être rétablie chaque fois. Cependant, à cause du fait qu'il est pratiquement impossible de maintenir un lien permanent, certains paquets d'information sont perdus dans le réseau, ce qui est la cause des images saccadées. Le trafic circule dans un sens, soit du serveur vers le client. Un important taux de compression augmente la quantité d'informations envoyées au client. Finalement, la diffusion de programmes fonctionne un peu comme les tout derniers lecteurs de disques compacts musicaux: un volume d'information représentant quelques secondes de lecture est emmagasiné dans la mémoire de l'ordinateur. Lorsque vous commencez l'écoute d'un programme, il y a toujours un volume d'information en mémoire. Si une attente temporaire se fait dans le réseau, elle sera transparente pour l'utilisateur.

CAPSULE Grille des horaires d'événements en direct

Plusieurs groupes musicaux, grands studios de cinéma, stations de radio et chaînes de télévision utilisent la télédiffusion et la radiodiffusion dans Internet pour promouvoir des événements. Il existe quelques guides qui vous renseignent de façon quotidienne afin que vous ne ratiez rien.

→ Le guide des événements de *Yahoo!* (*http://events.yahoo.com*)

→ Cyber-Events (*http://www.cyber-events.com*)

→ Netguide (*http://www.netguide.com*)

→ Webtimes (*http://www.webtimes.com*)

→ Rubrique *Yahoo!* des guides d'événements
(http://www.yahoo.com/Computers_and_Internet/Internet/World_ Wide_Web/Searching_the_Web/Web_Directories/Event_Guides)

L'an dernier, un seul produit était offert: il s'agissait de **RealAudio,** de la compagnie Progressive Networks, qui permettait uniquement la réception audio. Depuis, la compagnie nous a proposé **RealPlayer,** qui joint l'audio à la vidéo. Ce produit s'intègre merveilleusement bien dans le **Communicator,** de Netscape, et l'**Explorateur,** de Microsoft. D'autres produits sont également entrés dans la course. C'est le même phénomène pour toutes les nouvelles ressources Internet, et la même question se pose: lequel utiliser? Je vous fais ma recommandation officielle au moment d'écrire ces lignes: le gagnant demeure **RealPlayer**. La raison n'est pas qu'il est meilleur que les autres, car pratiquement tous les produits sur le marché peuvent offrir les mêmes performances. J'ai choisi de vous parler de **RealPlayer** parce qu'il est simplement le plus diffusé dans Internet présentement. On compte plus de 500 stations de radio et environ une cinquantaine de chaînes de télévision qui diffusent un signal **RealPlayer**. Au nom du libre choix, je vous entretiendrai également du logiciel **VDOLive**, de la société VDOnet.

9.1 REALPLAYER

<u>RealPlayer</u> relève d'une technologie relativement nouvelle et connaît une croissance fulgurante dans Internet. Ce produit jouit d'ailleurs de l'important privilège d'avoir été le premier à offrir une excellente qualité de son. Cette révolution nous parvient de la société Progressive Networks. La version 4.0 de <u>RealPlayer</u> est celle que l'on utilisera pour illustrer nos exemples. Cette ressource offre un accès à des programmes radio ou télédiffusés, en direct ou en différé, dans Internet. Votre ordinateur devient alors un poste récepteur. Depuis le printemps de 1995, des programmes de radio et de télévision, des entrevues et des concerts sont retransmis intégralement dans le réseau par le biais de cette technologie. **La Chaîne Info**, canal français spécialisé en information continue périodique, diffuse toutes les heures un nouveau bulletin de nouvelles que vous pouvez capter si le lecteur **RealPlayer** a été installé sur votre ordinateur (Macintosh, PC ou Unix).

<u>RealPlayer</u> (*http://www.real.com*)
<u>La Chaîne Info</u> (*http://www.lci.enfrance.com*)

Figure 9.2
La Chaîne Info en direct avec RealPlayer

9.1.1 Description de RealPlayer

Le premier avantage de **RealPlayer** est sa technique de compression fort appréciable de 20/1 (dans le meilleur des cas). Par exemple, un fichier audio de type **.wav** (fichier audio Windows) d'un méga-octet peut être compressé pour atteindre 42 kilo-octets seulement. Nous en sommes maintenant à la version 4.0 de **RealPlayer**. Si vous vous adressez à une clientèle possédant une connexion très rapide, la compression des données peut être diminuée pour offrir une meilleure qualité au détriment du fichier, dont la taille a substantiellement augmenté.

Généralement, on trouve des liens **RealPlayer** dans un environnement Web. On reconnaît ce type de ressources par le suffixe **.ram**, **.rm** ou **.ra** qui figure dans le nom du fichier, comme dans l'exemple suivant: *http://espnet.sportszone.com/cgi/ramit?FILE=editors/liveaudio/nfl.ram*

RealPlayer (*http://www.real.com*)

RealPlayer fonctionne de deux façons, qui sont indépendantes de l'utilisateur. La première se nomme mode continu (*Stream mode* en anglais). Elle est de loin la plus intéressante, car elle présente deux avantages. Premièrement, la diffusion s'effectue en temps réel: vous pouvez ainsi écouter une émission en direct ou en différé. Deuxièmement, le fichier **RealPlayer**, qui peut être très volumineux s'il s'agit d'une émission d'une heure, ne réside pas entièrement sur votre ordinateur. En fait, il est «digéré» au fur et à mesure qu'il est transféré. Les parties du fichier qui ont été lues par **RealPlayer** sont aussitôt effacées de votre disque rigide. Le mode continu est applicable seulement si vous transigez avec un serveur **RealPlayer**. L'environnement Web ne peut pas gérer un transfert continu de données. C'est pourquoi le serveur Web fait appel à un serveur **RealPlayer**, et votre navigateur fera également appel à un logiciel-client **RealPlayer** lorsque vous cliquerez sur un lien de ce genre. La figure suivante indique l'enchaînement des actions lorsqu'un lien **RealPlayer** est demandé. Il est à noter que, même si les clients et serveurs Web font appel à leurs contreparties **RealPlayer**, les deux plateformes sont indépendantes. Vous pouvez quitter votre client Web sans interrompre la diffusion d'un fichier sur votre logiciel **RealPlayer**. Il en va de même pour les applications-serveurs. Le lecteur **RealPlayer** commence à diffuser l'émission dès que les premiers éléments du fichier sont transférés. Vous n'avez donc pas à attendre le transfert complet du fichier.

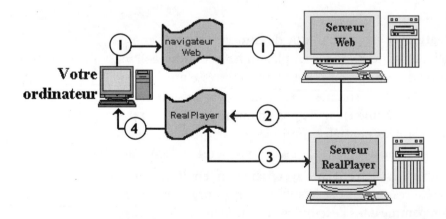

Légende

1. Utilisateur clique sur un lien «RealPlayer» sur le Web

2. Serveur Web donne les coordonnées du serveur «RealPlayer» au logiciel «RealPlayer»

3. Le client et le serveur «RealPlayer» amorcent une connexion permanente et échangent le signal désiré

4. Le client «RealPlayer» fait entendre le signal à l'utilisateur

Figure 9.3
Architecture du mode continu RealPlayer

La deuxième technique se résume à un simple transfert de fichier **RealPlayer** sur votre ordinateur à partir d'un serveur Web ou FTP (voir chapitre 4). Vous devez attendre le transfert complet du fichier avant de pouvoir l'écouter. Les inconvénients de cette solution sont:

→ L'impossibilité de suivre une émission en temps réel.

→ Le transfert complet d'un fichier parfois volumineux sur votre disque rigide.

→ Le temps d'attente nécessaire pour ce transfert avant l'écoute.

Cette technique s'applique lorsque aucun serveur **RealPlayer** n'est accessible pour la diffusion. Un organisme qui n'a pas les moyens de se payer le logiciel-serveur **RealPlayer**, qui permet la diffusion en mode continu, peut néanmoins numériser un événement en format **RealPlayer** afin de le rendre accessible sur un autre serveur. On appelle cette technique «mode transfert». La figure 9.4 présente le déroulement des événements dans cette situation.

Légende

1. Utilisateur clique sur un lien «RealPlayer» sur le Web

2. Serveur Web transfère le fichier «RealPlayer» intégralement sur le disque rigide de l'utilisateur

3. Le client «RealPlayer» fait entendre le signal à l'utilisateur

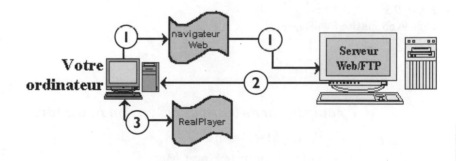

Figure 9.4
Architecture du mode transfert RealPlayer

C
H
A
P
I
T
R
E

9

Les internautes n'ont pas le choix de la technique pour écouter un fichier **RealPlayer**. Ils sont à la merci de la disponibilité de l'information. La société Progressive Networks vend le logiciel-serveur et le logiciel-encodeur, tout en offrant gratuitement le logiciel-client, qui permet l'écoute des fichiers **RealPlayer**.

9.1.2 Équipement nécessaire pour utiliser RealPlayer

<u>RealPlayer</u> s'adapte à toutes les plateformes, mais vous devez être muni d'un ordinateur moyennement puissant pour l'utiliser. Dans tous les cas, **RealPlayer** requiert une connexion Internet d'un minimum de 28 800 bps, et votre ordinateur doit contenir un minimum de 4 méga-octets pour exploiter **RealAudio** ou 16 méga-octets pour **RealPlayer**. Prévoyez également un minimum de 2 méga-octets pour l'installation du logiciel sur votre disque rigide.

Figure 9.5
Page Web du site RealPlayer

Équipement de base pour la version Macintosh

Un Power Macintosh
Système 7.x pour le Power Mac

Équipement de base pour la version Windows

Microprocesseur Pentium pour RealPlayer
Microprocesseur 486DX 33MHz pour RealAudio
Windows 3.1 (RealAudio uniquement) ou Windows95 (pour RealPlayer)
Une carte de son compatible Windows 16 bits (32 bits recommandée)
Haut-parleurs

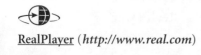

<u>RealPlayer</u> (*http://www.real.com*)

9.1.3 Où se procurer un lecteur RealAudio

RealPlayer 4.0 est gratuit, mais vous pouvez vous procurer une version commerciale possédant des fonctions avancées qui permettent une personnalisation de vos liens. La version commerciale coûte 30 $US. Pour obtenir la version gratuite, qui offre la même qualité que la version commerciale, pointez votre navigateur Web sur le site **RealPlayer**, de la compagnie Progressive Networks. La version commerciale est également offerte au même endroit.

Figure 9.6
Configuration automatique de navigateurs par RealPlayer

L'installateur **RealPlayer** se charge de configurer automatiquement les navigateurs Web se trouvant sur votre disque rigide. Si un problème se produit, vous pouvez configurer vous-même un navigateur Web à l'aide de ses préférences. Voici les paramètres de **RealPlayer** que vous devez intégrer dans les préférences de votre navigateur:

Mime Type:	→ audio
Mime Subtype:	→ x-pn-*RealAudio*
File extensions:	→ .ra, .ram, .rm
Action:	→ lancer l'application: <répertoire>/RealPlayer

RealPlayer (*http://www.real.com*)

Configuration du Navigateur 3.0 de Netscape

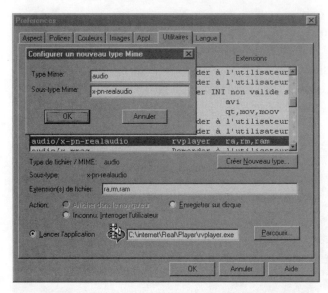

→ Déroulez le menu **Options** et sélectionnez l'option **Préférences générales**.

→ Sélectionnez l'onglet **Utilitaires**.

→ Créez un nouveau type et ajoutez les paramètres cités ci-dessus.

Figure 9.7
Configuration manuelle du Navigateur 3.0 de Netscape pour RealPlayer

Configuration du Navigateur 4.0 de Netscape

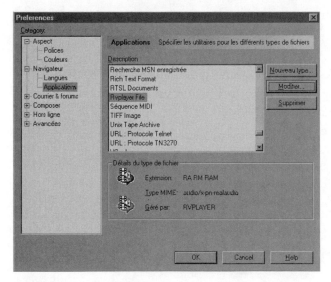

→ Déroulez le menu **Édition** et sélectionnez l'option **Préférences...**

→ Sélectionnez **Navigateur** et, ensuite, **Applications**.

→ Créez un nouveau type et ajoutez les paramètres cités ci-dessus.

Figure 9.8
Configuration manuelle du Navigateur 4.0 de Netscape pour RealPlayer

Configuration de l'Explorer 4.0 de Microsoft

Aucune configuration spéciale n'est requise. Le système d'exploitation Windows95 ou le «Finder» du Macintosh sont responsables de la gestion des applications secondaires. Dans le pire des cas, l'*Explorer* vous demandera quelle application utiliser pour exploiter une ressource **RealPlayer**. À cette demande, vous n'aurez qu'à lui indiquer le chemin de l'application.

9.1.4 Un clin d'œil sur l'utilisation du système RealPlayer

Il existe trois types de logiciels **RealPlayer**, et chacun joue un rôle précis. L'utilisateur n'a besoin que du lecteur. Ceux qui diffusent des émissions sur **RealPlayer** ont besoin de l'encodeur et du serveur **RealPlayer**.

Client RealPlayer

Une fois que vous cliquez sur un lien **RealPlayer**, le lecteur est lancé, et une communication est établie avec le serveur **RealPlayer** en question. L'interface **RealPlayer** est simple à utiliser.

Légende

1. Titre du programme
2. Menus déroulants
3. Bouton de lecture/pause
4. Bouton d'arrêt
5. Curseur de position
6. Avance ou recule rapide
7. Accès au site Web RealPlayer
8. Image diffusée
9. Boutons de syntonisation personnalisés
10. Titre, auteur et notice du droit d'auteur
11. Volume et bouton «sourdine»
12. Boutons «zoom» et d'agrandissement du cadre
13. Informations et statistiques pertinentes du programme

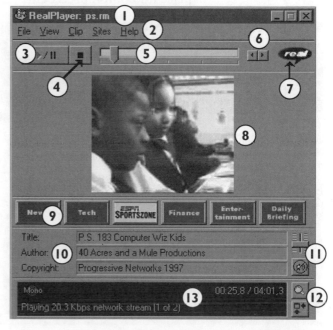

Figure 9.9
Interface du lecteur RealPlayer 4.0

CHAPITRE 9

L'interface ressemble au panneau de contrôle d'un magnétophone: vous pouvez arrêter le signal; régler le volume; dans le cas d'un programme en différé, vous pouvez mettre le curseur de position à l'endroit désiré. De cette façon, vous entendez seulement le segment désiré. Évidemment, cette fonction n'est pas disponible pour une émission en direct; imaginez-vous connaître un résultat sportif avant la fin du match... ;-)

Vous pouvez accéder aux sites Web de **RealPlayer** et obtenir une grille des programmes en déroulant le menu *Sites*. Vous pouvez lancer le lecteur **RealPlayer** indépendamment de votre navigateur Web et inscrire l'adresse URL d'un événement en sélectionnant l'option *Open Location* du menu déroulant **File**.

Des boutons de syntonisation personnalisés permettent de capter rapidement une station ou un programme. Vous pouvez programmer ces boutons comme ceux de la radio de votre voiture.

→ Cliquez deux fois sur un des boutons. Une fenêtre Web apparaît avec des choix de programmes.

→ Cliquez sur un des choix et confirmez-le avec le bouton qui se trouve dans la partie inférieure de la page.

→ Votre bouton est mis à jour, et une image du programme sélectionné prend la place du bouton précédent.

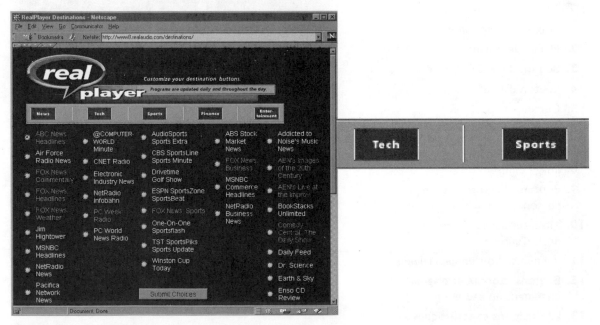

Figure 9.10
Assistant de programmation des boutons de syntonisation

Encodeurs RealAudio et RealVideo

Les encodeurs **RealAudio** et **RealVideo** sont utilisés pour compresser des fichiers audio et vidéo. Ces derniers sont ensuite convertis dans le format **RealPlayer**. Les fichiers produits par ces logiciels peuvent ensuite être entendus par le client et distribués dans Internet par le serveur **RealPlayer**. Ils peuvent également être distribués sous la forme de fichiers par un serveur Web ou FTP anonyme. Les encodeurs sont gratuits (au moment où j'écris ces lignes) et peuvent être transférés de <u>la page des encodeurs</u> de la société Progressive Networks. Des versions Windows et Macintosh sont offertes. Les fichiers **.ra** et **.rm** produits par l'un ou l'autre de ces logiciels sont compatibles avec la version 4.0 du lecteur **RealPlayer**.

Les fichiers sources utilisés dans la conversion **RealPlayer** peuvent être de plusieurs formats audio et vidéo. Du côté audio, les fichiers **.wav**, **.aiff** et **.au** sont quelques-uns des formats acceptés. Avec la vidéo, vous pouvez transformer des fichiers **.avi**, **.mov** et **.qt**. Dans les deux cas, une source générée directement d'un microphone ou d'une caméra vidéo peut être convertie en ressource **RealPlayer**.

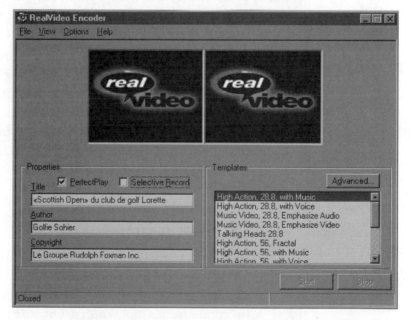

Figure 9.11
Encodeur RealPlayer

<u>la page des encodeurs</u> (*http://www.real.com/hpproducts/encoder*)

L'encodage est fort simple pour toutes les versions. En réponse au démarrage de l'application, une fenêtre s'affiche sur l'écran. Il s'agit de sélectionner le fichier source que vous voulez encoder en format **RealPlayer** et de préciser quelques paramètres. Je vous conseille de lire le fichier d'information du logiciel: des nouveautés peuvent s'ajouter, et ce, sans préavis.

→ Sélectionnez l'option *Open Session* du menu *File*.

→ Inscrivez l'emplacement du fichier source et celui du fichier destination.

→ Précisez le type de compression **RealPlayer** désiré.

→ De retour à l'interface principale, remplissez les cases *Title, Author* et *Copyright.*

→ Pressez le bouton *Start,* et le tour est joué.

Serveur RealPlayer

Pour offrir des fichiers **RealPlayer** en mode continu, il faut détenir un logiciel-serveur **RealPlayer**. La figure 9.3 présente l'architecture en mode continu utilisée par cette technologie. Il n'est pas nécessaire que votre serveur **RealPlayer** se trouve sur le même ordinateur que votre serveur Web. Un simple lien hypertexte en langage HTML peut relier les deux entités.

Le logiciel-serveur **RealPlayer** se vend en fonction du nombre de connexions simultanées désiré. On peut ainsi commencer avec une version de 60 connexions, pour environ 1 000 $US, et augmenter ce nombre graduellement. Les versions conviennent à la majorité des environnements. Des utilitaires contrôlant le serveur à distance sont également inclus. Vous trouverez les informations concernant les prix, les modalités de transfert, l'installation et les programmes de soutien à <u>la page des serveurs RealPlayer</u> sur le site Web de l'entreprise Progressive Networks.

9.1.5   La grille d'horaires RealPlayer

Pour connaître les dates et les endroits virtuels où seront diffusées les prochaines émissions **RealPlayer**, entrez en contact avec le site Web <u>**TimeCast**</u> de la société Progressive Networks, et consultez le répertoire. C'est l'endroit idéal pour connaître les nouveautés. On y trouve plusieurs rubriques, dont celles des sports, des loisirs et des actualités. Le site Web <u>**AudioNet**</u> offre également

<u>la page des serveurs RealPlayer</u> (*http://www.RealAudio.com/hpproducts/server.html*)
<u>TimeCast</u> (*http://www.timecast.com*) • <u>AudioNet</u> (*http://www.audionet.com*)

une grille d'horaires assez complète. Finalement, un autre endroit que vous pouvez consulter est la **rubrique des programmes diffusés dans Internet de _Yahoo!_**.

Figure 9.12
Grille d'horaires RealPlayer sur le site Timecast

CAPSULE Échantillon de programmes diffusés avec RealPlayer

Voici un échantillon des émissions offertes sur ce site. Notez qu'elles pourraient ne plus s'y trouver au moment de votre visite. :-(

→ La radio de Radio-Canada (*http://www.rcinet.ca*)

→ Magasine Hotwired
(*http://www.hotwired.com/help/audio/features.html*)

→ Radio rebelle en direct de Chicago (*http://www.rebelradio.com*)

→ Le réseau sportif américain ESPN (*http://ESPNET.SportsZone.com*)

→ LiveConcerts! (*http://www.liveconcerts.com*)

→ Extraits du chef-d'œuvre «Les Misérables» (*http://www.lesmis.com*)

C
H
A
P
I
T
R
E

9

rubrique des programmes diffusés dans Internet de _Yahoo!_
(*http://www.yahoo.com/Computers_and_Internet/Internet/Entertainment/Internet_Broadcasting*)

9.1.6 Écrire des liens RealPlayer en HTML

Pour inclure des liens **RealPlayer** dans vos documents HTML (*HyperText Markup Language*), vous devez créer un fichier secondaire que vous déposerez sur votre serveur Web. Ce fichier, dont le suffixe doit être **.ram** ou **.rm,** contient l'adresse du serveur **RealPlayer** et le nom du fichier **.ra** que vous désirez sélectionner. Supposons que vous vouliez inclure le fichier **.ra** du mot de bienvenue de la société Progressive Networks à votre page Web. Il faut procéder en deux étapes.

Création du fichier secondaire bienvenue.ram sur votre serveur Web

Le fichier créé ici doit nécessairement porter le suffixe **.ram**. Ce fichier se trouve sur le serveur Web et ne contient que des adresses URL qui indiquent l'adresse Internet du serveur **RealPlayer** et le nom du fichier **.ra**. Le préfixe de cette adresse est **pnm://**, et vous pouvez inclure plusieurs lignes de ce genre; les fichiers **RealPlayer** sont alors passés consécutivement. Si l'adresse du serveur **RealPlayer** est *www.RealAudio.com* et que le nom du fichier est *welcome.ra*, l'adresse URL est la suivante:

pnm://www.RealAudio.com/welcome.ra

Insertion du lien hypertexte dans votre document HTML

Le lien hypertexte que vous incluez dans votre document HTML est du type *http://* et pointe vers le fichier créé à l' étape précédente. On obtient la source HTML suivante:

```
Voici   le   message   de   <A   HREF="http://votre.serveur.w3/bienvenue.ram">
bienvenue</A> de la société <I>Progressive Networks</I>.
```

Le résultat obtenu est le suivant:

Voici le message de **bienvenue** de la société Progressive Networks.

En cliquant sur le mot «bienvenue», on entre en contact avec le serveur indiqué dans le fichier secondaire, tout en faisant démarrer le client **RealPlayer** pour qu'il soit prêt à recevoir le fichier *welcome.ra.*

9.1.7   Informations et FAQ pour RealPlayer

Je vous invite à consulter la **page des FAQ de RealPlayer**, de la compagnie Progressive Networks. Vous y trouverez de la documentation détaillée qui couvre le fonctionnement du lecteur, de l'encodeur et du serveur **RealPlayer**. On y trouve également des informations sur les formats de codage/encodage (CODEC) audio et vidéo, et sur les techniques d'insertion d'adresses URL dans les documents Web.

9.1.8   Conclusion

La technologie **RealPlayer** a un avenir prometteur et ce, à court et à moyen terme. La vente d'ordinateurs multimédias et l'accroissement des vitesses de transmission constituent les éléments clés du succès de cette technologie. Les applications où cette ressource pourrait être utilisée sont multiples. Des professeurs peuvent, par exemple, dicter des notes de cours et les rendre accessibles. Des savants de grande renommée ont désormais la possibilité de donner directement leurs conférences au monde entier sans que le message ne soit altéré par les journalistes. On en est à réinventer la radio, mais à l'échelle mondiale, avec la possibilité que chaque utilisateur devienne un diffuseur.

9.2   VDOLIVE

Un autre joueur dans l'arène de la diffusion Internet, assez important pour que l'on s'y arrête un peu, est le système **VDOLive** de la compagnie VDONet Inc. Ce système est constitué de trois composantes, tout comme **RealPlayer**:

→ Lecteur **VDOLive**: il est gratuit et convient au PowerMacintosh et à Windows en général.

→ Serveur **VDOLive**: ce logiciel commercial permet de distribuer de la vidéo en mode continu.

→ Outils **VDOLive**: ils sont gratuits et permettent de transformer un signal audio-vidéo en signal **VDOLive**.

Le signal **VDOLive** est formé d'une série continue de séquences comprimées. Dès que ces séquences sont transférées sur votre ordinateur, elles sont diffusées dans vos haut-parleurs et sur votre écran par le lecteur **VDOLive**, et sont ensuite effacées de votre disque rigide.

page des FAQ de RealPlayer (*http://www.real.com/help/FAQ*) • VDOLive (*http://www.vdonet.com*)

C
H
A
P
I
T
R
E

9

Équipement nécessaire pour utiliser VDOLive sur un PC

Microprocesseur 486 DX2 66 MHz

Mémoire vive de 8 méga-octets et plus

Standard «Vidéo pour Microsoft Windows» (il est compris dans Windows95)

Lien Internet minimal de 28 800 bps

Carte de son compatible Windows et haut-parleurs

Équipement nécessaire pour utiliser VDOLive sur un Macintosh

PowerMacintosh

16 méga-octets de mémoire vive

Lien Internet minimal de 28 800 bps

9.2.1 Où dois-je me procurer le lecteur VDOLive?

Le lecteur ainsi que les toutes dernières informations sont disponibles sur le site Web de **VDOLive**.

Figure 9.13
Site Web pour VDOLive

<u>VDOLive</u> (*http://www.vdo.net*)

9.2.2 Installation de VDOLive

Normalement, l'installateur détecte les navigateurs Web qui se trouvent déjà sur votre ordinateur et se charge de les configurer lui-même. Vous bénéficierez de cette façon de la fonctionnalité de VDOLive dans l'univers Web tout en ayant un logiciel indépendant sur votre disque rigide.

Advenant un problème d'installation, vous pouvez configurer manuellement votre navigateur Web pour qu'il accepte avec aisance une ressource **VDOLive**. Voici les paramètres de **VDOLive** que vous devez intégrer dans les préférences de votre navigateur:

Mime Type:	→ video
Mime Subtype:	→ vdo
File extensions:	→ vdo
Action:	→ lancer l'application: <répertoire>/vdoplay

Configuration du Navigateur 3.0 de Netscape

→ Déroulez le menu *Options* et sélectionnez l'option *Préférences générales*.

→ Sélectionnez l'onglet *Utilitaires*.

→ Créez un nouveau type et ajoutez les paramètres cités ci-dessus.

Configuration du Navigateur 4.0 de Netscape

→ Déroulez le menu *Édition* et sélectionnez l'option *Préférences...*

→ Sélectionnez *Navigateur* et, ensuite, *Applications*.

→ Créez un nouveau type et ajoutez les paramètres cités ci-dessus.

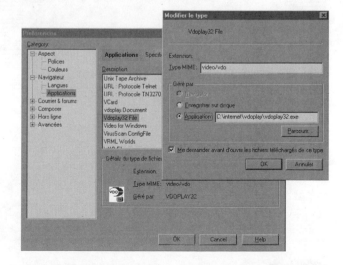

Figure 9.14
Configuration manuelle du Navigateur 4.0 de Netscape pour VDOLive

Configuration de l'Explorer 4.0 de Microsoft

Aucune configuration spéciale n'est requise. Le système d'exploitation Windows95 ou le «Finder» du Macintosh sont responsables de la gestion des applications secondaires. Dans le pire des cas, l'*Explorer* vous demandera quelle application utiliser pour exploiter une ressource **VDOLive**. À cette demande, vous n'aurez qu'à lui indiquer le chemin de l'application.

9.2.3 Un clin d'œil sur l'utilisation de VDOLive

Le lecteur **VDOLive** démarre automatiquement lorsque vous cliquez sur un lien du même type sur une page Web. Le lecteur se branche automatiquement sur le serveur **VDOLive** approprié, et l'image et le son sont acheminés vers votre ordinateur.

Légende

1. Temps écoulé
2. Cadre de l'écran vidéo
3. Vitesse de la connexion
4. Niveau de détérioration vidéo
5. Niveau de détérioration audio
6. Contrôle du volume
7. Accès au site VDOLive
8. Accès à la configuration

Figure 9.15
Interface VDOLive

La fenêtre principale est réservée à l'animation vidéo. L'indication du temps écoulé se trouve juste au-dessus de cette fenêtre. Un indicateur montre le ratio entre le signal envoyé par le serveur et le signal capté par l'ordinateur. Ce type de transmission continu est susceptible de perdre des plumes (des paquets d'information IP) en chemin; une fenêtre pour l'audio et une autre pour la vidéo vous indiquent le taux de détérioration des signaux. Cliquez sur le bouton *EXIT* pour quitter l'application, cliquez sur le bouton *GO VDO!* pour accéder à la page Web de la grille d'horaires **VDOLive** et, finalement, cliquez sur le bouton *Setup* pour configurer votre logiciel.

9.2.4 La grille d'horaires VDOLive

La compagnie met à la disposition des internautes une **grille d'horaires des émissions VDOLive** et des événements diffusés en direct et en différé sur ce système.

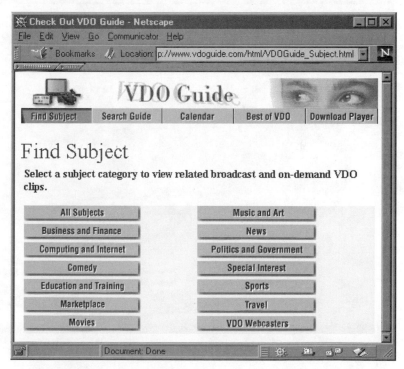

Figure 9.16
La grille d'horaires de VDOLive

grille d'horaires des émissions VDOLive (*http://www.vdo.net/products/vdolive/gallery*)

C
H
A
P
I
T
R
E

9

9.3 LIQUID AUDIO

Le système **Liquid Audio** ressemble énormément au **RealPlayer** mentionné précédemment. Les différences sont subtiles. Les créateurs de ce système estiment attirer une clientèle plus artistique que leur compétiteur. Pour atteindre cet objectif, on a misé sur une interface plus à la mode qui offre des informations sur l'artiste que vous écoutez. Tout comme le **RealPlayer**, vous pouvez écouter une pièce en mode continu ou en la sauvegardant sur votre disque rigide. **Liquid Audio** n'est offert que pour Windows95/NT et n'offre aucun support vidéo. Ces affirmations peuvent changer sans préavis.

Figure 9.17
Le site Web de Liquid Audio

Liquid Audio (*http://www.liquidaudio.com*)

Vous devez visiter le site Web de **Liquid Audio** pour transférer le logiciel. Il fonctionne avec votre navigateur Web préféré, qu'il s'empresse de configurer dès son installation. **Liquid Audio** vous offre la possibilité d'écouter une pièce avec un signal de moins bonne qualité, afin de ne pas encombrer le réseau, et d'accélérer son écoute. Une autre différence avec **RealPlayer** est que **Liquid Audio** vous permet d'acheter des pièces, voire d'acquérir un album complet d'un artiste. Un signal de très haute qualité peut être demandé afin d'obtenir la qualité numérique d'un disque compact. Cependant, la qualité du son dépend beaucoup de vos haut-parleurs. Et il y a le problème de devoir démarrer votre ordinateur à chaque écoute d'un produit acheté avec **Liquid Audio**. On ne peut amener un fichier de ce type dans sa voiture pour l'écouter. La qualité est très bonne, et on devra se contenter de cela en attendant l'arrivée sur le marché d'appareils qui nous permettront de graver des disques compacts musicaux à partir de notre ordinateur.

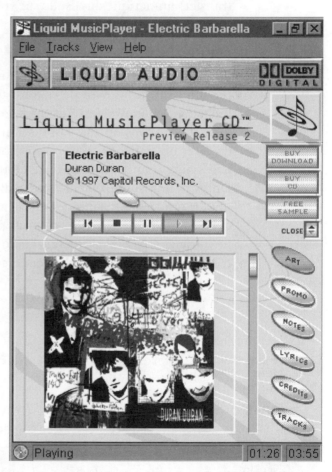

Figure 9.18
Écoute de la pièce *Electric Barbarella* de Duran Duran avec Liquid Audio

Liquid Audio (*http://www.liquidaudio.com*)

On trouve dans l'interface des contrôles intuitifs qui permettent de régler le volume, la lecture, l'arrêt et le positionnement rapide à un endroit de la pièce. La partie inférieure de l'interface est réservée aux informations propres à l'artiste et à la pièce écoutée. On a droit à une couverture du disque, aux informations promotionnelles et artistiques et aux noms des musiciens qui ont participé à la pièce. Si vous désirez acheter la pièce ou le disque au complet, vous cliquez sur le bouton approprié situé à droite du réglage du volume. Le paiement se fait à l'aide d'une carte de crédit, et vous avez le choix entre le transfert numérique du disque sur votre ordinateur ou la livraison à domicile.

Liquifier Pro pour Windows

On peut créer des fichiers **Liquid Audio** avec un autre logiciel que vous vous procurez sur le site Web de la compagnie **Liquifier Pro**. Il fonctionne uniquement avec Windows95/NT et permet de compresser une pièce musicale dans un format 14,4 kbps ou 28,8 kbps, selon la qualité requise. Ce logiciel est capable de gérer un signal de quatre pistes simultanées, contrairement aux deux pistes nécessaires pour l'effet stéréo. Le **Liquifier Pro** possède également le traitement **Dolby** pour assurer la meilleure qualité possible. Il permet également d'encoder une clé numérique à l'intérieur de la pièce musicale afin de retracer l'ordinateur qui a créé le fichier. De plus, cette clé rend inaudible un fichier **Liquid Audio** s'il ne provient pas d'un serveur autorisé et ce, pour contrecarrer les plans d'éventuels pirates qui aimeraient bien les revendre.

CAPSULE   Informations supplémentaires à propos de Liquid Audio

Voici maintenant quelques sites où vous pourrez obtenir des renseignements complémentaires sur ce système et entendre des pièces accessibles dans ce format:

→ Hollywood and Vine (*http://hollywoodandvine.com*)

→ Ultra Lounge (*http://www.ultralounge.com*)

→ IUMA's Liquid Lounge (*http://www.iuma.com*)

→ Music Boulevard (*http://www.musicblvd.com*)

Le serveur *Liquid Audio*

Il s'agit d'un logiciel que vous pouvez vous procurer sur le site Web **Liquid Audio**. Non seulement ce serveur permet de transmettre des fichiers de pièces musicales, mais il agit également comme un serveur de transactions commerciales qui en assure la confidentialité par le cryptage du numéro de votre carte de crédit. Il déverrouille également le fichier **Liquid Audio** avant de le livrer à un internaute. Tel qu'expliqué au paragraphe précédent, chaque fichier possède une clé numérique qui bloque son écoute afin d'en éviter le piratage. Ce serveur est offert pour Windows et pour Unix.

9.4 MULTICAST BACKBONE

Nous complétons notre tour d'horizon de la télédiffusion Internet avec le **Multicast Backbone.** Le surnom souvent utilisé pour cette ressource est *MBone.* Plus précisément, on parle du *Virtual Internet Backbone for Multicast IP.* Il s'agit d'un sous-réseau virtuel qui existe à l'intérieur de l'univers Internet. L'application pratique de cette technologie se résume à des vidéoconférences interactives avec possibilité d'échanger des textes et des données.

Ce sont les gourous de l'**Internet Engineering Task Force**, en séance à San Diego au mois de mars 1992, qui ont eu l'idée d'utiliser Internet comme véhicule de transport pour des conférences multimédias. Un protocole propre à cette ressource, nommée «IP-Multicast», a été élaboré par Steve Deering, du Xerox Park Place.

Une des différences entre **MBone** et **RealPlayer** est que le premier utilise un équipement beaucoup plus complexe que l'autre. La qualité en est meilleure. On obtient une plus grande fréquence d'images en utilisant une bande passante minimale de 1,5 méga-octet par seconde. Ce n'est pas encore de la vidéo parfaite, car les images se bousculent encore quelque peu sur l'écran. La force de cette ressource réside dans l'architecture de la transmission du signal. Comme on l'a mentionné, on a créé dans Internet un sous-réseau virtuel composé de routeurs situés et supportés par différentes organisations; **MBone** n'a donc pas à concurrencer directement le trafic Internet, quoiqu'il soit toujours présent. Sans entrer dans les détails techniques, disons simplement que la technologie *multicast* permet à un ordinateur d'envoyer un seul signal vers un groupe de

C
H
A
P
I
T
R
E

9

Liquid Audio (*http://www.liquidaudio.com*) • Internet Engineering Task Force (*http://www.ietf.org*)

machines, tandis que, dans le modèle traditionnel, on doit transmettre un signal à chacun des ordinateurs du groupe. Par exemple, un taux de transmission de 100 kilo-octets par seconde pour la transmission d'un ordinateur vers trois autres simultanément nécessite un débit de 300 kilo-octets par seconde, car on doit effectuer l'opération trois fois. Avec la technologie **MBone**, on n'envoie qu'un seul débit de 100 kilo-octets par seconde, débit qui est ensuite acheminé vers le sous-réseau virtuel pour être enfin transmis aux ordinateurs qui en veulent bien. Ainsi, le trafic est moins important, ce qui libère l'espace pour améliorer la qualité de transmission.

Le seul problème, c'est que cette technologie exige un équipement très complexe et très coûteux. Les logiciels utilisés pour capter ce signal existent dans quelques environnements seulement, notamment Unix et Windows95/NT. Le **MBone** se développe tout de même et ce, même si seules les universités ou les grandes organisations de recherche en profitent. Il se peut fort bien que l'on ne soit jamais témoin d'une éclosion de cette technologie au cours des prochaines années. Je tiens tout de même à vous tenir au courant des technologies qui peuvent causer des vagues dans Internet.

CAPSULE   Des informations à propos de MBone

Contrairement à ce qui se fait pour la technologie **RealPlayer** ou **VDOLive**, aucune entreprise ne parraine actuellement le développement commercial de la technologie **MBone**. Si vous désirez en connaître plus sur le sujet, je vous recommande les documents suivants, que vous trouverez dans Internet:

→ Centre d'informations MBone (*http://www.mbone.com*)

→ ICAST – Produits MBone (*http://www.icast.com*)

→ FAQ du MBone (*http://www.mbone.com/techinfo/mbone.faq.html*)

→ Grille d'horaires des événements MBone
(*http://www.cilea.it/MBone/agenda.html*)

→ Rubrique *Yahoo!* consacrée à MBone
(*http://www.yahoo.com/Computers_and_Internet/Communications_and_Networking/MBONE*)

9.5 AUTRES SYSTÈMES DE RADIODIFFUSION ET DE TÉLÉDIFFUSION

RealPlayer n'est pas le seul système éprouvé sur le marché; il y en a d'autres qui fonctionnent également assez bien. Ils ne sont cependant pas utilisés autant que **RealPlayer,** car la clientèle de ce dernier était déjà établie avant leur arrivée. On estime la clientèle de **RealPlayer** à environ 20 millions d'utilisateurs. Néanmoins, avec le géant **Microsoft**, qui pousse activement la technologie **Truespeech,** cette base de clientèle pourrait s'effriter quelque peu ou, du moins, le ratio des utilisateurs **RealPlayer** pourrait diminuer avec l'arrivée de nouveaux internautes utilisant une des technologies énumérées ci-dessous.

CAPSULE   Systèmes de radiodiffusion et de télédiffusion Internet

Les mots **Audio** ou **Vidéo** sont inscrits à côté de chacun des produits suivants afin que vous soyez informé du type du diffusion offert.

→ **TrueSpeech de DSP Group Inc. (Audio)**
(*http://www.truespeech.com*)

→ **Crescendo de LiveUpdate (Audio)**
(*http://www.liveupdate.com*)

→ **Streamworks de XingTech (Audio – Vidéo)**
(*http://www.xingtech.com*)

→ **Audioactive d'Audioactive Inc. (Audio)**
(*http://www.audioactive.com*)

CHAPITRE 9

Microsoft (*http://www.mocrosoft.com*)

Les mondes virtuels

«Des univers créés et détruits à tout moment...»

C e n'était qu'une question de temps pour que le concept de «monde virtuel» devienne réalité. La prochaine étape logique après les séances de bavardage IRC (*Internet Relay Chat*) est ce qu'on appelle les mondes virtuels. Il s'agit d'endroits constitués d'électrons, à l'intérieur d'un ordinateur quelque part dans le réseau, qui donnent l'impression que vous vous y retrouvez. Vous pouvez visiter les différentes pièces, causer avec les gens que vous rencontrez, ramasser des accessoires qui traînent, etc. Vous et moi, les humains, on est représentés par des images à l'intérieur de ces pièces. Ces images sont appelées «avatars». On peut les modifier à volonté selon notre humeur et les situations.

CAPSULE   **D'autres mondes virtuels**

The Palace et ActiveWorlds, les deux environnements traités à l'intérieur de ce chapitre, ne sont pas les seuls mondes dignes de mention. Je vous invite à consulter les sites Web suivants. Mais attention! Ces environnements fonctionnent sur des ordinateurs assez musclés et peuvent causer un engouement extraordinaire...

→ Meridian59: un jeu interactif de 3DO (*http://meridian.3do.com/meridian*)

→ The Realm: un jeu interactif de Sierra (*http://www.realmserver.com*)

→ Worldsaway: bavardage en mode graphique (*http://www.worldsaway.com*)

→ WorldsChat: bavardage en 3D (*http://www.worlds.net/wc*)

→ Rubrique des jeux en 3D de *Yahoo!* (*http://www.yahoo.com/Recreation/ Games/Internet_Games/Virtual_Worlds/3*)

Je vous préviens d'être patient, car ces applications sont lourdes côté graphique. Votre lien modem doit au minimum fonctionner à 28 800 bps. Vous devez utiliser un logiciel propre à chacun de ces systèmes. Ces logiciels agissent un peu comme le navigateur Web, en ce sens qu'ils interprètent un protocole qui vient d'un serveur du même type. **The Palace** est un univers en deux dimensions qui fait présentement le bonheur des internautes, mais il y en a d'autres qui sont tout aussi intéressants. **Active Worlds** est un univers virtuel en trois dimensions qui ne fonctionne présentement que sur Windows95 secondé par un ordinateur très musclé. N'oubliez pas de consulter la **rubrique des mondes virtuels de _Yahoo!_,** dans laquelle vous trouverez des informations supplémentaires sur ce sujet.

▐ 10.1 ▌ THE PALACE

Ce système est simplement un logiciel de bavardage glorifié qui offre des éléments multimédias pour agrémenter l'atmosphère de la conversation. Cet environnement est palpitant. Cependant, vous pouvez trouver que le temps pour télécharger les différentes pièces virtuelles est un peu long. Si vous êtes habitué à la vitesse du IRC (_Internet Relay Chat_), il se peut bien que vous le restiez et que vous alliez aux causeries imagées simplement par curiosité. Le logiciel client et serveur nécessaire pour participer à ce monde est distribué par la compagnie **The Palace**. FranceWeb semble également avoir emboîté le pas à cette technologie; dévouvrez la **page FranceWeb – Le Palace** à ce sujet.

De plus, si vous possédez une carte de son dans votre PC ou si vous possédez un Macintosh, vous pourrez entendre les sons produits dans les pièces.

The Palace (_http://www.thepalace.com_) • Active Worlds (_http://www.activeworlds.com_)
rubrique des mondes virtuels de _Yahoo!_
(_http://www.yahoo.com/Recreation/Games/Internet_Games/Virtual_Worlds/3D_Worlds_)
page FranceWeb – Le Palace (_http://www.franceweb.fr/LePalace_)

10.1.1 **Mon ordinateur peut-il supporter The Palace et où puis-je me le procurer?**

Vous devez en général accéder à Internet avec une vitesse minimale de 28 800 bps. Votre ordinateur devrait également avoir 8 méga-octets de mémoire vive ou plus. **The Palace** fonctionne sur le Macintosh et sur un PC jumelé de Windows 3.1 ou de Windows95. Je vous rappelle que vous pouvez vous procurer gratuitement le logiciel client sur le site Web **The Palace**. Cependant, vous pouvez l'enregistrer pour 25 $US et débloquer certaines fonctions. Ces dernières vous permettent de modifier votre avatar, de changer votre nom dans les pièces virtuelles, de créer vos propres accessoires et d'avoir accès au soutien technique de la compagnie.

Éléments nécessaires pour le Macintosh

Système 7
Écran couleur 13 pouces
4 méga-octets d'espace sur le disque rigide

Éléments nécessaires pour le PC

Windows 3.1, Windows95/NT
Microprocesseur 486 et plus
Carte vidéo 256 couleurs
Affichage 800 x 600 recommandé

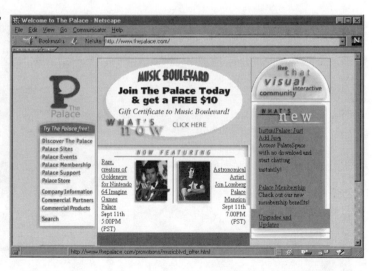

Figure 10.1
Site Web du système The Palace

The Palace (*http://www.thepalace.com*)

10.1.2 Un clin d'œil sur l'utilisation du Palace

Une fois que votre installation est terminée, lancez l'application. L'interface principale s'affiche alors. Si vous ne payez pas les frais d'inscription de 25 $US, vous aurez toujours le nom «guest» lorsque vous entrerez dans les différentes pièces virtuelles, et votre avatar sera une binette sphéroïdale. Après vous être branché sur un serveur, votre interface se remplit de binettes et de dessins bizarres, le tout sur une toile de fond somptueuse. Vous êtes entré dans un royaume virtuel.

Légende

1. Nom du serveur
2. Menus déroulants
3. Outils de navigation
4. Outils de ponctuation
5. Outils de contrôle
6. Nom de la pièce

7. Personnes présentes dans la pièce/Nombre total de personnes sur le serveur
8. Accès aux accessoires pour décorer votre avatar

9. Corbeille pour éliminer des accessoires
10. Fenêtre pour inscrire vos dialogues

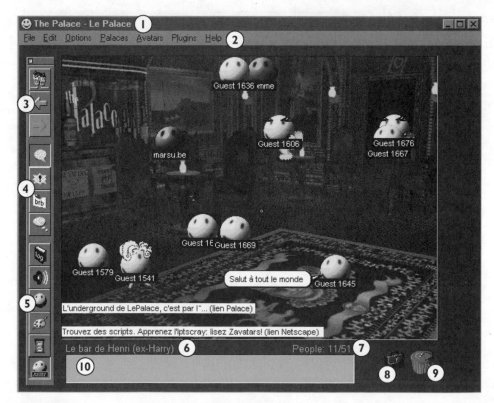

Figure 10.2
Interface du logiciel The Palace

Chaque personne est représentée par un dessin appelé «avatar». Le nom ou le pseudonyme de la personne est inscrit sous l'avatar. Les gens se parlent par le biais de bulles, un peu comme dans les bandes dessinées. On inscrit nos messages dans la fenêtre située sous la pièce virtuelle et on tape sur la touche *Retour.* C'est aussi simple que cela. Nos paroles peuvent être affichées à l'intérieur de différents types de bulles pour différentes situations. On modifie les bulles simplement en inscrivant un signe de ponctuation avant notre parole.

Différentes bulles pour différentes situations

Bulle d'exclamation   → On inscrit un « ! »   → *!C'est pas vrai!!!!!!*
avant la parole

Bulle de réflexion   → On inscrit un « : »   → *:Ce qu'elle est jolie...*
avant la parole

Message permanent   → On inscrit un « ^ »   → *^Parti manger, de retour*
avant la parole   *dans 5*

Faites parler la pièce   → On inscrit un « @ »   → *@Je vous aime tous*

Figure 10.3
Différentes bulles pour différentes situations

Vous déplacez votre avatar en cliquant sur l'endroit où vous désirez le voir apparaître. Plusieurs pièces sont accessibles sur un serveur **Palace**. Vous entrez dans les pièces en empruntant les portes virtuelles.

→ Faites apparaître les portes d'une pièce avec la combinaison **CTRL+Maj** pour Windows ou **Pomme** pour Macintosh.

Le nombre de personnes occupant actuellement la pièce se trouve à droite sous la pièce virtuelle. Il représente le premier nombre apparaissant dans une expression du type **People 11/51**. Le deuxième nombre représente les personnes se trouvant dans toutes les pièces du serveur.

Vous pouvez parler à une personne en privé en cliquant sur son avatar. Votre texte apparaîtra alors en italique. Pour terminer votre conversation, cliquez une seconde fois sur l'avatar de votre interlocuteur.

Il est facile de perdre de vue un compagnon dans une de ces pièces. Vous pouvez le retrouver en sélectionnant l'option *Find User* du menu déroulant *Options*. Vous pouvez vous déplacer rapidement dans une autre pièce en sélectionnant l'option *Go to room...* du menu déroulant *Options*.

Il se peut que vos paroles ne soient pas affichées immédiatement. Cette situation s'appelle **lag** ou «retard» en français et elle se produit lorsque le serveur est débordé ou que le trafic est trop important dans le réseau.

10.1.3 Comment se branche-t-on aux serveurs?

→ Sélectionnez l'option *Connect...* du menu déroulant *File*.

→ Inscrivez l'adresse Internet d'un serveur **Palace** ou choisissez parmi la liste offerte.

→ Cliquez sur le bouton **OK**.

Figure 10.4
Interface permettant de se brancher à un serveur Palace

CAPSULE   Serveurs Palace

Consultez la page suivante pour obtenir des adresses de serveurs Palace intéressants:

→ Liste de serveurs Palace (*http://www.thepalace.com/sites*)

10.1.4 Avez-vous entendu?

Des sons peuvent être entendus dans ces pièces virtuelles. Ce sont les utilisateurs qui les produisent. Si vous possédez une carte de son dans votre PC ou dans votre Macintosh, vous pouvez les entendre. Tapez une des commandes suivantes pour émettre des sons:

)amen	)applause	)belch	)boom	)crunch
)debut	)fazein	)guffaw	)no	)ow
)pop	)teehee	)yes		

10.1.5 Un changement de binette?

Si on ne possède pas d'avatars personnalisés et qu'on fonctionne avec la binette standard, on peut tout de même modifier l'allure de notre petit personnage. Cliquez sur la binette en gris située dans la barre d'outils se trouvant à gauche de l'interface. Une fenêtre apparaîtra avec des binettes différentes. Cliquez sur celle de votre choix.

Si vous désirez ajouter des accessoires à votre binette, cliquez sur la mallette située dans la partie inférieure de l'écran. Une série d'accessoires s'afficheront, et vous pourrez en sélectionner autant que vous le voudrez. Ils seront ajoutés à votre binette.

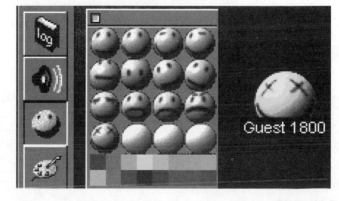

Figure 10.5
Changement de binette

CHAPITRE 10

10.1.6 Les déplaisants

Il existe des commandes permettant de se débarrasser de gens trop embêtants. Vous pouvez les utiliser en toute quiétude, car elles sont là pour régler ce type de problème.

'mute nom_personne	→	Les messages de la personne désignée n'apparaissent plus sur votre écran.
'unmute nom_personne	→	Renverse les effets de la commande précédente.
'hidefrom nom_personne	→	La personne désignée ne peut pas vous retrouver avec la fonction *Find user*.
'unhidefrom nom_personne	→	Renverse les effets de la commande précédente.
'private on/off	→	Empêche ou non la réception de messages privés.
~page message d'aide	→	Un «magicien» du palais vient à votre aide.

10.1.7 Les magiciens du palais (*wizards*)

Ces magiciens ont pour but de rendre plus agréable l'environnement dans lequel vous vous trouvez. Ils ont le pouvoir de créer des pièces, de modifier des couleurs et d'expulser les trouble-fête. On les reconnaît par l'astérisque (*) qui précède leur nom. Il arrive cependant qu'ils ne désirent pas se faire reconnaître et qu'ils cachent intentionnellement leurs insignes. Si vous les leur demandez, ils vous les montreront volontiers. Les magiciens jouent le rôle d'opérateurs de canal IRC, pour les habitués de ce dernier.

Évidemment, vous devenez magicien d'un palais lorsque vous installez un serveur sur votre ordinateur. Vous pouvez également le devenir si vous vous liez d'amitié avec un autre magicien et que vous semblez adopter un bon comportement dans le palais. Vous serez alors sacré magicien à l'occasion d'une cérémonie dans une des pièces virtuelles.

Les magiciens ont le pouvoir absolu sur les sujets du palais. Si vous désobéissez au code d'éthique du palais, vous pouvez être pénalisé de quatre façons:

→ Vous faire bâillonné. Vous ne pouvez parler tant que vous n'avez pas passé deux heures en dehors du palais.

→ Vous faire interdire l'accès aux accessoires tant que vous n'avez pas passé deux heures en dehors du palais.

→ Vous faire coller au coin dans chaque pièce où vous allez.

→ Vous faire carrément interdire l'accès au palais pendant une période indéterminée.

CAPSULE   Informations supplémentaires sur le Web

Voici d'autres endroits où vous trouverez de bonnes informations à propos du **Palace**:

→ Francenet annonce Le Palace (*http://www.franceweb.fr/LePalace*)

→ Fanzine Palacien Z'avatars (*http://franceweb.fr/Zavatars*)

→ Informations en français sur Le Palace (*http://www.asi.fr/~com-lyon/sylvain*)

→ Palace Links (*http://www.pla-net.net/~jkeepes/palace1.htm*)

→ Cybertown Palace (*http://www.cybertown.com/palace.html*)

→ La page des Palacaholics (*http://www.lag.com/palacaholic*)

→ Rubrique Palace de *Yahoo!* (*http://www.yahoo.com/Recreation/Games/Internet_Games/Virtual_Worlds/3D_Worlds/Palace__The*)

10.2   ACTIVE WORLDS

Active Worlds, de la société Circle of Fire, permet aux utilisateurs de se déplacer dans des mondes virtuels tout en bavardant avec d'autres internautes. Représenté par un avatar, l'utilisateur peut également construire des bâtisses ou déposer des objets à l'intérieur des mondes d'**Active Worlds**. Un triste événement a secoué la planète en septembre 1997 alors qu'on apprenait le décès de la princesse Diana. Quelques heures après cette annonce, des internautes avaient déjà construit un jardin virtuel en son honneur dans lequel on pouvait laisser nos messages de condoléances. Une douce mélodie jouait afin de rendre le deuil plus émouvant. Ce genre de situation se produit assez souvent dans cet environnement, car il y existe une certaine liberté d'action qui permet aux internautes de s'y faire une place permanente.

Active Worlds (*http://www.activeworlds.com*)

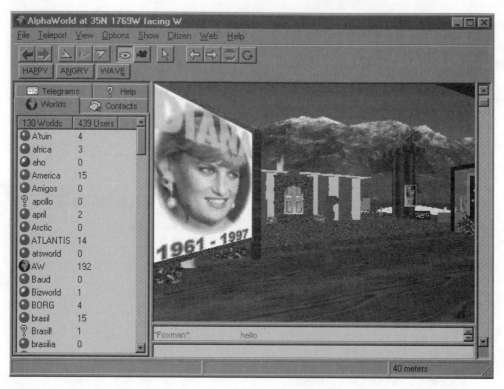

Figure 10.6
Le jardin virtuel en l'honneur de la princesse de Galles

10.2.1 Mon ordinateur peut-il supporter Active Worlds?

En débutant, j'apporte de mauvaises nouvelles aux propriétaires de Macintosh, car **Active Worlds** n'existe pas pour cette plateforme. Le seul logiciel-client qui existe a été conçu pour Windows95/NT.

Microprocesseur Pentium

Mémoire vive de 16 méga-octets
Espace libre de 24 méga-octets sur votre disque rigide
Connexion Internet de 28 800 bps

Active Worlds (*http://www.activeworlds.com*)

10.2.2 Les logiciels Active Worlds

Il existe trois types de logiciels dans cet univers virtuel. Le premier est celui que tous les internautes utilisent pour naviguer dans **Active Worlds**: il s'agit du logiciel client. Il est gratuit et peut être transféré directement du site Web **Active Worlds**. Vous pouvez défrayer les frais annuels de citoyenneté d'une vingtaine de dollars américains si vous désirez conserver intactes les propriétés que vous construisez à longueur d'année. De plus, vous pouvez faire effacer certaines propriétés non terminées, vandalisées ou qui n'appartiennent plus à personne. Vous pouvez toujours visiter gratuitement le site Web **Active Worlds** en tant que touriste si vous ne payez pas les frais annuels.

Les deux autres types de logiciels sont des serveurs qui vous permettent de supporter des mondes virtuels **Active Worlds**. Le premier implique que votre monde fera partie de l'univers **Active Worlds,** tandis que le deuxième vous permet de gérer votre propre univers constitué de mondes virtuels n'ayant aucun lien avec le réseau **Active Worlds**.

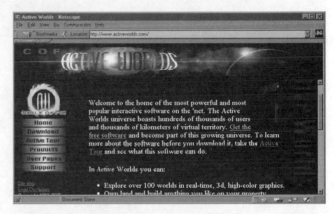

Figure 10.7
Le site Web Active Worlds

10.2.3 Un clin d'œil sur l'utilisation d'Active Worlds

Une fois que votre installation est terminée, lancez l'application. L'interface principale s'affiche alors. Vous êtes automatiquement téléporté dans **AlphaWorld**, le monde principal de l'univers **Active Worlds**. Si vous n'en êtes pas un citoyen, c'est que vous êtes un touriste, ce qui implique que votre avatar ressemble à un petit extraterrestre tout gris.

Active Worlds (*http://www.activeworlds.com*)

Légende

1. Nom et coordonnées du monde
2. Menus déroulants
3. Barre d'outils de navigation
4. Boutons pour démontrer votre humeur
5. Onglet des mondes
6. Onglets supplémentaires
7. Mondes et nombre de citoyens qui les constituent
8. Monde virtuel navigable
9. Page Web du monde
10. Dialogue antérieur
11. Fenêtre de dialogue

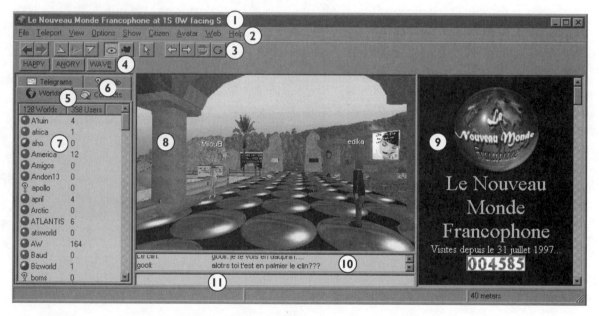

Figure 10.8
L'interface *Active Worlds*

On se déplace avec les flèches directionnelles du clavier. Vous pouvez vous déplacer à l'aide de la souris en cliquant sur le **bouton curseur** dans la barre d'outils de navigation. Pour arrêter le mode de navigation avec la souris, appuyez simplement sur le bouton droit de la souris, dans un environnement Windows, ou de façon continue, avec un Macintosh. Pour accéder à un monde, cliquez sur l'un d'eux à partir de la liste que vous trouvez sous l'**onglet des mondes**.

→ Les préférences de votre environnement sont accessibles en sélectionnant *Settings...* du menu déroulant *Options...*

→ Pour passer en vue d'observation, utilisez la touche *Fin (End)* de votre clavier.

→ Pour revenir en vue personnelle, utilisez la touche *Home*.

→ Pour regarder en bas, appuyer sur la touche *Page suivante (Pg Down)*.

→ Pour regarder en haut, appuyer sur la touche *Page précédente (Pg Up)*.

→ Pour vous élever dans les airs, appuyez sur la touche **+**.

→ Pour redescendre sur terre, appuyez sur la touche **–**.

Les dialogues des autres participants apparaissent au-dessus de leur tête. Inscrivez vos propres paroles dans la fenêtre réservée à cet effet. Les internautes proches de vous verront alors ce que vous dites. Votre humeur peut changer, et votre avatar peut la refléter facilement en cliquant sur un des boutons d'émotions se trouvant sous la barre d'outils de navigation.

Chaque monde possède ses propres règlements et administrateurs. Vous pouvez consulter toute la documentation reliée à un monde sur sa page Web, qui est affichée dans la partie droite de l'écran. Si vous désirez construire de nouveaux objets ou, même, de nouveaux quartiers, c'est sur le site Web du monde que vous trouverez toutes les modalités.

10.2.4 Devenez citoyen et changez de peau

Vous obtenez le droit de modifier votre personnalité en immigrant avec la commande *Immigrate...* du menu déroulant *Citizen*. On vous demande alors un pseudonyme et votre adresse de courrier électronique.

→ Modifiez votre apparence en sélectionnant un avatar parmi ceux qui se trouvent dans le menu déroulant *Avatar*.

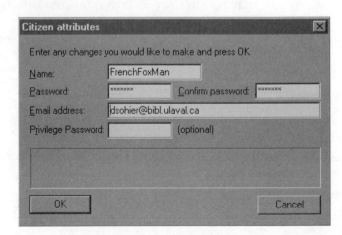

Figure 10.9
Enregistrement d'un citoyen

10.2.5 Coordonnées et téléportation

Chaque monde possède ses propres quartiers, mais il peut arriver qu'un de ceux-ci se trouve un peu trop éloigné pour être rejoint à la marche. La solution est de vous téléporter dans le quartier désiré, si vous possédez ses coordonnées géodésiques. Voyez-vous, chaque quartier possède son propre cadastre dans **Active Worlds** identifié par des coordonnées. Elles sont du type **8N par 7O**, ce qui se traduit par «8 Nord par 7 Ouest». Sélectionnez l'option *To...* du menu déroulant *Teleport* afin d'être transporté directement à cet emplacement.

Vos propres coordonnées sont toujours affichées dans la partie supérieure de votre écran, à côté du nom du monde dans lequel vous vous trouvez.

10.2.6 Construction d'objets

Ce livre ne couvre cependant pas la construction d'objets en trois dimensions. Je peux quand même vous diriger sur la bonne piste. Cliquez sur n'importe quel objet avec le bouton droit de la souris, dans Windows, ou de façon continue, avec un Macintosh. Vous verrez alors apparaître l'interface de construction dans laquelle vous devez inscrire les caractéristiques de l'objet en question. Consultez l'onglet d'aide pour en savoir plus sur le sujet.

CAPSULE   Encore quelques informations sur Active Worlds

Voici quelques sites sur le Web qui offrent de très bonnes informations complémentaires à propos d'**Active Worlds** :

→ New World Times – journal Active Worlds
 (*http://www.synergycorp.com/alphaworld/nwt*)

→ Homesteader's Guide to Building
 (*http://www.activeworlds.com/homestead.html*)

→ ActiveWorldWeb (*http://patriot.net/~keeper/aw*)

→ Le monde AW du Borg (*http://Sawran.SimpleNet.com/BORG*)

→ FAQ – Active Worlds (*http://www.worlds.net/support/awb-faq.html*)

→ Rubrique Active Worlds de *Yahoo!* (*http://www.yahoo.com/ Business_and_Economy/Companies/Computers/Software/Communi cations_and_Networking/Circle_of_Fires_Studios/Active_Worlds*)

Active Worlds (*http://www.activeworlds.com*)

## CHAPITRE 11

Le fourre-tout Internet

«Curiosité, loisir, fonctionnalité, étrange: bref, Internet.»

C e dernier chapitre est consacré aux différentes ressources et informations qui ne peuvent être catégorisées formellement dans les thèmes vus auparavant. On trouve ici quelques logiciels utiles, des trucs bizarres trouvés sur le Web, de nouvelles et d'anciennes technologies, plusieurs jeux et, finalement, quelques mots de sagesse pour vous aider à vivre cette douce assimilation que représentera Internet dans les années à venir.

11.1 RÉSEAU POINTCAST

Le réseau **PointCast** est un système de distribution de nouvelles en tout genre. Ce qui rend ce produit digne de mention est qu'il remplace votre sauveteur d'écran traditionnel. Après un délai d'inactivité de l'ordinateur, réglé préalablement par l'utilisateur, le logiciel PointCast commence sa diffusion de nouvelles sur l'écran. Ces nouvelles sont mises à jour à une fréquence fixée par l'utilisateur. En utilisant votre connexion Internet, le logiciel contacte le serveur central PointCast et transfère les dernières actualités. Ces nouvelles proviennent de différentes sources, telles des associations de presse (Reuter, Associated Press, etc.), des quotidiens, comme le *Globe and Mail* de Toronto et le *Washington Post*, et différents magazines, comme *Time* et *People*. Les nouvelles apparaissent dans un format dynamique haut en couleur et en animation. Vous pouvez même

PointCast (*http://www.pointcast.ca*)

programmer votre logiciel **PointCast** pour qu'il affiche les cotes de la Bourse de votre choix et les résultats sportifs sur une bande défilante dans la partie inférieure de l'écran.

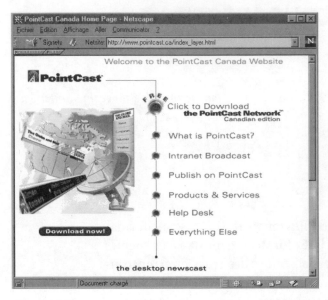

Figure 11.1
Le site Web de PointCast

Le système **PointCast** est gratuit pour tous les internautes. Vous pouvez vous le procurer sur le site Web canadien de la compagnie **PointCast**, pour recevoir des nouvelles provenant de fournisseurs canadiens, ou sur le **serveur Web américain de PointCast**, pour obtenir des nouvelles des États-Unis. Des plans pour l'établissement de serveurs européens sont déjà tracés, alors que des sites japonais et asiatiques existent déjà. Comment **PointCast** peut-il offrir ce logiciel gratuitement? La compagnie compte sur la vente de l'espace publicitaire qui apparaît sur chaque écran du système **PointCast**. La consommation volontaire de cette publicité est le seul prix que l'internaute doit «payer» pour bénéficier de cette application fantastique et fort utile.

Évidemment, ce système ne vous est pas très utile si vos visites dans Internet sont, au mieux, sporadiques. Par contre, les internautes branchés au travail raffoleront de ce produit. Au moment où ces lignes sont écrites, il n'existe que des versions anglaises de ce logiciel pour Macintosh et pour Windows. La compagnie désire offrir des versions multilingues le plus tôt possible.

PointCast (*http://www.pointcast.ca*)
serveur Web américain de PointCast (*http://www.pointcast.com*)

11.1.1 Préalables techniques

Votre ordinateur doit posséder certaines caractéristiques pour que vous puissiez exploiter ce logiciel, qui est disponible pour Macintosh et pour les plateformes Windows. Dans tous les cas, une rapide connexion Internet de 28 800 bps, 8 méga-octets de mémoire vive et 10 méga-octets d'espace sur votre disque rigide sont recommandés. Vous verrez qu'au premier démarrage, le transfert de toutes les nouvelles prendra un certain temps. Le délai requis pour effectuer une mise à jour est cependant plus court.

Préalables pour les PC

Microprocesseur 486/33
Carte de 256 couleurs
Windows 3.1 ou Windows95/NT

Préalables pour Macintosh

Microprocesseur 68040 ou PowerPC
Système 7.5 et plus

11.1.2 Mode standard

Le mode standard de <u>PointCast</u> permet de consulter toutes les catégories de nouvelles en ne cliquant qu'une seule fois. Les abonnements aux différents fournisseurs d'informations doivent être réglés dans ce mode. Les catégories se trouvent à gauche de l'écran, alors que la majeure partie de l'interface est réservée à l'affichage des nouvelles. <u>PointCast</u> fonctionne un peu comme le système de nouvelles Usenet. Pour afficher un texte, on doit cliquer sur son titre dans la partie supérieure de l'écran. Finalement, les publicités sont affichées dans le coin supérieur droit.

Le système <u>PointCast</u> fonctionne comme un navigateur Web. Donc, vous pouvez cliquer sur un mot souligné en bleu pour obtenir des informations supplémentaires.

<u>PointCast</u> (*http://www.pointcast.ca*)

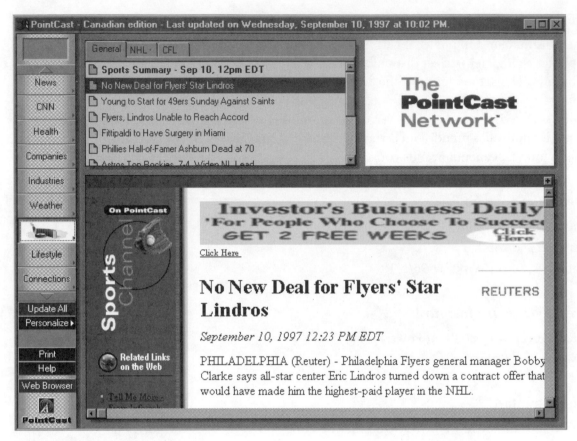

Figure 11.2
Logiciel de nouvelles PointCast

11.1.3 Mode écran de veille

Ce mode est utilisé automatiquement après une période d'inactivité de votre ordinateur. Les nouvelles à la une des différentes rubriques s'affichent sur l'écran une après l'autre. L'écran de veille PointCast est haut en couleur et en graphique. Comme toujours, vous pouvez cliquer sur n'importe quel titre afin d'en afficher le contenu. Vous devez consulter **le panneau de configuration** de votre système d'exploitation pour, ensuite, sélectionner les paramètres d'affichage. Vous choisissez ensuite l'écran de veille PointCast pour qu'il soit affiché après un délai que vous fixez vous-même.

Figure 11.3
Écran de veille PointCast

11.2 LOGICIELS DE CONTRÔLE POUR LES ENFANTS

Tout n'est pas rose dans Internet. La pornographie, les sites haineux ou contenant des informations qui ne conviennent pas aux enfants peuplent le réseau Internet. Cet univers virtuel reflète toutes les couleurs de notre société. Le côté positif est que la population devient plus avertie de ce qui l'entoure, ce qui, je l'espère, contribuera à une prise de conscience collective qui aura pour résultat qu'Internet et le monde en général deviendront des endroits plus moraux.

En attendant, les jeunes accèdent en masse à Internet, et les parents craignent là une influence néfaste dont ils pourraient se passer volontiers. Ce problème peut maintenant être résolu grâce à l'installation d'un logiciel de contrôle sur l'ordinateur à la maison. Ce type de logiciel permet aux parents de contrôler les sites que les enfants visiteront dans leurs cybercroisières. Il existe plusieurs techniques pour contrôler le type d'information qui est diffusé ou capté. Certains logiciels de contrôle se ravitaillent à partir d'un serveur central d'adresses prohibées lorsque vous vous branchez au réseau, tandis que d'autres consulteront un système de pointage universel mis en place volontairement par le créateur du site visité.

11.2.1 L'échelle d'évaluation RSAC

Cette échelle fut créée par un consortium d'éditeurs de logiciels récréatifs, en 1994, pour aider les parents à juger du contenu des jeux vidéo vendus sur le marché. Une définition de l'échelle **RSAC** est accessible sur le site Web de l'organisation. En bref, quatre degrés d'évaluation sont possibles: les catégories «violence», «nudité», «sexe» et «langage».

Depuis peu, un appel a été lancé aux administrateurs de sites Web destinés aux adultes pour que l'évaluation RSAC soit intégrée au codage HTML des documents Web. L'attribut «PICS» de l'étiquette HTML <META> est utilisé pour inscrire l'évaluation RSAC. C'est de cette façon que la plupart des logiciels de contrôle peuvent reconnaître un document Web prohibé. Utilisés au degré maximum de sécurité, certains logiciels n'accorderont même pas l'accès à un document si l'évaluation RSAC ne s'y trouve pas. Le problème est que les administrateurs de sites Web sont débordés et n'ont pas nécessairement le temps ou la volonté d'intégrer ces codes. C'est le cas pour plusieurs sites destinés aux jeunes. L'**Explorer Internet** de Microsoft incorpore ce type de contrôle à l'intérieur de son produit. Au moment de mettre sous presse, il était question que le **Communicator** de Netscape insère également le contrôle d'accès RSAC. Ainsi, on espère inciter tous les créateurs de pages à inscrire l'évaluation à l'intérieur des documents Web.

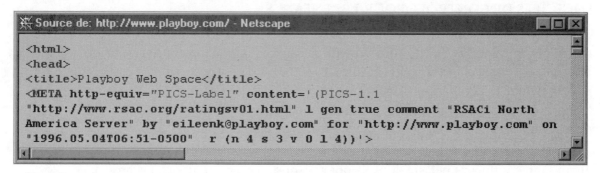

Figure 11.4
Source HTML du site Playboy incorporant le contrôle RSAC-PICS

RSAC (Recreational Software Advisory Council) (*http://www.rsac.org*)
Explorer Internet (*http://www.microsoft.com/ie*) • Communicator (*http://www.fr.netscape.com/fr*)

→ Dans l'*Explorer*, vous pouvez régler le contrôle RSAC en sélectionnant *Options...* dans le menu déroulant *Affichage*.

→ Cliquez ensuite sur l'onglet *Contrôle* pour accéder aux paramètres RSAC.

→ Sélectionnez tour à tour les éléments que vous ne désirez pas voir afficher à l'intérieur de votre navigateur.

→ Cliquez sur l'onglet *Général* pour insérer un mot de passe qui débloque l'accès aux paramètres.

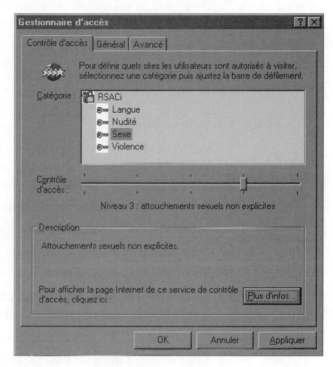

Figure 11.5
Réglage des paramètres RSAC dans l'Explorer Internet

11.2.2 Filtrage du contenu

Une autre méthode utilisée par ces logiciels pour restreindre l'accès consiste à analyser mot à mot le contenu d'un document Web avant de l'afficher. Voyez-vous, les créateurs de documents traitant de sujets illicites incluent une série de termes, comme «sexe», dans l'étiquette HTML <META>. Ils espèrent ainsi se faire cibler par un engin de recherche sur le Web. Cette astuce vient indirectement soutenir la cause du parent qui utilise un logiciel spécialisé dans le but de filtrer les documents reçus par son ordinateur.

Un autre danger potentiel pour le jeune est l'échange d'informations personnelles au cours de séances de bavardage, comme lorsqu'il utilise **The Palace** (voir chapitre 10) ou IRC (voir chapitre 7). Les logiciels de contrôle filtrent donc les mots envoyés par votre ordinateur dans le réseau Internet. Le contenu

The Palace (*http://www.thepalace.com*)

de phrases clés sera ainsi arrêté avant son expédition. Le hic, pour les francophones, est que la majorité des logiciels sont présentement en anglais. Il existe cependant quelques traductions des logiciels les plus populaires. Je vous invite à consulter cette liste à la section 11.2.4, ci-dessous.

11.2.3 Un peu de bon sens

La meilleure défense contre l'accès à des sites douteux par un jeune est de se joindre à lui lorsqu'il navigue dans Internet. Les parents doivent jouer un rôle important pour s'assurer que leurs enfants ne soient pas exposés à du matériel indésirable. Voici quelques conseils qui aideront les parents à encadrer leurs enfants à la maison:

→ Développez une bonne connaissance des possibilités d'Internet.

→ Naviguez avec vos enfants.

→ Installez l'ordinateur dans un endroit passant et non pas dans un coin sombre de la chambre de l'enfant.

→ Ne soyez pas naïf: les enfants sont curieux de nature.

→ Limitez leur temps de navigation comme vous le faites pour la télévision.

→ Installez un logiciel qui interdit l'affichage de matériel indésirable.

Ce n'est pas un message alarmiste que je tente de vous transmettre, mais plutôt une simple mise en garde, message pour vous ouvrir les yeux sur la réalité de ce puissant outil de communication qu'est Internet. Les méfaits reliés à ce réseau pâlissent à côté de la montagne d'avantages qu'on y associe.

11.2.4 Les logiciels de contrôle

Les logiciels de contrôle coûtent entre 30 et 80 $CAN. Ils ont tous un mode d'utilisation distinct, ce qui ne permet pas une description de leurs différentes fonctions dans le présent livre. Cependant, des manuels d'explication fournis avec les logiciels permettent aux parents de s'y retrouver facilement. Je vous invite à consulter les sites Web de chacun d'eux pour vous donner une idée de leurs capacités respectives. Je ne désire pas non plus favoriser un logiciel au détriment d'un autre. Je peux quand même citer **une étude effectuée sur sept logiciels de contrôle** publiée en 1997 par la revue *PC Magazine*.

une étude effectuée sur sept logiciels de contrôle (*http://www.zdnet.com/pcmag/features/utility/filter/ufuf.htm*)

Les deux produits qui ont remporté la palme furent **Cyber Patrol 4.0** et **Cyber Sitter 97**. Ces produits contrôlent les accès par le biais d'une liste de sites prohibés qu'on peut rajeunir gratuitement en examinant la présence de l'évaluation RSAC et en contrôlant le contenu des informations demandées et envoyées. Des versions «démos» de 30 jours sont offertes, et vous les trouverez sur leurs sites Web respectifs. Les produits *Specs for Kids, InterGo* et *Net Nanny* furent également soulignés pour leur performance.

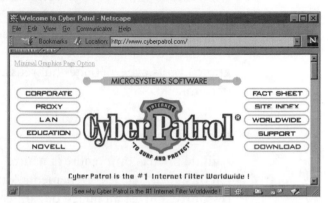

Figure 11.6
Site Web de Cyber Patrol

CAPSULE   Informations à propos des logiciels de contrôle

J'invite les parents qui ont le souci de contrôler ce que leur enfant consomme dans Internet à incorporer un de ces logiciels à l'ordinateur:

→ Cyber Patrol en français (*http://www.cti.fr/cyber.htm*)

→ Cyber Patrol (*http://www.cyberpatrol.com*)

→ Surfpass en français (*http://www.surfpass.com*)

→ Cyber Sitter 97 (*http://www.solidoak.com/cysitter.htm*)

→ InterGo (*http://www.intergo.com*)

→ Net Nanny (*http://www.netnanny.com*)

→ SurfWatch (*http://www.surfwatch.com*)

→ Rated PG (*http://www.didax.com/ratedpg*)

→ Cyber Snoop (*http://www.pearlsw.com*)

→ Rubrique des logiciels de contrôle de *Yahoo!* (*http://www.yahoo.com/Business_and_Economy/Companies/Computers/Software/Internet/Blocking_and_Filtering*)

Cyber Patrol 4.0 (*http://www.cyberpatrol.com*)
Cyber Sitter 97 (*http://www.solidoak.com/cysitter.htm*)

11.3 GOPHER, L'ANCÊTRE DU WEB

On rend hommage dans cette section à l'ancêtre du navigateur Web. Le valeureux Gopher vint en aide aux premiers internautes néophytes dans les grandes sciences de l'informatique. Du même coup, il déclencha la vague Internet que l'on connaît aujourd'hui. Gopher est à l'origine des premiers grands vents cybernétiques qui réussirent à atteindre les médias au début de la décennie 90.

11.3.1 Historique

Afin de mieux comprendre la nature de Gopher, on doit au préalable relater les circonstances et les événements qui ont conduit à l'avènement de cette ressource. On est au milieu des années 80; l'ordinateur personnel fait des ravages parmi tous les organismes importants de la planète. Personne n'est épargné. Un besoin essentiel naît de cette situation: celui de partager. Ce mot est utilisé à toutes les sauces et devient l'expression fétiche de la décennie. En effet, on veut partager des fichiers, des imprimantes, des messages électroniques, des idées et, même si on ne le veut pas, on partage aussi des maladies électroniques… :)

Le réseau local est déclaré mission prioritaire dans nombre d'organismes majeurs. Ici même, dans mon lieu de travail, on voit apparaître des réseaux de type IBM, 3COM et DECNET. Notez qu'ils sont tous disparus avec les disquettes de format 5,25 et les Macintosh monochromes. Tout se passe bien jusqu'ici. Toutefois, on commence à entendre parler du réseau NSFnet, dans lequel les participants, provenant de plusieurs universités, échangent des informations. La révolution est commencée, le concept du partage des informations entre universités fait boule de neige. Les réseaux établis dans les institutions de recherche sont reliés entre eux. Diverses institutions gouvernementales se dotent de réseaux et, à leur tour, s'associent au grand réseau. Internet grandit rapidement et franchit toutes les frontières. Vers la fin des années 80, tout organisme d'importance doit être relié à Internet. Cette situation s'étend jusqu'à prendre des dimensions mondiales.

11.3.2 S.O.S.! Nous sommes perdus!

Les échanges d'informations se multiplient entre les membres d'Internet. La diversité et la qualité de l'information augmentent également. Le profil type d'un utilisateur d'Internet devient plus flou, car de nouvelles ressources attirent maintenant les professeurs, les administrateurs, les professionnels, les étudiants, et bien d'autres encore. Des publications sur des banques d'information ou des thèses de recherche de tous les horizons se retrouvent dans Internet, ce qui met la puce à l'oreille des utilisateurs.

Les responsables de réseaux locaux sont très fréquemment consultés et parfois même dépassés par une vague de questions techniques sur l'accès à des ressources d'Internet. Les outils pour effectuer les connexions sont rares et souvent inadéquats dans l'univers des ordinateurs personnels. Les utilisateurs «normaux» perdent intérêt pour des «ressources indispensables» d'Internet; ils se voient répondre par le responsable du réseau qu'il faut installer un *packet driver* à l'aide des «adresses d'interruption de leur carte ethernet» afin d'établir une «communication Telnet sur le port IP 23», sans oublier d'émuler un «terminal VT-100 à 7 bits». Bref, vous comprenez l'idée… On en est toujours à la fin des années 80, période pendant laquelle le responsable de l'informatique est encore un demi-dieu parmi ses fidèles.

Le problème est vaste. Pour les raisons suivantes, les utilisateurs ne peuvent atteindre les trésors d'informations situés le long d'un fleuve que l'on a baptisé Internet:

→ Ils ignorent comment établir la communication avec la ressource en question.

→ Ils ne savent pas où elle se trouve.

→ Ils ne savent pas si elle existe.

11.3.3 La lumière vint de l'Université du Minnesota

Devant l'ampleur du problème, une équipe d'analystes en informatique de l'Université du Minnesota décide d'offrir un outil de navigation à ses utilisateurs. L'outil devra être simple à utiliser, car les analystes ne veulent pas créer davantage de problèmes. On imagine offrir les ressources d'Internet grâce à une représentation de menus arborescents. L'idée est simple: on sélectionne une ressource et, comme par magie, celle-ci se retrouve sur l'écran sans que l'utilisateur n'ait à négocier les outils de télécommunications et leurs paramètres.

L'outil en question devra également être consultable de façon universelle. C'est-à-dire que tous les systèmes d'exploitation pourront le consulter, qu'il s'agisse d'IBM, de Macintosh, des terminaux ou des stations Unix… De plus, cet outil pourrait servir à diffuser des informations dynamiques et vitales sur l'organisation où se trouve l'utilisateur. On peut penser à la description de tous les cours donnés dans une université, par exemple.

C'est en 1991 que l'Université du Minnesota lance Gopher. Le service est conçu de telle façon que, pour chaque département administratif et éducatif du campus qui possède son serveur Gopher, l'information est pertinente. En 18 mois, on passe d'un site Gopher à plus d'une centaine le long du fleuve Internet. Pour la première fois de l'histoire, des bouées de navigation indiquent le chemin aux âmes en perdition. La liste des ressources d'Internet pouvant être atteintes par un Gopher grandit sans cesse. L'association de ces sites devient plus connue sous le nom d'«Espace cybernétique» ou de *Cyberspace*, dans la langue de Shakespeare. Ce dernier terme est tiré du roman *Neuromancer*. On vient de créer un sous-ensemble d'Internet pour les gens soucieux d'efficacité et désireux de ne pas perdre leur temps à se battre contre un réseau d'électrons.

Les utilisateurs sont satisfaits, les administrateurs peuvent vaquer à d'autres activités, et Internet devient plus convivial. Le petit Gopher continue à faire son chemin dans les universités.

11.3.4 Gopher aujourd'hui et le Web

Par suite d'une prolifération mondiale de cette ressource de 1992 à 1994, les Gophers ont, depuis, cessé d'être une ressource dominante. L'arrivée sur la scène du Web (voir chapitre 3) et des ordinateurs pouvant offrir des interfaces graphiques à couper le souffle a sonné le glas de Gopher. Les annonces de nouveaux serveurs Gopher sont inexistantes, tandis que le déclin de ceux qui sont encore en service s'accentue. On a vu disparaître cette ressource en 1997 en Amérique du Nord. Gopher est maintenant davantage utilisé dans les pays en voie de développement, où la technologie des ordinateurs avec interfaces graphiques n'est pas aussi répandue.

On accède à un serveur Gopher en ajoutant le préfixe *gopher://* à l'adresse Internet de ce dernier. Par exemple, le serveur Gopher de l'Université de Lausanne, en Suisse, est accessible à l'adresse Internet *gopher.unil.ch*. Donc, l'adresse URL que vous devez inscrire dans votre navigateur Web préféré pour visionner les informations de ce serveur est *gopher://gopher.unil.ch* .

La navigation se fait tout comme pour une page Web. Vous cliquez sur un élément pour obtenir les informations requises. Il faut noter que les informations d'un serveur Gopher sont organisées en arborescence.

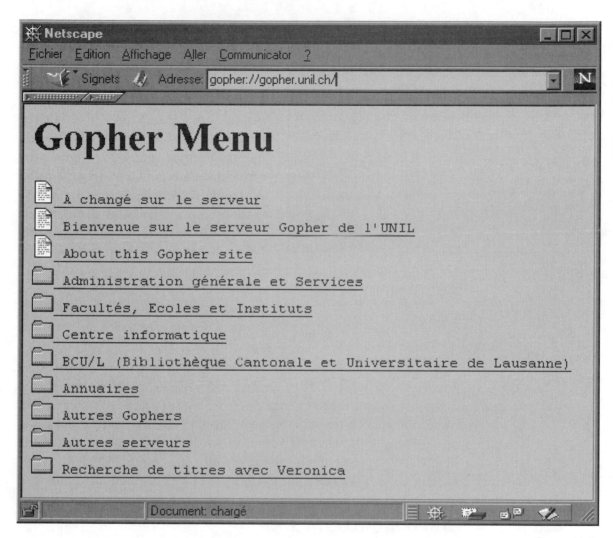

Figure 11.7
Serveur Gopher visionné à l'aide de Netscape

11.4 ASSISTANTS DE RECHERCHE INTERNET

Deux produits qui peuvent s'avérer intéressants pour les chercheurs professionnels sont **WebCompass**, de la compagnie Quaterdeck, et **Echo Search**, de la société Iconovex. Ces logiciels questionnent pour vous les différents engins de
recherche et répertoires qui peuplent Internet.

WebCompass (*http://webcompass.qdeck.com*) · Echo Search (*http://www.iconovex.com*)

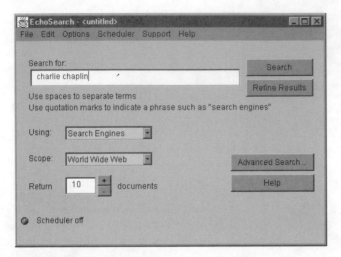

Figure 11.8
Formulation d'une requête dans EchoSearch

Les assistants de recherche suppriment les duplicatas et vérifient si les documents Web cités sont toujours accessibles, éliminant ainsi la frustration du lien disparu. De plus, ils déterminent la pertinence des documents retrouvés par le nombre de signalements donnés par les engins de recherche. Vous pouvez sauvegarder vos profils de recherche et gérer les informations qui s'y trouvent à l'intérieur d'un puissant gestionnaire de signets. Les assistants de recherche vous permettent de fixer un horaire dans le but d'exécuter les requêtes sauvegardées périodiquement. Ainsi, il est possible de savoir si de nouveaux sites, répondant à vos requêtes, ont fait surface dernièrement dans Internet.

Ces logiciels fonctionnent de pair avec votre navigateur Web préféré, pour que vous puissiez consulter les résultats de recherche sur une page Web générée sur le disque rigide local. Les sociétés Quaterdeck et Iconovex offrent un essai gratuit de leur produit respectif. Si vous décidez de faire l'acquisition d'un de ces deux logiciels, préparez-vous à débourser entre 40 et 100 $CAN. Je vous invite à consulter les sites Web de chacun d'eux pour obtenir plus d'informations.

11.5 UTILISATIONS INUSITÉES DU WEB

Vous savez, il arrive quelquefois qu'on rencontre des gens qui ont du temps à revendre. Cela m'est arrivé en décembre 1995. Le résultat de cette rencontre se trouve sur ma page Web, où vous pouvez apercevoir la couverture du disque compact qui joue en ce moment sur mon poste de travail Sun (figure 3.1). Jumelez des internautes avec du temps libre, et vous retrouverez une liste de documents Web variés qui ne brillent pas par leur apport au patrimoine intellectuel du réseau...

ma page Web (*http://www.bibl.ulaval.ca/danny*)

Figure 11.9
L'incroyable caméra reflétée dans un miroir!

CAPSULE   Sites Web à consulter à temps perdu, mais là, vraiment perdu...

→ Liste de sites Web inutiles (*http://www.go2net.com/internet/useless*)

→ Pages inutiles du *Yahoo!* français (*http://www.yahoo.fr/Divertissement/Pages_inutiles*)

→ La page incrémentale (*http://www.littlejason.com/count.html*)

→ Un poisson en direct (*http://www1.netscape.com/fishcam/fish_refresh.html*)

→ Le trou noir d'Internet (*http://www.ravenna.com/blackhole.html*)

→ Top 5% des sites donnant une migraine (*http://www.davesite.com/humor/top5*)

→ Star Trek vs Smurfs (*http://www.escape.ca/~kendawg/smurfs.html*)

→ Requête de sites inutiles *Yahoo!* (*http://search.yahoo.com/bin/search?p=not | best*)

→ Requête de caméras espions *Yahoo!* (*http://search.yahoo.com/bin/search?p=spy+cam*)

Figure 11.10
Aucune explication requise...

11.6 JEUX

Le jeu, ce besoin de se mesurer à un adversaire, n'a jamais disparu de la nature humaine. Il existe dans une multitude de variantes, mais son essence demeure la même: on se bat contre un antagoniste. Depuis une quinzaine d'années, le rival s'est incarné dans un programme informatique exécuté par un ordinateur. Les jeux vidéo, dans les arcades et à la maison, ont su occuper des millions de gens pendant un nombre incalculable d'heures. Cependant, un jeu perd rapidement de son lustre lorsqu'on sait où se trouvent tous les vilains; et c'est ce qui arrive à la plupart des sportifs électroniques quand ils jouent assez longtemps avec le même jeu. L'ordinateur nous offre pourtant des émotions palpitantes avec des univers créés sur mesure pour nous convaincre du réalisme de la situation. Les jeux dans Internet permettent de jumeler les capacités de l'ordinateur à nous faire vivre de grandes aventures avec notre goût du jeu. Voyez-vous, ce n'est plus le cerveau de l'ordinateur qui joue le rôle de votre adversaire, mais bien celui de chacun des autres internautes. Ils vous attendent à l'intérieur d'endroits virtuels pour se mesurer à vos talents. Il est plus difficile de prévoir leurs mouvements, car ils s'adaptent, tout comme vous, à de nouvelles situations.

CHAPITRE

11

> **CAPSULE** Et les autres...
>
> Des jeux, il y en a des milliers. Ce que je vous offre ici n'est qu'une goutte d'eau dans l'océan. Amateurs de jeux, je vous invite à saliver en consultant les rubriques suivantes:
>
> → **Game-Master: Environnements interactifs** (*http://www.game-master.com*)
>
> → **Boggle et Scrabble interactif** (*http://www.amo.qc.ca/parc/indexParc.html*)
>
> → **Essential Links to Games** (*http://www.el.com/elinks/games*)
>
> → **Rubrique des jeux multi-usages de** *Yahoo!* (*http://www.yahoo.com/Recreation/Games/Internet_Games*)
>
> → **Rubrique des échecs de** *Yahoo!* (*http://www.yahoo.com/Recreation/Games/Board_Games/Chess*)
>
> → **Rubrique des jeux interactifs de** *Yahoo!* (*http://www.yahoo.com/Recreation/Games/Computer_Games*)

Laissez-vous guider vers quelques jeux qui vous rendront «accro» très rapidement et vers les ressources Internet des jeux interactifs, où vous trouverez les dernières tendances.

11.6.1 Les échecs

Internet est un cadeau du ciel pour les amateurs d'échecs, jeu qui allie logique et stratégie. Les sites consacrés à ce loisir cérébral existent par centaines dans le réseau. Il n'est plus nécessaire de tordre le bras d'un de vos proches pour que vous puissiez jouer aux échecs. Branchez-vous sur un des nombreux serveurs d'échecs et jouez contre des internautes qui vous donneront des heures de plaisir... et de frustrations.

Parmi les systèmes que je trouve dignes de mention, il y a le site __Chessmaster__ d'où il est possible de transférer le logiciel du même nom. Celui-ci permet de vous brancher à un serveur d'échecs où vous attendent des

__Chessmaster__ (*http://www.chessmaster.com*)

adversaires auxquels vous pouvez vous mesurer. Le logiciel **Chessmaster** offre une interface exceptionnelle dans laquelle on visualise l'échiquier, les autres joueurs, le temps restant aux parties et une fenêtre pour y faire du bavardage. Ce logiciel est gratuit. Il est possible de vous procurer une version commerciale plus avancée qui vous permet de jouer contre l'ordinateur, mais à quoi bon, quand vous pouvez affronter des milliers de joueurs de styles différents?

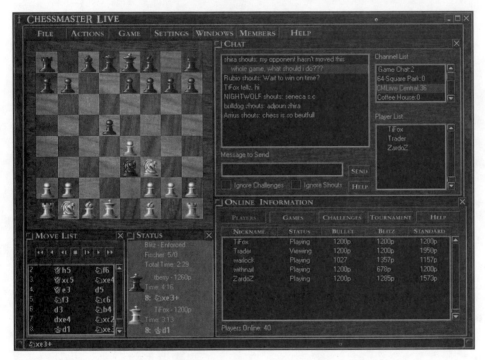

Figure 11.11
Une partie d'échecs avec un ami internaute

11.6.2 Subspace: des internautes intergalactiques

Le scénario du jeu **Subspace** est simple: rencontrez des gens de partout dans le monde, et détruisez-les! Il s'agit d'une prémisse plutôt sanguinaire, mais vous changerez d'idée après avoir joué. Non, ici, ce sont d'adorables petits vaisseaux armés jusqu'aux dents, avec des torpilles et des boules laser, qui se transforment en petits nuages orange lorsqu'il y a «destruction» d'un collègue. La sélection des vaisseaux va du «très blindé mais plus lent» au «vaisseau mouche vite

Chessmaster (*http://www.chessmaster.com*) • Subspace (*http://subspace.vie.com*)

comme l'éclair mais très allergique aux armes adverses». Ce jeu est la preuve que les scénarios rocambolesques ne sont pas nécessaires pour obtenir un succès dans ce domaine. Grâce à un petit logiciel qu'on installe sur son ordinateur, muni de Windows95 et d'un branchement Internet de 28 800 bps ou plus, la compagnie Virgin Interactive nous permet de voyager à l'aide d'un petit vaisseau dans une arène cosmique où se rencontrent une multitude d'internautes dans le seul but de s'amuser. Le jeu était toujours gratuit au moment de mettre sous presse, mais des plans annonçaient la venue d'une grille tarifaire dans un avenir proche. Visitez le site Web de **Subspace** pour obtenir la dernière version du logiciel.

Une fois que vous avez complété l'installation, démarrez le logiciel pour vous relier à un des nombreux serveurs de jeux réservés à cet effet. Vous aurez le choix de jouer dans plusieurs arènes, avec des objectifs différents d'une arène à l'autre, pour gagner la partie.

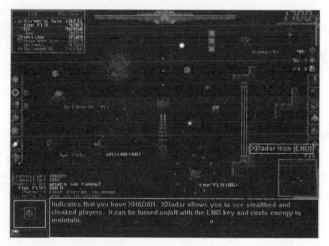

Figure 11.12
Subspace: un jeu enivrant

→ Zone alpha (pour les débutants)

→ Zonc chaos (pour les intermé-diaires)

→ Zone de guerre (un jeu de drapeaux joué en équipe)

→ Zone de vitesse (partie de 30 minutes où on doit détruire le plus de vaisseaux possible)

→ Zone des ligues (le circuit professionnel Subspace)

En conclusion, Subspace est un jeu très simple dans lequel on détruit de petits vaisseaux. L'attrait réside dans le fait qu'il peut y avoir jusqu'à une centaine d'internautes qui essaient tous en même temps de vous faire subir le même sort. La stratégie est de mise, et le danger de devenir «accro» à ce jeu est très réel.

Subspace (*http://subspace.vie.com*)

## CHAPITRE 12

Conclusion.net

«Explorez, apprenez, bâtissez...»

Les outils présentés dans cet ouvrage sont, dans l'état actuel des choses, ce qu'il y a de mieux pour que l'utilisateur puisse s'y retrouver dans le monde Internet. Une question demeure: quelle ressource doit être utilisée et quand doit-elle l'être? À cette question, on peut donner plusieurs réponses. Je crois que tout dépend du type d'information que vous souhaitez obtenir.

Si vous désirez échanger des idées avec des gens œuvrant dans le même domaine que vous ou possédant les mêmes intérêts, les nouvelles Usenet sont idéales. Vous êtes plutôt le genre qui préfère la digestion passive d'informations? Le Web devient alors l'outil de prédilection. Si l'interactivité et le contact avec les gens sont les éléments qui vous font vibrer, sautez tête première dans les univers virtuels, comme *The Palace*, ou joignez-vous aux sessions de bavardage IRC. Vous êtes un artiste et avez l'esprit communautaire? Les mondes virtuels d'Active Worlds, dans lesquels vous pouvez créer toutes sortes de chefs-d'œuvre architecturaux, n'attendent que votre visa d'immigration. Le courrier électronique, lui, devient un de vos proches alliés afin de communiquer des informations. Si ce n'est pas suffisant, les nouvelles ressources multimédias envahissent Internet pour donner encore plus de possibilités à l'internaute.

Cet ouvrage n'est pas un livre d'informatique, il s'agit d'un livre de référence. L'apprentissage d'Internet n'est pas comparable à celui d'un traitement de texte. Certes, il y a des commandes à apprendre lorsqu'on commence à manipuler un nouveau logiciel, mais cette notion n'est pas la plus importante. Internet est un courant électronique avec de nombreux quais où l'on peut trouver des informations et en échanger. Ce qu'il faut apprendre, c'est la façon de naviguer dans Internet. Voilà pourquoi les explications données sur les logiciels dans ce livre ne sont pas forcément aussi approfondies que dans un manuel technique. Je vous ai mentionné beaucoup de points intéressants à explorer dans ce livre et j'ai pris soin de vous indiquer certaines règles d'éthique afin que vous tiriez le meilleur bénéfice de vos recherches. Selon moi, l'internaute veut surtout explorer, et c'est ce que je vous suggère de faire.

L'avenir nous réserve de grandes choses. Quelles sont-elles? Déjà, plusieurs utilisateurs suivent des vidéoconférences interactives directement depuis leur ordinateur. Cette nouvelle technologie se répandra à mesure que les liens de télécommunications deviendront plus rapides. Parlant de rapidité, la vie du modem traditionnel sera sérieusement menacée avec l'arrivée des accès par le câble et par des liens dédiés téléphoniques.

Je souhaite qu'Internet devienne pour vous un instrument de travail élargissant vos horizons intellectuels et culturels, comme cela a été le cas pour moi. Profitez de cet outil pour prendre des décisions éclairées. Joignez-vous aux personnes qui désirent un monde meilleur par le biais de la communication mondiale et dénoncez les cyber-cagoulards qui utilisent l'anonymat du réseau pour y répandre leur venin. Le temps presse, à l'approche de l'an 2000, il faut utiliser notre technologie pour améliorer notre sort et non pas pour calquer notre société dans un monde virtuel.

Je vous offre la possibilité de communiquer avec moi si le cœur vous en dit. J'accepte tout ce qui est constructif et amusant. Je suis également ouvert à toutes les discussions portant sur les merveilleuses subtilités sociales et culturelles qu'Internet nous apporte en tant que peuple uni de la Terre, sur les Giants de New York, le golf, les pharaons de l'ancienne Égypte et tout ce qui traite de… *Star Trek.* :)

Votre ami d'Internet
Danny

Danny J. Sohier
Analyste de l'informatique
Bibliothèque de l'Université Laval
Courrier électronique: *dsohier@bibl.ulaval.ca*

Liste de fournisseurs d'accès Internet

V oici une liste de compagnies offrant des accès au réseau Internet. Les types de liens et d'abonnements peuvent varier d'une compagnie à l'autre. Cette liste n'est pas exhaustive. Aucun des fournisseurs n'est ici favorisé. Ils sont énumérés à titre d'information seulement. Assurez-vous cependant que votre fournisseur d'accès puisse vous offrir les items suivants:

→ Documentation et support gratuits pour le branchement initial.

→ Accès garanti à une vitesse minimale de 28 800 bps.

→ Ration maximum de 10 utilisateurs par modem.

→ Espace gratuit pour héberger une page Web.

→ Un prix raisonnable (faites le tour...)

CAPSULE   Sites Web où vous trouverez des listes de fournisseurs à jour

→ The Directory: 8 600 fournisseurs (*http://thedirectory.org*)

→ La page des fournisseurs de la Toile du Québec (*http://www.toile.qc.ca/quebec/qcinfo.htm*)

→ Les fournisseurs d'accès par Benefice.net (*http://www.benefice.net/references/fournisseurs-acces.html*)

→ Liste des fournisseurs par Axess (*http://www.axess.com/drakkar/regions.html*)   ☞ (suite)

> **CAPSULE** Sites Web où vous trouverez des listes
> de fournisseurs à jour (suite)
>
> → La liste de MecklerMedia : 3 100 fournisseurs
> (*http://thelist.internet.com*)
> → Page des fournisseurs français de Carrefour.Net
> (*http://france.carrefour.net/repertoire/Informatique_et_Internet/*
> *Services_Internet/Fournisseurs_d_acc_s*)
> → Carte des fournisseurs d'accès en France
> (*http://www.imaginet.fr/ime/france.htm*)

LÉGENDE POUR L'ANNEXE A

☎ : Nº de téléphone
FAX : Nº de télécopieur

◀▦▶ : Site Web
▭ : Courrier électronique

FOURNISSEURS POUR LA PROVINCE DE QUÉBEC

Vidéotron ltée.
Modems téléphoniques partout au Québec,
câblo-modems offerts dans certains quartiers
☎ (514) 288-6661 ou 1 888 288-6661
◀▦▶ *http://www.videotron.net/gvl/services/pc.htm*
▭ *serviceclient@videotron.ca*

Sympatico, de Bell Canada
☎ 1 800 773-2121
◀▦▶ *http://www.sympatico.ca*
▭ *info@sympatico.ca*

Globe-Trotteur, de Québec Téléphone
Régions de Montréal et sa banlieue, Québec,
Trois-Rivières, la Côte-Nord, la Gaspésie, la Beauce
et le comté de Portneuf
☎ 1 800 463-8822
◀▦▶ *http://www.quebectel.com*
▭ *comgengt@quebectel.com*

Mlink Internet
Régions de Montréal et Québec
☎ (514) 231-1923 et (418) 694-3101
◀▦▶ *http://www.mlink.net*
▭ *Webmaster@Mlink.NET*

TotalNet
Régions de Montréal, Québec et Granby
☎ (514) 481-2585 ou 1 888 TOTAL-48
◀▦▶ *http://www.total.net*
▭ *info@total.net*

Internet Microtec
Régions de Montréal et Québec
☎ (514) 388-1144 ou (418) 683-2523
◀▦▶ *http://www.microtec.net/fr*
▭ *support@microtec.net*

iSTAR Internet
Grands centres uniquement
☎ 1 800 848-6786
◀▦▶ *http://www.istar.ca*
▭ *sales@istar.ca*

Advantis Canada
Centres majeurs.
☎ 1 800 IBM-CALL poste: 096
FAX 1 800 565-6612
◀▦▶ *http://www.can.ibm.com/globalnetwork*
▭ *ibm_direct@ca.ibm.com*

CiteNet Telecom Inc.

Régions de Montréal et Montérégie

☎ (514) 861-5050
FAX (514) 861-5953
🌐 *http://www.citenet.net*
✉ *info@citenet.net*

DirecPC

Le long de la frontière américaine seulement

☎ 1 800 619-FAST
🌐 *http://www.direcpc.com*
✉ *info@citenet.netInfo@mail.direcpc.com*

Internet Canada

Régions de Montréal, Québec, Hull et Ottawa

☎ 1 800 789-ICAN (789-4226)
🌐 *http://www.ican.net*
✉ *info@citenet.netsupport@ican.net*

Internet Login

Régions incluses entre Trois-Rivières et Montréal

☎ 1 800 GO LOGIN
🌐 *http://www.login.net*
✉ *info@citenet.netinfo@login.net*

netROVER

Régions de Chicoutimi, Montréal, Québec, Sherbrooke, Trois-Rivières, Hull et 70 localités en Ontario

☎ 1 800 247-5529
🌐 *http://www.netrover.com*
✉ *info@citenet.netwebmaster@netrover.com*

Réseau interordinateurs scientifique québécois (RISQ)

Utilisation universitaire uniquement

☎ (514) 398-1234
🌐 *http://www.risq.qc.ca*
✉ *info@citenet.netwebrisq@risq.qc.ca*

Réseau Internet Québec

Régions de Montréal et Québec

☎ (514) 285-5554 et (418) 650-2884
🌐 *http://www.riq.net*
✉ *info@citenet.netinfo@riq.net*

Télécommunications WorldLinx (Division de Bell Canada)

Pour entreprises uniquement

☎ 1 800 263-9673
🌐 *http://www.bellglobal.com/worldlinx.html*
✉ *info@citenet.netwebmaster@resonet.com*

UUNET Canada

Grands centres uniquement

☎ 1 888 658-8638
🌐 *http://www.uunet.ca*
✉ *info@citenet.netwebmaster@uunet.ca*

RÉGION DE MONTRÉAL

AEI Internet Services Inc.

2124, rue Drummond, Montréal, H3G 1W9

☎ (514) 284-4452
FAX (514) 284-4995
✉ *info@aei.ca*

Alpha Internet

☎ (514) 525-5886

Artifax Internet

☎ (514) 482-4677

Autoroute.net

5773, rue Ferrier, bureau 211, Mont-Royal, H4P 1N3

☎ (514) 341-4023
🌐 *http://www.autoroute.net*
✉ *info@autoroute.net*

Axess Communications

B.P. 4822, Ville St-Laurent, H4L 4Z5

☎ (514) 337-2002
FAX (514) 337-2061
🌐 *http://www.axess.com*
✉ *info@axess.com*

Club Centra

8705, boulevard Taschereau, Brossard, J4Y 1A4

☎ (514) 443-8889
FAX (514) 443-8109
✉ *info@centra.ca*

Communications Accessibles Montréal
☎ (514) 529-3000
🌐 http://www.cam.org
✉ info@cam.org

Communications Inter Accès
5475, rue Paré, bureau 104, Montréal, H4P 1P7
☎ (514) 395-1023
FAX (514) 368-3529
🌐 http://www.Interax.net
✉ support@Interax.net

Connection MMIC
☎ (514) 331-6642
FAX (514) 332-6642
🌐 http://www.connectmmic.net
✉ info@connectmmic.net

ConsuLAN
☎ (514) 482-4848
🌐 http://mtlserv.consulan.com
✉ info@consulan.com

Core-Net
1021, côte du Beaver Hall
Montréal H2Z 1R9
☎ (514)393-1840
FAX (514) 393-9954
🌐 http://www.core-net.com
✉ info@core-net.com

Darwin
☎ (514) 762-2208
🌐 http://www.darwin.qc.ca
✉ info@darwin.qc.ca

Delphi SuperNet
2055, rue Peel, bureau 710, Montréal, H3A 1V4
☎ (514) 281-7500 et 1 888 SUPER-MTL
🌐 http://www.dsuper.net
✉ Info@dsuper.net

Enter-Net
☎ (514) 652-4230
🌐 http://www.enter-net.com

FrancoMédia
3300, boul. Rosemont, bureau 218, Montréal
H1X 1K2
☎ (514) 721-8216
FAX (514) 727-2164
🌐 http://www.francomedia.qc.ca
✉ admin@francomedia.qc.ca

Génération.Net Inc.
2020, rue University, bureau 1620, Montréal
H3A 2A5
☎ (514) 845-5555
FAX (514) 845-5004
🌐 http://www.generation.net
✉ info@generation.net

Hookup Net
☎ 1 800 404-9208
🌐 http://www.hookup.net
✉ info@hookup.net

Internet Global Info-Acces
☎ (514) 737-2091
🌐 http://globale.net
✉ info@globale.net

Meta Internet
1070, rue Beaulac, St-Laurent, H4R 1R7
☎ (514) 337-1985
FAX (514) 337-3401
🌐 http://www.montrealnet.ca
✉ info@montrealnet.ca

Metrix Interlink
630, boul. René-Lévesque Ouest, bureau 2300,
Montréal, H3B 1S6
☎ (514) 875-0010
FAX (514) 875-5735
🌐 http://www.interlink.net
✉ info@interlink.net

Netaxis
☎ (514) 482-8989
🌐 http://www.netaxis.qc.ca
✉ info@netaxis.qc.ca

Point Net Communication
1852, rue Rachel Est, Montréal, H2H 1P4
☎ (514) 524-3187
🌐 http://www.point-net.com
✉ info@point-net.com

PubNix Montréal
P.O. Box 147, Côte St-Luc, H4V 2Y3
☎ (514) 990-5911
🌐 http://www.PubNIX.net
✉ info@PubNIX.net

Québec Net
🌐 http://www.quebec.net
✉ info@quebec.net

Réseau Plus Laval
1730, rue Cunard, Laval, H7S 2B2
☎ (514) 687-1144
FAX (514) 334-6043
🌐 http://www.laval.com
✉ info@laval.com

Top Internet
9300, boul. Henri-Bourassa Ouest, bureau 280, Ville St-Laurent, H4S 1L5
☎ (514) 333-9500
FAX (514) 333-9232
🌐 http://www.top.ca
✉ Info@top.ca

Vircom Inc.
☎ (514) 990-2532
🌐 http://www.vircom.com
✉ webmaster@vircom.com

RÉGION DE QUÉBEC

Accès Internet mondial
🌐 http://www.mercure.net
✉ info@mercure.net

Clic Net
840, rue Sainte-Thérèse, Québec, G1N 1S7
☎ (418) 686-CLIC
✉ webmaster@clic.net

Le groupe Médiom-Internet
74, Jacques-Cartier, bureau 18, Québec, G1L 3S1
☎ (418) 640-7474
🌐 http://www.mediom.qc.ca
✉ groupe@mediom.qc.ca

Réseau Internet Québec Inc.
150, boul. René Lévesque Est, bureau 302, Québec, G1R 2B2
☎ (418) 521-2884
FAX (418) 522-2602
🌐 http://www.riq.qc.ca
✉ info@riq.qc.ca

UPC Communications Internet
C.P. 9004, Sainte-Foy, G1V 4A8
☎ (418) 656-0090
FAX (418) 656-6981
🌐 http://www.upc.qc.ca
✉ admin@UPC.QC.CA

Vision Internet
🌐 http://www.vision-i.qc.ca
✉ webmaster@visioninternet.net

RÉGION D'OTTAWA/HULL

Atréide Communications
500, boul. Gréber, bureau 304, Gatineau, J8T 7W3
☎ (819) 243-1414
FAX (819) 243-2754
🌐 http://www.atreide.net
✉ tech@atreide.net

Cactus Communications
☎ (819) 778-0313 ou (613) 230-4976
🌐 http://www.cactuscom.com
✉ webmaster@cactuscom.com

Cyberplus
P.O. Box 27011, Gloucester, K1J 9L9
☎ (613) 749-8598
🌐 http://www.cyberplus.ca
✉ info@cyberplus.ca

ANNEXE A

Information Gateway Services (IGS)
☎ 1 800 268-3715
🌐 *http://www.igs.net*
📧 *support@igs.net*

Libertel de la capitale nationale
c/o Carleton University
1125 Colonel By Drive
Ottawa, Ontario, K1S 5B6
☎ (613) 788-3947
🌐 *http://www.ncf.carleton.ca*
📧 *ncf@freenet.carleton.ca*

Synapse Internet
☎ (819) 561-1697
🌐 *http://www.synapse.net*
📧 *info@synapse.net*

RÉGION DE TROIS-RIVIÈRES

Concepta Communications
2425, boul. des Récollets, Trois-Rivières, G8Z 4G1
☎ (819) 378-8362
FAX (819) 378-7335
🌐 *http://www.Concepta.com*
📧 *WebMaster@concepta.com*

Internet Trois-Rivières
400, rue Williams, Trois-Rivières, G9A 3J2
☎ (819) 379-8649
FAX (819) 379-0343
🌐 *http://www.androide.com*
📧 *info@androide.com*

RÉGION DE L'ESTRIE

Accès communautaire Brome-Missisquoi
C.P. 273, Cowansville, J2K 3S7
☎ (514) 266-0177
🌐 *http://www.acbm.qc.ca*
📧 *webmaster@acbm.qc.ca*

Interlinx
1440, rue King Ouest, Sherbrooke, J1J 2C2
☎ (819) 565-9779
FAX (819) 565-0374
🌐 *http://www.interlinx.qc.ca*
📧 *Webmaster@interlinx.qc.ca*

Internet Abacom
🌐 *http://www.abacom.com*
📧 *info@abacom.com*

Mégantic Net
☎ 1 800 922-0388
🌐 *http://www.megantic.net*

Multi-Médias Québec
🌐 *http://www.multi-medias.ca*
📧 *commentaires@multi-medias.ca*

RÉGION DE LA MONTÉRÉGIE

Accès-Cible
🌐 *http://www.acces-cible.qc.ca*
📧 *info@acces-cible.qc.ca*

Groupe SigNet
2520, des Cascades Est, Saint-Hyacinthe
J2T 1K9
☎ (514) 261-0785
🌐 *http://www.gsig-net.qc.ca*
📧 *admin@gsig-net.qc.ca*

Internet Haute-Yamaska
🌐 *http://www.granby.mtl.net*
📧 *courrier@granby.net*

Internet Sorel-Tracy
807, route Marie-Victorin, Tracy, J3R 1L1
☎ (514) 746-1593
FAX (514) 746-1473
🌐 *http://www.sorel.mtl.net*
📧 *info@sorel.mtl.net*

Nouvelles Technologies de l'Information et des Communications
2915, rue Cartier, St-Hyacinthe, J2S 1L4
☎ (514) 771-1152
🌐 *http://www.ntic.qc.ca*
✉ *ventes@ntic.qc.ca*

Réseau Virtuel d'ordinateurs
C.P. 88, Succ. St-Hubert, St-Hubert, J3Y 5S9
☎ (514) 676-2526
🌐 *http://www.rvo.qc.ca*
✉ *rvo@rvo.qc.ca*

Les services télématiques ROCLER
6, rue Cléophas, Saint-Timothée, J0S 1X0
☎ (514) 377-1898
FAX (514) 377-5139
🌐 *http://www.rocler.qc.ca*
✉ *info@rocler.qc.ca*

RÉGION DES LAURENTIDES

Internet etc.
☎ (514) 227-7700
🌐 *http://www.ietc.ca*
✉ *webmaster@ietc.ca*

Inter-réseau – Maniwaki
140, rue King, Maniwaki, J9E 2L3
☎ (819) 449-7171
🌐 *http://srv.imlaurier.qc.ca*
✉ *info@ireseau.com*

Inter-réseau – Mont-Laurier
532, rue de la Madone, Mont-Laurier, J9L 1S5
☎ (819) 623-4000
🌐 *http://srv.imlaurier.qc.ca*
✉ *admin@srv.imlaurier.qc.ca*

RÉGION DU GRAND-NORD

Creenet
P.O. Box 270, Wemindji, J0M 1L0
☎ (819) 978-0264 ext.: 260
🌐 *http://www.creenet.com*
✉ *info@creenet.com*

Nunavik.Nct
185, avenue Dorval, bureau 501, Dorval, H9S 5J9
☎ (514) 631-1394
FAX (514) 631-6258
🌐 *http://www.nunavik.net*
✉ *postmaster@nunavik.net*

RÉGION DE LANAUDIÈRE

Intermonde Internet
60, rang Double, Saint-Charles-Borromée, J6E 7Y8
☎ (514) 755-3788
FAX (514) 755-3688
🌐 *http://www.intermonde.net*
✉ *tech@pandore.qc.ca*

Iway InterNet
🌐 *http://www.iway.qc.ca*

Internet Rive-Nord
☎ (514) 589-2123
FAX (514) 589-5186
🌐 *http://rive-nord.mtl.net*
✉ *info@rive-nord.net*

RÉGION DE LA BEAUCE

Internet Chaudière-Appalaches
☎ (418) 383-5700
🌐 *http://www.belin.qc.ca*
✉ *webmaster@belin.qc.ca*

ANNEXE A

RÉGION DES BOIS-FRANCS

Internet Victoriaville
106, boul. Bois-Francs Nord, Victoriaville, G6P 1E7
☎ (819) 751-8888
FAX (819) 751-8889
🌐 *http://www.ivic.qc.ca*
✉ *WebMaster@ivic.qc.ca*

LE 9e BIT
715, rue Cormier, Drummondville, J2C 6P7
☎ (819) 474-4724
FAX (819) 474-4740
🌐 *http://www.9bit.qc.ca*
✉ *webmaster@9bit.qc.ca*

RÉGION DU SAGUENAY/LAC SAINT-JEAN

Cybernaute
391, rue Racine Est, Chicoutimi, G7H 1S8
☎ (418) 543-9555
🌐 *http://www.cybernaute.com*
✉ *webmaster@cybernaute.com*

Digicom Technologies
☎ (418) 668-WWWW
🌐 *http://www.digicom.qc.ca*

RÉGION DU BAS-SAINT-LAURENT

Internet Communication RDL Inc
☎ (418) 868-0077
🌐 *http://www.icrdl.net*
✉ *admin@ icrdl.net*

Services Internet de l'Estuaire
124, rue de Vimy, Rimouski, G5L 3J6
☎ (418) 723-7100
🌐 *http://www.sie.qc.ca*
✉ *info@sie.qc.ca*

RÉGION DE L'ABITIBI

Cyber-Abitibi
☎ 1 800 257-9946 (Amos)
☎ (819) 764-9993 (Rouyn-Noranda)
☎ (819) 874-3999 (Val d'Or)
☎ (819) 629-2816 (Ville-Marie)
☎ (819) 257-9946 (La Sarre)
🌐 *http://www.cyberabitibi.qc.ca*
✉ *webmaster@cyberabitibi.qc.ca*

Lien Internet du Nord-Ouest
1717, 3e Avenue, Val-d'Or, J9P 1W3
☎ (819) 874-5665
🌐 *http://www.lino.com*
✉ *sjuteau@lino.com*

Les fournisseurs Internet en Europe

FRANCE

AlexNet
Cergy
☎ 01.30.37.98.99
🌐 *http://www.union-fin.fr*
✉ *webmaster@union-fin.fr*

Aliénor
Bordeaux
☎ 36.15.WEB
🌐 *http://www.alienor.fr*
✉ *Info@alienor.fr*

Alpes Network
Grenoble (Alpes)
☎ 76.15.37.37
🌐 *http://www.alpes-net.fr*
✉ *info@alpes-net.fr*

Atlantique-line
Merrignac
☎ 56.47.93.60
🌐 *http://www.atlantic-line.fr*
✉ *info@atlantic-line.fr*

AxNet
Dijon, Bourgogne
🌐 *http://www.axnet.fr*
✉ *jrichard@axnet.fr*

Bart
Montpellier
☎ 04.67.15.01.24
🌐 *http://www.bart.fr*
✉ *webmaster@bart.fr*

Big Bang
Amiens
☎ 03.22.71.61.90
🌐 *http://www.neuronnexion.fr*
✉ *nnx@ neuronnexion.fr*

Cadrus
Toulouse – Saint-Agne
☎ 05.61.75.44.99
🌐 *http://www.cadrus.fr*
✉ *info@cadus.fr*

Cae
Lyon
☎ 04.72.10.00.37
🌐 *http://www.cae.fr*
✉ *cae@imaginet.fr*

Calvacom
Vélizy, Paris
🌐 *http://www.calvacom.fr*
✉ *webmaster@calva.net*

Cap Mediatel
Varhiles (Ariège)
☎ 05.61.69.51.00
🌐 *http://www.capmedia.fr*
✉ *info@capmedia.fr*

Centre Internet Européen
Paris
☎ 01.46.21.22.22
🌐 *http://www.cie.fr*
✉ *info@cie.fr*

Club Internet
Paris
🌐 *http://www.club-internet.fr*
✉ *hotline@club-internet.fr*

Codix
Paris
🌐 *http://www.codix.fr*
✉ *webmaster@mail.codix.fr*

Cogito
Marseille
☎ 04.91.70.94.94
🌐 *http://www.cogito.fr*
✉ *webmaster@ cogito.fr*

CRDI
France
☎ 05.65.22.56.76
🌐 *http://www.crdi.fr*
✉ *crdi@crdi.fr*

Cyberstation
Bordeaux
☎ 05.56.01.15.15
🌐 *http://www.cyberstation.fr*
✉ *webmaster@cyberstation.fr*

DTR
Lyon
🌐 *http://www.dtr.fr*
✉ *wwwinfo@dtr.fr*

EBCnet
Champagne-Ardenne
☎ 03.26.49.99.00
🌐 *http://www.ebc.net*
✉ *webmaster@ebc.net*

Eunet France
Paris, Toulouse
☎ 01.41.09.60.60
🌐 *http://www.EUnet.fr*
✉ *contact@EUnet.fr*

FRANCE (suite)

FC-Net
Franche-Comté
- http://www.fc-net.fr
- webmaster@mail.fc-net.fr

FDN
Paris
- http://www.fdn.fr
- info@fdn.fr

Filnet
Paris, Normandie
- ☎ 01.42.51.55.15
- http://www.filnet.fr
- infos@filnet.fr

FranceNet
France
- ☎ 01.43.92.14.49
- http://www.francenet.fr
- support@FranceNet.fr

France Pratique
Paris
- http://www.pratique.fr
- infos@pratique.fr

France-Teaser
France
- ☎ 01.47.50.62.48
- http://w3.teaser.fr
- sales@teaser.fr

Golden Brick
Caen
- ☎ 02.31.46.94.94
- http://www.goldenbrick.fr
- info@goldenbrick.fr

Groupe CX
Côte d'Azur
- ☎ 04.92.94.23.69
- http://www.iway.fr/groupecx
- groupecx@iway.fr

Gulliver
Marseille
- ☎ 04.91.13.21.50
- http://www.gulliver.fr
- info@gulliver.fr

ICOR
Chambéry
- ☎ 04.79.25.19.19
- http://ns.icor.fr
- infos@icor.fr

Ilink
Cocagne
- http://www.ilink.fr
- info@ilink.fr

IN'NET Bordeaux-Aquitaine
Bordeaux-Aquitaine
- http://www.inba.fr
- info@inba.fr

Internet Way
France
- ☎ 01.41.43.21.10
- http://www.iway.fr
- info@iway.fr

K-Info
Longwy
- ☎ 82.24.30.02
- http://www.k-info.fr
- info@k-info.fr

Lituus
Colombes
- ☎ 01.41.19.73.73
- http://www.lituus.fr
- info@lituus.fr

Magic On-Line
France
- http://www.magic.fr
- info@magic.fr

Medianet
Paulhaguet
- ☎ 04.71.76.87.57
- http://www.es-conseil.fr
- medianet@es-conseil.fr

Micronet
France
☎ 01.43.92.12.12
🌐 *http://www.MicroNet.fr*
✉ *Infos@MicroNet.fr*

Mnet
Montpellier
☎ 04.67.34.48.10
🌐 *http://www.mnet.fr*
✉ *webmaster@www.mnet.fr*

MNS
Montpellier
☎ 04.67.34.42.46
🌐 *http://www.mns.fr*
✉ *webmaster@mns.fr*

MultiWan
Méditerranée
☎ 04.42.96.36.70
🌐 *http://www.amd.fr*
✉ *postmaster@amd.fr*

NETINFO
Pas-de-Calais
🌐 *http://www.netinfo.fr*
✉ *info@netinfo.fr*

Online
Dijon
☎ 01.43.41.26.26
🌐 *http://www.linea.com/genindf.html*
✉ *fb@linea.com*

Pacwan
☎ (Aix-en-Provence) 42 93 42 93
☎ (Caen) 31 38 95 55
☎ (Nice) 95 58 50 00
☎ (Toulon) 42 93 42 93
☎ (Avignon) 90 87 22 94
🌐 *http://www.mm-soft.fr/pacwan/sites.htm*

Pandemonium
Strasbourg
🌐 *http://www.pandemonium.fr*

Planete PC
St. Mandé
☎ 01.43.98.43.96
🌐 *http://www.isicom.fr*
✉ *info@isicom.fr*

@si
Lyon
☎ 04.78.93.00.00
🌐 *http://suprastudio.asi.fr*
✉ *info@asi.fr*

SkyWorld
Paris
☎ 01.53.80.86.00
🌐 *http://www.sky.fr*
✉ *info@sky.fr*

Unimédia
Angers
☎ 02.41.22.36.09
🌐 *http://www.unimedia.fr*
✉ *c.gandon@unimedia.fr*

Wanadoo
France
☎ 08.01.63.34.34
🌐 *http://www.wanadoo.fr*
✉ *info@wanadoo.fr*

Wcube
Les Ulis
☎ 01.60.10.43.43
🌐 *http://wcube.fr*
✉ *info@wcube.fr*

Web Macorbur-InterNeXT
France
🌐 *http://www.inext.fr*

World-Net
France
☎ 01.40.37.53.78
🌐 *http://webiis.worldnet.fr*
✉ *info@worldnet.fr*

ANNEXE A

BELGIQUE

Ping
☎ 070.233.772
🌐 *http://ping4.ping.be*
✉ *support@ping.be*

Arcadis
☎ 02.541.7711
🌐 *http://www1.arcadis.be*
✉ *info@arcadis.be*

Belgacom Brugge
🌐 *http://www.belgacom.be*

Interpac Belgium
Bruxelles
☎ 32-2 706 0500
🌐 *http://www.interpac.be*
✉ *info@interpac.be*

Belgacom Charleroi
☎ 32-08 001 33 60

Belgacom Gent
☎ 32-09 265 31 52

Belgacom Liège
☎ 32-08 001 23 30

Belgacom Mons
☎ 32-065 39 11 01

Belgacom Namur
☎ 32-081 72 21 11

BELNet (Academic and research network)
Bruxelles
☎ 32-2 238 34 70
🌐 *http://www.belnet.be*
✉ *helpdesk@belnet.be*

EUnet Belgium
☎ 32-16 398 398
🌐 *http://www.belgium.Eu.net*
✉ *info@belgium.Eu.net*

Netropolis
Bruxelles
☎ 32-02 649 36 93
🌐 *http://www.netropolis.be/*
✉ *info@netropolis.be*

Net for All vof
Antwerpen
☎ 32-3 231 57 32
🌐 *http://www.net4all.be*
✉ *info@net4all.be*

Perceval
Bruxelles
☎ 32-02 640 91 94
🌐 *http://www.perceval.net/perceval/*
✉ *info@perceval.net*

Tfi
Bruxelles
☎ 32-2 732 39 55
🌐 *http://www.tfi.be*
✉ *info@tfi.be*

SkyNet
Bruxelles
☎ 32-02 375 86 26
🌐 *http://www.skynet.be*
✉ *info@skynet.be*

Zone 050
Bruges
☎ 32-50 45 45 70
🌐 *http://www.unicall.be*
✉ *info@unicall.be*

LUXEMBOURG

RESTENA
Luxembourg
☎ +352 42 44 09
🌐 *http://www.restena.lu*
✉ *admin@restena.lu*

SUISSE

ActiveNet
☎ 41-055 24 13 42
🌐 *http://www.active.ch*
✉ *altorfer@active.ch*

CentralNet GmbH
☎ +41 41 20 30 50
🌐 *http://www.centralnet.ch*
✉ *hostmaster@centralnet.ch*

EUnet AG
Zurich
☎ +41-1-291 45 80
🌐 *http://www.eunet.ch*
✉ *info@eunet.ch*

Fastnet Sarl
Lausanne
☎ +41-21-324 06 76
🌐 *http://www.fastnet.ch*
✉ *info@fastnet.ch*

Infomaniak
Genève
☎ +41 22 827 4999
🌐 *http://www.infomaniak.ch*
✉ *info@infomaniak.ch*

Internet Access AG
Zurich
☎ +41-446 33 33
🌐 *http://www.access.ch/*
✉ *admin@access.ch*

Internet ProLink SA
Genève, Lausanne
☎ +41-22-788 85 55
🌐 *http://www.iprolink.ch*
✉ *info@iprolink.ch*

Management & Communications SA (M&C SA)
Fribourg
☎ +41-37-22 06 36
🌐 *http://www.mcnet.ch*
✉ *office@mcnet.ch*

Ping Net Sarl
Lausanne
☎ +41-1-768 53 16
🌐 *http://www.ping.ch*
✉ *admin@ping.ch*

Planet Communications
Renens
☎ +41-21-632 93 63
🌐 *http://www.planet.ch*
✉ *info@planet.ch*

SWITCH – Swiss Academic & Research Network
☎ +41 1 268 15 15
🌐 *http://www.switch.ch*
✉ *webmaster@switch.ch*

Swiss Téléphoneecom PTT
☎ +41-31-338 37 07
🌐 *http://www.telecom.ch*
✉ *webmaster@ telecom.ch*

TINET
☎ +41-91-50 81 18
🌐 *http://www.tinet.ch*
✉ *info@tinet.ch*

Worldcom
☎ +41-21-802 51 51
🌐 *http://www.worldcom.ch*
✉ *info@worldcom.ch*

A
N
N
E
X
E

A

La liste de l'internaute

La liste qui suit n'est pas définitive. Nous avons recueilli quelques points de départ (français ou anglais) dans des catégories qui nous semblent intéressantes. L'internaute en herbe y trouvera son compte avant qu'il ne vole de ses propres ailes à la découverte de ses propres bijoux. Cette liste fut préparée avec la collaboration d'Isabelle Jutras, une passionnée d'Internet dans la région de Québec... et une bonne amie. Cette liste est également consultable sur le site Web de notre livre à l'adresse *http://www.logique.com/internaute98* .

AFFAIRES

Juridex
http://juriste.gouv.qc.ca

Bourse de Montréal
http://www.bdm.org

Banque de développement du Canada
http://www.bdc.ca

Chambres de commerce du Québec
http://www.toile.qc.ca/quebec/qccom_as_cc.htm

ASTRONOMIE ET SCIENCES

Clubs de science du Québec
http://clubscience.qc.ca

Cybersciences
http://www.cybersciences.com

Global Surveyor - Satellite martien
http://mpfwww.jpl.nasa.gov/mgs

Hubble space telescope
http://oposite.stsci.edu/pubinfo/Pictures.html

NASA
http://www.nasa.gov

National Science Foundation
http://www.nsf.gov

Pathfinder - Mission martienne
http://mpfwww.jpl.nasa.gov

Rubrique des sciences du réseau CNN
http://www.cnn.com/TECH

BELGIQUE

Euro-J
http://www.ib.be/euroj/cee/francais/intro.html

Gouvernement fédéral belge en ligne
http://belgium.fgov.be

BIBLIOTHÈQUES

Alexandrie, la bibliothèque virtuelle
http://www.alexandrie.com

Bibliothèque nationale de France
http://www.bnf.fr

Bibliothèque nationale du Canada
http://www.nlc-bnc.ca/fhome.htm

Bibliothèque nationale du Québec
http://www.biblinat.gouv.qc.ca

Bibliothèques de la planète
http://www.bibl.ulaval.ca/autbibl

CINÉMA, SPECTACLES ET BANDES DESSINÉES

À la découverte de Tintin
http://www.tintin.qc.ca

Admission - Réseau de billetterie
http://silicon.sim.qc.ca/admission

Astérix
http://www.asterix.tm.fr

BD Québec
http://www.quebectel.com/bdquebec

Cinopsis
http://www.cinopsis.com

Dilbert - Bande dessinée
http://www.unitedmedia.com/comics/dilbert

Internet Movie Database
http://us.imdb.com

Movie Preview
http://www.yahoo.com/promotions/smg97

Parc Jurassique : Le monde perdu
http://www.lost-world.com

Première - Magazine
http://www.premiere.fr

Walt Disney
http://www.disney.com

CERTIFICATS ÉLECTRONIQUES

Verisign Inc
http://www.verisign.com

COMMERCES

CDUniverse
http://www.cduniverse.com

FNAC
http://www.fnac.fr

Supermarchés IGA
http://www.iga.net/qc

Virgin Mégastore
http://www.virgin.fr

CONTRÔLE DE L'ACCÈS AU CONTENU

(logiciels de censure et de filtrage)

RSAC (Recreational Software Advisory Council)
http://www.rsac.org

Cyber Patrol en français
http://www.cti.fr/cyber.htm

Cyber Patrol
http://www.cyberpatrol.com

Cyber Sitter 97
http://www.solidoak.com/cysitter.htm

Cyber Snoop
http://www.pearlsw.com

InterGo
http://www.intergo.com

Net Nanny
http://www.netnanny.com

PC Magazine - Étude de logiciels de contrôle
*http://www.zdnet.com/pcmag/features/utility/filter/u
fuf.htm*

Rated PG
http://www.didax.com/ratedpg

Rubrique des logiciels de contrôle de *Yahoo!*
*http://www.yahoo.com/Business_and_Economy/Com
panies/Computers/Software/Internet/Blocking_and_
Filtering*

Surfpass en français
http://www.surfpass.com

SurfWatch
http://www.surfwatch.com

COURRIER ÉLECTRONIQUE

BigFoot - recherche d'adresses
http://www.bigfoot.com

CATALIST - Plus de 13 000 listes listserv!
http://www.lsoft.com/lists/listref.html

Dotmail - messagerie gratuite
http://www.mail.dotcom.fr

Engins francophones de recherche de personnes
*http://www.yahoo.fr/References_et_annuaires/Pages
_blanches*

Engins spécialisés dans la recherche de personnes
*http://www.yahoo.com/Reference/White_Pages/Indiv
iduals*

Eudora
http://www.eudora.com

Four11 Corporation - recherche d'adresses
http://www.four11.com

Francopholistes- Les listes francophones
http://www.cru.fr/listes

Hotmail - messagerie gratuite
http://www.hotmail.com

Internet Address Finder - recherche d'adresses
http://www.iaf.net

La liste de listes de courrier
http://catalog.com/vivian/interest-group-search.html

Listserv - Gestionnaire de liste de distribution
http://www.lsoft.com/listserv.stm

LISZT - Répertoire de listes
http://www.liszt.com

Majordomo - Gestionnaire de liste
http://www.greatcircle.com/majordomo

Majordomo «Foire Aux Questions»
*http://www.cis.ohio-state.edu/~barr/majordomo-
faq.html*

MIME (Multi-purpose Internet Mail Extensions)
*http://www.oac.uci.edu/indiv/ehood/MIME/MIME.h
tml*

MIT - Serveur Usenet - recherche d'adresses
http://usenet-addresses.mit.edu

Site de listes de courrier liées à l'enseignement
http://www.nova.edu/Inter-Links/listserv.html

SMTP (Simple Mail Transfer Protocol) - RFC #821
ftp://ds.internic.net/rfc/rfc821.txt

Rocket Mail - messagerie gratuite
http://www.rocketmail.com

Rubrique des listes de courrier de *Yahoo!*
*http://www.yahoo.com/Computers_and_Internet/Int
ernet/Mailing_Lists*

WhoWhere anglais - Recherche d'adresses
http://www.whowhere.com

WhoWhere français - Recherche d'adresses
http://www.french.whowhere.com

Yahoo! Américain - Recherche d'adresses
http://www.yahoo.com/search/people

Yahoo! Français - Recherche d'adresses
http://www.yahoo.fr/annuaires/email/email.html

CUISINE

Boîte à recettes
http://www.imagine-mms.com/recettes.htm

Cuisine de France
http://www.tcom.ohiou.edu/OU_Language/cuisine.html

A
N
N
E
X
E

B

Gastronomie européenne
http://www.eurogastronomy.com/FR/home.html

L'essence du fromage
http://www.erimax.com/fromage/francais.htm

MS-COMM : Saveurs du monde
http://mscomm.infinit.net

CULTURE

Conseil des Arts du Canada
http://www.culturenet.ucalgary.ca

CultureNet
http://www.culturenet.ca

L'explorateur culturel
http://www.ambafrance.org

Francophonie canadienne
http://w3.franco.ca

InfiniT
http://www.infinit.net

DICTIONNAIRES

Larousse
http://larousse.compuserve.com

Netgolos - français
http://wwli.com/translation/netglos/glossary/french.html

Rubrique des dictionnaires de *Yahoo!*
http://www.yahoo.com/Reference/Dictionaries

DROIT

Communications Decency Act
http://www.fcc.gov/telecom.html

Centre de recherche en droit public
http://www.droit.umontreal.ca

Electronic Frontier Foundation
http://www.eff.org

L'Internet juridique
http://www.argia.fr/lij

La charte de l'Internet
http://www.planete.net/code-internet

Jurinet
http://www.jurisnet.org

Office de la protection intellectuelle du Canada
http://info.ic.gc.ca/ic-data/marketplace/cipo/welcome/welcom_f.html

Réseau européen de droit et Société
http://www.msh-paris.fr/red&s

ÉDUCATION

@campus
http://dgrt.mesr.fr

Bishop's University
http://venus.ubishops.ca

Concordia University
http://www.concordia.ca

Cyberscol
http://cyberscol.qc.ca

École des Hautes Études Commerciales (HÉC)
http://www.hec.ca

École nationale d'administration publique
http://www.enap.uquebec.ca

École Polytechnique
http://www.polymtl.ca

Égypte des pharaons - Cours UQAM sur RealAudio
http://www.unites.uqam.ca/egypte

États généraux de l'éducation au Québec
http://www.uquebec.ca/menu

Faculté des sciences de l'éducation
http://www.scedu.umontreal.ca

Grand monde du préscolaire
http://pages.infinit.net/mariejo

Harvard Business School
http://www.hbs.edu

InfiniT éducation
http://www.education.infinit.net

Infobourg québécois
http://www.infobourg.qc.ca

McGill University
http://www.mcgill.ca

Ministère de l'Éducation du Québec
http://www.gouv.qc.ca/educ

MIT (Massachusetts Institute of Technology)
http://www.mit.edu

Rescol
http://www.rescol.ca

Réseau télématique scolaire du Québec (RTSQ)
http://rtsq.grics.qc.ca

Télé-université
http://www.teluq.uquebec.ca/Alice/alice.html

Université Cornell
http://www.cornell.edu

Université de la Californie à Los Angeles (UCLA)
http://www.ucla.edu

Université de Montréal
http://www.umontreal.ca

Université de Paris
http://www.u-paris2.fr

Université de Sherbrooke
http://www.usherb.ca

Université du Québec
http://www.uquebec.ca

Université du Québec à Chicoutimi
http://www.uqac.uquebec.ca

Université du Québec à Hull
http://www.uqah.uquebec.ca

Université du Québec à Montréal
http://www.uqam.ca

Université du Québec à Trois-Rivières
http://www.uqtr.uquebec.ca

Université du Québec à Rimouski
http://www.uqar.uquebec.ca

Université du Québec en Abitibi-Témiscamingue
http://www.uqat.uquebec.ca

Université Keio, Japon
http://www.keio.ac.jp

Université Laval
http://www.ulaval.ca

University of British Columbia
http://www.ucfv.bc.ca

York University
http://www.yorku.ca

EMPLOIS

Cadres on line
http://www.cadresonline.com

Impact emploi
http://impactemploi.infinit.net

International Jobs Magazine
http://expat.gulliver.fr

Multi-Avantages - Offres d'emploi
http://www.avantage.com/cp

Réseau Européen pour l'Emploi
http://emporium.turnpike.net/~viredit/emploi

Service de placement électronique
http://ele.ingenia.com

Site de l'emploi
http://www.cam.org/~emplois

ENGINS DE RECHERCHE

Altavista - Web & Usenet
http://altavista.digital.com

Beaucoup - Répertoire de 80 sites chercheurs
http://www.beaucoup.com

BigFoot - Adresses de courrier
http://www.bigfoot.com

Euroseek
http://www.euroseek.net

Excite
http://www.excite.com

Four11 Corporation - Adresses de courrier
http://www.four11.com

ANNEXE B

HotBot - Web & Usenet
http://www.hotbot.com

Infoseek - Web & Usenet
http://www.infoseek.com

Internet : Comment trouver ce que vous voulez
http://www.logique.com/lalonde_vuillet

Internet Address Finder - Adresses de courrier
http://www.iaf.net

Lokace
http://lokace.iplus.fr

Lycos
http://www.lycos.com

Répertoire français d'engins spécialisés dans la recherche de personnes
http://www.yahoo.fr/References_et_annuaires/Pages_blanches

Répertoire d'engins spécialisés dans la recherche de personnes
http://www.yahoo.com/Reference/White_Pages/Individuals

Serveur Usenet MIT - Adresses de courrier
http://usenet-addresses.mit.edu

WebCrawler
http://www.webcrawler.com

WhoWhere français - Adresses de courrier
http://www.french.whowhere.com

WhoWhere - Adresses de courrier
http://www.whowhere.com

Yahoo! Français - Adresses de courrier
http://www.yahoo.fr/annuaires/email/email.html

Yahoo! Américain - Adresses de courrier
http://www.yahoo.com/search/people

ESPIONNAGE

Central Intelligence Agency
http://www.odci.gov/cia

FRANÇAIS

Carrefour.Net
http://carrefour.net

ECILA - Engin de recherche francophone
http://ecila.ceic.com

Francomedia
http://www.francomedia.qc.ca

L'Office de la langue française du Québec
http://www.olf.gouv.qc.ca

Piste francophone
http://www.toile.qc.ca/francophonie

Projet Babel
http://babel.alis.com:8080/index.fr.html

Le répertoire Nomade
http://www.nomade.fr

Le répertoire *Yahoo!* en français
http://www.yahoo.fr

FRANCE

AdmiFrance
http://www.admifrance.gouv.fr

Champs Élysées virtuels
http://www.iway.fr/champs_elysees

Louvre
http://www.louvre.fr

Ministère de la culture
http://mistral.culture.fr

Ministère de l'éducation
http://www.edutel.fr

MINITEL
http://www.minitel.fr

Paris
http://www.paris.org

Premier ministre français
http://www.premier-ministre.gouv.fr

GOUVERNEMENTS ET AUTRES ORGANISMES

Archives nationales du Canada
http://www.archives.ca

Archives nationales du Québec
http://www.anq.gouv.qc.ca

Cabinet du Premier ministre
http://pm.gc.ca

Communauté urbaine de Montréal
http://www.cum.qc.ca

Conseil des Arts du Canada
http://www.canadacouncil.ca

Croix-Rouge
http://www.icrc.org

Défense nationale
http://admdis01nt.ndhq.dnd.ca

Internet parlementaire
http://www.parl.gc.ca/francais

Gendarmerie royale du Canada
http://www.rcmp-grc.gc.ca

Gouvernement du Canada
http://canada.gc.ca

Gouvernement du Québec
http://www.gouv.qc.ca

Ministère des Finances du Canada
http://www.fin.gc.ca/fin-fra.html

Ministère du Revenu du Québec
http://www.revenu.gouv.qc.ca

Office de la langue française
http://www.olf.gouv.qc.ca

Statistique Canada
http://www.statcan.ca

Route du Québec
http://www.transport.polymtl.ca

HÉBERGEMENT WEB GRATUIT

Chez - Hébergement Web gratuit
http://www.chez.com

Geocities - Hébergement Web gratuit
http://www.geocities.com

FortuneCity - Hébergement gratuit
http://www.fortunecity.com

INFORMATIQUE

Apple
http://www.apple.com

Bunyip Canada
http://www.bunyip.com

Hewlett-Packard
http://www.hp.com

IBM
http://www.ibm.com

INRIA (Institut National de Recherche en Informatique et en Automatique)
http://www.infira.fr

Macromedia
http://www.macromedia.com

Microcom
http://www.microcom.com

Microsoft
http://www.microsoft.com

NCSA (National Center for Supercomputing Applications)
http://www.ncsa.uiuc.edu

Qualcomm
http://www.qualcomm.com

Sun Microsystems
http://www.sun.com

US Robotics
http://www.usr.com

White Pine
http://www.wpine.com

ANNEXE B

INTERNET

«A brief history of the Internet» par les pionniers originaux dont Vinton Cerf
http://www.isoc.org/internet-history

Branchez-vous
http://branchez-vous.com

C\net
http://www.cnet.com

CA*NET II
http://www.canarie.ca/c2

Chroniques de Cyberie
http://www.cyberie.qc.ca

Echo Search - Assistant de recherche
http://www.iconovex.com

GIP- Réseau national de la France (RENATER)
http://www.renater.fr

Gratuit du Net (Le)
http://www.mygale.org/05/botson/gratuit.htm

Guide de l'internaute 1998
http://www.logique.com/internaute98

Guide d'Initiation à la Recherche Internet - GIRI
http://www.bibl.ulaval.ca/vitrine/giri

Internet II
http://www.internet2.edu

Internet Architecture Board (IAB)
http://www.isi.edu/iab

Internet Assigned Numbers Authority (IANA)
http://www.isi.edu/iana

Internet Engineering Task Force (IETF)
http://www.ietf.org

Internet top domain Memorandum of Understanding   *http://www.gtld-mou.org*

Internic
http://www.internic.net

Libertel (La liste de libertels)
http://www.lights.com/freenet

Libertel de la capitale nationale
http://www.ncf.carleton.ca

Libertel de Montréal
http://www.libertel.montreal.qc.ca

Namesecur - Création de domaines Internet
http://www.namesecure.com/

Netscape
http://www.fr.netscape.com/fr

Phillips-Magnavox - WebTV
http://www.magnavox.com/hottechnology/webtv/webtv.html)

Pointcast
http://www.pointcast.com

Réseau interordinateurs scientifique québécois
http://www.risq.qc.ca

RFC (Requests For Commentaries)
http://ds.internic.net/ds/dspg1intdoc.html

Sites sur l'histoire des ordinateurs par *Yahoo!*
http://www.yahoo.com/Computers_and_Internet/History

Sony - WebTV
http://www.sel.sony.com/SEL/webtv

SFINX (Service for French iNternet Exchange)
http://www.urec.fr/Renater/Sfinx/SFINX.html

The Roads and Crossroads of Internet's History
http://www.internetvalley.com/intval.html

UUNET (Fournisseur international d'accès Internet)
http://www.uunet.com

WebCompass - Assistant de recherche
http://webcompass.qdeck.com

WebTV
http://www.webtv.net

JAVA ET JAVASCRIPT

A Java Tutoriel
http://java.sun.com/docs/books/tutorial

Cours Java en français
http://siisg1.epfl.ch/Java/Cours

Guide Javascript (Le)
http://ourworld.compuserve.com/homepages/jcastellani

Introduction au Javascript *http://www.ac-grenoble.fr/jmoulin/WWildW/ENCYCLO/JSCRIPT/DIDACT/fscript.htm*

JAVA
http://java.sun.com

Javascript authoring Guide
http://home.netscape.com/eng/mozilla/Gold/hand-book/javascript/index.html

Répertoire d'applets en version Beta
http://www.gamelan.com

Répertoire *Yahoo!* des ressources Javascript
http://www.yahoo.com/Computers_and_Internet/Programming_Languages/JavaScript

Sun - Canada
http://www.sun.ca

Sun - États-Unis
http://www.sun.com

Sun - France
http://www.sun.fr

Usenet - comp.lang.java
news://comp.lang.java

JEUNESSE

Camp Cybernautique
http://w3.uqah.uquebec.ca:80/cyber

Id-Clic
http://www.club-internet.fr/id-clic

Galaxians
http://www.exmachina.be/galaxiens

JuniorWeb
http://www.juniorweb.com

M6
http://www.m6.fr

Premiers pas sur Internet
http://www.imaginet.fr/momes

Page francophone pour les jeunes
http://www.carrefour.net/repertoire/Informatique_et_Internet/Ressources/Internet_pour_les_jeunes

JEUX

Boggle et Scrabble interactif
http://www.amo.qc.ca/parc/indexParc.html

Casino de France
http://www.casinos.fr/wcas/home.html

Chessmaster
http://www.chessmaster.com

Dark Earth
http://www.darkearth.com

Échecs & Web
http://www.toile.qc.ca/theme/echecs

Essential links to games
http://www.el.com/elinks/games

Game-Master : Environnements interactifs
http://www.game-master.com

Ludexpress - Chronos
http://www.pbm-chronos.com/uk/index.htm

Maître des clés
http://www.worldnet.fr/~zowyz/HomePage.html

Rubrique des échecs de *Yahoo!*
http://www.yahoo.com/Recreation/Games/Board_Games/Chess

Rubrique des jeux de rôles de *Yahoo!*
*http://www.yahoo.com/Recreation/Games/Internet_Games/MUDs__MUSHes__MOOs__etc_*

Rubrique des jeux interactifs de *Yahoo!*
http://www.yahoo.com/Recreation/Games/Computer_Games

Rubrique des jeux multi-usagers de *Yahoo!*
http://www.yahoo.com/Recreation/Games/Internet_Games

Space Jam
http://www.aklm.com/anation/twitch/interactive/space-jam/SPACEjam.html

Subspace
http://subspace.vie.com

JOURNAUX, PÉRIODIQUES ET INFORMATIONS

Blacklisted journalist
http://www.bigmagic.com

Chaîne Info - France sur RealAudio
http://www.lci.enfrance.com

CNN - Réseau d'informations
http://www.cnn.com

Guide-internet
http://www.guide-internet.com

E*NEWS
http://www.enews.com

Éditions LOGIQUES - Maison d'édition
http://www.logique.com

Guide Internet - Magazine
http://www.guide-internet.com

Journal de Montréal
http://www.journaldemontreal.com

HOTWired !
http://www.hotwired.com

Magazine *ELLE*
http://www.elle.fr

Matinternet
http://matin.qc.ca

National Geographic Online
http://www.nationalgeographic.com

Paris Match
http://www.parismatch.tm.fr:80

Passerelle de Presse Internationale
http://www.i-cor.com

Planète Internet - Magazine
http://www.netpress.fr

Planète Québec
http://planete.qc.ca

Positive Press
http://www.positivepress.com

Soleil de Québec
http://www.lesoleil.com

Virtual baguette
http://www.club-internet.fr/baguette

Voir : l'hebdo culturel
http://www.voir.qc.ca

LOGICIELS

Acrobat d'Adobe
http://www.adobe.com/acrobat

Eudora - Courrier électronique
http://www.eudora.com

Explorateur de Microsoft - Web
http://www.microsoft.com/ie/ie.htm

Mosaic pour Macintosh - Web
http://www.ncsa.uiuc.edu/SDG/Software/MacMosaic/MacMosaicHome.html

Mosaic pour Windows - Web
http://www.ncsa.uiuc.edu/SDG/Software/WinMosaic/HomePage.html

Netscape en français - Web
http://home.fr.netscape.com/fr

Netscape en anglais - Web
http://home.netscape.com

Pointcast
http://www.pointcast.ca

Partagiciel - Recherche chez Shareware.com
http://www.shareware.com

Sélection de partagiciels
http://www.pratique.fr/net/softs

TUCOWS - Répertoire de partagiciels
http://tucows.cadvision.com

UUCODE pour Windows
ftp://gatekeeper.dec.com/pub/micro/pc/winsite/win3/util/uucode20.zip

UUCODE pour Windows
ftp://mirrors.aol.com/pub/cica/pc/win3/util/uucode20.zip

UUCODE pour Windows
ftp://sunsite.cnlab-switch.ch/mirror/winsite/win3/util/uucode20.zip

MÉDECINE

Carrefour prévention
http://www.prevention.ch

Centre d'information de la santé de l'enfant
http://brise.ere.umontreal.ca/~lecomptl

GlobalMedic
http://www.globalmedic.com

Médecin de l'Internet
http://www.espaceweb.qc.ca/netdoctor

Réseau canadien de la santé
http://www.hwc.ca/links/french.html

MUSÉES

Musée du Louvre
http://www.louvre.fr

Musée des beaux-arts de Montréal
http://www.cmcc.muse.digital.ca

Web Picasso
http://www.club-internet.fr/picasso

MULTIMÉDIA

1000 sites Midi!
http://www.liveupdate.com/1000sites.html

Archives Midi
http://www.cs.ruu.nl/pub/MIDI

AudioNet
http://www.audionet.com

Audioactive d'Audioactive Inc. - Logiciel Audio
http://www.audioactive.com

Bandes annonces de films en Quicktime
http://film.softcenter.se/flics

Crescendo - Logiciel Midi
http://www.liveupdate.com

Gallerie QuickTime
http://quicktime.apple.com/sam

Gallerie QuickTime VR
http://qtvr.quicktime.apple.com/sam/sam.html

Harmony Central
http://www.harmony-central.com/MIDI

ICAST - Produits Mbone
http://www.icast.com

Libération - Multimédia
http://www.liberation.com/multi

Karaoke Bar
http://web.access.net.au/~hdumas

Mbone - Centre d'informations
http://www.mbone.com

Mbone - FAQ du Mbone
http://www.mbone.com/techinfo/mbone.faq.html

Mbone - Grille d'horaires des événements
http://www.cilea.it/MBone/agenda.html

MidiWeb - La communauté Midi
http://www.midiweb.com

Midi World
http://midiworld.com

Mpeg - FAQ
http://www.powerweb.de/mpeg/mpegf.html

Mpeg - Liste de sites
http://www.intervu.net/partners/menu.html

Mpeg - Liste monstre de sites
http://www.islandnet.com/~carleton/monster/monster.html

Multimedium
http://www.imaginor.qc.ca/multimedium

QuickCam de Connectix
http://www.connectix.com

Quicktime
http://quicktime.apple.com

QuickTime VR
http://qtvr.quicktime.apple.com

RealPlayer (RealVideo & RealAudio)
http://www.real.com

RealPlayer - Encodeurs
http://www.real.com/hpproducts/encoder

RealPlayer - FAQ

http://www.real.com/help/FAQ

RealPlayer - Grille des horaires TimeCast
http://www.timecast.com

RealPlayer - Serveurs
http://www.real.com/hpproducts/server.html

Répertoire MIDI de LiveUpdate
http://www.liveupdate.com/exper.html

Rubrique *Yahoo!* de Mbone
http://www.yahoo.com/Computers_and_Internet/Co
mmunications_and_Networking/MBONE

Rubrique *Yahoo!* des programmes diffusés
http://www.yahoo.com/Computers_and_Internet/Int
ernet/Entertainment/Internet_Broadcasting

Rubrique *Yahoo!* des ressources Midi
http://www.yahoo.com/Entertainment/Music/Compu
ter_Generated/MIDI

Shockade - Arcade de jeux ShockWave
http://www.expanse.com/shockade

Shocker! Une autre galerie Shockwave
http://www.shocker.com/shocker

Shockwave
http://www.macromedia.com/shockwave

ShockZone - La galerie de ShockWave
http://www.macromedia.com/shockzone

Streamworks de XingTech - Logiciel Audio/Vidéo
http://www.xingtech.com

TrueSpeech de DSP Group Inc. - Logiciel Audio
http://www.truespeech.com

VDOLive
http://www.vdonet.com

VDOLive - Grille d'horaires
http://www.vdo.net/products/vdolive/gallery

Visites Mpeg dans un trou noir par la NASA
http://antwrp.gsfc.nasa.gov/htmltest/rjn_bht.htm

VRML (Virtual Reality Modeling Language)
http://www.vrml.com

MUSIQUE

Chat Soup
http://www.chatsoup.com

Cyber-Star
http://www.cyber-star.com

Cyberblack
http://www.cyberblack.com

Lilith Fair
http://www.lilithfair.com

Live Concerts - Concerts en direct
http://www.liveconcerts.com/

Guide de la musique en ligne
http://www.jigal.com

Magasine Rolling Stone
http://www.rollingstone.com/

Mr. Showbiz
http://www.mrshowbiz.com/chat

MuchMusic
http://www.muchmusic.com

MusiquePlus
http://www.musiqueplus.com

New Musical Express
http://www.nme.com/

Q connect
http://www.erack.com/qweb/

SONY
http://www.sony.com

NATURE

La nature selon Bewindo
http://www.infobahnos.com/~bewindo

NOUVELLES USENET

Annonce de nouvelles rubriques Usenet
news:news.announce.newusers

Coin pour les novices francophones
news:fr.annouce.newusers

Création d'un groupe alt.
http://www.cis.ohio-state.edu/~barr/alt-creation-guide.html

Discussions sur la création de nouveaux groupes
news:news.announce.newgroups

Engin de recherche Altavista
http://altavista.digital.com

Engin de recherche Excite
http://www.excite.com

Engin de recherche Hotbot
http://www.hotbot.com

Engin de recherche Infoseek
http://guide.infoseek.com

Erols - Statistiques quotidiennes Usenet
http://thereisnocabal.news.erols.com/feedinfo

FAQ Archives de l'université de l'Ohio
http://www.cis.ohio-state.edu/hypertext/faq/usenet

FAQ publiés dans Usenet
news:news.answers

Groupes Usenet fr.*
http://www.fr.net/news-fr

Guidelines for Usenet group creation
http://www.indiana.edu/ip/ip_support/usenet_guidelines.html

How to receive banned Newsgroups
http://www.braxi.com/zatar/banned.html

Index Usenet Deja News
http://www.dejanews.com

Index Usenet du MIT
http://usenet-addresses.mit.edu

Nouveaux groupes francophones
news:fr.announce.newgroups

Public Usenet sites
http://www.geocities.com/SiliconValley/Pines/3959/usenet.html

Questions des novices, réponses des experts
news:news.newusers.questions

RFC (Request for comments) #977 – NNTP
ftp://nic.merit.edu/documents/rfc/rfc0977.txt

Rubrique Usenet du site *Yahoo !*
http://www.yahoo.com/News/Usenet

Search for Usenet Groups
http://sunsite.unc.edu/usenet-i/search.html

ORGANISMES D'AIDE

Alcooliques anonymes
http://www.alcoholics-anonymous.org

Amnistie internationale
http://www.amnistie.qc.ca

PLUGICIELS (PLUG-INS)

Guide PageFrance
http://www.pagefrance.com/leguide

Macintosh Plugins
http://home.pacific.net.sg/~hattrick

Plugins's Gallery
http://www2.gol.com/users/oyamada

Plugin Plaza
http://browserwatch.internet.com/plug-in.html

Répertoire des plugiciels de Netscape
http://home.fr.netscape.com/fr/comprod/products/navigator/version_2.0/plugins/index.html

Répertoire «Plugin» de *Yahoo!*
http://www.yahoo.com/Computers_and_Internet/Software/Internet/World_Wide_Web/Browsers/Plug_Ins

A
N
N
E
X
E

B

PROVINCES DU CANADA

Colombie-Britannique
http://www.gov.bc.ca

Alberta
http://www.gov.ab.ca

Saskatchewan
http://www.gov.sk.ca

Manitoba
http://www.gov.mb.ca

Ontario
http://www.gov.on.ca

Nouveau-Brunswick
http://www.gov.nb.ca

Nouvelle-Écosse
http://www.gov.ns.ca

Île-du-Prince-Édouard
http://www.gov.pe.ca

Terre-Neuve
http://www.gov.nf.ca

Territoire du Yukon
http://www.gov.yk.ca

Territoires du Nord-Ouest
http://www.gov.nt.ca

RADIO

CHOI 98.1
http://www.choifm.com

CIEL 98.5
http://ciel.ca

CIGB 102.3
http://www.itr.qc.ca/Cigb

CJDM 92.1
http://drummond.com/cjdm/index.htm

CKRL 89.1
http://www.megatoon.com/~jeanh/ckrlnet.htm

CKYQ 95.7
http://www.ivic.qc.ca/abriweb/ckyq

Radio-Énergie
http://www.radioenergie.com

Radio Rock Détente
http://www.rock-detente.com/magazine.shtml

RÉPERTOIRES DE SITES

AudioNet - Grille des horaires RealPlayer
http://www.audionet.com

Carrefour francophone
http://www.carrefour.net

Centre international pour le développement de
l'inforoute en français
http://www.cidif.org/Naviguer

Cyber-Events - Guide d'événements multimédias
http://www.cyber-events.com

Eureka
http://www.eureka-fr.com

Francité
http://www.francite.com

FrancoMedia
http://www.francomedia.qc.ca

Guide des événements multimédias de *Yahoo!*
http://events.yahoo.com

Liste de l'internaute
http://www.logique.com/internaute98/liste.html

Lokace - Répertoire français
http://lokace.iplus.fr

Netguide - Guide d'événements multimédias
http://www.netguide.com

Nomade - Répertoire français
http://www.nomade.fr

Piste francophone (La)
http://www.toile.qc.ca/francophonie

Répertoire des sites belges
http://www2.ccim.be

Répertoire des sites canadiens
http://www.csr.ists.ca/w3can

Répertoire des sites européens
http://www.yweb.com/home-fr.html

Répertoire des sites de Monaco
http://www.monaco.mc

Répertoire des sites français
http://www.urec.fr/France/web.html

Répertoire des sites luxembourgeois
http://www.restena.lu/luxembourg/lux_welcome.html

Répertoire mondial des serveurs Web
http://www.w3.org/pub/DataSources/WWW/Servers.html

Service téléphonique 411 (Canada)
http://canada411.sympatico.ca/francais/personne.html

TimeCast - Grille des horaires RealPlayer
http://www.timecast.com

Toile du Québec (La)
http://www.toile.qc.ca

Webtimes - Guide d'événements multimédias
http://www.webtimes.com

Yahoo! - Amérique
http://www.yahoo.com

Yahoo! - Canada
http://www.yahoo.ca

Yahoo! - France
http://www.yahoo.fr

RELIGION

Vatican
http://www.vatican.va

SESSIONS DE BAVARDAGE IRC (CHAT)

#parisien sur EFNet
http://www.geocities.com/Paris/8797

#quebecois sur Dalnet
http://www.npsmicro.com/quebecois

Bots
http://www.geocities.com/SiliconValley/Park/6453/bots.html

BotSpot - Répertoire de robots internet
http://www.botspot.com

Chatalyst
http://www.chatalyst.com:8080

Chat Soup
http://www.chatsoup.com

ChatWeb
http://chatweb.com

Cyber-Star
http://www.cyber-star.com

Cyberblack
http://www.cyberblack.com

Dalnet - Liste des serveurs IRC
http://www.dal.net/servers

Dalnet - Site officiel
http://www.dal.net

EFNet - Liste de serveurs
http://www.efnet.net/serverlist.html

EFNct - Site officiel
http://www.efnet.net

Ensor IRC's extravagenza
http://www.rahul.net/dholmes/irc

Forums Dalnet dans *Yahoo!*
http://www.yahoo.com/Computers_and_Internet/Internet/Chat/IRC/Networks/DALnet/Channels

Forums EFNet dans *Yahoo!*
http://www.yahoo.com/Computers_and_Internet/Internet/Chat/IRC/Networks/EFnet/Channels

Forums Undernet dans *Yahoo!*
http://www.yahoo.com/Computers_and_Internet/Internet/Chat/IRC/Networks/Undernet/Channels

GlobalChat - Logiciel IRC
http://www.qdeck.com/qdeck/products/globalchat

HOMER pour le Macintosh - Logiciel IRC
ftp://ftp.undernet.org/irc/clients/macintosh/homer

IRC Help !
http://www.irchelp.org

IRC3 - Projet
http://www.the-project.org

Mirc Bots
http://www.xcalibre.com

MIRC pour Windows et Windows95 - Logiciel IRC
http://mirc.stealth.net

Mr. Showbiz
http://www.mrshowbiz.com/chat

Opbot, le petit robot français
http://www.f-wavers.com/OPBOT

Quebec.Net - WebChat et JavaChat
http://www.quebec.net

RFC 1459 - Description officielle du IRC
ftp://cs-ftp.bu.edu/irc/support/rfc1459.txt

Rubrique des «Bots» de *Yahoo!*
http://www.yahoo.com/Computers_and_Internet/Int ernet/Chat/IRC/Bots

Rubrique d'événements Webchat quotidiens
http://events.yahoo.com/Computers_and_Internet

Rubrique de sites Webchat dans *Yahoo!*
http://www.yahoo.com/Computers_and_Internet/Int ernet/World_Wide_Web/Chat

Rubrique IRC dans le *Yahoo!* francophone
http://www.yahoo.fr/Informatique_et_multimedia/I nternet/Conversation_sur_Internet

Rubrique IRC dans *Yahoo!*
http://www.yahoo.com/Computers_and_Internet/Int ernet/Chatting/IRC

Site FTP de logiciels IRC pour Windows
ftp://ftp.undernet.org/irc/clients/windows

Site FTP de logiciels IRC pour Macintosh
ftp://ftp.undernet.org/irc/clients/macintosh

Statistiques IRC
http://www.comco.com/dougmc/irc-stats

Undernet - Les forums
http://cservice.undernet.org

Undernet - Liste des serveurs
http://servers.undernet.org

Undernet - Site officiel
http://www.undernet.org

Usenet - IRC
news://alt.irc

Usenet - Questions à propos d'IRC
news://alt.irc.questions

Webchat Broadcasting System
http://www.irsociety.com

World Wide Webchat - Répertoire de 650 sites
http://www.all-links.com/webchat

SPIRITUEUX

BièreMag
http://www.BiereMAG.ca

Macvine
http://macvine.infinit.net

Société des alcools du Québec
http://www.saq.com

World Wine Web
http://www.winevin.com/vin.html

SPORTS ET LOISIRS

F1 online
http://www.f1-online.com

Expos de Montréal
http://www.montrealexpos.com

Football européen
http://www.france2.fr/footeuro/footeuro.htm

Pour les fous du volant... de badminton
http://www.cam.org/~slovenie/badminton.html

VeloNet
http://cycling.org

Le Canadien de Montréal
ttp://www.habs.com/francais

La Ligue nationale de football
www.nfl.com

Autoweb - Formule 1 (Williams-Renault)
http://icnsportsweb.com

Gale Force - Formule 1
http://www.monaco.mc/f1

STATISTIQUES INTERNET

Internet Society
http://www.isoc.org

Liste de sondages Internet
http://www.nua.ie/surveys

Matrix Information and Directory Services
http://www.mids.org

Network Wizards
http://www.nw.com

Réseaux IP Européens
http://www.ripe.net

Tendances Internet
http://www.genmagic.com/Internet/Trends

SUISSE

Guide de Lausanne
http://www.fastnet.ch/LSNE/lsne.html

Répertoire des sites officiels du secteur public
http://www.gov.ch/HomeF.HTM

TÉLÉCOPIE INTERNET

FAQ du télécopieur Internet
http://www.northcoast.com/savetz/fax-faq.html

Faxaway (commercial)
http://www.paris2.com/fax

Faxfree (commercial)
http://www.faxfree.simplenet.com/index_f.htm

Rubrique sur les passerelles de télécopie Internet
dans *Yahoo!*
*http://www.yahoo.com/Computers_and_Internet/Int
ernet/Internet_Fax_Server*

The Phone Company (gratuit)
http://www.tpc.int

UUNET (commercial)
http://www.uunet.com

TÉLÉPHONIE ET VIDÉOCONFÉRENCE INTERNET

Coalition de la téléphonie Internet
http://itel.mit.edu

Cooltalk pour Netscape 3.0
http://live.netscape.com

CU-SeeMe - Version commerciale
http://www.cuseeme.com

CU-SeeMe - Version publique
http://cu-seeme.cornell.edu

Digiphone de Planeteers
http://www.digiphone.com

FreeTel de Freetel Communications Inc.
http://www.freetel.com

Guide du débutant en téléphonie Internet
http://www.virtual-voice.com

Intel Internet videophone d'Intel Corp.
http://www.intel.com/iaweb/cpc/iivphone

Internet Phone 5.0 de VocalTec
http://www.vocaltec.com

Irisphone de Irisphone
http://www.irisphone.com

Outlook Express de Microsoft
http://www.microsoft.com/ie/ie40/oe

Réseau virtuel Vocaltec - Ordinateur à téléphone
*http://www.gold.vocaltec.com/iphone5/services/tele-
phony.htm*

RFC #1890 - Description officielle du RTP
ftp://ds.internic.net/rfc/rfc1890.txt

RTP (Real Time Protocole)
http://www.cs.columbia.edu/~hgs/rtp

Rubrique des systèmes de téléphonie Internet dans
Yahoo!
*http://www.yahoo.com/Computers_and_Internet/Int
ernet/Internet_Phone*

Standards codec du MIT
http://rpcp.mit.edu/~itel/standards.html

Standard H.323
http://www.imtc.org/i/standard/itu/i_h323.htm

A
N
N
E
X
E

B

VDOPhone de VDO Net
http://www.vdo.net/vdostore/info/vdophone

VON (Voice on the Net)
http://www.von.com

Voxware de Voxware Inc.
http://www.voxware.com

WebPhone de Netspeak Corp.
http://www.netspeak.com

WebTalk de Quaterdeck Inc.
http://webtalk.qdeck.com

TELNET

Ariane : Bibliothèque de l'Université Laval
telnet://ariane.ulaval.ca

Hummingbird - Produits TN3270
http://www.hummingbird.com

Hytelnet - 1 500 catalogues de bibliothèques
http://www.lights.com/hytelnet

NCSA Telnet pour le Macintosh
http://www.ncsa.uiuc.edu/SDG/Software/MacTelnet

Scott, Peter - Créateur de la ressource Hytelnet
mailto:scottp@moondog.usask.ca

Serveur météorologique de l'université d'Alabama à Huntsville (É.-U.)
telnet://wind.atmos.uah.edu:3000

Web telnet - Consortium W3
telnet.w3.org

Web telnet - Université du Kansas
lynx.cc.ukans.edu

WinQVT pour Windows
http://www.frontiernet.net/~qpcsoft

TÉLÉVISION

Branché
http://www.radio-canada.com/tv/branche

Cable News Network (CNN)
http://www.cnn.com

Clic Vidéotron
http://clicvideotron.infinit.net

Cybermusée de l'émission Cosmos: 1999
http://space1999.net

Découverte
http://www.radio-canada.com/decouverte

Jean-Marc Parent
http://jmp.infinit.net

MusiquePlus
http://www.musiqueplus.com

Radio-Canada
http://www.src-mtl.com

Réseau Microsoft-NBC
http://www.msnbc.com

Réseau des sports (RDS)
http://www.rds.ca

Téléfilm Canada
http://www.telefilm.gc.ca

TV5
http://www.tv5.ca

Les Simpsons
http://www.odyssee.net/~fardoche/Homer.html

TOURISME

@Parisnet
http://www.parisnet.com

Bretagne, légendes et avenir
http://www.bretagne.com

CAA Québec
http://www.caa-quebec.qc.ca

Connect-Québec
http://www.connect-quebec.com

Genève-Suisse
http://infodesign.net/Genevscope

Guide du routard
http://www.club-internet.fr/routard

Guide touristique du Québec: Le trotteur
http://trotteur.infinit.net

Mediasys
http://www.mediasys.fr

Paris
http://www.paris.org

Internet Travel Network
http://www.itn.net/cgi/get?itn

Tourisme en France
http://tourisme.fr

Tourisme Québec
http://www.tourisme.gouv.qc.ca

Tout sur les châteaux
http://www.chateaux-france.com/RechGeo-fr.html

TRANSFERT DE FICHIERS

Archie - Liste des serveurs
http://www.nexor.com/archie.html

FETCH - Logiciel FTP pour Macintosh
http://www. dartmouth.edu/pages/softdev/fetch.html

Francociel - Répertoire FTP francophone
http://www.cam.org/~mad/

FTPsearch
http://ftpsearch.ntnu.no/ftpsearch

MacGzip - Archives gzip sur le Macintosh
http://persephone.cps.unizar.es/general/gente/spd/gzip/gzip.html

Pkware - Créateurs des archives zip
http://www.pkware.com

Rubrique Archie dans *Yahoo!*
http://www.yahoo.com/Computers_and_Internet/Internet/FTP_Sites/Searching/Archie

Rubrique Partagiciels de *Yahoo!*
http://www.yahoo.fr/Informatique_et_multimedia/Logiciels/Shareware

Rubrique Sites FTP de *Yahoo!*
http://www.yahoo.com/Computers_and_Internet/Internet/FTP_Sites

Shareware.com
http://www.shareware.com

Snoopie
http://www.snoopie.com

Tile.Net
http://tile.net/ftp

Tucows - Répertoire de logiciels Windows
http://www.tucow.com

Site FTP anonyme de Grolier Interactif Europe
ftp://ftp.grolier.fr

StuffIt - Archives .hqx et .sit pour Mac/Windows
http://www.aladdinsys.com

WinZip - Archives zip et gzip dans Windows
http://www.winzip.com

WS-FTP - Logiciel FTP pour Windows
http://www.ipswitch.com/Products/WS_FTP

ZipIt - Archives zip sur le Macintosh
http://www.awa.com/softlock/zipit

VIRTUALITÉ

ActiveWorldWeb
http://patriot.net/~keeper/aw

Active Worlds - Bavardage en 3D
http://www.activeworlds.com

ActiveWorlds - Borg
http://Sawran.SimpleNet.com/BORG

Active Worlds - FAQ
http://www.worlds.net/support/awb-faq.html

Active Worlds - New World Times - journal
http://www.synergycorp.com/alphaworld/nwt

Active Worlds - Homesteader's Guide to building
http://www.activeworlds.com/homestead.html

Cosmo de Sillicon Graphics - Logiciel VRML
http://vrml.sgi.com

Cybertown Palace
http://www.cybertown.com/palace.html

Exposition d'objets VRML
http://www.ocnus.com/models

Fanzine Palacien Z'avatars
http://franceweb.fr/Zavatars

Fourneau VRML
http://www.mcp.com/general/foundry

La lune et la terre en VRML
http://www.pacificnet.net/~mediastorm

Librairie de molécules de l'univ. de New York
http://www.nyu.edu/pages/mathmol/library

Live3D de Netscape - Logiciel VRML
http://home.netscape.com/comprod/products/navigator/live3d

Magazine électronique VRMLSite
http://www.vrmlsite.com

Mars et Pathfinder
http://mars.sgi.com

Meridian59 : un jeu interactif de 3DO
http://meridian.3do.com/meridian

Page des Palacaholics
http://www.lag.com/palacaholic

Palace Links
http://www.pla-net.net/~jkeepes/palace1.htm

Palace - FranceWeb
http://www.franceweb.fr/LePalace

Palace - Informations en français
http://www.asi.fr/~com-lyon/sylvain

Palace - Sessions de bavardage en deux dimensions
http://www.thepalace.com

Planet 9 - Plus de 100 villes en VRML
http://www.planet9.com

Realm : un jeu interactif de Sierra
http://www.realmserver.com

Répertoire VRML de Sillicon Graphics
http://vrml.sgi.com/worlds

Répertoire VRML officiel
http://www.sdsc.edu/vrml

Rubrique Active Worlds de *Yahoo!*
http://www.yahoo.com/Business_and_Economy/Companies/Computers/Software/Communications_and_Networking/Circle_of_Fires_Studios/Active_Worlds

Rubrique des mondes virtuels de *Yahoo!*
http://www.yahoo.com/Recreation/Games/Internet_Games/Virtual_Worlds/3D_Worlds

Rubrique des mondes VRML de *Yahoo!*
http://www.yahoo.com/Computers_and_Internet/Internet/World_Wide_Web/Virtual_Reality_Modeling_Language__VRML_/Worlds

Rubrique des ressources VRML de *Yahoo!*
*http://www.yahoo.com/Computers_and_Internet/Internet/World_Wide_Web/Virtual_Reality_Modeling_Language__VRML_*

Rubrique Palace de *Yahoo!*
http://www.yahoo.com/Recreation/Games/Internet_Games/Virtual_Worlds/3D_Worlds/Palace__The

VRML 1.0 et 2.0 en français
http://apia.u-strasbg.fr/vrml

Worldsaway : bavardage en mode graphique
http://www.worldsaway.com

WorldsChat : bavardage en 3D
http://www.worlds.net/wc

WEB

Acrobat d'Adobe
http://www.adobe.com/acrobat

CERN (Conseil européen de recherche nucléaire)
http://www.cern.ch

Consortium W3
http://www.w3.org

Explorateur de Microsoft
http://www.microsoft.com/ie

Hit-Parade francophone des meilleurs sites
http://www.hit-parade.com

HTML (HyperText Markup Langage)
http://www.w3.org/MarkUp

HTTP (HyperText Transfer Protocol)
http://www.w3.org/Protocols

Java
http://java.sun.com

Librairie virtuelle de l'auteur HTML
http://www.stars.com

Liste de l'internaute - De bons sites
http://www.logique.com/internaute98/liste.html

Liste des 1000 sites les plus consultés
http://www.digits.com/top/usage_1000.html

Liste des Top100 meilleurs sites à chaque heure
http://www.web100.com

Liste des nouveautés sur le *Yahoo!* francophone
http://www.yahoo.fr/nouveautes

Liste des nouveautés sur le *Yahoo!* anglophone
http://www.yahoo.com/weblaunch.html

Liste hebdomadaire des 100 meilleurs sites
http://www.100hot.com

Manuel illustré de programmation HTML
http://www.grr.ulaval.ca/grrwww/manuel/manuel-html.html

Meilleurs nouveaux sites Web annoncés dans Usenet
http://www.boutell.com/announce

Meilleurs sites - Rubrique *Yahoo!* anglophone
http://www.yahoo.com/Computers_and_Internet/Internet/World_Wide_Web/Best_of_the_Web

Meilleurs sites - Rubrique *Yahoo!* francophone
http://www.yahoo.fr/Informatique_et_multimedia/Internet/World_Wide_Web/Le_meilleur_du_Web/

Nouveaux sites Web dans Usenet (Annonce de)
news:comp.infosystems.www.announce

Netscape Communicator en français
http://home.fr.netscape.com/fr

Netscape - Conseils sur la programmation HTML
http://home.fr.netscape.com/fr/home/how-to-create-web-services.html

Page du développeur (La)
http://www.visic.com/webexpert/developpeur

QuickTime
http://quicktime.apple.com

RealVideo & RealAudio
http://www.real.com

Shockwave
http://www.macromedia.com/shockwave

VRML (Virtual Reality Modeling Langage)
http://www.vrml.org

Webexpert - Éditeur HTML francophone
http://www.visic.com

URL - Guide d'apprentissage des adresses
http://www.ncsa.uiuc.edu/demoweb/url-primer.html

URL - Norme officielle
http://www.w3.org/Addressing/Addressing.html

Glossaire

Administrateur de réseau

Cette personne est un demi-dieu pour un utilisateur novice dans Internet. C'est elle qui connaît votre environnement réseau ainsi que tous les logiciels fonctionnant sur ce dernier. Pour les particuliers transigeant par un fournisseur Internet, il s'agit alors du service à la clientèle de cette compagnie. Le premier devoir de l'internaute est de connaître le nom de cet administrateur.

Adresse Internet

Il s'agit du nom sous lequel est connu un utilisateur ou une machine dans Internet. L'adresse est de format alphanumérique séparée par des points pour déterminer le domaine de l'entité. Le format d'adresse d'une personne ressemble à *peter.monoghan@adm.utexas.edu*, tandis qu'une machine est adressée sous la forme *ibm.adm.utexas.edu*.

Adresse IP (numéro IP)

C'est l'adressage numérique sous lequel un ordinateur est connu dans Internet. Cette adresse de 32 bits est représentée par quatre champs intercalés de points, comme ceci: *132.203.250.87*. Généralement, les trois premiers champs indiquent le numéro d'un réseau utilisé pour se rendre jusqu'à l'ordinateur qui, lui, porte le numéro du dernier champ. L'adresse *132.203.250.87* peut se lire ainsi: l'ordinateur *87* situé sur le 250e réseau du réseau *203* qui, lui, se trouve sur le réseau global *132*. Ce type d'adressage est la base du protocole de communication TCP/IP.

ARCHIE
Ressource d'Internet indexant le contenu des serveurs FTP anonymes. C'est un service pouvant être consulté par courrier électronique, Telnet, Gopher ou par le Web.

ARPAnet
ARPAnet est l'acronyme de *Advanced Research Projects Agency NETwork*. Il s'agit du premier réseau d'Internet. Il a vu le jour en 1969.

Avatar
Représentation graphique d'un utilisateur à l'intérieur d'un monde virtuel.

Binette (souriant, smiley)
Petite figure utilisée pour signifier une certaine humeur dans un texte. Si vous regardez le signe :-) la tête penchée à gauche, vous verrez une figure souriante...

bps
Ce sigle représente le terme *bits par seconde*. Il est utilisé pour exprimer une vitesse de transmission de données peu élevée.

Câblo-modem
Pièce d'équipement permettant à un ordinateur d'échanger des informations par le biais d'un réseau de câblodistribution.

CANARIE
CANARIE est l'acronyme de *CAnadian Network for the Advancement of Research, Industry and Education*. Il s'agit d'un projet d'autoroute électronique canadien pour améliorer les accès et les ressources d'Internet.

CA*NET
CA*NET est l'acronyme de *CAnadian NETwork*. Il s'agit de la constituante canadienne d'Internet. CA*NET regroupe l'ensemble des réseaux provinciaux comme RISQ pour le Québec.

CÉ ou Courrier électronique
Envoi de messages sous format électronique d'une personne à un ou des destinataires dans un réseau informatique.

CERN

CERN est le sigle du Centre européen pour la recherche nucléaire. Cet organisme est responsable de la naissance du Web.

Cookie

Un *cookie* est un fichier créé dans votre ordinateur par votre navigateur à la demande d'un serveur Web. On y trouve diverses informations à propos de vos préférences et de vos visites sur un site précis. Certains administrateurs de serveurs vont utiliser cette technique pour connaître vos goûts dans le but d'afficher automatiquement les bonnes publicités la prochaine fois que vous les visiterez. Pour plus de renseignements, consultez le site **CookieCentral**.

CSO

CSO est le sigle de *Computing Services Offices* de l'université de l'Illinois. Il s'agit d'un annuaire de personnes, consultable notamment par Gopher.

CU-SeeMe

Il s'agit du système de vidéoconférences Internet de l'université Cornell.

DALnet

Réseau de serveurs IRC (*Internet Relay Chat*). Ce réseau est le plus discipliné des trois grands réseaux IRC. Les deux autres se nomment Efnet et Undernet.

DNS (Serveur de noms de domaines)

Le DNS est une base de données distribuée dans Internet pour traduire les adresses Internet comme *opal.ulaval.ca* à une adresse IP du format *132.203.250.87* et vice-versa. Le DNS est consulté par toutes les applications fonctionnant dans Internet afin de connaître les traductions d'adresses.

Domaine

Le domaine est l'ensemble des utilisateurs d'un site Internet. Le nom de domaine est présent dans toutes les adresses Internet des entités du site. Si le domaine pour l'université du Texas est *utexas.edu*, toutes les adresses des utilisateurs et des ordinateurs auront ce suffixe. Si le domaine est un suffixe pour l'adresse Internet d'un site, le domaine est représenté par un préfixe commun pour toutes les adresses IP de ce site. Donc, si l'université du Texas est désignée comme le 45e segment du réseau global 160, toutes les adresses IP des machines de l'université du Texas commenceront par *160.45.xxx.xxx*.

EFnet

Réseau de serveurs IRC (*Internet Relay Chat*). Historiquement le premier de ces réseaux, il est également le plus gros et le plus anarchique. DALnet et Undernet sont les deux autres réseaux en importance.

Ethernet

Il s'agit d'une topologie de réseau. Il ne faut pas le confondre avec le réseau Internet. La topologie en question se résume à un canal principal de données sur lequel sont reliés des ordinateurs.

Extranet

Il s'agit d'un concept qui ressemble beaucoup à l'intranet. La seule différence est que le réseau est accessible aux clients et aux fournisseurs de l'organisation en question. Le but est de partager des informations stratégiques et de pouvoir faciliter les activités administratives des différents participants. Encore une fois, seuls les membres autorisés ont le droit d'exploiter les ressources d'un extranet.

FAQ (Foire aux questions)

FAQ est le sigle de *Frequently Asked Questions*. Il s'agit d'une liste de questions revenant assez souvent suivies des réponses. Des FAQ existent pour une multitude de sujets dans Internet, à la fois sur les ressources et le contenu de ces ressources. Une FAQ est une excellente entrée en matière lorsqu'on se joint à un nouveau groupe de discussion.

Flamme (coup de feu)

Message électronique à caractère agressif.

Fil d'intérêt

Série de messages en réponse à un article publié dans un groupe de nouvelles Usenet.

FTP

FTP est le sigle de *File Transfer Protocol*. Il s'agit d'un protocole utilisé lors de transferts de fichiers entre deux ordinateurs sur les réseaux TCP/IP. Pour effectuer un FTP, l'utilisateur doit posséder un logiciel client FTP. Ce client interagit avec le serveur pour s'assurer que les données soient bien échangées.

Gopher

Ressource permettant à l'utilisateur de naviguer dans Internet à l'aide de menus arborescents. L'utilisateur a besoin d'un logiciel client pour pouvoir consulter les ressources d'un serveur Gopher. Ce projet a été réalisé à l'université du Minnesota et a vu le jour en 1991. Plusieurs milliers de serveurs Gopher peuplent Internet aujourd'hui. Gopher donne accès à des fichiers textes, images, sons, connexions Telnet, serveurs FTP, etc. Ce type de logiciel client a été écrit pour presque toutes les plates-formes.

GSM

Il s'agit du sigle pour *Global System for Mobile telecommunications.*

HTML

HTML est le sigle de *HyperText Markup Language.* Il s'agit du format sous lequel les documents Web sont rédigés et échangés dans Internet.

HTTP

HTTP est le sigle de *HyperText Transfer Protocol.* Il s'agit de la façon dont se parlent un client et un serveur Web dans Internet.

Internaute

Utilisateur de l'Internet.

Internet

Le plus grand réseau informatique de la planète. Il s'agit d'un réseau regroupant une multitude de réseaux régionaux, gouvernementaux et commerciaux. Tous ces réseaux se parlent en se servant du protocole de communications TCP/IP. Plusieurs ressources sont offertes sur ce réseau tels le courrier électronique, Telnet, FTP, Gopher, les nouvelles Usenet, WWW, etc.

Internet II

Internet II est un nouveau réseau qui a pour but d'offrir une connexion ultra-rapide entre les réseaux des organisations qui le constituent. Le projet canadien porte le nom de **CA*NET II**. On parle d'une vitesse de 622 mégabits par seconde pour les tronçons interréseaux et d'une rendement minimal garanti de 10 mégabits par seconde pour chaque ordinateur participant. Avec cette rapidité de transmission, on pourra finalement assister à la véritable explosion du multimédia, avec des visioconférences et de la télédiffusion impeccable à partir du réseau.

Dans les premiers temps, Internet II sera au service des centres de recherche et des universités nord-américaines et européennes, mais on croit que les internautes des grands cafés et des grandes entreprises pourront l'utiliser d'ici l'an 2000.

Intranet

L'intranet, ou intraréseautage, est un concept dans lequel on utilise tous les outils d'Internet, comme le Web et le courrier électronique, à l'usage exclusif d'une organisation. Les internautes comme vous et moi ne peuvent aller naviguer dans l'intranet d'une organisation, parce qu'il est verrouillé de l'intérieur. On utilise les habiletés naturelles des individus dans Internet pour les fonctions bureautiques. Un bon exemple serait l'accès à une base de données corporative par le biais d'une page Web.

IRC

Voir Service de bavardage Internet

Java

Java est un produit de la compagnie Sun Microsystems. Il permet d'ajouter des éléments d'animation à une page Web.

kbps

Ce sigle représente le terme *kilo-bits par seconde*. Il est utilisé pour exprimer une vitesse de transmission de données modérée.

Lag

Terme utilisé dans des sessions de bavardage Internet (IRC ou mondes virtuels) lorsqu'une perte de synchronisation se produit entre les serveurs du réseau. Les utilisateurs subissent alors un ralentissement de transmission.

Libertel

Un libertel (*Freenet* en anglais) est une coopérative d'internautes qui réussissent, avec l'appui de compagnies, à offrir un accès Internet pratiquement gratuit à la communauté.

Liste de distribution

Adresse Internet pointant vers une liste d'adresses Internet. Outil idéal pour acheminer du courrier électronique à des gens partageant le même intérêt. Ces services peuvent être automatisés.

Listserv
Service automatisé gérant des listes de distribution par courrier électronique.

Maître de poste (Postmaster)
Il s'agit de la personne administrant un serveur de courrier. Elle gère les messages problématiques et répond aux demandes des utilisateurs.

Majordomo
Serveur intelligent de listes de distribution par courrier électronique.

Mbps
Ce sigle représente le terme *Mega-bits par seconde*. Il est utilisé pour exprimer une vitesse de transmission de données élevée.

MIDI
Acronyme pour *Musical Interface for Digital Instrument*.

MIME (Multi-Purpose Internet Mail Extensions)
Protocole redéfinissant le type de documents échangés entre client et serveurs dans Internet. Il est utilisé dans l'univers du courrier électronique et sur le Web pour associer une application à un type de documents quelconque.

Modem
Pièce d'équipement permettant à un ordinateur d'échanger des informations par ligne téléphonique.

Module externe incorporé
Voir Plugiciel.

MPEG
Le terme Mpeg veut dire *Moving Pictures Experts Group* et représente le groupe de personnes qui définissent et qui font avancer cette technologie. Un fichier Mpeg incorporé dans un document Web permet de visionner une piste vidéo accompagnée d'audio lorsque c'est disponible.

NCSA
NCSA est le sigle de *National Center for Supercomputer Applications*. Ils sont responsables d'un grand nombre de logiciels clients pour le Web comme Mosaic.

ANNEXE C

Nouvelles Usenet
Voir Usenet.

NNTP (Network News Transfer Protocol)
Protocole d'échange de messages Usenet entre deux ordinateurs.

NSFNET
NSFNET est le sigle de la *National Science Foundation NETwork*. Il s'agit du segment de réseau le plus important d'Internet aux États-Unis.

Paquet d'information
Un morceau d'information électronique circulant dans Internet. En plus des données, ce morceau est composé de l'adresse de la machine d'origine et de celle de la machine destinataire.

PDF
C'est le sigle de *Portable Document Format*. Cette technologie développée par la compagnie Adobe permet de garder la présentation initiale d'un document dans l'environnement Web.

Plugiciel (plug-in, module externe incorporé)
Logiciel que l'on incorpore à un navigateur Web pour pouvoir exploiter un certain type de documents.

POP
C'est l'acronyme de *Post Office Protocol*. C'est un protocole répandu pour des logiciels de courrier électronique.

Port IP
Un chiffre indiquant le canal logique utilisé par une transmission TCP/IP entre deux ordinateurs. Ce numéro est utilisé pour identifier le type d'application exploité. Gopher utilise le port 70, le Web utilise le 80, etc.

Pousser (technologie)
Ce concept décrit la récupération d'informations sur un ordinateur par un logiciel à partir d'un serveur à une fréquence fixée. L'utilisateur de l'ordinateur détermine le type d'information désiré et la fréquence des récupérations.

Racine de discussion

Branche majeure de la hiérarchie des groupes de nouvelles Usenet.

Robot

Logiciel spécialisé destiné à recueillir des informations sur les documents Web dans Internet afin de bâtir de puissants index de recherche. Il peut également s'agir d'un robot qui agit comme un utilisateur à l'intérieur d'un forum IRC pour garder le contrôle de ce dernier.

RISQ

RISQ est le sigle de Réseau interordinateurs scientifique québécois. C'est la composante québécoise du réseau CA*NET qui, lui, est la composante canadienne du réseau Internet. RISQ compte parmi ses membres les grandes universités québécoises, des compagnies privées et des groupes de recherche de toutes sortes. Le **RISQ** est géré par le Centre de recherche informatique de Montréal (CRIM).

RNIS

Réseau numérique à intégration de services.

RTP

Il s'agit du sigle représentant *Real Time Protocol*. C'est un protocole utilisé pour le téléphone Internet.

Service de bavardage Internet (IRC)

IRC est le sigle pour *Internet Relay Chat*. Dans IRC, on peut discuter avec des utilisateurs en temps réel en s'échangeant des mots écrits au clavier dans un endroit appelé canal IRC .

S-HTTP

C'est le sigle de *Secure-HyperText Transfer Protocol*.

SLIP/PPP

SLIP est le sigle de *Serial Line IP* tandis que PPP est le sigle de *Point to Point Protocol*. Tous deux sont des protocoles permettant à un utilisateur d'utiliser TCP/IP sur un lien téléphonique à l'aide d'un modem.

SMTP

Sigle pour *Simple Mail Transfer Protocol.*

Spam (spamming)

Envoi massif de courrier électronique dirigé vers un ou plusieurs utilisateurs.

TCP/IP

TCP/IP est le sigle de *Transfer Control Protocol / Internet Protocol.* Il s'agit du protocole de communication utilisé dans Internet. Toutes les machines membres d'Internet l'utilisent.

Telnet

Telnet est une application permettant à l'utilisateur d'entrer en communication avec un ordinateur étranger dans un réseau TCP/IP. Une fois la session de travail lancée, l'utilisateur peut exploiter les ressources du second ordinateur. Un logiciel client Telnet est requis pour cela.

TN3270

Une version spéciale de Telnet fonctionnant seulement avec les ordinateurs centraux IBM.

URL

C'est le sigle de *Uniform Resource Locator.* Il s'agit d'une façon uniforme de retrouver des ressources dans Internet à partir d'un client W3.

USENET

Usenet est un ensemble de serveurs regroupant plus de 15 000 groupes de discussion. Tous les utilisateurs d'Internet ont le droit d'envoyer des articles. Un utilisateur doit posséder un logiciel appelé «lecteur de nouvelles Usenet» pour consulter ces nouvelles. Il existe de tels logiciels pour toutes les plates-formes.

Undernet

Réseau de serveurs IRC (*Internet Relay Chat*). Ce réseau se situe entre Efnet et DALnet en ce qui concerne la discipline exercée sur ses utilisateurs. Ce réseau est le plus commercial des trois.

Uuencode et Uudecode
Technique qui transforme un fichier binaire en fichier texte et vice-versa. C'est très utilisé dans le cadre des nouvelles Usenet.

Veronica
Veronica est le sigle de *Very Easy Rodent-Oriented Netwide Index to Computerized Archives*. Il s'agit d'un service d'Internet indexant les contenus des serveurs Gopher aux fins de consultation.

VRML
C'est le sigle pour *Virtual Reality Modelling Language*. Cette nouvelle technologie permet d'ajouter des éléments de réalité virtuelle à l'environnement Web.

Web (W3, WWW, World Wide Web)
WWW est le sigle de World Wide Web. Cette ressource a été introduite en 1992. Il s'agit d'un ensemble de serveurs Internet offrant des documents sous forme d'hypertextes. Ces documents permettent de naviguer dans Internet et d'obtenir des informations provenant d'autres ressources comme Gopher, Usenet, WAIS, FTP, etc.

ANNEXE C

Lexique
et liste de binettes :)

LEXIQUE

Accès par ligne commutée	Dial-up access
Adresse de courrier électronique	E-mail address
Anonyme	Anonymous
Binette, souriant, émoticône	Smiley
Corps de message	Message body
Courrier électronique	E-mail
Engin de recherche	Search engine
En-tête de message	Message header
Fournisseur de services Internet	Internet services provider
Gestionnaire de messagerie électronique Listserv	LISTSERV
Utilisateur chevronné	Power-user
Groupe de nouvelles Usenet	Usenet newsgroup
Hôte	Host
Internaute, webnaute	Cybernaut, net-citizen, webnaut (particulier au Web)

Lecteur de nouvelles	Newsreader
Libertel	Freenet
Maître de poste	Postmaster
Navigateur, logiciel de navigation ou fureteur	Browser
Règles d'éthique du réseau	Netiquette
Nom de domaine	Domain name
Nom d'utilisateur	Username
Nouvelles Usenet	News, Usenet News
Paquet d'information	Data packet
Page de bienvenue, page d'accueil	Home page
Pirate informatique	Hacker
Protocole de transfert de fichiers	File Transfer Protocol (FTP)
Protocole HTTP	HyperText Transport Protocol (HTTP)
Protocole Mime	Multi-purpose Internet Mail Extensions (MIME)
Protocole point à point PPP	Point to Point Protocol (PPP)
Protocole POP	Post Office Protocol (POP)
Protocole Slip	Serial Line Internet Protocol (SLIP)
Protocole SMTP	Simple Mail Transfer Protocol (SMTP)
Pousser	Push
Foire Aux Questions	Frequently Asked Question (FAQ)
Réseau dorsal	Backbone network
Serveur de nom de domaine	Domain Name Server (DNS)
Serveur W3	Web server
Signet	Bookmark
Site branché	Cool site

(LISTE DE BINETTES :)

Voici une petite liste de binettes jumelées à leur définition. Les binettes sont utilisées dans Internet pour signifier des états d'âme. On les met dans des textes ou des messages électroniques. Il s'agit de les regarder la tête penchée vers la gauche… :)

:-)   La binette de base utilisée pour exprimer la bonne humeur dans Internet.

;-)   Une binette clin d'œil.

:-(Une binette malheureuse.

:-I   Une binette indifférente.

:->   Une binette plus heureuse que :-).

>:->   Une binette diabolique pour ne pas dire satanique.

>;->   Une binette clin d'œil jumelée à un petit diable.

Celles-ci sont assez standard; en voici d'autres créées dans le seul but de faire original…

(-:   Une binette gauchère.

%-)   Cette binette a regardé un ordinateur pendant 43 heures de suite.

:*)   Cette binette est ivre.

8-)   Cette binette porte des lunettes.

B:-)   Cette binette porte ses lunettes sur la tête.

:-{)   Cette binette porte une moustache.

:-{}   Cette binette porte du rouge à lèvres.

{:-)   Cette binette porte une perruque.

:-[Cette binette est un vampire.

:-7   Cette binette est le premier ministre du Canada…

:'-(Cette binette pleure.

:-@	Cette binette crie à tue-tête.
:-#	Cette binette porte des broches.
-:-)	Cette binette est un punk souriant.
-:-(	Cette binette est un punk malheureux.
+-:-)	Cette binette est le pape.
I-I	Cette binette dort.
I-O	Cette binette bâille.
:-Q	Cette binette fume.
:-X	Cette binette ne dit rien.
<I-)	Cette binette est un Chinois.
<I-(	Cette binette est un Chinois et n'aime pas ce genre de farces.
:-/	Cette binette est pessimiste.
C=:-)	Cette binette est un chef.
:-9	Cette binette se lèche les lèvres
[:-)	Cette binette porte un walkman.
<:-I	Cette binette est un âne.
*<:-)	Cette binette porte une tuque.
	Cette binette est invisible.
.-)	Cette binette n'a qu'un œil.
X-(	Cette binette vient de mourir.
=)	Variation sur un thème déjà vu…
—<—{(@	C'est une rose ;-)

ANNEXE E

Index

A

@, 35, 69-70, 327

Adresse électronique, 31, 50, 66, 69-70, 73-74, 78-79, 87, 89, 91-93, 96-97, 101, 114, 124, 150, 175, 183-184, 191, 212, 216, 250, 255-256, 280, 287-288, 296-297, 318-319, 335, 350, 356, 399, 471

Adresse Internet, 31, 43, 49-51, 53, 59-60, 69, 78, 96-97, 102-103, 116, 119, 121-125, 133, 141, 143, 150-151, 178, 186, 217, 244, 249-250, 260-261, 268, 286-287, 305-307, 309, 319, 321-322, 324, 352, 356, 374, 392, 412, 458-459, 462, 465

Active Worlds, 227, 388, 395-398, 400, 421, 455-456

Aide, 92, 261, 324

Altavista, 89, 241, 301, 441, 449

ARCHIE, 260-262, 455, 460

Article, 39, 150, 154, 156-157, 273, 276, 281-285, 293, 295-296, 298, 300, 463

ARPAnet, 19-22, 460

ASCII, 70, 76, 252-255, 280

Avatar, 389-392, 395, 397, 399, 460

B

Binette (Souriants), 67, 283, 336, 390, 393, 460, 471, 473-474

BITNET, 275

C

Câblo-modem, 460

CANARIE, 26, 444, 460, 464

CA*NET (*CAnadien NETwork*), 22, 26, 460, 464, 467

Mémoire cache, 130, 134, 159, 170, 177, 193, 204

Carnet d'adresses, 77, 95, 148, 156, 163, 170-171, 181, 183-184, 190, 217, 356-357

CERN, 54, 107, 110, 456, 461

Collabra, 158, 183, 286, 289

Communicateur, 106, 158, 160, 162-163, 166, 173, 189-191, 196-197

Composer, 176, 188

Compression, 58, 85, 264-265, 343, 345-346, 361, 363, 372

Cookie, 144, 204, 461

CoolTalk, 128, 183, 358, 453

Courrier électronique
  corps d'un message, 74, 76
  courrier sur papier, 63, 66, 281
  encodage, 85-86, 345-346, 372, 375
  en-tête d'un message, 73-75, 95, 293
  télécopie, 101-103, 453

Cosmo, 228, 455

Crescendo, 232, 385, 447

CSO, 461

Cybercafés, 13, 45

D

DALnet, 319, 322-324, 326, 329, 451, 461-462, 469

DCC (*Direct Client to Client*), 332, 337

Deja News, 299-301, 449

Digiphone, 358, 453

DNS, 52-53, 96, 461, 472

Domaine
  serveur de noms, 52-53, 461

Droit électronique, 40

E

Échecs, 417-418, 445

EFNet, 319-322, 324, 451, 461-462, 469

Encodage, 85-86, 345-346, 372, 375

Enfants (contrôle), 205

Engins de recherche, 87-88, 132, 201, 234-235, 239-241, 243, 260, 301, 413-414, 439, 441

Environnement réseau, 458-459

Erreur d'adresse, 92

Erreur dans le réseau, 93

Eudora, 64-65, 73, 75, 77-79, 82-83, 85-86, 95, 126, 147, 207, 211, 439, 446

    configuration, 73, 78

    courrier, 64, 126, 446

    interface, 77, 147

Explorer (Microsoft), 16, 22, 25, 36, 106, 196-212, 217, 219-221, 223, 231, 237, 239, 269, 286, 296, 311, 344, 369, 378, 406-407, 422

F

Flamme, 273, 284, 462

FAQ, 100, 102, 231, 272-273, 275, 277-278, 298-299, 301, 348, 375, 384, 400, 439, 447-449, 453, 455, 462, 472

Favoris, 200, 210-211, 219, 354

Fichier, 24, 31, 51, 71, 74-77, 85-86, 94, 96, 117-118, 121-122, 125, 128, 134, 137, 139-140, 142-143, 147-150, 152, 156-157, 160, 162, 167, 170, 172, 174, 180-182, 186-187, 197, 208, 210-211, 213, 217, 230, 232-233, 244, 247-248, 250-254, 259-261, 263-265, 287-288, 290, 295-296, 298, 332, 337, 363-365, 372, 374, 381-383, 461, 466, 469

Fournisseurs d'accès, 45, 105, 423-424

Francophone, 34-36, 46, 119, 235-236, 238-239, 242, 259, 340, 442, 445, 450, 452, 455-457

    sites, 34, 238, 241-242, 457

FTP (*File Transfer Protocol*), 52, 76, 86, 122-123, 188, 247-264, 266, 270, 272, 304-305, 316, 340, 346, 365, 371, 439, 446, 449, 451-453, 455, 460, 463, 469, 472

    anonymes, 71, 122, 256-262, 305, 449, 460

    fichiers compressés, 254, 264

    session FTP, 249, 304

G

Gopher, 52, 110, 125, 410, 412-413, 460-461, 463, 467, 469

GZIP, 264-265, 455

H

Hébergement, 114, 119, 443

Homer, 316, 451, 454

Hotbot, 89, 240-241, 301, 442, 449

HTML (*HyperText Markup Language*), 17-18, 25, 34, 36, 40, 42, 46, 69, 76, 89, 97, 100, 102, 107-108, 114, 116-120, 122, 125, 128, 131-132, 137, 143, 154, 158, 162, 166, 176-177, 188, 193, 200-201, 208, 210-211, 217, 221-222, 225-226, 231-233, 237-238, 242-243, 248, 260, 262, 264, 279, 293, 301, 305, 320, 334, 339, 346, 372-374, 384, 395, 400, 406-407, 415, 417, 423, 425, 433, 437-457, 463

HTTP (*HyperText Transfer Protocol*), 14-15, 17-18, 20, 22, 24-27, 29, 31-32, 34-37, 40-43, 45-46, 58, 64-65, 69, 71, 76, 88-90, 95-97, 100-103, 106-114, 116-117, 119-120, 122-123, 125-126, 128, 137, 145, 158, 160-161, 183-184, 188-189, 191-192, 196-197, 205-207, 211, 221-222, 224-235, 237-238, 240-244, 247-248, 257, 259-260, 262, 264-266, 269, 272, 276, 278-279, 299, 301, 305, 309, 311, 314-317, 320-324, 326, 333-334, 340, 344-348, 357-358, 361-363, 366-367, 371-376, 379-385, 387-389, 393, 395-397, 400, 401-403, 406-409, 413-415, 417-419, 423-435, 437-457, 460-461, 463-464, 466-468, 472

Hytelnet, 311-312, 454

I

IANA, 43, 444

IETF, 41-42, 383, 444

Infoseek, 241, 301, 442, 449

Internet II, 26, 444, 464

Internet Phone, 344-345, 347-352, 356-358, 453

INTERNIC, 41-43, 54, 76, 90, 261, 346, 439, 444, 453

IP, 21-22, 27, 43, 47-49, 51-53, 57-59, 72, 107, 116, 121, 124-125, 143, 184, 186, 216, 248, 261-262, 279, 288, 304, 306-309, 319-320, 322-324, 349, 356, 379, 383, 411, 449, 453, 458-459, 461-463, 467-468

IRC (*Internet Relay Chat*), 313-314, 316-341, 348, 387-388, 394, 407, 421, 451-452, 461-462, 464, 467, 469

    alias, 96, 328-332, 334-335, 337-338

    canaux, 319, 323-324, 326

    commandes, 316-317, 332, 337, 339

    créer un canal, 331

    détruire un canal, 331

    logiciels et paramètres, 316

    opérateur de canal, 327-328, 331, 333

    robots, 330, 333-334, 451

    sessions, 313-314, 421, 451, 464

ISO (*International Standard Organisation*), 21, 76

J

Java, 13, 113, 144, 176, 204, 207, 224-226, 244, 339, 444-445, 456, 464
Javascript, 158, 176, 188, 204, 224-226, 444-445

L

Lag, 329, 392, 395, 456, 464
Libertel, 35-36, 428, 444, 465, 472
LiquidAudio, 380-381, 383
Liste de distribution, 74, 94-98, 100, 270-271, 439, 465
Listes de discussion, 68, 267, 275
Listserv, 96-100, 277, 439, 465, 471
Lycos, 241, 442

M

Maître de poste, 91, 334, 465, 472
Majordomo, 100, 439, 465
Meilleurs sites, 241-242, 456-457
Messager, 158, 178-181
Messages Usenet, 142, 150-155, 157, 182, 214, 267, 269, 280, 286, 289, 292, 294, 298, 466
Midi, 232, 447-448, 465
MIME (*Multi-purpose Internet Mail Extensions*), 76, 140-141, 175, 223, 367, 377, 439, 465, 472
MIRC, 316-318, 325, 327, 334, 452
MIT, 89, 110, 301, 345-346, 439, 441-442, 449, 453
Modem, 49-50, 55-61, 160, 184, 186, 207, 343, 388, 422-423, 460, 465, 468
Mondes virtuels, 16, 113, 229, 231, 387-388, 395, 397, 421, 456, 464
Mosaic, 108-111, 446, 466
Mpeg, 230-231, 447-448, 466
Multicast Backbone, 383
Multimédia, 26, 230-231, 343-344, 359, 447, 464

N

NASA, 24, 54, 228, 231, 437, 448
Navigateur Netscape, 87-88, 106, 114, 116-117, 126, 128, 146, 156, 158, 161, 170, 192, 223, 225, 230-231, 237, 269, 286, 368, 377
   courrier électronique, 124, 146, 173
   installation, 128, 160, 228, 230, 377
   interface, 105, 128, 161-162
   mise au point, 138, 173, 221
   signets, 105, 123, 131-132, 135-137, 158, 164-165, 170-172, 190, 200-201, 354, 414
NCSA, 108-110, 305-306, 443, 446, 454, 457, 466
Nétiquette, 66, 69, 280, 282

Netcaster, 191
Net split, 329
Nouvelles Usenet, 87, 105, 124, 126, 141-142, 150-156, 158, 166, 173, 175-176, 178, 182-183, 191, 197, 207, 211-212, 214, 226, 267-268, 270-275, 286-292, 295-296, 298, 301, 305, 313, 403, 421, 449, 463, 466-469, 471-472
NSFnet, 22, 410, 466

P

Page d'accueil, 90-91, 109, 111, 114, 125-126, 128, 168, 234, 472
Palace (The), 387-390, 392-393, 395, 407, 421, 455-456
Paquet d'information, 47, 51, 466, 472
PDF (*Portable Document Format*), 116, 233, 466
Police d'Internet, 41, 43
PointCast, 191, 401-405, 444, 446
Pousser, 115, 159, 191, 217, 467, 472
Plugiciel, 174, 183, 221, 225-226, 230-234, 465-466
POP, 73, 78-79, 141-142, 147, 158, 305, 393, 466, 472
Pseudonyme, 50-51, 96, 175, 318-319, 322, 327, 329-330, 332, 334, 336-338, 350, 391, 399

Q

Quicktime, 140, 160, 230-232, 349, 447, 457
Quicktime VR, 231-232, 447

R

Racine de discussion, 274-276, 467
Radiodiffusion, 360-361, 385
RealAudio, 116, 125, 360-361, 366-367, 371-372, 374, 440, 446-447, 457
RealPlayer, 140, 189, 233, 361-375, 380-381, 383-385, 447-448, 450-451
RealVideo, 116, 314, 371, 447, 457
RENATER, 45-46, 444
RISQ (Réseau interordinateurs scientifique québécois), 22, 37, 45, 425, 444, 460, 467
RNIS, 61, 467
Robot, 333-334, 452, 467

ANNEXE E

S

Shockwave, 113, 160, 230, 448, 457
SFINX (*Service for French INternet eXchange*),46
Signature électronique, 69-70, 85, 142, 150, 175, 280, 287-288
Sites inutiles, 415
Sites Web, 13-14, 35, 40, 46, 68, 71, 102, 107, 110, 119-120, 132, 173, 228, 230-232, 234, 238, 241-243, 257, 259-260, 315, 321-323, 357-358, 370, 387, 400, 406, 408-409, 414-415, 423-424, 451, 457
SLIP/PPP, 57-59, 304, 468
SMTP, 76, 141, 439, 468, 472
Spam, 68-69, 468
Streamworks, 385, 448
Subspace, 418-419, 445

T

TCP/IP, 47, 57, 72, 304, 308, 349, 459, 463, 467-468
Télédiffusion, 26, 360-361, 383, 385, 464
Téléphonie Internet, 16, 128, 186, 343-346, 357-358, 359, 453
TELNET, 52, 116, 124, 139, 243-244, 248, 261, 303-312, 411, 454, 460, 463, 468
    session Telnet, 303-306
TN3270, 159, 309, 312, 454, 468
Toile du Québec, 111, 238, 423, 451

U

UNIX, 21, 100, 108, 126, 224-225, 248, 252, 258, 264-266, 271, 303, 362, 383-384, 411
URL, 112, 120-125, 129-131, 134-135, 137-139, 156, 164, 167-171, 173, 187, 193, 195, 202, 207-208, 210, 226, 262-263, 305, 309-310, 356, 370, 374-375, 412, 457, 468
Usenet
    groupe de nouvelles, 124, 152-154, 156, 182, 214, 226, 290-291, 295-296, 298, 301, 463, 471
    groupes Usenet, 87, 152-154, 166, 182, 190, 214, 267-268, 271-277, 279, 289, 291-292, 294, 298-299, 301, 449, 467
    nétiquette, 66, 69, 280, 282
UUNET, 102, 425, 444, 453

V

VAX, 107
VDOLive, 362, 375-379, 384, 448
VERONICA, 469
VRML, 113, 128, 160, 226-229, 231, 244, 448, 455-457, 469

W

WWW (World Wide Web), 45, 106, 222, 229, 242, 340, 361, 449, 452, 456-457, 469

Y

Yahoo!, 18, 34, 89, 100, 102, 111, 222, 226, 229, 235-237, 241-242, 259, 262, 266, 272, 320, 322-324, 333-334, 340, 344-345, 358, 361, 373, 384, 387-388, 395, 400, 409, 415, 417, 438-440, 442, 444-445, 448-453, 455-457

Z

Zip, 86, 254, 264-265, 305, 446, 455

HOME PAGE   PAGE 310 (CHANGEMENT)